DER
KUNS
BROC
HAUS
Band 5

DER KUNST-BROCKHAUS

Aktualisierte Taschenbuchausgabe
in zehn Bänden

Band 5
Int–Lae

B.I.-Taschenbuchverlag
Mannheim/Leipzig/Wien/Zürich

Redaktion der Taschenbuchausgabe:
Eberhard Anger M. A.

Layout: Gerd Schäfer

CIP-Kurztitelaufnahme der Deutschen Bibliothek
Der Kunst-Brockhaus: Aktualisierte Taschenbuchausg. in 10 Bd. - Mannheim; Wien, Zürich: BI-Taschenbuchverlag
ISBN 3-411-02930-7
Bd. 5. Int–Lae. - 1987
ISBN 3-411-02935-8

Lizenzausgabe mit Genehmigung des
Verlages F. A. Brockhaus GmbH, Mannheim

Druck: Druckhaus Kaufmann, Lahr
Einband: Augsburger Industriebuchbinderei GmbH
Printed in Germany
Gesamtwerk: ISBN 3-411-02930-7
Band 5: ISBN 3-411-02935-8

Int

Intarsia [ital.] *die,* Einlegearbeit, in Holz eingelegte Verzierung aus andersfarbigem Holz oder aus Bein, Schildpatt, Perlmutter, Metall oder Stein. Die figürl. oder ornamentalen Einlagen wurden entweder in eine aus dem Grundholz mit dem Schnitzmesser ausgehobene Vertiefung eingelassen, oder die farbigen Hölzer wurden auf die Grundfläche aufgeleimt **(Parqueterie)** [-k-]. Seit der Erfindung der Laubsäge (2. H. 16. Jh. in Augsburg) setzte man Furniere zu einem Muster gefügt zusammen und leimte sie auf das Kernholz **(Marketerie, Marqueterie).**

Im Alten Orient gab es im 3. Jahrtsd. v. Chr. Einlegearbeiten in Bitumen auf Holz für Spielbretter und Musikinstrumente mit z. T. figürl. Darstellungen aus Muschel, Perlmutt und verschiedenfarbigen Steinen (u. a. Funde in Ur, →Ur-Standarte). In der 2. H. des 2. Jahrtsd. v. Chr. gewann Elfenbein an Bedeutung, das in der Kombination mit versch. Hölzern und Metallen bes. bei Möbeln und Türplatten sowie bei kleinen Objekten Verwendung fand. – In Ägypten wurden v. a. seit dem Neuen Reich Möbel, Kästen, Brettspiele, Schreibgerät bevorzugt mit Elfenbein-I., aber auch mit farbigen Stein- und Glaseinlagen geschmückt.

Intarsia: Truhe mit Intarsien aus Holz und Bein, 16. Jh. (Vercelli, Museo Leone)

Im MA. wurde u. a. in Italien I. bei Kirchenmöbeln verwendet. Hohe Vollendung erlangte die I. in der ital. Frührenaissance, wo sie, vielfach mit perspektiv. Darstellungen, zum Schmuck von Sakristeischränken und Chorgestühlen wie auch an profanen Möbeln (Kästen, Truhen, Bänken, Tischen) und Raumvertäfelungen verwendet wurde. Auch in Mittel- und N-Europa schmückte man Möbel im 16. und 17. Jh. mit I. in Elfenbein und Ebenholz, bes. in den Niederlanden. In Frankreich kamen Schildpatt, Messing, Zinn und Perlmutter hinzu. A. C. BOULLES Bandornamentik wurde in der Möbelkunst des 18. Jh. durch die I. mit maler. Wirkung, v. a. Blumen-I., abgelöst (F. OEBEN, J. H. RIESENER, D. ROENTGEN). Seitdem hat die I. an Bedeutung verloren.

In Indien wurden während der Mogul-Dynastie Stein-I. angefertigt, bei der Edel- und Schmucksteine derartig fugenlos in weißen Marmor oder ähnlich hartes Material eingelassen wurden, daß mosaikartig Blumen, Pflanzen und geometr. Ornamente entstanden, die wie gemalt aussehen. Bei den Stein-I. im Roten Fort von Delhi und Agra, am Kenotaph Jahangirs bei Lahore und im Taj Mahal wurden u. a. Smaragde, Achate, Topase und Diamanten verarbeitet.

G. KOSSATZ: Die Kunst der I. (1954); F. KRAUSS: I., Herkunft, Herstellung, Verwendung ([2]1955); H. BEBLO: Die I. u. ihre Techniken (1958).

Interieur [ɛ̃tɛrj'œ:r, frz.] *das,* Innenraum, auch dessen Ausstattung. Die Kunst des MA. gab ihn als Kastenraum wieder. In seiner Räumlichkeit wurde er erst seit dem Aufkommen der Perspektive dargestellt. Zu einer besonderen Gattung wurde das I. durch die Niederländer des 17. Jh. (P. DE HOOCH, E. DE WITTE u. a.). BILD P. Janssens.

Interkolumni|e, Interkolumnium [lat.], in der Baukunst der Säulenabstand, gewöhnlich als Weite von Mitte (Achse) zu Mitte der Säulen nach dem Maß der Säulendurchmesser angegeben. Die I. bestimmte durch ihr Maßverhältnis die Säulenwirkung.

Internationaler Stil, 1) eine Phase der Gotik, →Schöner Stil.

2) die Richtung der →modernen Architektur seit etwa 1922, die formal durch stereometr. Grundformen, Ornamentlosigkeit, additive Kompositionsprinzipien, Rechtwinkligkeit und glatte, weiße Oberflächen charakterisiert ist.

Intonaco [ital.], Maltechnik: Feinputz, auf dem das Fresko aufgetragen wird.

inv., Abk. für **invenit** [lat. ›hat erfunden‹], bezeichnet auf graph. Blättern den Künstler der Vorlage; hat dieser auch die Wiedergabe geschaffen, ist die Bezeichnung **invenit et fecit** (lat. ›hat erfunden und gemacht‹; Abk. **inv. et fec.**) üblich.

Inverary Castle [ɪnvər'eərɪ kɑ:sl], Schloß, oberhalb des Loch Fyne, einem Meeresarm der schott. Westküste, in der Grampian Region; 1746–61 von R. MORRIS als festungsartige, von Rundtürmen flankierte Anlage mit gotisierenden Maßwerkfenstern erbaut, von entwicklungsgeschichtl. Bedeutung für die 1. Phase des Gothic Revival und Vorbild von Culzean Castle.

Io, grch. Mythos: Herapriesterin, meist Tochter des Flußgottes Inachos, Geliebte des Zeus, die, in eine Kuh verwandelt, von Argus bewacht und von Hermes befreit wurde. Hera ließ sie von einer Bremse verfolgen, vor der sie bis nach Ägypten floh, wo sie als Isis verehrt wurde. Im Altertum wurde Io schon im 6. Jh. v. Chr. auf grch. Vasen v. a. zus. mit Argus und Hermes dargestellt.

I. O. M., in der röm. Antike Abk. für **Iuppiter Optimus Maximus** [›bester und höchster Jupiter‹], in Weihe-Inschriften meist im Dativ **(Iovi Optimo Maximo).**

Ioni|er, grch. **Iones,** ein Teil der alten Griechen, vielleicht die ersten grch. Einwanderer; sie bewohnten im 2. Jahrtsd. v. Chr. Attika, Euböa, Achaia, das Grenzgebiet zw. Lakonien und der Argolis und vielleicht die W-Küste Messeniens. Nach der Dorischen Wanderung besiedelten sie die Kykladen und die Mitte der W-

Küste Kleinasiens. Hier erst erscheint der Name I., den auch die Inselbewohner und die Athener annahmen. Als I. i. e. S. betrachteten sich urspr. wohl die Bewohner von 12 kleinasiat. Städten (Dodekapolis). **Ionien,** d. h. der Bereich dieser Städte mit den vorgelagerten Inseln Chios und Samos, war bes. in archaischer Zeit von einzigartiger kultureller Fruchtbarkeit, die auch unter den Fremdherrschaften seit der Mitte des 7. Jh. v. Chr. keine Einbußen erlitt.

ionische Ordnung, ein Architekturstil der →griechischen Kunst (→Säulenordnung).

Iphigeni|e, grch. **Iphigeneia,** grch. Mythos: Tochter des Agamemnon und der Klytämnestra. Zur Versöhnung der Artemis, die aus Zorn gegen Agamemnon die Abfahrt der grch. Flotte von Aulis nach Troja verhinderte, sollte sie geopfert werden, wurde aber von der Göttin nach Tauris entrückt. Als Priesterin sollte sie dort ihren Bruder Orest als Landfremden opfern, floh jedoch mit ihm nach Attika. In der Antike wurde meist ihre Opferung v. a. auf Vasen, Urnen, Sarkophagen und Wandgemälden bilderreich dargestellt, wie auf dem pompejan. Wandbild aus der Casa del poeta tragico (1. Jh. n. Chr., Neapel, Archäolog. Nat. Mus., dessen Vorbild vielleicht in dem Bild des grch. Malers TIMANTHES zu suchen ist). Das Barock griff den Mythos auf (G. B. TIEPOLO), während die Kunst des späteren 19. Jh. mit der Darstellung der I. die Sehnsucht nach dem alten Griechenland symbolisiert (A. FEUERBACH).

Ipiutak-Kultur [n. dem Fundort Ipiutak in Alaska], eine der markantesten prähistor. Eskimo-Kulturen (etwa 100 v. Chr. bis 500 n. Chr.); in einem riesigen Gräberfeld wurden zahlreiche Walroßelfenbeinschnitzereien (Tierplastiken, Masken, spiralförmige Objekte, Ketten, Harpunenspitzen u. a.) gefunden, die stark an den skythisch-sibir. Tierstil erinnern; Beziehungen dorthin werden für möglich gehalten. (BILD Eskimo)

Jean Robert Ipoustéguy: Ein Mann durchstößt die Pforte: Bronze, 1966.

Ipoustéguy [ipusteg'i], Jean Robert, frz. Plastiker, *Dun-sur-Meuse (Dép. Meuse) 6. 1. 1920. Seine thematisch komplizierten, plast. Gebilde deuten eigenwillig das Erlebnis von Zerstörung, Krieg und Tod, zu dem der Mensch als Sieger, Betroffener oder schöpferisch Gestaltender in unlöslicher, spannungsvoller Beziehung steht. I. verarbeitet souverän versch. Materialien miteinander. (BILD S. 7)

iranische Kunst. Durch die zentrale Lage Irans zw. den Ebenen Vorder-, Süd- und Mittelasiens und in Nachbarschaft zu Süd- und Osteuropa hat dieses reiche Land zu allen Zeiten eine große Bedeutung gehabt, und seine Kunst strahlte weit aus.

In der Vorgeschichte war die bemalte Keramik des 6.–4. Jahrtsd. v. Chr. künstlerisch der mesopotam. überlegen. Außerordentliches leisteten im 2. Jahrtsd. v. Chr. die Bronzegießer von Luristan; im S hatte sich die →elamische Kunst (etwa 3000–640 v. Chr.) zur selbständigen Kultur entwickelt, die sich neben Babylonien behauptete. Die wenigen Denkmäler der →medischen Kunst (etwa 700–550 v. Chr.) sind bisher v. a. durch die Ausgrabungen von Godin Tepe und Nuschijan erforscht. Die pers. Dynastie der Achaimeniden (550 bis 330 v. Chr.) vereinigte den ganzen Vorderen Orient in ihrem Imperium und schuf eine auf den Hofstaat ausgerichtete Kunst, in der Einflüsse versch. Kulturen zu einer neuen Einheit verschmolzen (→achaimenidische Kunst). Im Gefolge der Eroberung durch ALEXANDER D. GR. entstand in Iran unter den Seleukiden (312–64 v. Chr.) ein Mischstil, in dem achaimenid. und hellenist. Elemente vereint wurden. Die Parther (3. Jh. v.–3. Jh. n. Chr., →parthische Kunst) schufen durch neue Bauformen die Grundlagen für das spätere MA.; in der Bildkunst veränderte der Übergang von der Profil- zur Frontaldarstellung die Ausdrucksform grundlegend. Die →sassanidische Kunst (225–632 n. Chr.) ist wieder eine reiche Hofkunst mit monumentalen Palastbauten und prächtigem Kunsthandwerk, die den Residenzen der Nachbarstaaten Byzanz, Indien (Gupta-Reich), Zentralasien (Turfan), China (T'ang-Dynastie) sowie den Hunnen und Merowingern reiche Anregungen gab. Auch die islam. Eroberer übernahmen zunächst vieles von der sassanid. Kunst, wie Skulpturen und Fußbodengemälde der Omajjadenschlösser zeigen (um 700). Umstritten ist der Anteil iran. Künstler an der Ausgestaltung der islam. Kunst unter den frühen Abbasiden (8.–9. Jh. n. Chr.) in Bagdad und Samarra, doch bald darauf entwickelte sich unter den Dynastien der Samaniden, Ghasnawiden, Seldschuken, Ilchane, Timuriden und Safawiden eine eigenständige i. K. innerhalb des islamischen Bereiches, die bes. in Keramik (Nischapur), Textilkunst, Teppichknüpferei, Miniaturmalerei und Baukunst eigene Wege beschritt (→islamische Kunst).

A. GODARD: Die Kunst des Iran (a. d. Frz., 1963); K. GALLAS: Iran, Kulturstätten Persiens ... (1976); A. MAZAHÉRI: Der Iran und seine Kunstschätze (1979); E. PORADA: Alt-Iran (1979).

Irdenware, schwach gebrannte, poröse Keramik, die durch eine Glasur wasserundurchlässig gemacht werden muß (→Hafnerware).

Iris, grch. Mythos: der personifizierte Regenbogen, dann Botin und Dienerin der Götter (bes. der Hera). I. erscheint oft, meist geflügelt und mit Heroldsstab, auf grch. Vasen und Reliefs (Westgiebel und Fries des Parthenon).

irisch-angelsächsische Buchmalerei, →insulare Buchmalerei.

Irisierendes Glas, Bez. für metallisch glänzendes Glas. Bei antikem Glas wurde der Effekt durch langdauernde Einwirkung von Luft- oder Erdfeuchtigkeit und Bodenreagenzien hervorgerufen. Im 19. Jh. erzeugte man den ›Lüsterdekor‹ künstlich durch Aufdampfen von Metallsalzen.

Irrgarten, →Labyrinth.

Irsee, Markt im Kr. Ostallgäu, Bayern, mit ehem. Benediktinerabtei (1182 gegr.), 1981 umfassend renoviert (Schwäb. Bildungszentrum); prächtiges Treppenhaus (1730/35) mit Stuck von F. SCHMUZER. Bedeutendstes Ausstattungsstück der Barockkirche (1699–1704 von F. BEER, Stuck von J. SCHMUZER) ist die Schiffskanzel (1724/25).

Irwin ['ə:wɪn], Robert, amerikan. Künstler, *Long Beach (Kalifornien) 12. 9. 1928, begann als Maler i. S. des Abstrakten Expressionismus. Um 1970 entstanden ›Scheibenbilder‹ aus Aluminium, eine bes. sublime Form der Op Art. In den 70er Jahren baute I. v. a. Environments aus transparentem Material (Nylon-Gaze), die das Licht wie eine greifbare Substanz wahrnehmbar machen.

R. I., Ausst.-Kat. des Whitney Mus., New York (1977).

Isaak, der 2. der Erzväter Israels, galt als einziger Sohn →Abrahams und wird oft im Zusammenhang seines Opfers durch Abraham dargestellt; auch in alttestamentl. Zyklen.

Isabella d'Este, *Ferrara 18. 5. 1474, †ebd. 13. 2. 1539, bed. Sammlerpersönlichkeit der ital. Renaissance. 1490 heiratete sie FRANCESCO II. GONZAGA, Markgraf von Mantua (*1466, †1519). Sie ließ ihre Grotten und studioli (Studierzimmer) mit Gemäldezyklen u. a. von A. MANTEGNA, P. PERUGINO, L. COSTA und A. CORREGGIO ausstatten. Ihre Samml. enthielt grch. und röm. Altertümer sowie Gemälde älterer und neuer Meister. TIZIAN porträtierte I. d. 'E. und ihren Sohn FEDERIGO; ein gezeichnetes Porträt der I. d. 'E. von LEONARDO DA VINCI ist im Louvre erhalten.

Le studiolo d'Isabelle d'Este, Ausst.-Kat., Paris (1975).

Isabella Stuart Gardner Museum [ɪzəb'elə stj'uət g'ɑ:dnə mju:z'ɪəm], Boston, Privatsamml., die ISABELLA GARDNER (*1840, †1924) zw. 1892 und 1907, beraten von B. BERENSON, anlegte und in ihrem im venezian. Stil erbauten ›Palazzo‹ der Öffentlichkeit mit der Auflage zugänglich machte, nach ihrem Tod das Haus und die Samml. ital. Renaissancekunst mit Werken von PIERO DELLA FRANCESCA, S. BOTTICELLI, RAFFAEL und TIZIAN unverändert zu erhalten.

Isabellinischer Stil, nach Königin ISABELLA I. (1474–1504) benannter span. Baustil (Ende 15.–Anf.

Isabellinischer Stil: Fassade von San Gregorio in Valladolid; Ende des 15. Jh.

16. Jh.) der Spätgotik, der sich aus dem →Florido-Stil entwickelte und got. mit maur. Elementen des →Mudéjar-Stils verschmolz. Der I. S. trat etwa gleichzeitig mit dem mehr von ital. Renaissance-Einflüssen bestimmten →Platereskenstil auf und ist von diesem durch Verschmelzung versch. Dekorationsmotive kaum zu unterscheiden. Die Wiederholung dekorativer Motive (Fassaden mit Diamantenquadern, Muscheln usw.) sowie einschiffige Kirchen mit komplizierten Gewölben kennzeichnen den I. S. Hauptvertreter: J. GUAS, S. DE COLONIA, G. DE SILOÉ. – Dem I. S. entspricht in Portugal der →Emanuelstil.

Isabey [izab'ɛ], **1)** Eugène, frz. Maler und Lithograph, Sohn und Schüler von 2), *Paris 22. 7. 1803, †Lagny bei Paris 25. 4. 1886, malte, beeinflußt von E. DELACROIX, Genre-, Architektur- und bes. Seestücke, die er oft mit histor. Darstellungen verband. In seinen Lithographien schöpfte er mit virtuoser Technik alle Schwarz-Weiß-Möglichkeiten aus.

2) Jean-Baptiste, frz. Miniaturmaler, Lithograph, Vater von 1), *Nancy 11. 4. 1767, †Paris 18. 4. 1855, Schüler von J. L. DAVID, dessen Klassizismus er ins Gefällige milderte; Lieblingsmaler der Gesellschaft. Seine Miniaturen und Aquarelle zeichnen sich durch duftige Farben und liebenswürdige Charakterisierung bes. in Damenbildnissen aus. In seinen Lithographien erzielte er durch zarte Grautöne raffinierte Wirkungen. I. leitete die Hoffestlichkeiten NAPOLEONS, dessen Hofmaler er war. Auch für die Manufaktur in Sèvres war er tätig.

Ischtar: Anbetung der Göttin Ischtar auf einem neuassyr. Rollsiegel; 3. Viertel des 8. Jh. v. Chr. (London, Brit. Museum)

Ischtar, bed. babylon. Göttin der geschlechtl. Liebe und des Krieges, Herrin des Venussterns. Das Symbolzeichen des achtzackigen Sterns (auch Rosette) nimmt auf den astralen Aspekt Rücksicht. Das nur in frühgeschichtl. Zeit ihr beigegebene Schilfringbündel symbolisiert I. als Ernährerin der Herde. I.-Darstellungen lassen sich seit der Akkade-Zeit (etwa 2350–2200 v. Chr.) nachweisen; seit altbabylon. Zeit (Relief von Sar-i-Pol, um 2000 v. Chr.) sind Darstellungen der krieger. I. mit aus den Schultern ragenden Waffen, meist mit achtzakkigem Stern, bekannt. Zuweilen steht I. auf einem Löwen, der aber auch anderen Gottheiten zugehören kann. Die bes. auf Rollsiegeln häufige Figur der nackten Göttin kann nicht mit Sicherheit mit I. in Verbindung gebracht werden. – In Sumer entspricht der I. **Inanna**, deren Kultzentrum in Uruk lag.

W. HELCK: Betrachtungen zur Großen Göttin (1971).

Ischtar-Tor, prächtiges Doppeltor im NO der Stadt Babylon, von NEBUKADNEZAR II. (605–562 v. Chr.) errichtet. Es bildete den innerstädt. Abschluß der vom Mardukheiligtum zum Neujahrsfesthaus führenden Prozessionsstraße und war im W an den Schloßbezirk (Kasr) angeschlossen. Es bestand aus einem kleineren Vortor mit Türmen (insgesamt 27,20 m breit, Türweite 4,50 m), dem Haupttor (26,60 m breit, Türhöhe über 9 m) und Torkammern. Die Fassaden waren mit (in der jüngsten Baustufe farbig glasierten) Ziegelreliefs von Löwen, Stieren und Muschchuschs auf hell- und dunkelblauem Grund geschmückt (die N-Front des Vortores steht in rekonstruiertem Zustand im Vorderasiat. Mus., Berlin-Ost).

Ise, bis 1955 **Ujiyamada** [udʒija-], Stadt auf Honshu, Japan, 106 100 Ew.; höchstes shintoist. Heiligtum mit den 2 bedeutendsten Schreinanlagen, Naiku (›Innerer Schrein‹; Verehrung der kaiserl. Ahnengottheit und Sonnengottheit Amaterasu) und Geku (›Äußerer Schrein‹; Verehrung der Reisgottheit Toyo uke-hime). Weitere Schreine auf der südlich anschließenden Shima-Halbinsel. Die Gebäude der Schreine werden seit dem 6. Jh. alle 20 Jahre im gleichen Stil auf einem daneben liegenden Platz neu aufgebaut und repräsentieren daher die ursprüngl. japan. Holzarchitektur vor dem festländ. Einfluß. Das I.-Schreingebäude ist, funktional gesehen, eine Verschmelzung versch. shintoist. Vor-

Ise: Äußerer Schrein

stellungen: geweihter Aufbewahrungsort des hl. Spiegels, Wohnsitz der Sonnengottheit, Ahnenschrein der kaiserl. Familie und Wohnsitz der Lokalgottheit von I. (Reisgottheit), die durch den Mittelpfeiler des Gebäudes symbolisiert wird. (WEITERES BILD Schrein 2)

Isenbrant, Ysenbrant, Adriaen, niederländ. Maler, seit 1510 in Brügge nachweisbar, †ebd. Juli 1551, setzte die alten Überlieferungen der Brügger Malerei fort, schloß sich bes. GERARD DAVID an. Seine Bilder mit reich ausgestatteten Landschaftshintergründen, die eine anfängliche Tätigkeit in Amsterdam vermuten lassen, zeichnen sich durch ruhigen, harmon. Charakter in Aufbau und Farbigkeit aus. Das einzig datierte Werk, der 1518 entstandene ›Dreikönigsaltar‹ der Lübecker Marienkirche, wurde im 2. Weltkrieg zerstört.

Isenhagen, Ortsteil von Hankenbüttel, Kr. Gifhorn, Ndsachs., mit ehem. Zisterzienserinnenstift (1261 gegr.), jetzt evang. Damenstift: got. Backsteinsaalkirche (1346–66); auf der Nonnenempore spätgot. Schnitzaltar; kostbares Lesepult (um 1200). Stimmungsvoller Kreuzgang (14./18. Jh.).

Isenheimer Altar, das HW M. →Grünewalds (1513–15), eine Stiftung von G. GUERSI für das der Krankenpflege gewidmete Antoniterkloster in Isenheim im Elsaß (heute Colmar, Mus. Unterlinden), ein Wandelaltar. 1. Schauseite: Mitte, Der Opfertod Christi; Flügel, Hl. Antonius und Hl. Sebastian; Predella, Beweinung Christi. 2. Schauseite: Mitte, Engelkonzert mit Maria und Maria mit dem Kind; Flügel, Verkündigung und Auferstehung. 3. Schauseite: Mitte, Skulpturen von NIKLAUS HAGENAUER (voll. vor 1509; BILD Hagenauer); Flügel, Besuch des Hl. Antonius bei dem hl. Eremiten Paulus und Versuchung des Hl. Antonius; Predella von DESIDERIUS BEICHEL. (BILD S. 13)

M. SEIDEL u. H. GEISSLER: Mathis Gothart Nithart Grünewald, der I. A. (1973).

Isfahan, Esfahan, Provinzhauptstadt und zweit-

Isenheimer Altar: Verkündigung an Maria; Ausschnitt, 1512–16 (Colmar, Musée d'Unterlinden)

größte Stadt in Iran, 672 000 Ew. I. wurde 643 von den Arabern erobert und vom omajjad., später abbasid. Kalifat abhängig; es wurde von Fürsten versch. pers. und irak. Dynastien regiert und erlangte unter den Seldschuken im 11. und 12. Jh. größere Bedeutung. Nach Zeiten der Kämpfe und Wirren (1228 Eroberung durch die Mongolen, 1386 Zerstörung durch den Mongolenherrscher TIMUR) kam I. 1502 an die Safawiden, unter denen es Hauptstadt Irans wurde (1598–1749). Ältestes islam. Bauwerk der Stadt und bedeutendster Bau der

Isfahan: Die außen und innen mit kostbaren Fliesen verkleidete Kuppel der Lotfollah-Moschee

Isfahan: 33-Bogen-Brücke; 16./17. Jh.

Seldschukenzeit in Iran ist die Freitagsmoschee (11. Jh., seitdem oft verändert und restauriert; BILD islamische Kunst; von der abbasid. Moschee ist kaum etwas erhalten); ihr Grundriß wurde maßgebend für viele später erbaute Moscheen. Bemerkenswert ist der Stuck-Michrab des Ilchaniden Oldjaitu im NW-Iwan (1310), der relig. Texte in Flechtkufi enthält. Das heutige Stadtbild ist geprägt durch Schah ABBAS I. (1587–1629), unter dem I. mit zahlreichen Moscheen, Palästen, Medresen und Basaren prachtvoll ausgebaut wurde. Er legte den von doppelstöckigen Arkaden umsäumten Parade-, Fest- und Turnierplatz Meydan-i Schah an (1597–1611; 500 × 150 m groß); an ihm liegen die Lotfollah-Moschee (1602–1616), Lehrstätte des kaiserl. Schwiegervaters LOTFOLLAH (Fliesenschmuck in leuchtendem Gelb und Blau), die Schahmoschee (1612 bis 1630), der Palast Ali Kapu (1598; im Inneren figürl. Fresken) und das dekorative Hauptportal zum Basar. Im Lauf des 17. Jh. entstanden die Gartenpaläste Tschehel-Sutun (1647; Wandmalereien) und Hescht Behescht (1669), 1706–1714 die Medrese Madar-i Schah. Noch unter Abbas I. wurde die 33-Bogen-Brücke über den Sajende Rud errichtet, die zu der 1603 gegr. Armenierkolonie Djolfa führt (Erlöserkathedrale, 1658–1662).

W. BLUNT: I., pearl of Persia (London 1966); K. WÜRFEL: I. (1974).

Ishạna [-ʃ-, Skt.], höchste myst. Erscheinungsform des hinduist. Gottes Shiva (→Panchavaktra Shiva), dargestellt als dessen Kopf oder emanierende Gestalt mit Sonnenscheibe und Mondsichel in den Händen. Nach theolog. Doktrin ist I. auf Grund seines äther. Wesens eigentlich nicht wahrnehmbar, weshalb er bisweilen an versteckten Stellen der Shivafigur oder gar nicht abgebildet wurde. – Als →Dikpala der NO-Richtung trägt I. wie Shiva einen Trishula und reitet auf einem Stier.

Isidọros von Milẹt, frühbyzantin. Architekt des

6. Jh., unter JUSTINIAN I. zus. mit ANTHEMIOS VON TRALLEIS Erbauer der Hagia Sophia in Konstantinopel; verfaßte u. a. einen Kommentar über Gewölbebau. – Sein gleichnamiger Neffe (ISIDOROS D. J.), ebenfalls Architekt, leitete den Wiederaufbau der Stadt Zenobia und v. a. nach Einsturz der 1. Kuppel der Hagia Sophia (Erdbeben 557) den Bau der höheren heutigen Kuppel.

Isin, alte babylon. Stadt, heute **Ischan Bahrijat,** südlich von Babylon (KARTE Alter Orient). Aus I. kamen 2 bed. babylon. Dynastien, die erste, etwa 2017 bis 1794 v. Chr., war Nachfolgerin der 3. Dynastie von Ur; die zweite regierte nach dem Ende der Kassitenherrschaft; ihr wichtigster Vertreter war König NEBUKADNEZAR I. (1125–1104 v. Chr.). – Dt. Ausgrabungen seit 1973 erwiesen eine Existenz des Ortes schon in der Obeid-Zeit (Chalkolithikum). Sehr alt ist das große Heiligtum der Heilgöttin Gula im Stadtzentrum; deren heiliges Tier, der Hund, wurde in zahlreichen Darstellungen und in über 30 Beisetzungen nachgewiesen.

B. HROUDA: I. – Išān Baḥrīyāt I Ausgrabungen 1973–74 (1977), II Ausgrabungen 1975–78 (1982).

Isis

Isis, ägypt. **Ese,** ägypt. Göttin, urspr. vielleicht Personifikation des als göttl. Wesen verstandenen Herrscherthrons, dessen Schriftzeichen sie häufig auf dem Kopf trägt; Mutter des Horus, Schwester und Gemahlin des Osiris, dessen Tod sie beklagte. Sie fand daher Eingang in das Totenritual, als ›zauberreiche Göttin‹ auch in die Magie; eine der volkstümlichsten Gottheiten Ägyptens. Ihr Hauptkultort gegen Ende der ägypt. Geschichte war die Insel Philae. Von Ägypten aus verbreitete sich ihr Kult nach Griechenland, nach Rom und in die Provinzen des Röm. Weltreiches. Sie wird auch dargestellt mit Kuhgehörn und Sonne (Zeichen ihrer Verschmelzung mit der Himmelsgöttin Hathor), außerdem sitzend, den Horusknaben stillend.

islamische Kunst, die Kunst derjenigen Völker, de-

islamische Kunst: Hof der Großen Moschee in Damaskus; westl. Riwak (links im Bild); um 715

ren Mehrheit oder herrschende Minderheit dem ihre Kultur bestimmenden und ihre Einheit stiftenden Islam anhängen, vorwiegend die Kunst der arab. Völker. Durch das Vordringen des Islam seit dem 7. Jh. erstreckt sich das Gebiet der i. K. in west-östl. Ausdehnung von Spanien bis Indien.

I. K. und Architektur lassen sich nach Gattungen ordnen, die jeweils eigenen Entwicklungen folgen. 1) religiöse: Moschee, Kloster, Mausoleum, Medrese, Versammlungshaus für Bruderschaften, Friedhof. 2) höfische: Palast (mit Moschee), Bad (Hammam), Sternwarte. 3) profane: Befestigung, Stadttor, Bad, Staudamm, Aquädukt, Markt. 4) bürgerliche: Wohnhaus, Bad, Handelshaus, Karawanserei, Werkstatt, Grabbau.

Die Bauten der ersten 3 Kategorien wurden fast immer von den Herrschern aus Staatsmitteln errichtet; ihre Mausoleen, später häufig mit Klöstern und Schulen verbunden, und die Moscheen ließen sie dagegen häufig aus ihrem Privatvermögen erbauen und durch Stiftungen unterhalten.

Erst im MA. wurden bürgerl. Stiftungen relig. Bauten häufiger. Alle diese Gattungen zeigen spezif. Bauformen, Bauornamente, Ausstattungen und Geräte, die der histor. Entwicklung unterliegen, sich durch landschaftsbedingte Traditionen der versch. Länder unterscheiden, aber in jeder Epoche aus einem eigenen Formvorrat schöpften. Das weniger im Koran als in den Aussprüchen des Propheten (Hadith) begründete Verbot figuraler Darstellung ist strikt nur in der relig. Kunst eingehalten worden. Im höf. und bürgerl. Bereich wurde es mit wechselnder Intensität durchbrochen, z. B. auf pers. Stoffen und Teppichen; im späten MA. konnte sogar eine relig. Ikonographie entstehen, die selbst Darstellungen des Propheten kennt, aller-

islamische Kunst: Freitagsmoschee in Isfahan; 11. Jh.

dings nur in der Miniaturmalerei zur Illustration von histor. Werken. Anthropomorphe Wandmalerei und Vollplastik sind neben solchen Reliefs aus der omajjad. und späteren Zeit bekannt, darunter auch Herrscherbilder. Gleichwohl bestimmt das relig. Bilderverbot mehrere grundlegende Merkmale der i. K.: Schrift, vorwiegend der relig. Text, ist in allen Kategorien und zu allen Zeiten bevorzugt worden; gleichsam als nichtfigurale Beurkundung der Offenbarung im Koran stehen Bilderverbot und Schrift in einem kausalen Verhältnis; das Ornament – vegetabilisch wie geometrisch – ist häufiger als die figurale Darstellung. Mit Ausnahmen (Miniaturmalerei und das Programm der Mosaiken in der Großen Moschee von Damaskus) gibt es keine relig. Malerei und Skulptur.

OMAJJADEN (661–750)

Weder der Prophet noch die 4 ›rechtgeleiteten Nachfolger‹ (Kalifen) scheinen größere Bauten errichtet zu haben. In dieser Zurückhaltung heben sie sich von der langen Bautradition des alten Südarabien und der zeitgenöss. Beduinendynastien in Syrien ab. Gleichwohl wurden einfache Moscheen durch Umbauten (nach 637 Jerusalem) oder Neubauten (641 die erste Amr-Moschee in Fustat, Ägypten) errichtet und eine Vielzahl von Kirchen und Tempeln in islam. Betstätten umgewandelt. Die Omajjaden begannen 684 in den heiligen Stätten des Islam mit anspruchsvolleren Bauten: die Ka'aba in Mekka wurde vergrößert und mit älteren Mosaiken dekoriert, 691 entstand der Dom über dem Felsen des Tempelbezirks in Jerusalem, als Zentralbau vielleicht in Analogie zur Grabeskirche KONSTANTINS D.

islamische Kunst: Mausoleen an der Gräberstraße Schah-i Sindah, Samarkand; 14./15. Jh.

islamische Kunst: Ismail-Samadi-Mausoleum, Buchara; 9.–10. Jh.

GR. geplant, als Memorialbau an die myth. Himmelfahrt des Propheten erinnernd, sicher auch eine Zeitlang als Ersatz für Mekka gedacht und zugleich ein Denkmal des neuen Glaubens in einer eroberten Welt. Die Mosaiken sind ein erster Höhepunkt der omajjad. Kunst, weniger in der Technik als im Stil. Mosaiken füllen auch die gewaltigen Innenräume der Großen Moschee in Damaskus (unter dem Kalifen AL-WALID I. 705–15), vielleicht von byzantin. Handwerkern ausgeführt. Die Umfassungsmauern des röm. Haupttempels und die Ecktürme wurden (als Minarette) wiederverwendet. Die Grundidee, Umfassungsmauern um einen Betsaal, der Hof von gleicher Größe mit Arkaden und 4 Eckminaretten, gewann Modellcharakter. Schon der Kalif ABD AL-MALIK (685–705) hatte Schlösser erbauen lassen; unter al-Walid I. nahm diese Bautätigkeit gewaltig zu. Erfaßt sind bisher u.a.: Kusair Amra (Jordanien), ein kleines Badeschlößchen, ganz mit Fresken ausgemalt; in der Exedra der Audienzhalle befindet sich ein Herrscherbild mit den besiegten Feinden des Islam; die Palaststadt Andjar (Libanon) mit Audienzsälen und Moschee; Minja am See Genezareth mit Audienzsaal bei der Moschee, Mosaikfußböden und farbig verglasten Fenstern. Die Residenzen waren als pfalzartige Anlagen auf strategisch wichtigen Plätzen gedacht. Auch der Kalif HISCHAM (724–43) hat sich als bed. Bauherr hervorgetan. Er ließ eine Residenz neben dem christl. Rusafa bauen. Der Eingangsturm (Nat.-Mus. Damaskus) war ganz mit Stuckornamenten und mit weibl. Büsten verziert. Im Innern befand sich die Skulptur des Herrschers, auf einem Thron sitzend. Neben Reliefs haben sich mehrere Fresken erhalten. AL-WALID II. (743/44), nur kurze Zeit Kalif, hat schon als Kronprinz Khirbat al-Mafdjar am Toten Meer gebaut, die aufwendigste der bisher bekannten Residenzen.

V. a. der große Badebau ragt hervor durch ornamentale Bodenmosaiken, zahlreiche Reliefs und Skulpturen und fast lebensgroße Vollplastiken von Frauen und Männern, die wahrscheinlich die Sängerinnen und Artisten des Hofs darstellen. Al-Walid II. ist sicherlich auch der Bauherr von Mschatta, dessen ornamentierte Fassade (Berlin-Ost, Pergamonmus.) den ersten Schritt zur islam. Ornamentik zeigt. Funde legen nahe, daß auch das Kunstgewerbe dieser Zeit eine neue, luxuriöse Blüte erreichte.

Lange Zeit als eine Fortsetzung der Spätantike, der röm. wie der sassanid., verstanden, stellt sich die i. K. der Omajjadenzeit jetzt als eine unverwechselbare Einheit dar, in die alte Elemente einbezogen wurden und die in mehrfacher Hinsicht traditionsschaffend wirkte. Im Westen lebte diese Kunstform in Spanien unter der Herrschaft der →Omajjaden seit 755 weiter fort.

ABBASIDEN (750–1258)

Die von Marwan II. eingeleitete Verlagerung der Residenz nach Nordsyrien endete 762 mit der Gründung von Bagdad und mit einer polit. Öffnung nach Osten. Die ›Runde Stadt‹ von Mansur mit Palast und Großer Moschee ist zwar noch nicht ausgegraben, aber ihre Gestalt ist aus den arab. Quellen erschlossen worden. Anschaulicher ist die runde Stadt in Rakka (Syrien), von der die Mauern, das Bagdad-Tor, die Große Moschee und eine Reihe von Palästen ausgegraben worden sind, die auch gute Kenntnis von der Gebrauchs- und Luxuskeramik geben. In diese Zeit fällt auch die Erbauung des Schlosses in Uchaidir, mehrere Bauphasen der Al-

islamische Kunst: Soldaten führen gefangene Frauen mit sich; Seidengewebe, spätes 16. Jh. (London, Victoria and Albert Museum)

islamische Kunst: Inneres der Rüstem-Pascha-Moschee in Istanbul, 1561 von Sinan erbaut

Aksa-Moschee auf dem Tempelplatz in Jerusalem, die Amr-Moschee in Fustat (älteste islam. Gründung im Gebiet des heutigen Kairo) und die Große Moschee von Kairouan (BILD) mit ihrem Minbar, der mit seinen durchbrochenen Holzornamenten den Formenreichtum der Zeit belegt. 821 wurde das Ribat in Sousse (Tunis) gegr., eine typ. Klosterfestung. Die Residenz wurde aus Bagdad verlegt und 836 in Samarra neu gegr. (BILD Samarra). Der Kalif AL-MUTAWAKKIL erbaute hier die erste Große Moschee mit dem Minarett al-Malwija (›spiralig‹), das sich durch Außenrampen auszeichnete. Außerdem wurden in Samarra das Schloß Balkuwara und Kasr al-Aschik ausgegraben, eine weitere Moschee, ein Tierpark mit Pferderennplatz, ein Poloplatz, Häuser und ein oktogonales Mausoleum. Die Wände der Paläste waren mit Stuckdekorationen bedeckt, die in der letzten Phase der Entwicklung den typ. →Schrägschnitt zeigen. Andere Räume waren mit Wandmalerei geschmückt, die zw. großen Ranken menschl. Figuren wiedergaben. Das Kunstgewerbe erlangte eine vorher nie erreichte Verfeinerung, bes. in der Lüsterfayence, deren Dekoration durch Metalloxide einen Goldeffekt hervorrief.

Der abbasidische Reichsstil wurde durch AHMED IBN TULUN nach Ägypten übertragen, das durch ihn und seinen Sohn selbständig wurde (865–905). Die noch erhaltene Ibn-Tulun-Moschee gehörte zu einem eigenen Stadtteil (al-Katai, die 3. islam. Gründung im Gebiet des heutigen Kairo) mit einem benachbarten Palast und einem Paradeplatz. Das Minarett der Moschee (876 bis

879) knüpft an die Malwija von Samarra an, aber man muß die Ausführung span. Architekten zuschreiben. Die Stuckdekorationen im Inneren zeigen den typ. →Samarra-Stil.

Über die Baukunst dieser Zeit im Iran ist man – wenn auch unzureichend – durch die Reste der Moscheen in Schiras (871), Isfahan (760–62) und Damghan sowie Merw unterrichtet. Die Dynastien der Samaniden, Bujiden und Ghasnawiden gewannen immer mehr Selbständigkeit; durch letztere gelangte die i. K. bis nach Nordindien.

FATIMIDEN (909–1171)

Die Fatimiden residierten zuerst bei Kairouan und begannen 916 eine Hauptstadt in Mahdia zu errichten, nachdem sie sich von den Abbasiden losgesagt hatten. 969 eroberten sie Ägypten und gründeten al-Kahira, die 4. islam. Gründung im Gebiet des heutigen Kairo, mit einer bed. Befestigung. 970 ließen sie den Kern der heutigen Azhar-Moschee (BILD Kairo) erbauen. Mehrere Beispiele typ. fatimid. Stuckdekorationen sind erhalten. 990 setzte die Bauzeit der Hakim-Moschee ein, die aber weniger stilbildend für Ägypten wurde als die kleine Akmar-Moschee (1125). Von den Palästen kennen wir nur Reste sowie Anlehnungen in der normann. Architektur von Palermo. Fatimid. Bergkristalle und die sie nachahmenden Gläser, Holz- und Elfenbeinschnitzerei, luxuriöse Stoffe, die Lüsterkeramik von Fustat und Bronzen wurden in der ganzen Welt begehrt und machten die Hauptstadt und Alexandria zu zentralen Handelsplätzen. Im Anschluß entstanden in Sizilien bemalte Elfenbeinkästen und Pyxiden und in Unteritalien reliefierte Hörner (Olifant) und Kästen, die als sa-

islamische Kunst: Sultan-Ahmed-Moschee (Blaue Moschee), Istanbul; Anfang 17. Jh.

islamische Kunst: OBEN LINKS glasierte Tonschale, Nischapur, 9.–10. Jh. (Berlin-West, Staatl. Museen). OBEN RECHTS gläserne Moscheeampel, Syrien, 1340 (London, Brit. Museum). UNTEN Prunkkenotaph Sultan Murads II., mit Fliesenverkleidung, 1420/21, Yeşil-Türbe in Bursa

razen. Arbeiten den fatimid. Stil nach Europa vermittelten.

SELDSCHUKEN (1038–1194) UND RUM-SELDSCHUKEN (1077–1307)

Mit den Seldschuken drang seit der Jahrtausendwende ein starkes türk. Element in die i. K. von Persien und später Anatolien ein. 1055 mußten die Abbasiden die Selbsternennung von TOGHRIL BEG zum Sultan dulden. Die Seldschuken übergaben Machtbefugnisse an Statthalter (Atabeg), die ebenfalls Dynastien gründeten wie die ›Rum‹-Seldschuken in Kleinasien und die Sengiden in Mosul. Die Kreuzzüge machten umfängliche Befestigungen erforderlich: Damaskus, Aleppo, Jerusalem. Die Paläste sind schlecht erhalten, gut bekannt dagegen ist das Netz der Karawansereien. Zwei neue Bautypen wurden bis zur Vollendung entwickelt: der Grabbau als Turm oder Kuppelbau auf rundem (Raj) oder polygonalem Grundriß (Gumbad-i Kabus) und die Medrese, zuerst für einzelne Rechtsschulen und dann in der Mustansirijja in Bagdad 1233 für alle 4 Schulen der islam. Traditionslehre in einer einzigen Anlage vereint, deren Gebäude um einen quadrat. oder rechteckigen Hof angeordnet sind; die Mitte der 4 Flügel ist durch je einen →Iwan gegliedert. Auch im Moscheebau wurde jetzt der Iwan übernommen (z. B. Freitagsmoschee in Isfahan). Die Fassade wurde dekorativ betont und das Minarett zuweilen in sie einbezogen. Die Baukeramik kannte aufwendige Systeme aus farbigen Fliesen und Fayencemosaik. Stuckreliefs mit Herrscherdarstellungen sind bekannt. Türen und Geräte der relig. Kunst sind mit Recht hervorzuheben wie die Teppiche, die Miniaturen der Bagdader Schule und die tauschierten Bronzen aus Mosul. Rakka und Raj waren bed. Keramikzentren, Lüster und Minaï (Schmelzfarben) die beliebtesten Techniken.

ILCHANE UND TIMURIDEN (13. JH.–ANFANG 16. JH.)

Die Invasion der Mongolen gipfelte 1258 in der Ermordung des letzten Abbasiden in Bagdad durch HÜLÄGÜ, den Enkel von TSCHINGIS CHAN. Im Iran herrschten Mongolen als Ilchane. Aus zerfallenden Teilstaaten gründete TIMUR 1369 ein Großreich. Die i. K. der Ilchanzeit ist durch die Iranisierung der mongol. Elemente gekennzeichnet, der timuridische Stil ist Ausdruck dieser Vermischung. Samarkand wurde ein bed. Zentrum, in dem Timur für sich und seine Familienmitglieder Grabbauten errichten ließ, die außen wie innen mit Fayencemosaiken bedeckt waren. Aber auch unglasierte Ziegel wurden zu dekorativen Mustern verwendet (Buchara). Vollendet war die Farbigkeit z. B. in der Blauen Moschee in Täbris. Lüsterfliesen wurden für Michrabs verwendet (Kaschan), aber auch in profanen Bauten. Asiat. Symbole und Fabeltiere wurden islamisch umgedeutet.

AIJUBIDEN (1171–1250) UND MAMELUCKEN (1250–1517)

In Ägypten und Syrien hatten die Aijubiden einen Militärstaat gegründet. SALADIN errichtete die Zitadelle von Kairo. Etwas später entstand das Mausoleum für den Imam ASCH-SCHAFI (1211), ein weiter Zentralbau mit Kuppel und einem der schönsten Holzkenotaphe des Islam. Die Mamelucken, die unter den Aijubiden in Ägypten und Syrien Kriegsdienste geleistet hatten, beherrschten als Sultane seit 1250 bis zur osman. Eroberung (1516/17) von Kairo aus diese Gebiete. Eine Fülle von Bauten entstand in dieser Zeit, wo sich die kreuzförmige Medrese ebenso durchsetzte wie die Moschee gleichen Grundrisses. Die erste Verbindung von Grabbau mit anderen Bautypen findet sich bei Sultan KA-

LA'UN: ein Mausoleum in Anknüpfung an den Felsendom in Jerusalem mit Wandflächen aus Marmormosaik, eine Moschee und ein Hospital (Maristan) mit kreuzförmigem Grundriß (1284–93). Später wurden Mausoleen mit Klöstern und Schulen verbunden. Das bedeutendste Beispiel mit 2 weiten Steinkuppeln beiderseits des Betsaals ist das von FARADJ IBN BARKUK. Als die vollendetste Moschee der Zeit dürfte die von Sultan HASAN gelten (1356–62), kreuzförmig, zw. den Kreuzarmen sechsgeschossige Schulen und das Mausoleum in einem verlängerten Kreuzarm; bes. eindrucksvoll die Eingangsfassade mit einer halben Stalaktitkuppel. Auch in der angewandten Kunst zeigte sich ein hohes Niveau (mameluckische Teppiche).

ALMORAVIDEN, ALMOHADEN, NASRIDEN (11.–15. JH.)

Der unter diesen Dynastien sich entwickelnde →maurische Stil (nach den aus Mauretanien stammenden Herrschern) nahm in N- und NW-Afrika sowie in Spanien andere Züge an als die i. K. des Ostens.

SAFAWIDEN (1502–1722)

Nach der mongol. Herrschaft in Persien und im Irak begann unter den Safawiden ein Stil nationaler Rückbesinnung. Täbris, Kaswin und Isfahan lösten sich als Hauptstädte ab, letztere wurde von Schah ABBAS I. D. GR. zu einem prunkvollen Zentrum ausgebaut, das sowohl mit China als auch mit Europa Handel pflegte. Die Grabmoschee des Scheichs SAFI (in Ardebil) wurde das bedeutendste Mausoleum der Zeit, die Schah-Moschee (Isfahan) ihre hervorragende Moschee. Häufig wurden die relig. Bauten mit Fayencemosaik überzogen; die Schrift wurde immer mit kalligraph. Geschick in die Blüten- und Rankensysteme einbezogen. Abbas I. gestaltete auch die Paläste in Isfahan in engem Zusammenhang mit der ganzen Stadt; unter ihnen ragt der Tschehel-Sutun-Palast hervor, an dem sich großflächige Bildkompositionen auf quadrat. Fliesen gemalt erhalten haben. Sowohl in dieser Malerei als auch in den Miniaturen (→Miniaturmalerei) fanden bekannte Meister wie BEHSAD (Täbris) und RESA ABBASI (Isfahan) neue Themen im persisch-nationalen Stil, der auch die Stoffe und Teppiche der Zeit bestimmte, die in Wolle und Seide gefertigt wurden, zuweilen mit Gold- und Silberfäden broschiert. Das 16. Jh. brachte für den klassisch-pers. Teppich die Blütezeit.

OSMANEN (etwa 1300–1922)

Im 14. Jh. gelang es einem der Emirate, nach dem Gründer OSMAN genannt, die Vorherrschaft im früheren Seldschukengebiet in Anatolien zu erlangen und zu festigen. Die Baukunst ging zuerst von den seldschuk. Modellen aus, nahm dann aber mehr byzantin. Anregungen auf, aber immer von Kuppelelementen und -reihen ausgehend. Typisch für das 14. Jh. ist die Ulu Camii in Bursa, eine Pfeilerhalle mit Kuppeln über jedem Abschnitt. Im 16. Jh. gipfelte die osman. Baukunst in Schöpfungen des Architekten SINAN. Seine Entwicklung wurde von ihm selbst typisiert gesehen in den 3 Moscheen: Şehzade, Süleymaniye, beide in Istanbul, und in der Selimiye in Edirne. Seine über 300 Bauten machten Schule, und sein Stil verbreitete sich über das gesamte osman. Reich. Auch im Bau von Schulen, Mausoleen, Karawansereien und Brunnen setzte sich der Stil durch. Im Baudekor herrschten farbige Fliesen vor, die bevorzugt mit Blüten bemalt wurden. In Buchkunst, Textilien und in der Keramik (Iznik) entstanden Zentren mit weitem Export, v.a. für die Teppiche aus den Hofmanufakturen in Bursa und in Uşak. Aus Anatolien kamen mehrere Gattungen von Teppichen, die in Europa weite Verbreitung fanden. Der Einfluß europ. Formen seit dem 18. Jh. bedeutete in fast allen künstler. Bereichen eine Abnahme eigenständiger Leistungen.

Über die islam. Kunst in Indien →indische Kunst.

The encyclopaedia of Islam, hg. v. B. LEWIS u. a. (London 1960ff.); E. KÜHNEL: Die Kunst des Islam (1962); ders.: Islam. Kleinkunst (1963); K. OTTO-DORN: Kunst des Islam (1964); Lexikon der Islam. Welt, 3 Bde., hg. v. K. KREISER u. a. (1974); JAMINE SOURDEL-THOMINE u. B. SPULER: Die Kunst des Islam (1977); H. STIERLIN:

islamische Kunst: OBEN LINKS Keramik-Teller mit Unterglasurmalerei aus Rakka, Syrien; Ende des 12. Jh. (Washington, D. C., Freer Gallery of Art). OBEN RECHTS Keramik-Krug aus Iznik, Türkei; 16. Jh. (London, Brit. Museum). UNTEN Jagdszene; Fliese, Persien um 1200 (Berlin-West, Staatl. Museen)

Architektur des Islam (1979); Kunst in der Türkei, hg. v. E. AKURGAL (1980); H. J. SAUERMOST: Istanbuler Moscheen (1981); I. K., Ausst.-Kat., Berlin-West (1981); Kunst und Kunsthandwerk unter den Osmanen, hg. v. Y. PETSOPOULOS (1983).

Isny im Allgäu, ehem. Reichsstadt an der Oberschwäb. Barockstraße, Bad.-Württ., 12400 Ew. Ehem. reichsunmittelbare Benediktinerabtei (1096 gegr.) mit Barockkirche, diese 1757–59 im Rokokostil prächtig umgestaltet; auch in den Klostergebäuden (1657 von M. BEER) wertvoll ausgestattete Räume. Die evang. Nikolaikirche (Langhaus 1284, Chor 1455–1508) besitzt eine einzigartige ma. Bibliothek (Mus.). Rathaus (1689); mehrere Patrizierhäuser, teils mit Erdgeschoßlauben; von der Stadtbefestigung stattl. Reste erh.

Isokephalie [grch.], Kompositionsweise in der bildenden Kunst, bei der die Köpfe aller dargestellten Personen in einer Höhe erscheinen; oft mit dem Prinzip der →Reihung 2) verbunden. Die I. ist typisch für die frühen Stufen einer Kultur (in der grch. Kunst wurde sie erst in der Klassik nicht mehr angewendet), weiterhin ist sie ein Stilmittel der byzantin. Kunst.

Isozaki [-z-], Arata, japan. Architekt, *Oita 23. 7. 1931, gründete 1963 nach seiner Mitarbeit bei K. TANGE (1954–63) ein eigenes Büro. Von Tange beeinflußt, fand I. zu einer eigenen architekton. Formensprache. Traditionsbedingte Muster (Stütze, Balken, Dach u. a.) werden in I.s Entwürfen durch Überdimensionierung und Abstraktion zu formbildenden Elementen, die an Hergebrachtes erinnern und gleichzeitig die Struktur geometr. Grundkörper verdeutlichen.

HW: Medical Hall, Oita (1960); Plan für Tokio (1960, mit K. Tange); Mechan. und elektron. Ausrüstung der Festival Plaza, Expo '70, Osaka (1970); Fukuoka Mutual Bank, Tokio (1971); Gumma Prefectural Mus. of Fine Arts, Takasaki (1974); Fujimi Country Clubhouse, Oita (1974).

P. DREW: Die dritte Generation (a. d. Engl., 1972).

Israëls, Jozef, holländ. Maler, *Groningen 27. 1. 1824, †Den Haag 12. 8. 1911, widmete sich nach romant. Anfängen der Schilderung der armen Küstenbewohner und des jüd. Lebens in Holland. An REMBRANDT anknüpfend, bevorzugte er trübe Stimmungen, unbestimmte Zeichnung, brauntonige Farben. Sein Sohn Isaac (*Amsterdam 3. 2. 1865, †Den Haag 7. 10. 1934) wurde von den frz. Impressionisten beeinflußt und schuf heitere Genrebilder.

Issel, Georg Wilhelm, Maler, Kunstförderer, *Darmstadt 13. 10. 1785, †Heidelberg 15. 8. 1870, bildete sich v. a. als Autodidakt und malte bes. vor der Natur Ölskizzen aus dem Neckartal, dem Schwarzwald und vom Bodensee. I. gehört zu den Vorläufern einer realist. Landschaftsauffassung.

Darmstadt in der Zeit des Klassizismus und der Romantik, Ausst.-Kat., Darmstadt (1978).

Issogne [is'oɲe], Gem. im ital. Aostatal; das Schloß (beg. 1399, Erweiterung der got. Burg nach 1480 im frz. Renaissance-Stil), dessen Innenhof (mit schönem Brunnen) von Laubengängen umgeben ist (Fresken des 15. und 16. Jh.), birgt eine wertvolle Innenausstattung (Wohnkultur des 15./16. Jh.).

Issoire [isw'a:r], Stadt im frz. Dép. Puy-de-Dôme, 16000 Ew.; Kirche St. Paul (12. Jh., ehem. Benediktiner-Abteikirche St. Austremoine) im roman. Stil der Auvergne mit qualitätvollen Reliefs im Chor und Kapitellen mit Szenen aus dem N. T.

Istanbul [türk. ist'an-], das antike →Byzanz, als →Konstantinopel Hauptstadt des Byzantin. Reiches. Nach der Eroberung durch die Osmanen unter MEHMET II. (1453) wurden viele christl. Kirchen in Moscheen umgewandelt, allen voran die →Hagia Sophia. Die Reihe der osman. Großbauten begann mit der Stiftung (Külliye) des Eroberers Mehmet II. (1463–70, die Moschee nach Erdbeben mit verändertem Plan 1767–71 neu) am Platz der abgebrochenen Apostelkirche JUSTINIANS I. Das Gewölbesystem zeigt deutlich das Vorbild der Hagia Sophia, wenn auch die Hauptkuppel urspr. nur von einer Halbkuppel (über dem Michrab) abgestützt war. Zu beiden Seiten der Moschee sind in streng symmetrischen Reihen 16 Medresen angeordnet – vielleicht ein Werk FILARETES, der sich seit 1463 in I. aufhielt. Der Einfluß der Hagia Sophia (durch Halbkuppeln abgestützte Hauptkuppel) wird allg. in der ihr folgenden osman. Architektur deutlich, bes. in der Moschee BAJESIDS II. (1501–06). Das System wird in der Folge mehrfach variiert (Moschee Sultan Süleimans I., 1550–56, und Kiliç Ali Pascha Camii, 1580 – beide Werke des SINAN) oder zum radialsymmetr. Vierpaß abgewandelt (Şehzade Camii, 1544–48, von Sinan, und die Sultan Ahmet Camii, die ›Blaue Moschee‹, 1609 bis 1616, von MEHMET AĞA, einem Schüler Sinans, ferner die Fatih-Moschee, 1767–71 u. a.); eine Vorstufe findet sich im Dreipaß der Iskele Camii Sinans in Üsküdar (1547). Bes. für Stiftungen der Großwesire findet sich daneben noch das aus Bursa übernommene Schema der T-förmigen Moscheen (Mahmud Pascha Camii 1462, Murat Pascha Camii 1466, Davut Pascha Camii 1485, Atik Ali Pascha Camii 1496), ebenso – nach dem Vorbild der Üçşerefeli Camii in Edirne – das Schema der auf 6 Punkten gelagerten Hauptkuppel (Sokullu Mehmet Pascha Camii 1571, von Sinan), das mit je 2 begleitenden kleineren Nebenkuppeln nur 2 Freipfeiler oder Säulen verlangte (Sinan Pascha Camii 1556, Atik Valide Camii in Üsküdar 1570–83 – beide von Sinan). Selbst das älteste Schema der Vielkuppelmoschee wurde bis weit in das 16. Jh. beibehalten (Zincirlikuyu Camii um 1500, Piyale Pascha Camii 1573). Der schlichte Typ der Einkuppelmoschee (Firuz Ağa Camii 1491, Bali Pascha Camii 1504, Haseki Hürrem Camii 1539 – von Sinan) wurde monumentalisiert (Sultan Selim I. Camii 1522), zu eindrucksvollen Raumschöpfungen entwickelt (Mihrimah Camii um 1565/70 – von Sinan) und mit dem Acht-Stützen-System verbunden (Mihrimah Camii, Mesih Mehmet Pascha Camii 1585, Rüstem Pascha Camii 1561 – alle von Sinan, Yeni Valide Camii 1597–1663 – von den Schülern Sinans – und Laleli Camii 1759–63). Nach der Nuru Osmaniye (1748 bis 1755) wurde die Einkuppelmoschee zum bevorzugten Typ der historisierenden Architektur des 19. Jh. (Nusretiye 1822–25, Ortaköy Camii 1854). – Durch Freistellen der Kuppelstützen vor die Wand wurde der Sechsstützen-Typ (Kara Ahmet Pascha Camii 1553–55,

Ivaz Efendi Camii um 1585 – beide von Sinan, Hekimoğlu Ali Pascha Camii 1584/87, Laleli Camii, Eyup Camii 1800) weiterentwickelt.

Zeigt die frühosman. Architektur in I. noch massige, z. T. schwere Baukörper (in Nachzüglerbauten bis in den Beginn des 16. Jh.), so wurden später – eindeutig unter dem Einfluß der Hagia Sophia – Struktur, Last und Stütze betont, die Architektur insgesamt wurde damit dynamischer. Anfänge davon sind schon in der Moschee Bajesids II. zu erkennen, im wesentlichen ist dies jedoch die Leistung des →Sinan. Die Auseinandersetzung mit der byzantin. Architektur und bes. der Hagia Sophia (Restaurierung 1573/74) führte ihn zu immer stärkerer Einbeziehung von Licht und Farbe in die Architektur (Höhepunkt in den Spätwerken). Seine Nachfolger vermochten diesem Anspruch nicht mehr gerecht zu werden. Erst mit dem Vordringen neuer Baugedanken aus dem Westen (18./19. Jh.) kam die osman. Architektur in I. noch einmal zu einer idyllisch-dekorativen, wenn auch bescheideneren Blüte (Tulpenzeit unter AHMET III., durch barocke Formen geprägter Historismus im 19. Jh.).

Neben der Sakralarchitektur sind Marktbauten, Bäder, Schulen u. a. in I. ihren traditionellen Formen verbunden. Auch die Minarette ändern ihre Form nach der in der Üçşerefeli Camii gefundenen schlanken Gestalt nicht mehr und bleiben in ihrem Kontrast zu den kugelig-bauchigen Formen der Kuppeln ein wesentl. Element des Stadtbildes. Typisch für die Stadtarchitektur I.s sind auch die architektonisch reich ausgebildeten öffentl. Brunnen. Mit der Uferlage der Stadt hängt der Bau besonderer Uferhäuser und Paläste zusammen (Yali), die unmittelbar auf den Ufermauern stehen.

Der Sultanspalast (Topkapı Serai) ist in den Grundzügen noch die ursprüngl. Anlage Sultan MEHMETS II. (seit etwa 1465): Einzelgebäude um 3 große, in einer Achse liegende Höfe. Seit dem 17. Jh. führte der zunehmende Bedarf des Hofes an Privaträumen zu der verschachtelten Bebauung des Harems auf der NW-Seite des 2. und 3. Hofes. Auf einer Gartenterrasse über der Landspitze hinter dem 3. Hof sind bes. seit dem 17., aber auch noch im 19. Jh. einzelne Köşk-Bauten entstanden. – Die neuen Sultansresidenzen am Bosporus (Dolmabahce Serai 1853) zeigen den historisierenden, üppigen Neubarock Pariser Prägung. – Mus. islam. Kunst: Medrese bei der Süleymaniye sowie in den Sammlungen des Topkapı Serai. (BILDER islamische Kunst)

M. RESTLE: I., Bursa, Edirne u. Iznik … (1976); W. MÜLLER-WIENER: Bildlexikon zur Topographie I.s (1977).

Isthmia, an der Landenge von Korinth (Griechenland) gelegenes Poseidon-Heiligtum; Stätte der seit 582 v. Chr. alle 2 Jahre ausgetragenen Isthm. Spiele (Wettkämpfe zunächst sportl., dann auch musischer Art). Durch Ausgrabungen wurde der Poseidon-Tempel (ältester Bau 7. Jh. v. Chr., seitdem mehrere Neubauten), ein Theater, ein Stadion und ein röm. Bad freigelegt; Rest einer byzantin. Festungsanlage.

Italafragment, Quedlinburger Itala, im 19. Jh. (1865–69) in Codices des Quedlinburger St. Servatius-

Stifts gefundene Überreste einer kostbar illuminierten Bibel (4 Bücher der Könige) in der Version der Itala (lat. Bibelübersetzung vor Hieronymus, 4./5. Jh.), in Rom gegen Ende des 4. oder am Anf. des 5. Jh. in Unzialschrift geschrieben (heute: Berlin-Ost, Staatsbibl.). Die Figurengruppen der Illumination stehen friesartig vor einem illusionist. Landschaftshintergrund. Sie bilden das älteste erhaltene Denkmal der christl. Buchmalerei.

Itạlica, röm. Kolonie in Spanien, 206 v. Chr. von SCIPIO D. Ä. gegr.; Ruinenstätte bei Santiponce nordwestlich von Sevilla, u. a. mit Amphitheater; Skulpturen- und Mosaikfunde aus Wohnhäusern in den Museen von I. und Sevilla.

italische Kunst, die Kunst der auf der Apenninhalbinsel ansässigen Volksstämme vom Beginn der Eisenzeit bis etwa 100 v. Chr., i. w. S. auch die Kunst der Etrusker, nicht jedoch die Kunst der eingewanderten Griechen im S und der Kelten im N. Nach dem Ende der Bronzezeit entstand als erste klar definierbare Kultur der frühen Eisenzeit im Gebiet von Bologna, in Etrurien und Kampanien die →Villanovakultur. Für eine ähnl. Kulturstufe in Latium sind Urnen in Hüttenform (a capanna) charakteristisch.

Die Gründung grch. Kolonien im S und die Entwicklung der etrusk. Kultur beeinflußten auch die Völker im Innern des Landes und an der Adriaküste; z. T. entstanden dabei nur provinziellere Imitationen grch. oder etrusk. Vorbilder. Gerade in den etwas abseits gelegenen Gebieten verbanden sich diese Anregungen aber manchmal mit einheim. Formen zu durchaus eigenständigen Leistungen: in Ligurien entstanden anthropomorphe Grabstelen, die atestinische Kultur (NO-Poebene, Venetien, benannt nach der Stadt Este) brachte Bronzearbeiten meist orientalisierenden Stils hervor (→Situla), die Marken und Abruzzen Bronzeschmuck mit zahlreichen, z. T. figürl. Anhängern, Bronzescheiben mit fast zu Ornamenten aufgelösten Tieren und Fabelwesen, Grabstelen mit eingeritzten Szenen (Jagden, Kämpfe zu Land und Wasser), Tonstatuetten in extrem vereinfachter Körperwiedergabe sowie monumentale,

italische Kunst: Terrakottastatuette, gefunden in Campovalano (Picenum); 6. Jh. v. Chr. (Chieti, Museo Nazionale Archeologico)

italische Kunst: Krieger oder Kriegsgott; Bronze, 5. Jh. v. Chr. (Ancona, Museo Nazionale)

italische Kunst: Bronzescheibe zum Schutz des Herzens, gefunden in Alfedena; 6. Jh. v. Chr. (Alfedena, Museo Archeologico)

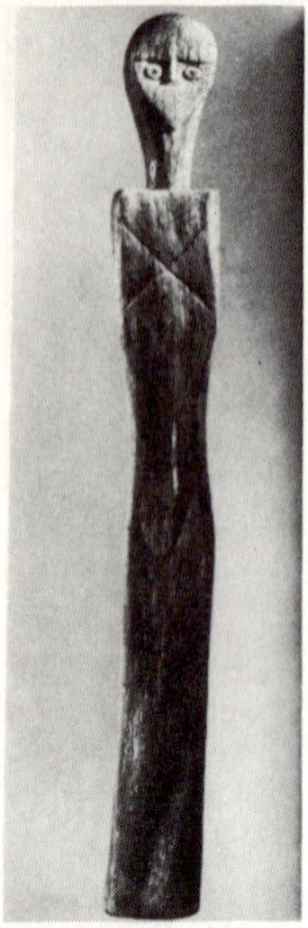

italische Kunst: Holzstatue aus dem Heiligtum der Göttin Mefitis in Rocca San Felice, Irpinum; 4. Jh. v. Chr. (Avellino, Museo Irpino)

italische Kunst: Grabstele in Form einer reich gekleideten menschlichen Gestalt, gefunden in Siponto; 7. Jh. v. Chr. (Manfredonia, Museo Nazionale)

etwas aufgeblasen wirkende Skulpturen (Krieger von →Capestrano, Kopf von Numana, Ancona). Aus Apulien sind bauchige Gefäße mit locker verteilten, bunten, geometr. Mustern und anthropomorphe Grabstelen mit rundplast. Kopf (auf den Gewändern eingeritzte figürl. Szenen) überliefert, aus dem Apenningebiet schemat. Bronzevotivstatuetten (v. a. Mars, Herkules), aus Capua Statuen einer Mutter (Göttin?) mit zahlreichen Wickelkindern im Arm, aus Irpinum (Prov. Avellino) pfahlartige Holzstatuen, aus Kampanien und Apulien flächige, sehr bunte Grabmalereien. Die Küstenebenen Kampaniens standen gleichermaßen unter grch. und etrusk. Einfluß, Latium unter stark etrusk. (→Palestrina, →Civita Castellana, →etruskische Kunst), später röm. Einfluß (→Lavinium). Überhaupt setzte sich seit dem 3. Jh. v. Chr. durch die Ausdehnung des röm. Machtbereichs allmählich eine in ganz Italien ähnl., am Hellenismus orientierte, provinzielle Kunst durch, die in der Folgezeit mehr und mehr spezifisch röm. Züge aufnahm.

M. PALLOTINO; Civiltà artistica etrusco-italica (Florenz 1971); R. BIANCHI BANDINELLI u. A. GIULIANO: Etrusker und Italiker vor der röm. Herrschaft (a. d. Ital., 1974).

Ithyphallos, erigiertes männl. Glied. In zahlreichen antiken Kulten (Hermes, Priapus) hatte man ithyphall. Götterstatuen, die göttl. Zeugungskraft darstellen sollten. Eine Nachbildung wurde in den Prozessionen des Dionysos getragen.

Itten, Johannes, schweizer. Maler, Pädagoge, *Südernlinden (Berner Oberland) 11. 11. 1888, †Zürich 25. 3. 1967, war Schüler von A. HOELZEL in Stuttgart; lehrte 1919–23 am Bauhaus, dann an seiner eigenen Kunstschule in Berlin, später in Krefeld; seit 1938 Direktor der Kunstgewerbeschule, der Textilfachschule, des Industriemus. und des Mus. Rietberg in Zürich. I. wurde v. a. als Lehrer und Farbtheoretiker bekannt, während sein maler. Werk über Gebühr zurücktrat. Es durchdringt Stufen des Expressionismus, Orphismus, der geometr. und konstruktiven Abstraktion mit einer bildner. Intelligenz und Musikalität, in deren Mittelpunkt die intensive Untersuchung der Farbe steht.

Schriften: Tagebuch (1930); Kunst der Farbe (1961, 1966/67); Mein Vorkurs am Bauhaus (1963, ^{2}1975); J. I., Werke u. Schriften, hg. v. W. ROTZLER (1972).

J. I., Ausst.-Kat., Münster (1980).

Ittingen, ehem. Kartäuserkloster (1461–1848, als Augustinerpropstei 1152 gegr.) in der Gem. Uesslingen im schweizer. Kt. Thurgau; Klosteranlage 16./17. Jh., Kreuzgang (1541–43); einschiffige Kirche (1549–53) mit einer der schönsten Rokokoausstattungen im schweizerisch-süddt. Raum (2. H. 18. Jh.).

Itzamná, der Schöpfergott der Maya in Yucatán, Mexiko.

Itzehoe [-h'o:], Stadt in Schlesw.-Holst., 34 600 Ew.; die Laurentiuskirche (15. Jh., barocker Neubau 1716 bis 1718) war Grablege der Reichsgrafen von Rantzau. St.-Jürgen-Kapelle (1657–72) mit Barockausstattung und bemaltem hölzernem Tonnengewölbe (um 1670). Im Prinzeßhof (2. H. 18. Jh.) Mus.

Ivrea, Stadt und Bischofssitz in der ital. Prov. Turin, 29700 Ew.; Reste eines Theaters und der Stadtmauer aus röm. Zeit (Funde im Mus.); ma. Burg (14. Jh.); Dom (urspr. frühchristl. Bau, im 11. Jh. neu errichtet, barocker Umbau seit 1761, klassizist. O-Fassade 1853/54). Bischöfl. Seminar von F. JUVARRA (1715–46) mit Bibl. (illuminierte Hss. des MA.). – Beispiele moderner Architektur sind die Bauten der Olivetti-Werke (Industriezentrum, Wohnsiedlungen).

Ivriz [-z], Ort am N-Abhang des Taurus in Anatolien (KARTE Alter Orient), in dessen Nähe 2 späthethit. Felsreliefs (Ende 8. Jh. v. Chr.) des Königs WARPALAWAS erh. sind, die ihn überlebensgroß, in Gebetshaltung vor einer Vegetationsgottheit, zeigen.

Iwakuni, Stadt im SW von Honshu, Japan, 40 km südwestlich von Hiroshima, 111300 Ew.; ehem. Burgstadt mit einigen gut erhaltenen Samuraihäusern. Die Kintai-Brücke (1673; 1953 nach Zerstörung durch eine Flutwelle wiederhergestellt) hat 5 hochgewölbte Brükkenbögen aus Holz.

Iwan, Liwan [pers.-arab.] *der,* oriental. Bauform: ein tonnengewölbter, an einer Schmalseite offener Langraum. Der I. trat zuerst in der parth. Architektur (1. Jh. v. Chr., Hatra, Assur) auf und findet sich am Sassanidenpalast zu Ktesiphon (5. Jh. n. Chr.). Die islam. Architektur griff dieses Vorbild seit dem 11. Jh. im Iran auf (Isfahan), von wo sich der I. rasch im Sakral- und Profanbau verbreitete. Die um einen Hof gebaute Anlage von Moschee oder Medrese konnte sogar 4 I. haben (je einer in der Mitte der den rechteckigen Hof umgebenden Gebäude).

Iwanow, Aleksandr Andrejewitsch, russ. Maler, *St. Petersburg 28. 7. 1806, †ebd. 15. 7. 1858, lebte in Verbindung mit den →Nazarenern in Rom (1831–58). Sein unvollendet gebliebenes Monumentalgemälde ›Erscheinung Christi vor dem Volke‹ (1837–57) befindet sich mit Vorstudien in der Tretjakow-Gal., Moskau.

Iwasa, japan. Maler, →Matabei.

Ixelles [igz'ɛl], fläm. **Elsene,** südöstl. Vorstadt von Brüssel, 81500 Ew., mit ehem. Zisterzienserabtei La Cambre (got. Kirche, 14. Jh.) und Museen: Musée des Beaux-Arts (belg. und frz. Malerei 19./20. Jh.); Atelier von C. MEUNIER mit Samml. seiner Werke; in 2 von V. HORTA gebauten Jugendstil-Häusern (1898–1900) Mus. über Leben und Werk des Architekten.

Ixion, grch. Mythos: König der Lapithen. Vom Mord an seinem Schwiegervater Eioneus durch Zeus gereinigt, begehrte I. Hera und wurde, da er sich ihrer Gunst rühmte, von Zeus an ein glühendes Rad gefesselt. Auf grch. Vasen, röm. Wandbildern und Reliefs wurde v. a. seine Marter dargestellt. Auch die neuzeitl. Kunst gab den Mythos wieder (P. P. RUBENS, J. RIBERA).

Ixnard [igsn'a:r], Pierre Michel **d'I.,** frz. Baumeister, *Nîmes 1723, †Straßburg 21. 8. 1795, ausgebildet in Paris und Italien, schuf hervorragende Bauten im frühklassizist. Stil in Südwestdeutschland und Straßburg.

Das Kupferstichwerk ›Recueil d'architecture‹ (Straßburg 1791) enthält seine wichtigsten Bauten.

HW: Kirche des Klosters St. Blasien (1768–83); Stiftskirche Buchau (1773 f.); Schloß in Koblenz (1777–86, nur z. T. ausgeführt).

Izamal [-s-], Ort im Bundesstaat Yucatán, Mexiko, 20000 Ew.; archäolog. Fundstätte der Maya-Kultur. Ehemals waren hier um einen Hauptplatz von 300 × 200 m drei Pyramiden gruppiert, von denen eine (500000 m³ Rauminhalt) heute restauriert ist. Über einer von den Spaniern zerstörten Pyramide haben Franziskaner ab 1549 eine wehrhafte Klosteranlage errichtet, die ein Atrium mit Arkadengang (75 Bogen) hat.

Izapa [-s-], archäolog. Fundort im SO des Bundesstaats Chiapas, Mexiko. Gefunden wurden eindrucksvolle Steinskulpturen, 20 Stelen, 19 Altäre u. a. Bildwerke. Die nach I. bezeichnete Kultur (300 v. Chr.–300 n. Chr.) gilt als Verbindungsglied zw. der olmekischen und der Maya-Kultur. Die Verwandtschaft mit der olmek. Kultur bezeugt die auf einer Stele dargestellte, jaguarähnl. Hauptgottheit mit einer ungewöhnlich langgezogenen Oberlippe. Die Verbindung zur Maya-Kultur zeigt sich in der hier erstmals auftretenden Zuordnung von Stele und Altar.

Izmir [-z-], früher **Smyrna,** Hauptstadt der türk. Provinz I., 636000 Ew.; aus antiker Zeit Reste der hellenistisch-röm. Agora erh. (an der W-Seite 13 Säulen mit Kapitellen, Torsos zu einem Altar, an der N-Seite Reste einer 160 m langen, dreischiffigen Basilika), ebenso die Umfassungsmauern der verfallenen Zitadelle (aus röm., byzantin. und genues. Zeit); im Kulturpark bed. Archäolog. Mus. (Funde aus Smyrna u. a).

Iznik [-z-], Stadt in der türk. Provinz Bursa, rd. 10000 Ew., das antike **Nikaia;** z. T. erh. die polygonale Befestigungsanlage von fast 5 km Länge (im Kern aus röm. Zeit, Mitte des 3. Jh. n. Chr., im 13. Jh. wesentlich verstärkt). I. besitzt eine Reihe relativ bescheidener, doch baugeschichtlich bed. frühosman. Bauten. Die Moscheen gehören sämtlich zum Typ der quadrat. Einkuppel-Moschee (Haci Özbek Camii 1333 – mit der ersten erhaltenen datierten osman. Bauinschrift; Mahmud Çelebi Camii 1442 beg.); bed. die von HAYREDDIN PASCHA, dem Großwesir MURADS I., zw. 1378 und 1391 errichtete Yeşil Camii (reicher bauplast. Schmuck, Marmorverkleidung). Die Süleiman Pascha Medrese (1340/50) ist die erste erhaltene frühosman. Medrese. Das Nilufer Imaret (1388/89) und die Zawiye (urspr. Armenküche) der Yakub Çelebi (um 1390) vertreten den T-förmigen Grundrißtyp. Von Bedeutung sind auch 2 Bäder (Ismail Bey Hamam, 1. H. 15. Jh.?, mit reichem Stuckdekor). – Im 16. Jh. wurde I. zum Mittelpunkt der türk. Fayencekunst. – Im Nilufer Imaret bed. Mus. (u. a. Funde aus dem antiken Nikaia). Aus röm. Zeit stammen Reste eines Theaters, aus frühchristl. Zeit Reste der Hagia Sophia (in der ersten Kirche Versammlungsort des 7. ökumen. Konzils?); die nach Erdbeben (1065) an ihrer Stelle erbaute dreischiffige Basilika mit reichem Mosaikschmuck wurde 1331 in eine Moschee umgewandelt; im S von I. Reste der byzantin. Koimesis-Kirche (Kuppel-Basilika, um 700).

M. RESTLE: Istanbul, Bursa, Edirne u. I. ... (1976).

Izsó ['iʒo:], Miklós, ungar. Bildhauer, *Disznóshorvát 9. 9. 1831, †Budapest 28. 5. 1875, schuf in beschwingter, in sich geschlossener Komposition Bauernfiguren beim Tanz, ferner Porträtbüsten von treffendem Ausdruck. Das Denkmal des ungar. Dichters Csokonai zeigt seine Modellierkunst.

Izumo [-z-], Stadt in Japan, auf Honshu südöstlich von Matsue an der Japansee. Das in unmittelbarer Nähe gelegene shintoist. Heiligtum I. (der Gottheit des früher in dieser Gegend herrschenden I.-Clans) ist noch älter als der Schrein von →Ise. Auch seine Gebäude wurden alle 20 Jahre erneuert, allerdings nur bis ins 18. Jh. Das Hauptgebäude stammt von 1744, die übrigen von 1874. Die Architektur des Hauptgebäudes verkörpert den ›Taisha-Stil‹ (quadrat. Grundriß mit assymetr. Innenraumaufteilung, überdachter, an die rechte Vorderseite verlagerter Treppenaufgang und Eingang, leicht geschwungene Rindendächer). Der Vorgängerbau zählte bis zum 12. Jh. zu den größten Holzbauten in Japan; auch das kleinere heutige Gebäude ist der größte und älteste Schreinbau in Japan. Kleines Mus. mit Kunstschätzen (Schwerter, Bilder, Kalligraphien u. a.).

J

Jabach, Everhard, Bankier, Kaufmann, Kunstsammler, *Köln um 1610, †Paris 1695. Seine mit Kennerschaft zusammengetragene Samml. umfaßte 5000 Handzeichnungen ital. und frz. Maler (Tintoretto, A. Correggio, Caravaggio, N. Poussin, C. Lebrun). Als J. zum Verkauf seines Kunstbesitzes gezwungen war, erwarb Ludwig XIV. die Samml. (heute z. T. in Paris, Louvre). J. begann später eine neue Samml. anzulegen (Handzeichnungen, Gemälde, Bronzen und Marmorskulpturen).

Jablonec nad Nisou [j'ablɔnɛts n'adnisɔu], Stadt in der ČSSR, →Gablonz an der Neiße.

Jabłonna, Ort in der Wwschaft Warszawa (Warschau), Polen, mit ehem. Poniatowski-Schloß, in barock-klassizist. Stil erbaut von D. Merlini 1775–79, 1837 umgebaut und nach 1945 z. T. rekonstruiert. Im barocken Park klassizist. und romant. Gartenarchitekturen.

Jabung, Candi J. [tç'andi-], shivait. Tempel (13. Jh.) auf terrassiertem Sockel in Ostjava (Karte indonesische Kunst); einziger Schrein auf Java mit kreisförmigem Grundriß.

Jaca [x'aka], span. Stadt und Bischofssitz in der Prov. Huesca, in den Pyrenäen, 10100 Ew.; älteste roman. Kathedrale Spaniens (etwa 1040–1063, dreischiffig, Gewölbe im 16. Jh. gotisch erneuert, Kapellen mit platereskem und barockem Dekor) mit hervorragender Bauplastik der Frühzeit: Tympanon mit Christusmonogramm am W-Portal, an den Außenseiten der Apsiden figürl. Kapitelle (Tierfiguren, Fabelwesen u. a.). Im Benediktinerinnen-Kloster reich skulptierter Sarkophag (1095) der Doña Sancha (Tochter König Ramiros I.). In der Nähe das Kloster →San Juan de la Peña.

Jäckel, Mathias Wenzel, Bildhauer, *Wittichenau/Lausitz 11. 9. 1655, †Prag 16. 1. 1738, ebd. vor 1684 nachweisbar, schuf nach dem Vorbild des röm. Illusionismus in Prag Plastiken für die St. Josefskirche auf der Kleinseite und an der Attika des Paulanerklosters (1696), ferner Wandplastiken am Altar der Kreuzherrenkirche (1701–09) und 3 Gruppen für die Karlsbrücke u. a.

Jackson [dʒæksn], John Baptist, gen. **J. of Battersea** [-ɔv b'ætəsı], engl. Holzschneider, *1701, †Newcastle upon Tyne(?) um 1780, schuf meisterhafte Farb- und Helldunkel-Holzschnitte nach Gemälden italienischer Meister.

Jacob [ʒak'ɔb], frz. Kunsttischlerfamilie. Der Begründer der schon im 18. Jh. namhaften Werkstatt, Georges (*1739, †1814), gehört zu den hervorragendsten Ebenisten der Zeit LUDWIGS XVI. und des Directoires. Unter der großen Zahl der von ihm signierten Arbeiten befinden sich v. a. die Möbel für Königin MARIE ANTOINETTE. Unter klassizist. Einfluß bekamen seine Formen einen strengen Umriß; so führte er z. B. unter der Leitung von J. L. DAVID Entwürfe der Architekten C. PERCIER und P. F. L. FONTAINE aus. 1796 übernahmen seine Söhne die Werkstatt. Von ihnen wurde François Honoré, gen. Jacob-Desmalter (*1770, †1841), der wichtigste Ebenist der Empirezeit. Er arbeitete für NAPOLEON I. und andere europ. Fürstenhöfe.

F. DE SALVERTE: Les ébénistes du XVIIIe siècle (Paris ^{4}1953).

Jacobean Style [dʒækəub'i:ən staıl], auch **Good King James's Gothic** [gud kıŋ dʒ'eımzız g'ɔθık], Stilphase in der engl. Baukunst z. Z. König JAKOBS I. (1603 bis 1625); z. B. Hatfield House (→Hatfield).

Jacobẹllo, Jacopẹllo del Fiọre, ital. Maler, *um 1370, †1439, tätig in Venedig und in den Marken, ein Hauptmeister des got. Stils der venezian. Malerei.

HW: Acht Szenen aus der Legende der Hl. Lucia (um 1410?; Fermo, Pinakothek); Markuslöwe (1415; Venedig, Dogenpalast); Marienkrönung (1436; ebd., Gal. dell' Accademia).

Jacobẹllo di Bonọmo, venezian. Maler, tätig im letzten Drittel des 14. Jh.

HW: Polyptychon (1385; Sant' Arcangelo di Romagna bei Cesena, Palazzo Comunale).

Jacobsen, Arne, dän. Architekt, *Kopenhagen 11. 2. 1902, †ebd. 24. 3. 1971; seine Bauten sind klar komponiert und handwerklich durchgearbeitet; bes. sorgfältig ist die Innenraumgestaltung. J. entwarf auch Möbel, Textilien und Bestecke.

HW: Bellevue-Gelände, nördlich von Kopenhagen (1923 beg.); Rathäuser: Århus (1939–42), Søllerød (1939–42), Rødovre (1955); Munkegårdsschule Gentofte (1952–56); SAS-Gebäude Kopenhagen (1956–60); Nat.-Bank, ebd. (1965–76); Rathaus Mainz, mit O. WEITLING (1968–74).

Jacobsz, Dirk, niederländ. Porträtmaler, *wahrscheinlich Amsterdam um 1497, begraben ebd. 9. 9. 1567, Sohn und Schüler des J. CORNELISZ, schuf als einer der ersten Schützenstücke (6 im Rijksmus. Amsterdam), wie sie bis ins 17. Jh. in den nördl. Niederlanden (F. HALS, REMBRANDT) gemalt wurden.

Jacomart [xakom'art], span. Maler, →Baçó.

Jacopo di Cione [-tʃ'o:ne], ital. Maler, 1365–98 in Florenz nachweisbar, wahrscheinlich Bruder von NARDO DI CIONE und ORCAGNA, dessen Matthäustriptychon (Florenz, Uffizien) er 1368 vollendete (HW: Altartafel Madonna dell'Umiltà, Florenz, Gal. dell'Accademia).

Jacque [ʒak], Charles, frz. Maler, Radierer, *Paris 23. 5. 1813, †ebd. 7. 5. 1894, Mitarbeiter am ›Charivari‹; beeinflußt von J.-F. MILLET und der Schule von Barbizon malte er v. a. Landschaften und Tiere.

Jacquemart de Hesdin [ʒakm'a:r də ed'ɛ̃], frz. Buchmaler, →Hesdin.

Jade [frz., zu span. piedra (h)ijada ›Kolikstein‹] *der* oder *die*, **Jadegruppe,** Sammelbez. des Edelsteinhandels für die gelblichgrünen bis grünen, zähen Aggregate der Minerale Chloromelanit (dunkles intensives Grün), Jadeit (reines leuchtendes Grün) und Nephrit (lauchgrün, gelblich bis weiß).

In China wurde J. (chines. Yü, v. a. Nephrit aus Khotan, Zentralasien) wegen seiner Härte, seiner verhaltenen Farben und seines reinen Klanges von allen Edelsteinen seit alters her am höchsten geschätzt. In Verbindung mit dem männl. Yang-Prinzip (→Yin Yang) galt J. auch als Symbol der Lebenskraft. Waffen und Werkzeuge mit wahrscheinlich zeremonieller Funktion wurden in Gräbern der neolith. Yangshao- und Lungshan-Kulturen gefunden. Seit der Shang-Zeit bis einschließlich Han-Zeit finden sich in Gräbern daneben auch Klangsteine, amulettartige Plaketten und mehrteilige Gehänge mit Reliefs (T'ao-t'ieh Maske, Drache im Profil, Spiralmuster) sowie rundplastisch gearbeitete realist. Tierfigürchen. J.-Täfelchen des Typs Kuei und häufig mit Spiralmustern geschmückte Pi-Scheiben versch. Größen wurden als Rangabzeichen vergeben. Bei den dem Kaiser vorbehaltenen Kulten dienten u. a. eine grüne Pi-Scheibe dem Himmelskult, ein gelbes zylindr. Tsung dem Erdkult. Die Grabfunde der Chou-Zeit mit maskenartig angeordneten J.-Stücken, auf die Zunge des Verstorbenen gelegten Zikaden aus J. und die 9 Körperöffnungen verschließenden J.-Plättchen und schließlich die in Manch'eng ausgegrabenen J.-Anzüge deuten darauf hin, daß J. den Zerfall des Leichnams verhindern sollte und eng mit Jenseitsvorstellungen verknüpft war. Seit der späten Chou-Zeit findet J. zunehmend für profane Zwecke Verwendung (Kleiderschmuck, Gefäße, Handkästen und in Form von Einlegearbeiten). Von großem Formenreichtum und technischer Meisterschaft zeugen die in J. gearbeiteten Plastiken (auch buddhist. Figürchen), Schalen, Vasen und Tuschwasserbehälter mit vorzugsweise floralen Motiven der Yüan- und Ming-Zeit. In der Ch'ing-Zeit wird J. in großem Umfang importiert und weiten Kreisen zugänglich gemacht.

In Neuseeland fertigten die Maori Kleinplastiken aus Nephrit (BILD Tiki).

In allen Mesoamerikan. Kulturen wurde J. verarbeitet, v. a. von Olmeken und Maya für Kleinskulpturen und Körperschmuck. Die Olmeken, deren J.-Arbeiten figürlich vollplastisch sind, bevorzugten farblich

Pi-Scheibe

Kuei

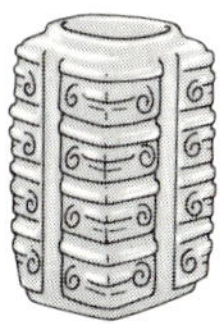

Tsung

Jade: die drei Hauptformen chinesischer Jadeverarbeitung den eher bläulich-grünen, die Maya den apfelgrünen Stein. Im Grab des Inschriftentempels in Palenque wurde eine Mosaik-Maske aus J. gefunden. Die wenigen aus dem andinen Bereich bekannten J.-Arbeiten stammen wohl auch aus Mesoamerika.

JESSICA RAWSON u. J. AYERS: Chinese jade ..., Ausst.-Kat., London (1975); C. Y. WATT: Chinese J. ..., Ausst.-Kat., New York (1980); M. BORN: Chinese J. An annotated bibliography (Chicago 1982).

Jäder, Gem. in Södermanland, Mittelschweden. Die Kirche, im Kern 12. Jh., wurde im Auftrag A. OXENSTIERNAS nach Entwurf von N. TESSIN D. Ä. in den 1640er Jahren im holländ. Renaissancestil umgebaut; 4 Marmorepitaphien, wertvoller Altarschrein von dem fläm. Holzschnitzer J. BORMAN (1514).

Jaeckel, Willi, Maler, *Breslau 10. 2. 1888, †Berlin 30. 1. 1944, begann unter dem Einfluß von F. HODLER mit monumentalen Wandbildern und kam nach dem 1. Weltkrieg zu einem großflächigen, großlinigen Stil zw. Expressionismus und Realismus, der v. a. mit Porträts erfolgreich war. Obgleich bis 1944 Prof. an der Berliner Akad., wurde J. auch auf der Ausst. ›Entartete Kunst‹ diffamiert.

Jaén [xa'en], span. Stadt und Bischofssitz in Andalusien, am Hang eines von einem maur. Kastell beherrschten Berges gelegen, 84600 Ew.; dreischiffige Kathedrale (urspr. gotisch, 1548 im Renaissancestil erneuert), mit 55 m breiter, von 2 Türmen eingefaßter Fassade (1691 voll.; Statuen von P. ROLDÁN); im Inneren reich geschnitztes Chorgestühl (um 1520); an der Kirche S. Ildefonso (14. Jh.) prächtiges platereskes Portal; Mus. (Samml. aus röm. und maur. Zeit).

Jaffa, grch. **Joppe,** seit 1949 Teil der israel. Doppelstadt Tel Aviv-Jaffa; am Ort der antiken Stadt auf dem Hügel Reste ägypt. Befestigungen aus der Zeit RAMSES' II., israel., hellenist. und röm. Mauern (Einzelfunde im Mus. Tel Aviv-Jaffa); Altstadt als Künstlerviertel restauriert.

Jagannạtha [dʒ-, Skt. ›Herr der Welt‹], **Juggernaut** [dʒ'ʌgənɔ:t, engl.], eine Form des dunkelhäutigen Krishna, bes. sein hölzernes Kultbild in Puri.

Jạgati [dʒ-, Skt.], terrassenartige Plattform ind. Tempel, die den Bau ideell über das Irdische erheben. Ihre Seitenflächen sind meist von reliefierten Friesbändern bedeckt.

Jagdkrüge, Deckelkrüge aus glasiertem Steinzeug mit farbigen Reliefs von Jagdszenen; im 16. und 17. Jh. in Creußen bei Bayreuth hergestellt.

Jagdstück, Jagdstilleben, stillebenartige Darstellung von Jagdbeute, Jagdhunden und -waffen u. ä. sowie des Jagdtreibens, die sich v. a. in der niederländ. Malerei des 17. Jh. zu einer Bildgattung verselbständigte (F. SNYDERS und J. WEENIX). BILD S. 37

Jagemann, Ferdinand, Maler, *Weimar 24. 8. 1780, †ebd. 9. 1. 1820, Schüler von G. M. KRAUS und H. FÜGER. J. malte und zeichnete Porträts aus der klass. Zeit Weimars.

Jagdstück: Jagdstilleben vor Landschaft mit Schloß Bensberg von Jan Weenix; 1712 (München, Alte Pinakothek)

Jägerndorf, tschechisch **Krnov** [k'rnɔf], Stadt im Nordmähr. Kreis, ČSSR, an der Oppa, 26400 Ew. Die Anf. 13. Jh. gegr. Stadt hat ihren altertüml. Charakter bewahrt mit ehem. fürstlich Liechtensteinschem Schloß (1. H. 16. Jh., nach Brand 1799 stark deformiert) und der mächtigen got. Pfarrkirche St. Martin (14. Jh.), einem Bau von burgähnl. Charakter; Minoritenkloster und -kirche (gotisch, 1720–30 barockisiert). In der Vorstadt Kostelec Reste der spätroman. Kirche St. Benedikt (1. H. 13. Jh.). Über der Stadt auf dem Burgberg ehem. Wallfahrtskirche (18. Jh.).

Jago, Candi J. [tç'andi-], Grabanlage bei Malang auf Ostjava (13. Jh.; KARTE indonesische Kunst) für die Asche des Vishnuvardhana (Vater des Fürsten Kertanagara), dargestellt als Bodhisattva-Figur. Der Candi J. erhebt sich auf dreifach gestuftem Sockel, dessen Wände Reliefs (14. Jh.) mit Szenen aus der Krishna- und der Arjuna-Legende zeigen (z. T. im Wayang-Stil).

Jaguar, im vorkolumb. Amerika ein häufig verwendetes Motiv in Reliefkunst, Vollplastik sowie in Keramikbemalung und Wandmalerei. Bei den Azteken Symbol eines hohen Kriegerranges und als solches häufig dargestellt, z. B. im Felstempel von →Malinalco. Versch. Mischformen aus Mensch und J. kommen in Mesoamerika (Olmeken) und im Gebiet der Andinen Hochkulturen (Chavín-Stil; S. Agustín) vor.

Jahn, Helmut, Architekt, *Nürnberg 4. 1. 1940, ist seit 1966 in Chicago tätig; Planung und Ausführung großer Geschäfts-, Verwaltungs- und Freizeitbauten. Anknüpfend an die ästhet. Grundsätze L. MIES VAN DER ROHES und den Formenreichtum der Baugeschichte (→Art Déco), bemüht sich J. um die histor. Kontinuität der Architektur.

HW: McCormick Place, Chicago (1970); Kemper Arena, Kansas City, Missouri (1974); Wacker-Madison Office Building, Chicago (1978); State of Illinois Building, ebd. (1978 ff.).

Jaina [x-], Insel an der Küste des Bundesstaates Campeche, Mexiko, wurde während der spätklass. Zeit der Maya-Kultur (600–950 n. Chr.) v. a. für die Totenbestattung benutzt. Die dort als Grabbeigaben gefundenen kleinen Tonfigurinen sind durch Realismus und Detailfülle sowie eine dynam. Haltung charakterisiert. Sie sind vorwiegend aus orangefarbigem Ton und wurden meist nach dem Brand bemalt; die Köpfe sind mittels Formen gefertigt, die Körper mit der Hand geformt.

Jaina [dʒ-] indische Religion, →jinistische Kunst.

Jaipur [dʒ-], **Dschaipur,** Hauptstadt von Rajasthan, Indien, 966 700 Ew.; 1728 nach dem Gründer SAWAI JAI SINGH (1699–1744) benannt. Der Grundriß war urspr. als ein in 9 gleich große Planquadrate geteiltes Quadrat geplant, jedoch konnten wegen der Geländeform nur 8 voll. werden. Der Hawa Mahal (Palast der Winde) hat eine vielfach untergliederte Fassade, ohne dahinter befindliche Räume in den oberen Stockwerken. Das Mus. im Stadtpalast und das archäolog. Staats-Mus. enthalten reiche Samml. an Miniaturen und Handwerkskunst. Die rosa angemalten Hausfassaden unterscheiden J. von den anderen Städten Indiens.

Jaisalmer [dʒ-], Festungsstadt auf 80 m hohem Tafelberg in Rajasthan, Indien, 1156 gegr. Wegen der isolierten Lage im westl. Teil der Wüste Thar blieben Bürgerhäuser und Jainatempel mit reich verzierten Sandsteinfassaden sowie Stadtmauern unzerstört erhalten.

Jajce [j'a:jtsɛ], Stadt in der Rep. Bosnien und Herzegowina, Jugoslawien, auf einem Felssporn zw. 2 Flußtälern, etwa 10 000 Ew. J., 1443–61 Residenz des bosn. Königs, wurde 1528 von den Türken erobert. Über der orientalisch anmutenden Stadt die beherrschende Burg (Ruine) des 15. Jh.; unterird. Felsenkirche (›Katakomben‹) des 14. Jh.; von der ehem. Lukaskirche blieb der roman. Turm erhalten.

Jaipur: Palast der Winde

Ják [ja:k], Ort im Bez. Vas, W-Ungarn, etwa 3000 Ew. Die Abteikirche St. Georg des 1210 gegr. Benediktinerklosters, eine dreischiffige spätroman. Basilika (1256 gew., später stark restauriert), ist einer der bedeutendsten roman. Bauten Ungarns. Die W-Front, eine Zweiturmfassade, wird von einem Giebelportal beherrscht: über dem reich ornamentierten Gewändeportal in den Giebelnischen Monumentalfiguren Christi und der 12 Apostel. Im Innern Fragmente von Wandmalereien. Ebenfalls romanisch ist die Pfarrkirche St. Jakob (um 1260; über Vierpaßgrundriß errichtet).

Jakarta, Djakarta, 1527 gegr., 1619–1950 **Batavia,** Hauptstadt von Indonesien, auf W-Java, 7,2 Mio. Ew.; Sitz eines kath. Erzbischofs. Die Altstadt ist nach holländ. Muster von Kanälen durchzogen. Im Mus. Pusat (Nat.-Mus. für Indones. Kultur) archäolog., ethnolog. und kunstgewerbl. Samml. (Abteilung für altchines. Porzellan).

Jakob, Jakobus, 1) 2. Sohn Isaaks und 3. der Erzväter Israels. Die früheste Darstellung findet sich auf einem Fresko der Synagoge von Dura Europos (246–56); meist als Patriarch, auch mit Nimbus (Katakombenmalerei), im MA. meist in alttestamentl. Zyklen, sitzend (auf einer der Bronzetüren L. GHIBERTIS am Baptisterium in Florenz; um 1490). Kennzeichnend ist die Szene seines Traumes (auf einer Leiter – bei RAFFAEL statt Leiter eine Treppe, in der niederländ. Kunst seit REMBRANDT ein Lichtstrahl – steigen Engel zum Himmel), die seit dem MA. zusammen mit seinem Kampf mit dem Engel dargestellt wird (in der frühchristl. Kunst nach dem Vorbild antiker Ringergruppen, in der byzantin. Kunst auch als Kampf gegen einen übermächtigen Engel; im Westen seit dem 11. Jh. – Chorfresko der Essener Kathedrale – bis zum 14. Jh. sehr verbreitet, dann erst wieder im Barock wegen der Bewegtheit der Szene; z. B. von Rembrandt). – Zyklen finden sich seit dem 6. Jh. v. a. in Hss. (Wiener Genesis), seit dem 13. Jh. bes. in der Plastik; im 16. Jh. v. a. von Raffael (Loggien des Vatikan, 1517/19). – Die Begegnung J.s mit Rachel am Brunnen wird in Zyklen meist als Antitypus zur Begegnung Christi mit der Samariterin am Brunnen dargestellt; sie wird im 16. und 17. Jh. zur Hirtenidylle.

2) Jakobus d. Ä., ein Apostel, bed. in der christl. Urgemeinde, soll nach einer (seit dem 7. Jh. nachweisbaren) Legende in Spanien gewirkt haben; über seinem angebl. Grab Kirche und Kloster, um sie herum schließlich die Stadt →Santiago de Compostela, vom 10. bis zum 15. Jh. neben Jerusalem der bedeutendste christl. Wallfahrtsort. In Darstellungen ist J. d. Ä. in Europa seit dem 13. Jh. neben Petrus der einzige Heilige mit individueller Tracht (Attribute: Muschel als Pilgerabzeichen am Hut, Wanderstab, Beutel, Flasche); mit Muschel und Mantel: Paderborn, Domvorhalle, um 1250 – als Pilger: vergoldete Reliquien-Statue des 13. Jh. in Santiago de Compostela – Statue an einem Chorpfeiler des Kölner Doms, 1. H. 14. Jh. u. a.; oft als ›Matamoros‹ (Maurentöter) zu Pferd, v. a. in Spanien, im Barock im übertragenen Sinn auch als Symbol des

Streiters für den rechten Glauben (Übernahme der Funktion des St.-Georg-Bildes).

3) Jakobus d. J., Sohn des Alphäus, führend in der christl. Urgemeinde; Darstellungen mit dem Attribut der Walkerstange (Werkzeug des Martyriums); im 13./14. Jh. in den Apostelreihen der frz. Kathedralplastik.

Jakut al-Musta'simi, ein aus Äthiopien stammender Sklave (†1298) des letzten Kalifen in Bagdad, galt schon seinen Zeitgenossen als unübertreffl. Meister der Kalligraphie. Die Vollkommenheit seiner Schrift erklärte man mit einer neuen Art, das Schreibrohr zuzuschneiden.

Jalapa, amtlich **J. Enríquez** [xal'apa enrr'ikes], Stadt in Mexiko, 201 500 Ew. J. hat kolonialzeitl. Gepräge bewahrt; Kathedrale (Ende 18. Jh.); bed. archäolog. Museum, v. a. mit Funden der Golfküstenkulturen (Olmeken, Totonaken, Huaxteken u. a.).

Jalisco [xal'isko], Bundesstaat Mexikos an der Pazifikküste, auch eine Stilbezeichnung der →Westmexikanischen Kulturen.

Jamchad, Kgr. in N-Syrien (etwa 1800–1650 v. Chr.) mit dem Zentrum Halab (→Aleppo).

Jamesone [dʒeɪmsn], George, schott. Maler, *Aberdeen 1587/88, †Edinburgh 1644, ebd. Schüler seines Onkels J. ANDERSON, malte lebendige Porträts des schott. Adels (›der schott. van Dyck‹). Seine späten Arbeiten sind von P. P. RUBENS beeinflußt.

Jamnitzer, 1) Christoph, Goldschmied, Ornamentstecher, Zeichner, Enkel von 2), *Nürnberg 12. 5. 1563, †ebd. 1618, seit 1592 Meister. Er gab ein Ornamentwerk in Radierungen heraus: ›Neuw Grotteszken Buch, inventirt, gradirt und verlegt durch C. J.‹ (Nürnberg 1610, nhg. 1966).

Wenzel Jamnitzer: Schreibkästchen mit Allegorie der Philosophie; 1562, Silber teilvergoldet, Schmelzarbeit, Bergkristall (Dresden, Grünes Gewölbe)

HW: Prunkkanne u. -schüssel, mit den Trionfi nach PETRARCA (Wien, Kunsthistor. Mus.).

2) Wenzel, Goldschmied und Ornamentstecher, *Wien 1508, †Nürnberg 19. 12. 1585, wurde ebd. 1534 Meister. Er arbeitete mit seinem Bruder Albrecht (†1555), später mit seinen Söhnen und Schwiegersöhnen u.a. auch für die Kaiser MAXIMILIAN II. und RUDOLF II. Seine Prunkgefäße sind mit virtuoser Meisterschaft gearbeitet. J. befaßte sich mit theoretischen Studien auf den Gebieten der angewandten Mathematik, der Physik, der Mechanik und der Perspektive (›Perspectiva corporum regularium‹, Nürnberg 1568, Nachdruck Paris 1964). BILD S. 40

HW: Merkelscher Tafelaufsatz (um 1549; Amsterdam, Rijksmus.; etwa 1 m hoch); Schreibkästchen (1562; Dresden, Grünes Gewölbe).

Janensch, Gerhard, Bildhauer, Medailleur, *Zamborst (Pommern) 24. 4. 1860, †Berlin 2. 2. 1933, studierte in Berlin (F. SCHAPER, A. WOLFF) und Wien und unterhielt nach Aufenthalt in Rom seit 1885 ein eigenes Atelier in Berlin; 1887–1924 war er hier Lehrer an der Akad. Seine Werke sind in neubarockem Stil gehalten.

HW: Marmorstatue A. Carstens (1893; Berlin-Ost, Altes Mus.); Dreierbüste seiner Kinder (1896; Privatbesitz); Schmied für das Grab Stock (1897; Berlin-West, Luisenstädt. Friedhof); Ostgiebel Hochschule für Musik (1902; Berlin-West); Apostel Matthäus und Markus (1896/97; Berlin-West, ehem. Chor der Kaiser-Wilhelm-Gedächtniskirche).

Lit.: →Berliner Bildhauerschule.

Janinet [ʒanin'ɛ], Jean-François, frz. Kupferstecher, *Paris 1752, †ebd. 1. 11. 1814, schuf Farbstiche nach Werken zeitgenöss. Maler und A. VON OSTADES. Er stach auch histor., mytholog. und Genreszenen eigener Erfindung sowie Porträts; neben P.-L. DEBUCOURT der bedeutendste frz. Stecher des späten Rokoko.

Jank, Angelo, Maler, Illustrator, *München 30. 10. 1868, †ebd. 9. 10. 1940, war in München Mitgl. der ›Scholle‹ und Mitarbeiter der ›Jugend‹. Er malte impressionist. Bilder von Pferden, Jagden und Rennen.

Janowiec [jan'ɔvjɛts], Ort in der poln. Wwschaft Lublin an der Weichsel, mit ehem. Firlej-Schloß, erbaut um 1535, erweitert im Stil der Spätrenaissance um 1600 (S. GUCCI), verändert um 1675 durch T. VAN GAMEREN. Pfarrkirche (um 1537), erweitert 1585–1615, mit Firlej-Grabmal von S. GUCCI (1587).

Horst Janssen: Selbstporträt; Radierung, 1964

Janssen, 1) Horst, Zeichner, Graphiker, *Hamburg 14. 11. 1929, studierte 1946–51 an der Landeskunstschule in Hamburg und gilt als einer der genuinen Zeichner und Radierer im 20. Jh. Bei J. werden Linien und Strichstruktur zu einer eigenen zeichner. Haut um anatom. und psych. Deformationen, die im Zentrum dieses dämonisch-skurrilen Werks stehen, das Einflüsse von REMBRANDT bis J. ENSOR, M. KLINGER bis P. KLEE zusammenführt. Von besonderer Bedeutung sind seine Selbstporträts, aber auch Landschaftsdarstellungen, Illustrationen zu literar. und eigenen Texten, Variationen nach anderen Künstlern (HOKUSAI).

H. J., Aspekte seiner Arbeit, Ausst.-Kat., Berlin-West (1980); H. J., Zeichnungen, hg. v. W. KOSCHATZKY (1982); S. BLESSIN H. J. (1983).

Janus: röm. Münzbild um 200 v. Chr.

2) Karl, Bildhauer, Bruder von 3), *Düsseldorf 29. 5. 1855, †ebd. 2. 12. 1917, schuf nach Rückkehr aus Rom in Düsseldorf zum Rheinbrunnen die Gruppe ›Vater Rhein und seine Töchter‹ (1884 als provisor. Festdekoration in Gips, 1897 in Bronze). Sein HW ist das Kaiser Wilhelm I.-Denkmal in Düsseldorf (1896). Sein Werk ist ein bed. Beispiel des Neubarock im Rheinland.

3) Peter, Maler, Bruder von 2), *Düsseldorf 12. 12. 1844, †ebd. 19. 2. 1908, war ebd. Prof. und Direktor der Akad., schuf historisch-patriot. Wandgemälde (u. a. im Krefelder Rathaus) und Porträts.

D. BIEBER: P. J. (1979). Weitere Lit.: →Düsseldorfer Schule.

4) Victor Emil, Maler, *Hamburg 11. 6. 1807, †ebd. 23. 9. 1845, schloß sich in Italien (1833–35) den →Nazarenern an.

Werke: Selbstporträt als Halbakt (nach 1835; Hamburg, Kunsthalle); Der gute Hirte (1835; ebd.); Zeichnungen (ebd.).

Janssens, 1) Abraham, gen. **J. van Nuyssen** [-van n'œjsə], fläm. Maler, *Antwerpen 1573 oder 1574, begraben ebd. 25. 1. 1632, in Italien (1598) ausgebildet, bes. von CARAVAGGIO beeinflußt. Seine relig., mytholog. und allegor. Historienbilder mit stark plastisch durchgebildeten Figuren sind großzügig komponiert, die Farbe ist klar und kühl.

2) J. van Ceulen [-van k'ø: lə], Cornelis, →Jonson van Ceulen.

3) Pieter, eigtl. P. **J. Elinga,** niederländ. Maler, getauft Brügge 18. 8. 1623, †Amsterdam vor 1682, dort seit 1657 ansässig, malte Interieurs in der Art von P. DE HOOCH sowie Stilleben im Stil von W. KALF.

Jansson, Eugène Fredrik, schwed. Maler, *Stockholm 18. 3. 1862, †ebd. 15. 6. 1915, malte in impressionist. Art Stockholmer Stadtmotive, später Figurenbilder mit männl. Akten.

Janus, Ianus, altröm. Gott der öffentl. Tore und Durchgänge, unter dessen Schutz man sich bei besonderen Ereignissen, v. a. im Krieg, stellte. Im NO des Forum Romanum lag der J. Geminus (›Doppeltor‹), der zu Kriegszeiten geöffnet, im Frieden geschlossen sein sollte. Als Gott des Anfangs waren dem J. die 1. Tagesstunde, der 1. Monatstag und der 1. Monat **(Januarius)** im Jahr heilig. Dargestellt wurde er seit der Antike doppelgesichtig **(Januskopf),** alt und bärtig mit den Attributen Schlüssel und Pförtnerstab, v. a. über Türen und Toren, im MA. u. a. als Allegorie des Monats Januar (Königsportal, Chartres, Kathedrale, 12. Jh.).

japanische Kunst. Wesentl. Impulse zur Entfaltung seiner Kunst erhielt Japan v. a. von China (Übernahme der chines. Kultur und Schrift; Einführung des Buddhismus 552), aber auch von Korea. Dem Kopieren folgte die schöpfer. Aneignung, aber auch die Ausbildung spezifisch japan. Formen und Techniken in allen Kunstzweigen. In Bindung an religiöse Vorstellungen (Buddhismus, Zen, Shinto) und an soziale Klassen entstanden verschiedene Stilrichtungen nebeneinander.

japanische Kunst: Unkei: Hsüan-tsang; Holz, 1209 (Nara, Kofukuji).

Karte zur japanischen Kunst

FRÜHZEIT

Archäologische Kriterien unterteilen die japanische Vorgeschichte und das Altertum in folgende Perioden:

Jomon (›Schnurmuster‹, 7. Jahrtsd.–3. Jh. v. Chr.). Aus dieser Zeit ist Keramik mit schnurartigem Dekor erh., ebenso eigentümlich stilisierte Tonfigürchen (Dogu) und Masken, häufig mit Spiralmuster; später auch teilpolierte und bemalte Keramik (kugelige Kannen oder Schalen) und Schmuck aus Knochen, Horn, Tierzähnen, Muscheln, Ton und Stein.

Yayoi (3. Jh. v. Chr.–3. Jh. n. Chr.), benannt nach der ersten Fundstätte dieser vermutl. Einwanderer-Kultur mit chines. Bronzespiegeln (→Kagami), -waffen und -glocken (→Dotaku), alle geometrisch wie figürlich verziert. Weiterhin fanden sich rotgebrannte Tonkeramik, z. T. bemalt, poliert, mit Schnur- oder Kammuster, v. a. als Grabbeigaben in Dolmengräbern.

Kofun (3.–6. Jh.), benannt nach Hügelgräbern in Schlüssellochform. Diese wurden begrenzt mit Tonzylindern, die später mit Figuren gekrönt wurden (→Ha-

japanische Kunst: Tori Busshi: Shaka-Trias; Bronze vergoldet, 623; Horyuji bei Nara

niwa). Als Grabbeigaben fanden sich neben Bronzegegenständen und Keramik (Sue-Keramik) auch Schmuck aus Jaspis, Gold und Silber; Kronen, Helme, Panzer, Pferdegeschirr u. a.

ASUKA- UND HAKUHO-ZEIT (552–710)

Beginnend mit dem offiziellen Datum der Übernahme des Buddhismus (→buddhistische Kunst), traten der chines. und korean. Einfluß verstärkt auf. Die Shinto-Architektur bewahrte jedoch vorgeschichtl. Baustile in den Schreinen von Ise (BILD) und Izumo in Holzpfahlbau mit Veranda, Satteldach, walzenförmigen Querhölzern über dem First und lang aufragenden ge-

japanische Kunst: Regalnische (Tana) in der kaiserlichen Villa Katsura bei Kioto im Shoin-Stil; 1. Hälfte 17. Jh.

kreuzten Giebelsparren. Buddhist. Tempelklöster entstanden seit Ende 6. Jh. nach korean. Vorbild. Erh. blieb der →Horyuji. Typisch für diese Tempel ist der hölzerne Ständerbau mit Konsolgebälk und ausladenden Ziegeldächern. Die frühe buddhist. Skulptur, bes. Holz- und Bronzeplastik, ist stark von Korea und dem Stil der chin. Wei-Dynastie beeinflußt. Als Bronzeguß blieb der Yakushi-Buddha (607; BILD Yakushi), die archaisch-strenge Shaka-Trinität des TORI BUSSHI von 623 im Horyuji erhalten und als Beispiel relig. Malerei nach chines. Vorbild die Bemalung des →Tamamushi-Schreins. In der Hakuho-Zeit stand Japan in direkter Beziehung zum chines. T'ang-Reich, wenn auch die Skulptur noch an die Formen der Vor-T'ang-Zeit anschließt (Miroku aus Holz im Koryuji des Chuguji-Nonnenklosters in Nara; Buddha-Kopf aus Bronze im Kofukuji ebd.; beides Mitte 7. Jh.). Von den Tempelanlagen zeugt die Pagode des Yakushiji (680 in Asuka gegr., 718 nach Nara verlegt). Die Wandgemälde der ›Goldenen Halle‹ (Kondo) des Horyuji (um 700) im reifen T'ang-Stil erinnern stark an die ind. Wandgemälde in Ajanta (1949 bei einem Brand fast völlig zerstört).

NARA-ZEIT (710–794)

Auch in dieser Zeit folgte die Kunst, mit großem wirtschaftl. Aufwand gepflegt, fast völlig dem ›klassischen‹ Stil der T'ang-Kunst Chinas. Von den gewaltigen Tempelanlagen der ganz nach chines. Vorbild angelegten Hauptstadt Nara blieben nur wenige Bauten bewahrt: Hokkedo (733), Shosoin (vor 756) und Tengaimon des Staatstempels Todaiji; Kondo des Toshodaiji u. a. Vom Kaiserpalast ist nur noch der symmetr. Grundriß erkennbar. Etwa 200 Skulpturen blieben erh. Der gewaltige Bronzeguß des 16 m hohen ›Großen Buddha‹ (Daibutsu) des Todaiji (gew. 752) wurde mehrfach restauriert und neu gegossen. In vollendeter, rundplast., gelöster Form zeigt sich die Yakushi-Trias des Yakushiji (frühes 8. Jh., Bronze). Die neuen Materialien: Trokkenlack (→Kanshitsu) und Ton ermöglichten ebenso monumentale wie dramatisch bewegte Gestalten, v. a. Schutzgottheiten. Als neue Gattung trat das Priesterporträt hinzu. Zusammen mit der wachsenden Bedeutung der Holzskulptur verlor sich gegen Ende des 8. Jh. die realist. Darstellungsart chines. Ursprungs, und die Blockhaftigkeit der Figuren nahm zu. Das Gewand wurde zu wellenförmigen Faltengraten gestaltet.

Aus der Nara-Zeit sind die ältesten Bildrollen (Emaki-mono) chinesisch-buddhist. Typs erh. Auch datieren aus dieser Zeit Textil-Illustrationen zum Lebensweg Shakyamunis (E-ingakyo), das Kultbild der Kichijoten (771, im Yakushiji) und meist profane Bilder auf Musikinstrumenten, Bannern und Stellschirmen im →Shosoin. Dieser wurde 756 als kaiserl. Nachlaß dem Todaiji gestiftet, enthält jedoch größtenteils Kunstwerke chines. und korean. Ursprungs.

HEIAN-ZEIT (794–1185)

Die Heian-Zeit wird benannt nach der neu errichteten Hauptstadt Heian-kyo (heute Kioto). In dieser Epoche verringerte sich der Kontakt zu China. Die 1. H. (bis

japanische Kunst: Sitzende Frau, Haniwa; Ton, 6. Jh., Fundort: Gumma-ken

japanische Kunst: LINKS Ni-o; Ton, Mitte des 8. Jh. (Nara, Todaiji). RECHTS Jocho: Amida-Buddha; Holz, vergoldet, 1053 (Byodoin, nördlich von Uji)

897) wird vom esoter. Buddhismus der Shingon- und Tendai-Sekten bestimmt, deren Hauptkultstätten die Bergklöster Hiei bei Kioto und →Koyasan waren. Die Bildhauer stellten v. a. die neuen Erscheinungsformen des ›All-Buddha‹ (Dainichi) dar; sie bevorzugten Holz. Die Figuren, aus einem Block gearbeitet (Ichiboku-zukuri), sind von massiger Schwere. Die 2. H. der Epoche, die Fujiwara-Zeit (bis 1185; benannt nach dem regierenden Adelsgeschlecht Fujiwara), brachte eine Japanisierung von Kunst und Kultur. Der verfeinerte Stil der Hofgesellschaft zeigt sich auch in der Architektur, in zierl. Bauten mit üppiger Innenausstattung. Im →Shinden-Stil werden Wohngebäude in einer naturnahen umwallten Gartenanlage um einen künstl. See angeordnet und mit gedeckten Wandelgängen verbunden. Durch den Umbau gestifteter Wohnsitze entstand eine neue Art von Tempelanlage. Einzig erhaltenes Beispiel ist die Phönixhalle des Byodoin bei Uji (1053; BILD Uji). Auch die Bildhauerkunst gewann an graziler Eleganz und Bewegtheit. Holzskulpturen wurden nicht mehr aus einem Stück gearbeitet, sondern zusammengesetzt (Yosegi-zukuri). Der damals führende Bildhauer JOCHO schuf mit dem vergoldeten Amida der Phönixhalle das Meisterwerk der Fujiwara-Zeit, das zum klass. Vorbild für spätere Skulpturen wurde. Die dazugehörigen Bosatsu-Figuren sind aus der gleichen Werkstatt. Getragen vom Amida-Kult (Jodo-Sekte des Reinen Landes) rückte das Erlösungsbild in den Mittelpunkt buddhist. Malerei (Amida-Raigo im Bergheilig-

tum Koyasan im SW von Nara); japan. Landschaftselemente wurden mit einbezogen (z. B. Wandgemälde der Phönixhalle, Byodoin, 1053). Die Bilder zeigen zarte Farben, einen Hang zu weicher Schönheit und Rundung der Linien und sind z. T. raffiniert mit geschnittener Goldfolie (Kirigane) ausgelegt. Sutrenrollen und -schriften wurden mit figürl. und landschaftl. Darstellungen geschmückt. Auch Stellschirme mit Landschaftsbildern in Farbmalerei dienten kult. Zwecken. Neben der relig. entwickelte sich nun auch die weltl. Malerei, das Yamato-e (›japan. Malerei‹), meist in Form von in Thematik und Technik eigenständigen Emaki-mono, langen →Querrollen mit (später fortlaufender) Darstellung einer Geschichte. Lyrisch-höf. Charakter offenbaren die Querrollen des →Genjimonogatari (1. H. 12. Jh.) mit parallel-perspektiv. Raumordnung, opaken Farben und Stilisierung der Figuren, die in der Folgezeit die Tosa-Schule übernahm. Dramatisch bewegt im Pinselstrich ist die Bilderzählung des Bandainagon-Emaki (Mitte 12. Jh.), die Chronik des Shigisan-Tempels (Shigisan-engi, 2. H. 12. Jh.) und die satir. Emaki mit Tier- und Menschenkarikaturen (im Konzanji bei Kioto), die mit ihrem schwellenden Pinselduktus den Einfluß der chines. Sung-Malerei ankündigen. Die Entwicklung der Schrift, die in O-Asien höher als die Malerei gewertet wird, führte zu rein japan. Formen (→Kalligraphie). Auch das Kunsthandwerk zeigte nun Ornamente japan. Gepräges, bes. auf Bronzespiegeln und in der →Lackkunst (Kästen und Truhen in reinem Goldlackgrund oder Schwarzlackgrund, oft mit versch. Einlagen kombiniert). In Webereien und Färbereien entstanden hervorragende Ar-

japanische Kunst: Erscheinung des Amida-Buddha (Yamagoshi-Amida); Hängerolle, 1. Hälfte des 13. Jh. (Kioto, Zenrinji-Tempel)

japanische Kunst: Maruyama Okyo: Hozu-Fluß; Stellschirm, Ausschnitt, 1795 (Kioto, Privatsamml.)

japanische Kunst: Jokei: Sho-Kannon, Holz; Kamakura-Zeit, 1226, Kioto, Kuma-dera.

beiten; aus der chines. Tracht wurde der Kimono entwickelt. Im Hausbau traten anstelle der bisherigen Klappfenster die Shoji (Schiebewände), der Holzboden wurde, zunächst teilweise, mit dicken Matten (Tatami) belegt.

KAMAKURA-ZEIT (1185–1336)

Mit der Neugründung des Shogunats in Kamakura (1192–1333) bildete sich dort ein neues Kulturzentrum neben dem der Kaiserstadt Kioto. Harter, krieger. Geist kennzeichnet diese Glanzepoche japan. Rittertums. Die Restaurierung der durch Kriege zerstörten Tempel und Bildwerke in Nara führte zu einer Renaissance des bewegten ›Nara-Realismus‹ des 8. und 9. Jh. Hinzu kamen Einflüsse der chines. Sung-Zeit. Seit dem 11. Jh. existierten Bildhauerwerkstätten (Bussho), die die Tradition des Jocho fortführten. Bes. produktiv ist die Kei-Schule in Nara. KOKEI (um 1150), sein Sohn UNKEI (*1148, †1223) und die Enkel KAIKEI (*1174, †1253), JOKEI (um 1200) und TANKEI (*1173, †1256) schufen Bildwerke, die sich von der Linienschönheit der Fujiwara-Skulptur entfernen und mit tiefen Einschnitten, starker Körpermodellierung und naturalistisch wirkenden, eingelegten Kristallaugen den Kamakura-Stil der relig. Plastik zeigen: 6 Patriarchen der Hosso-Sekte (Kokei, 1189), die Mönche Muchaku und Seshin (Unkei, 1208) im Kofukuji, 2 Torwächter im Todaiji (Unkei und Kaikei, 1203). In den Bussho entstanden auch hervorragende →Masken.

Die Einführung des Zen-Buddhismus wirkte sich zunächst nur auf die Architektur aus. Nach dem Muster der Sung-Klöster baute man Tempel im chines. Stil (Kara-yo), axial-symmetr. Anlage, mit steinernen Plattformen und schweren hohen Ziegeldächern, z. B. Kenchoji in Kamakura (1253), Nanzenji (1293) und Daitokuji (1319) in Kioto. Das Yamato-e erreichte seinen Höhepunkt mit historisch-schildernden und religiös-

japanische Kunst: Sesshu: Landschaft; 1495, Tusche auf Papier, Ausschnitt (Tokio, Nationalmuseum)

propagandist. Emaki (Kitano-Tenjin-engi 1219, Heiji-monogatari, 13. Jh. u. a.). Ihm gleichrangig war die höf. Porträtmalerei (Nise-e), deren Hauptwerke FUJIWARA TAKANOBU (*1142, †1205) zugeschrieben werden. Auch die monochrome Tuschmalerei im Sung-Stil fand Anhänger (satir. Emaki, ikonograph. Skizzen, Priesterporträts, einzelne Naturbilder). Die buddhist. Kultmalerei wurde durch Einbeziehung shintoist. Themen (Miyano-mandara) bereichert. Im Kunsthandwerk zeigen Lackgeräte, Schreib- und Toilettenkästen im Dekor Verbindung zum Yamato-e; es entstanden die ersten reliefierten, geschnittenen Lackarbeiten (Kamakura-bori) und glasiertes Steingut nach chines. Vorbild (seit 1230 in Seto, →Keramik). Der krieger. Zeit gemäß erlebte die Waffenschmiedekunst und die Herstellung von Rüstungen eine Hochblüte. Die klass. Form der japan. Rüstung (Do) wurde von den Plattnermeistern der MYOCHIN-Familie geschaffen, deren Namen als Meister von Schwertstichblättern (Tsuba) überliefert wurden.

MUROMACHI-ZEIT (1336–1573)

Sie ist benannt nach dem Stadtviertel in Kioto, in dem die Ashikaga-Shogune ihre Residenz hatten. In der Muromachi-Zeit wurde die Kunst vom Zen-Buddhismus beeinflußt. In die profane Architektur wurde der →Shoin-Stil der Zen-Klöster übernommen, wodurch sich die noch heute gültige Grundform des japan. Hauses ergab. Ebenfalls unter Zen-Einfluß entstanden das →Teehaus (Chashitsu) und eine verfeinerte →Gartenkunst (Ginkakuji und Maoshinji in Kioto). In die Shinto-Architektur drangen verstärkt buddhist. Elemente ein. Die buddhist. Kultplastik und -malerei stagnierten. Neu waren die No-Masken, die i. Ggs. zu den früheren Masken (für Tempeltänze) menschl. Charaktertypen darstellen. Die eigtl. Kunst der Zeit ist jedoch die zenorientierte und chinesisch inspirierte Tuschmalerei, gefördert durch die sammelfreudigen Shogune. Malende Zen-Priester studierten und kopierten die großen chines. Maler der vergangenen Süd-Shung-Zeit. MINCHO, JOSETSU und SHUBUN, Abt im Shokokuji zu Kioto, sind die Klassiker der japan. →Tuschmalerei (Suiboku-ga). Aus Shubuns Schule gingen u. a. NOAMI, SOAMI, der Gründer der Kano-Schule MASANOBU und der genialste japan. Maler SESSHU (BILD) hervor, dessen großartige Landschaftsbilder in den kühnen Impressionen in ›gespritzter Tusche‹ (Hatsuboku) gipfeln. Auch auf die Lackkunst wirkten Kompositionsweise und Motive der chines. Tuschmalerei. Relieflack, abgegriffen wirkender Negoro-Lack und eingelegte Gold- und Silberfolie (Heidatsu) gelangten zu hervorragender Ausführung. Führende Künstlerfamilien waren die KOAMI und IGARASHI. Unter den Meistern der Schwertzierate gewannen die GOTO den Vorrang.

japanische Kunst: Teller, Porzellan mit farbigen Glasuren, Ko-Kutani-Ware, Ø 44 cm, 17. Jh., frühe Edo-Zeit (Köln, Museum für Ostasiat. Kunst)

MOMOYAMA-ZEIT (1573–1603)

Sie ist benannt nach dem Palast des Feldherrn TOYOTOMI HIDEYOSHI auf dem Momoyama-Hügel in Fushimi bei Kioto (1594, zerstört 1596). Für diese von Luxus und Prunksucht erfüllte Epoche der ›3 Militärdiktatoren‹ ist eine dekorative Kunst kennzeichnend, die, losgelöst von relig. Bindungen, zu Repräsentationszwekken entstand. Die pomphaften Palast- und Schloßbauten sind vernichtet bis auf wenige Reste, so die Burg des NOBUNAGA in Azuchi am Biwasee, die Schlösser von Osaka, Himeji (BILD) und Nagoya, der Jurakudai- und der Nijo-Palast in Kioto (BILD). Für diese Bauten sind reiche Holzschnitzereien und Metallbeschläge kennzeichnend. Die Ausstattung dieser Paläste fiel den Meistern der Kano-Schule (→Kano) zu, voran EITOKU und SANRAKU, die in lebhaften Farben auf Goldgrund prächtige Malereien auf Stellschirmen und Schiebewänden (Fusuma, BILD) schufen. Auch die Ankunft der ersten Europäer und das Leben der Missionare wurde auf Stellschirmen dargestellt (→Namban-Kunst). In großflächigen, dekorativen Werken knüpften die Meister der Tuschmalerei, KAIHO YUSHO und HASEGAWA TOHAKU, direkt an die chines. Sung-Malerei an. Auch Lackarbeiten wurden reicher dekoriert. Die Metallkunst war hochentwickelt (Waffen, Schwertzierat und Metallbeschläge an Bauten).

Die großen Lehrer der Teezeremonie, SEN NORIKYU und KOBORI ENSHU, wirkten als Meister der Ästhetik. Verhaltene Schlichtheit der Form, wie sie die Teezeremonie verlangte, zeigte sich bes. in der Gartenkunst und der Keramik (→Chaki). Diese war nach dem Korea-Feldzug des Hideyoshi von korean. Töpferwerkstätten in der Provinz (Öfen von Satsuma, Karatsu, Hagi, Takatori) etabliert worden. In Kioto begann die Produktion des →Raku-yaki. – Die Shinto-Anlagen wurden ganz buddhist. Tempelbauten angepaßt (Gongenzukuri).

EDO-ZEIT (1603–1868)

Die Edo-Zeit ist eine 250jährige Friedenszeit unter Abschließung vom Ausland, in der eine bürgerl. Kunst und Kultur entstand, die von Edo, der neuen Hauptstadt der Tokugawa-Machthaber, ihren Ausgang nahm. In der Genroku-Zeit (1688–1704) hatte noch die Kaiserstadt Kioto das kulturelle Übergewicht; dort wirkte, getragen von Adel und Großbürgertum, der Geist der Momoyama-Zeit nachhaltig weiter (z. B. in der Kakemono-Malerei). Selbst die prunkenden Mausoleumsbauten der Tokugawa in Nikko setzten den üppigen Momoyama-Stil fort. Die eigtl. baul. Kunstwerke der Zeit aber, neben Neubauten alter oder zerstörter Tempel in nur unwesentlich gewandeltem traditionellem Schema, sind Villen und Teehausbauten im raffiniert einfachen Geschmack (Katsura und Shugakuin-Villen in Kioto). Während der frühen Edo-Zeit erlebte die dekorative Malerei mit den genialen Künstlern KOETSU und SOTATSU einen neuen Aufschwung. In ornamental-dekorativer Umformung klass. Themen des Yamoto-e verschmolz Koetsu Bild und Schrift auf Gedichtblättern (Shikishi), während Sotatsu monumentale Bilder auf Stellschirmen und Fusuma kreierte. Von ihnen inspiriert ist das Brüderpaar OGATA KORIN und OGATA KENZAN, die in gekonnter Stilisierung nicht nur Stellschirme bemalten, sondern auch wegen ihrer Entwürfe für Teegeräte und Lackkunst berühmt sind. Hofmaler in Edo wurden die Meister der Kano-Schule, am bekanntesten KANO TANYU, der 1621 nach Edo berufen wurde. MATABEI entwickelte einen Stil, der die Richtung der Kano-Malerei mit der der Tosa-Schule verband, die, nach Kioto zurückgekehrt, den Stil des Yamato-e weiter praktizierte. Wirkl. Popularität aber erlangte das Ukiyo-e, die Malerei des Modischen, des Großstadtlebens, wie es sich im Theater, im Teehaus und in Yoshiwara (Freudenviertel von Tokio) abspielt. Ausgehend von manierist. Genrebildern (von Kano-Meistern inoffiziell seit der Ashikaga-Zeit gemalt), wurde das Ukiyo-e jetzt zur Massenkunst. Der Begründer des

japanische Kunst: Schreibkasten, schwarzgelackt mit Gold- und Silbereinlagen; 18. Jh. (Wuppertal, Samml. Herberts)

japanische Kunst: Frosch auf Kürbis; Netsuke von Masanao (†1850), Holz (Köln, Museum für Ostasiat. Kunst)

japanische Kunst: Schwertstichblatt (Tsuba), Eisen, goldtauschiert; 18. Jh. (Köln, Museum für Ostasiat. Kunst)

Ukiyo-e-Holzschnitts war MORONOBU. Die Technik der zunächst handkolorierten Blätter (Tan-e) wurde 1742 durch Hinzufügung von 2 Farbplatten (→Beni-zuri-e) zum Vielfarbendruck weiterentwickelt (Nishiki-e 1765). Bed. Meister waren HARUNOBU, SHARAKU (BILD), KIYONAGA, UTAMARO (BILD), der geniale HOKUSAI (BILD) und HIROSHIGE (BILD). In der 2. H. der Edo-Zeit wurde die japan. Malerei erneut durch chines. Einflüsse bestimmt. Einmal wurde die Literatenmalerei (Bunjinga oder Nanga) in Japan bekannt, die den konfuzianisch-literar. Neigungen der Zeit entsprach. Andererseits wuchs das Interesse an naturalist. Darstellung, inspiriert vom europ. Kupferstich und der farbenprächtigen akadem. Malerei der Ming-Zeit, vermittelt von dem chines. Maler SHEN NAN-PIN, der 1731–33 in Nagasaki wirkte. Die Werke der japan. Literatenmaler BUSON, TAIGA, BUNCHO sind individuelle Schöpfungen.

Entscheidende Bedeutung für die neuere j. K. hatte die Maruyama-Schule, deren Gründer OKYO Guckkastenbilder mit Zentralperspektive wie auch Naturskizzen fertigte, die als große Byobu-Gemälde im Wechsel von minuziösen Details mit japan. leerem Raum neuen Realismus in die japan. Malerei brachte (BILD Okyo). Seine Schüler, der virtuose ROSETSU und GOSHUN, der Gründer der →Shijo-Schule, trugen diesen Stil weiter. Im Kunstgewerbe ist für die Keramik die Entwicklung von der chinesisch-koreanisch beeinflußten Momoyama-Zeit zu einem charakteristisch japan. Stil kennzeichnend. Künstler. Anregung gaben nach wie vor die Teezeremonie und ihr Bedarf an unregelmäßigem, fühlbar rauhem irdenen Chaki, für die in Kioto (Kyo-Yaki) die Meister NINSEI, KENZAN und die Raku-Werkstatt mit Koetsu arbeiteten, während in Hizen (auf Kyushu) KAKIEMON die Porzellanherstellung durch anmutig-sparsame Schmelzmalerei bereicherte und verfeinerte. Die qualitativ beste und dekorativ edelste Ware, die im Ggs. zum Imari-Porzellan nicht zur Ausfuhr bestimmt war, lieferten die Öfen von Okochi, die das Porzellan für die Fürsten NABESHIMA herstellten, und von Mikochi (→Hirado-Porzellan). Weitere bekannte Werkstätten waren die von Kutani, Hagi und Satsuma. Bedingt durch das Luxusbedürfnis der Zeit, waren auch Lackkunst und Schwertschmiedekunst hochentwickelt, verloren jedoch gegen Ende der Periode durch Unsicherheit des Stilgefühls.

Als neue Kunst entstand die Schnitzerei der →Netsuke, die man als Gegengewicht zu →Inro (Medizindosen) oder Tabakbeutel am Gürtel trug. Die Epoche endete mit der erzwungenen Öffnung des Landes durch die Amerikaner und Rückgabe der Regierungsgewalt an den Kaiser. Dieser bestieg 1868 als Meiji-Tenno den Thron und verlegte den Kaiserhof nach Edo, das in Tokio umbenannt wurde.

MEIJI-ZEIT (1868–1912)

Sie war v. a. die Periode der raschen Verwestlichung in allen Lebensbereichen. Die Ölmalerei entwickelte sich nach ital. dann nach frz. Vorbild. KURODA SEIKI begründete die europ. Malerei an der Kunstakad. in Kioto. Rückbesinnung auf alte Traditionen erfolgte durch den amerikan. Philosophen E. FENOLLOSA und

japanische Kunst: ›Kirschblüten und Fasane‹, Stellschirm, Tusche, Farben, Muschelkalk und Gold auf Papier; frühes 18. Jh. (Köln, Museum für Ostasiat. Kunst)

den Maler OKAKURA KAKUZO in Kioto. In der Kunstschule des KONO BAIRAI wurde die Naturnähe der Maruyama- und Shijo-Schule fortgesetzt. In Tokio übernahm 1888 die staatl. Kunsthochschule die Förderung der japan. Malerei. Mitbegründer war KANO HOGAI, (*1829, †1888), einer der letzten Meister der Kano-Schule. YOKOYAMA TAIKAN (*1868, †1930) setzte den Stil der Tuschmalerei, TAKEUCHI SEIHO (*1864, †1942) den der Shijo-Schule fort. In der Art der Nanga malte z. B. KOMURO SUIUN, in der Art des Yamato-e MATSUOKA EIKYU. Der letzte eigenwillige Vertreter der Literatenmalerei war TOMIOKA TESSAI (*1836, †1924). Ukiyo-e und Yamato-e erlebten bes. in den Frauenbildern der Malerin UEMURA SHOEN (*1875, †1949) eine moderne Variante. Die Bildhauerei richtet sich ganz nach europ. Muster (A. RODIN) bis auf eine Schule, die die traditionelle Holzplastik weiterführte. Die Architektur war von Jugendstil und Internationalem Stil (K. TANGE) beeinflußt, es fand ein reger Austausch zw. westl. und japan. Architekten statt.

D. SECKEL: Buddhist. Kunst Ostasiens (1957); T. AKIYAMA: Japan. Malerei (1961); J. A. MICHENER: Japan. Holzschnitte (a.d. Engl., 1961); ROSE HEMPEL: Holzschnittkunst Japans (1963); B. SMITH: Japan, Gesch. u. Kunst (a.d. Amerikan., 1965); BEATRIX V. RAGUÉ: Gesch. der japan. Lackkunst (1967); J. FONTEIN u. ROSE HEMPEL: China, Korea, Japan (1968); Japan's cultural history, hg. v. Ministry of Foreign Affairs (Tokio 1973); R. GOEPPER: Meisterwerke des japan. Farbholzschnitts (1973); ders.: Kunst und Kunsthandwerk Ostasiens (Tb., 1978); A. TAMBURELLO: Japan. Monumente großer Kulturen (a.d. Italien., 1975); IRMTRAUD SCHAARSCHMIDT-RICHTER: Japan. Gärten (1977); T. IMMOOS: Japan. Tempel, Gärten und Paläste (1978); DANIELLE u. V. ELISSEEFF: Japan, Kunst und Kultur (a.d. Frz., 1981); EVA KRAFT: Illustr. Handschriften und Drucke aus Japan, 12.–19. Jh., Ausst.-Kat., Berlin-West (1981); dies.: Japan. Handschriften und traditionelle Drucke aus der Zeit vor 1868 (1982).

Japanlack, Maltechnik: der sehr beständige Lack aus dem Saft von Sumachbäumen, in O-Asien zu vielerlei Lackarbeiten verwendet (→Lackkunst). Als europ. Imitation sind im 18. Jh. Harzöllacke (z. B. Kopallack), heute Emaillacke unter dieser Bez. zu finden.

Japonismus, 1) Bez. für die Nachahmung japan. Vorbilder in der europ. Porzellankunst, Lackmalerei und Architektur des 17./18. Jh.; 2) Bez. für den seit etwa 1860 in Frankreich übl. Exotismus, der durch die Weltausstellung in Paris 1867, die Verbreitung japan. Farbholzschnitte und japan. Kunstgewerbes gefördert wurde. Man sammelte →Ukiyo-e, trug Fächer und Kimonos und bevorzugte Stellschirme mit japan. Motiven. Impressionisten, Nachimpressionisten und Jugendstil waren von japan. Kunst beeinflußt.

K. BERGNER: J. in der westl. Malerei 1860–1920 (1980).

Jaquemart [ʒakm'a:r, frz., n. Jakobus d. J., der mit einer Keule erschlagen wurde], überlebensgroße Figuren (→Automaten), die mit langgestielten Hämmern im Stundenrhythmus, meist unter Drehung um ihre Achse, an die Uhrenglocken schlagen (Stundenmännchen).

Järnefelt, Eero Nikolai, finn. Maler, *Wiborg 8. 11. 1863, †Helsinki 24. 11. 1937, Schüler der Petersburger Akad., bildete sich in Paris weiter. J. malte von schwermütiger Stimmung erfüllte Bilder der finn. Landschaft, Szenen aus dem Volksleben, psychologisch auslotende Porträts und Wandgemälde (Univ. Helsinki).

Jaroměř [j'arɔmjɛrʒ], Stadt im Ostböhm. Kreis, ČSSR, 11 600 Ew.; entstand bei einer 1126 genannten Přemysliden-Burg; Dekanatskirche St. Nikolaus (1404 beg.) mit barocker Ausstattung; spätgot. Pfarrkirche St. Jakob (14. Jh., Portal 1530); Josephin. Befestigungsanlagen (1780–87). Auf dem Friedhof bed. Grabmal (Anna Myselius) von M. B. v. BRAUN (1721).

Jaroschenko, Jarošenko, Nikolaj Aleksandrowitsch, russ. Maler, *Poltawa 13. 12. 1846, †St. Petersburg 7. 7. 1898, Vertreter des russ. Realismus, Mitgl. der →Peredwischniki. Er reiste durch fast alle Länder Europas, den Mittleren und Nahen Osten und große Teile Rußlands und malte sozialkrit. Bilder (›Der Heizer‹ 1878, Moskau, Tretjakow-Gal.).

Russ. Realismus 1850–1900, Ausst.-Kat., Baden-Baden (1972).

Jarosław, Stadt in der Wwschaft Przemyśl in den Vorbergen der Karpaten, SO-Polen, 34 000 Ew. Das 1571 gegr. Jesuitenkolleg (Kirche 1582–94, Kollegiatsgebäude 16./17. Jh.) wurde 1920–24 weitgehend zerstört. Ehem. Benediktinerkloster (gegr. 1615) mit Kirche von 1622–24. Dominikanerkloster mit Kirche (1629–35, um 1700 durch J. SOLARI zur Basilika mit Emporen erweitert) und oktogonalem Quellheiligtum mit Kuppel (1752). Bürgerhäuser vorwiegend aus der Zeit der Spätrenaissance und des Frühbarock, darunter das Orsetti-Haus (um 1570), heute Museum.

Jaroslawl, Gebietshauptstadt in der Russ. SFSR an der oberen Wolga, UdSSR, 603 000 Ew. Die 1010 gegr. Stadt gehörte zuerst zum Kiewer Reich, später zum Fstt. Rostow-Susdal. In der Monumentalmalerei führte sie die Tradition von Wladimir-Susdal fort. Für den hier im 17. Jh. ausgebildeten eigenen, reich dekorierten Architekturstil ist die Christi-Geburts-Kirche ein bed. Beispiel.

Das befestigte Spasskij-(Erlöser-)Kloster des 16. und 17. Jh. besitzt eine Dreikuppelkirche (Fassade 1516) Moskauer Typs und ein Refektorium des 16. Jh. Die Nikolaus-Nadein-Kirche wurde 1621 voll. (Wandmalereien 1641). Zu den traditionellen Bauten des 17. Jh. mit 5 Kuppeln und 3 halbrunden Apsiden gehören die Elias-Kirche (1647–50) mit reicher gemalter Ausstattung des 17. und 18. Jh. und die Christi-Geburts-Kirche (1644) mit Malereien (1683) und einem Turm (1650 bis 1660). In den Vororten Korowniki und Toltschkowo die Johannes-Chrysostomus-Kirche (1649–54), ein Ziegelbau mit Ornamentik aus glasierten Ziegeln, und die Fünfzehnkuppelkirche Johannes des Täufers (1671 bis 1687). Der klassizist. Gouverneurspalast stammt vom Ende des 18. Jh.

Jạson, grch. Mythos: →Iason.

Jạsov, Ort im Ostslowak. Kreis, ČSSR, etwa 3000 Ew. Die Bauten des im Hoch-MA. gegr. Prämonstratenserklosters (12.–13. Jh.) wurden durch eine regelmäßige spätbarocke Anlage mit frz. Park im wesentlichen nach Plänen von A. PILGRAM (1750–66) ersetzt; in der 1766 vollendeten Klosterkirche Wandgemälde von J. L. KRACKER, der auch die Deckengemälde der bed. Klosterbibliothek schuf.

Jasperware [dʒ'æspəweə, engl., zu Jaspis], feines, unglasiertes Steinzeug, das 1774 von J. WEDGWOOD entwickelt wurde. Es wurde weiß hergestellt oder durch Metalloxide in der Masse durch und durch gefärbt, u. a. blau, grün, lavendelfarben, rosa oder schwarz **(Solid Jasper).** Am bekanntesten ist die charakterist. zartblaue J. mit aufgelegten klassizist. weißen Reliefs.

Jạspis [grch. aus assyr.] *der,* stets Fremdbeimengungen enthaltende Abart des →Chalcedon, undurchsichtig, grau oder verschiedenartig trüb gefärbt.

J. wurde in Ägypten bes. im Neuen Reich in Kunst und Handwerk verwendet. Die besondere Stellung des J. unter den Edelsteinen im MA. ergibt sich aus der Apokalypse, wo er als erster Grundstein des Himml. Jerusalem genannt ist. In der Renaissance wurde J. zu Dosen, Schalen, Vasen und Mosaiken verarbeitet, im späten 18. Jh. häufig mit Montierung aus Goldbronze.

Jạssy, rumän. **Iaşi** [jaʃj], Hauptstadt des Kr. Iaşy, NO-Rumänien, 263 000 Ew.; altes Kulturzentrum und wichtigster Ort des rumän. Teils der Moldau. Die Kirche St. Nikolaus, ab 1494 als Stiftung des Fürsten STEFAN D. GR. erbaut, wurde 1890–1904 stark restauriert. Die Kirche der Drei Hierarchen (›Trei Ierarhi‹, 1634 bis 1653) mit reicher Steinornamentik an den Außenwänden vereinigt moldauische Bautradition (Dreikonchenanlage), walach. (byzantinisch beeinflußter) Wand- und Kuppelaufbau, islam. Ornamentik und Elemente siebenbürg. Gotik. Der Blütezeit der moldauischen Architektur im späten 16. und 17. Jh. entstammen mehrere bed. Klöster, die bereits Einflüsse des poln. Barock zeigen: Golia (mit 8 Kuppeln; 1650–60), Cetăţuia, Frumoasa, Galata (1579–84), Hlincea. Die Barnovşi-Voda-Kirche (1627) hat als einzige Kirche in J. eine zierl. Säulenvorhalle. Erhalten sind auch einige Bojarenhöfe des 17. Jh.; Kunstmus. (seit 1860).

Jạtaka [dʒ-, Skt.], fabelartige, moralisierende Erzählung der altbuddhist. Literatur mit Begebenheiten aus den vorangegangenen Existenzen des Buddha. J. waren in Indien beliebte Themen der Skulptierung von Stupazäunen, bevor der Buddha in menschl. Gestalt abgebildet wurde (Bharhut, Sanchi). Auch in der Kunst Indonesiens (bes. in Reliefs am Borobudur), Birmas und Thailands (glasierte Ziegel und Malereien) wurden die J. vielfach dargestellt.

Játiva [x'atiβa], Stadt in der südostspan. Prov. Valencia, 22000 Ew.; Stiftskirche (1413 beg., ab 1596 erneuert; im Inneren kostbares Prozessionskreuz des 13. Jh.); got. Kapelle S. Feliú (13. Jh.). Im Mus. ein Glanzstück maur. Skulptur, die ›Pila von J.‹, ein Marmorbecken für relig. Waschungen mit figürl. Szenen (stillende Mutter, Ritter, Musikanten, Tänzer; spätes 11. Jh.?). Kastell mit Bauresten versch. Epochen.

Jauer, poln. **Jạwor,** Stadt in Niederschlesien, in der poln. Wwschaft Legnica (Liegnitz), 18000 Ew.; im Hoch-MA. Hauptort des Fstt. J. Die Pfarrkirche, eine got. Hallenkirche des 14. Jh., hat got. Skulpturen und barocke Ausstattung. Die Kirche des ehem. Bernhardinerklosters ist ein spätgot. Bau (1486–92; Klostergebäude zerstört). Bed. ist die barocke evang. Friedenskirche, 1654–56 als Fachwerkbau von A. VON SÄBISCH vor der Stadt errichtet, mit gemalter Dekoration und Ausstattung des frühen 18. Jh.; Turm von 1709. Rathaus (19. Jh.) mit Turm aus dem frühen 17. Jh. Am Marktplatz barocke Laubenganghäuser (z. T. restauriert). Teile der Stadtumwallung mit Turm (14. Jh.) und Renaissance-Bastionen (1540) sind erh.

Jaụnde, Hauptstadt der Rep. Kamerun, →Yaoundé.

Jaunpur [dʒ-], Stadt in Uttar Pradesh, Indien, um 1360 an der Stelle einer hinduist. und jinist. Tempelanlage vom Herrscher Firos Shah Tughluq gegr., war 1394–1480 Hauptstadt eines muslim. Staates. Die monumentalen Moscheen (überwiegend vor 1480 erb.) zeichnen sich wie die etwa 1470 voll. Freitagsmoschee durch doppelstöckige Arkaden und einen hohen zentralen Bogen der Schirmwand aus.

Java, Insel des Malaiischen Archipels, →indonesische Kunst.

Jawi, Candi J. [tç'andi-], shivait. Tempel am Berg Welirang, auf Ostjava (um 1300; KARTE indonesische Kunst), errichtet auf einer Terrasse, die von einem mit Wasser des Berges gefüllten Graben umgeben ist.

Jawlẹnsky, Alexej von, russ. Maler, *Torschok (bei Twer) 13. 3. 1864, †Wiesbaden 15. 3. 1941, Gardeoffizier und Schüler von I. REPIN an der St. Petersburger Akad. J. zog 1896 mit Marianne von →Werefkin nach München, wo er mit W. KANDINSKY zusammentraf und dem →Blauen Reiter nahestand. Er lebte seit 1914 in der Schweiz, 1921 übersiedelte er nach Wiesbaden. 1924 gründete er mit Kandinsky, P. KLEE und L. FEININGER die Gruppe ›Die Blauen Vier‹, die in Dtl. und USA ausstellten. Anfänglich stark beeinflußt vom Fauvismus, malte J. starkfarbige Porträts (›Dame mit Fächer‹, 1909, Wiesbaden, Mus.), Landschaften (›Strenger Winter‹, 1916; Basel, Kunstmus.) und Stilleben (›Stilleben

Wörter, die man unter J vermißt, suche man unter Dj, Y oder G

Alexej von Jawlensky: Dame mit Fächer; 1909 (Wiesbaden, Museum)

mit Vase und Krug‹, 1909; Köln, Wallraf-Richartz-Mus.). Sein reifes Werk zeigt zunehmende Konzentration auf einfache und kraftvolle Formen in gebrochenen Farbtönen und kleinerem Format, sein Spätwerk die stark abstrahierende ikonenhafte Darstellung des menschl. Antlitzes.

C. Weiler: A. v. J. (mit Œuvre-Kat., 1959); ders.: A. v. J. (1970); J. Schultze: A. v. J. (1970); A. v. J., Ausst.-Kat., München (1983).

Jawor, poln. Name für →Jauer.

Jean de Boulogne [ʒã də bul'ɔɲ], niederländisch-ital. Bildhauer, →Giambologna.

Jean de Paris [ʒã də par'i], frz. Maler, Jean →Perréal.

Jean de Rouen [ʒã də ru'ã], frz., v. a. in Portugal tätiger Bildhauer und Architekt, →João de Rouão.

Jeanneret [ʒanr'ɛ], Charles-Édouard, schweizer. Architekt, →Le Corbusier. Sein Vetter Pierre J. (*1896, †1967) arbeitete 1922–46 in seinem Büro.

Jebba [dʒ-], Niger-Insel im Nupe-Gebiet W-Nigerias, auf der 2 Tsoede-Bronzen (→Tsoede) aufbewahrt wurden; eine Frauenfigur (115,6 cm) mit einem Fächer in der Hand sowie ein Bogenschütze (92 cm) mit einem scheibenförmigen Emblem auf dem Kopf (Vorderarme und Bogen fehlen); beide jetzt im Nat.-Mus. in Lagos.

Jedburgh Abbey [dʒ'edbərə 'æbɪ], Abtei in der schott. Borders Region, 1118 von König David I. (*um 1082, †1153) gegr., 1147 zur Abtei erhobenes ehem. Augustinerkloster; die nur als Ruine erhaltene Abteikirche des späten 12. Jh., eine Querhausbasilika mit Vierungsturm, besitzt im Mittelschiff mächtige Rundpfeiler.

Jędrzejów [jɛndʒ'ejuf], Stadt in der Wwschaft Kielce, Polen, 16000 Ew. Die Abteikirche des ehem., 1140 gegr. Zisterzienserklosters ist eine spätroman. Basilika

Jelling: Runensteine, 10. Jh.

mit Querhaus (um 1210), spätgotisch umgebaut und barock erweitert. Ausstattung vorwiegend aus dem 18. Jh., jedoch auch mittelalterl. Grabmäler; von den Klostergebäuden des 18. Jh. sind 2 Flügel erhalten.

Jegher [j'eː xər], **Jeghers,** Christoffel, fläm. Holzschneider, getauft Antwerpen 24. 8. 1596, †ebd. 1652/1653, schuf Buchgraphik und, seit 1631, große kraftvolle Einzelholzschnitte nach P. P. RUBENS, unter dessen Anleitung er zum Erneuerer des Holzschnittes im 17. Jh. wurde (→Rubensstecher).

Jelenia Góra [jɛl'ɛnja g'ura], poln. Name für →Hirschberg i. Rsgb. (im Riesengebirge).

Jelling, Gem. in Ostjütland, Dänemark, 5000 Ew., mit den beiden ältesten Königsgräbern Dänemarks und 2 Runensteinen (10. Jh.) mit Inschrift, der größere außerdem mit Christusfigur und Tierornamentik.

Jena, Stadt im Saaletal, Dt. Dem. Rep., 100 800 Ew., Universitätsstadt seit 1548. Die Innenstadt wurde im 2. Weltkrieg weitgehend zerstört. Wiederhergestellt ist die spätgot. Stadtkirche St. Michael (beg. um 1390), eine dreischiffige Halle mit reichskulptiertem Brautportal an der Südseite; qualitätvolle Kanzel (1507), hölzerne Statue des Hl. Michael (13. Jh.), Bronze-Grabplatte M. Luthers (für Wittenberg bestimmt, aber 1551 hier aufgestellt). Die Friedenskirche ist ein Barockbau (1686 bis 1693); wertvolle Grabmäler auf dem Friedhof. Rathaus, im Kern spätgotisch (14. Jh.), 1775 barock erneuert; auf dem Markt Standbild des Kurfürsten Johann Friedrich (›Hanfried‹) von F. DRAKE (1858). In der Aula der Univ. (1905–08 von T. FISCHER) Wandgemälde ›Auszug der Jenenser Studenten 1813‹ von F. HODLER (1908), vor der Univ. Burschenschaftsdenkmal von A. DONNDORF (1883). Ernst-Abbe-Denkmal von H. VAN DE VELDE (1909–11), innen 4 Reliefs vom ›Denkmal der Arbeit‹ von C. MEUNIER und Abbe-Büste von M. KLINGER.

Jenkins [dʒ'eŋkɪnz], Paul, amerikan. Maler, *Kansas City (USA), 12. 7. 1923, lebt seit 1953 in Paris; malt aus der Tradition eines frz. verfeinerten Abstrakten Expressionismus (v. a. mit frei auslaufenden Farben von aquarellartiger Transparenz).

A. ELSEN: P. J. (New York 1973).

Jenney [dʒ'enɪ], William Le Baron, amerikan. Architekt, *Fairhaven (Massachusetts) 25. 9. 1832, †Los Angeles (Kalifornien) 15. 6. 1907, seit 1867 in Chicago, Nestor der Schule von →Chicago, baute das Home Insurance Building in Chicago (1883–85), das richtungweisend für die Verwendung von Stahlskeletten beim Bau von Hochhäusern war.

Jenseitsführer, Unterweltsbücher, illustrierte Texte des ägypt. Neuen Reiches (1550–1070 v. Chr.), an den Wänden der Gräber im Tal der Könige in Malerei oder Relief erh., später auch auf Särgen und Papyri, wo sie zus. mit dem →Totenbuch einen Höhepunkt ägypt. Buchmalerei darstellen. Sie versuchen, das Wesen der Totenwelt in kühnen Bildvisionen einzufangen und für den verstorbenen König in seinem Grab verfügbar zu machen; Thema ist v. a. die nächtl. Fahrt der Sonne von W nach O durch die Unterwelt, an der auch der verstorbene König teilnahm. Bild und beschreibender Text bilden eine Einheit. Die wichtigsten J. sind ›Amduat‹, ›Pfortenbuch‹ und ›Höhlenbuch‹.

Jensen, 1) [dʒ'ensən], Alfred, amerikan. Maler, *Guatemala City 11. 12. 1903, kam nach Anfängen im Umkreis des Abstrakten Expressionismus durch GOETHES Farbenlehre, die Schriften LEONARDO DA VINCIS und die Zahlensysteme der Maya seit 1957 zu Bildern, die graph. Symbole, quadrat. Muster und Ornamente, Diagramme und reine Farben miteinander verbinden. Zugrunde liegen komplizierte zahlenmyst. Ordnungen, die J. einen eigenen Platz zw. Concept Art und Individuellen Mythologien sichern.

A. J., Ausst.-Kat., Hannover (1973).

2) Christian Albrecht, dän. Maler, *Bredstedt (Schleswig) 26. 6. 1792, †Kopenhagen 13. 7. 1870, studierte 1817–21 in Dresden und Rom, lebte seit 1823 in Kopenhagen als führender dän. Porträtmaler. Seine Porträts zeichnen sich durch reiche maler. Mittel und eine sehr persönl. Auffassung aus.

3) Georg, dän. Gold- und Silberschmied, *Raavad bei Kopenhagen 31. 8. 1866, †ebd. 2. 9. 1935, stellte nach Studien in Italien und Frankreich seit 1904 in eigener Werkstatt Arbeiten in schlichten edlen Formen her.

Jensen-Klint, Peder Vilhelm, dän. Architekt, *bei Skelskør 21. 6. 1853, †Kopenhagen 1. 12. 1930; urspr. Ingenieur, studierte er 1878–85 Malerei und war seit 1896 als Architekt und im Kunstgewerbe tätig.

HW: Grundtvigskirche in Kopenhagen (beg. 1921).

K. FISKER und K. MILLECH: Danske arkitekturstrømninger 1850–1950 (Kopenhagen 1951).

Jeremia, Jeremias, einer der großen Propheten des A. T. Darstellungen als Mann mittleren Alters mit Bart oder als Greis, mit Schriftrolle und Buch, im frühen MA. mit Nimbus: Stuckrelief des 5. Jh. im Baptisterium zu Ravenna; Skulpturen an den Portalen der Dome zu Chartres (um 1210) und Straßburg (um 1300), an den Chorschranken im Bamberger Dom (um 1235), v. a. am Mosesbrunnen der Chartreuse von Champmol bei Dijon von C. SLUTER (um 1400); Zyklen auf Glasgemälden der Ste-Chapelle in Paris (1234–48); bed. das Fresko des über Jerusalem trauernden J. von MICHELANGELO in der Sixtin. Kapelle (1508–12).

Jerewan, Hauptstadt der Armen. SSR, →Eriwan.

Jerez de la Frontera [xer'εð ðe-], span. Stadt in der Prov. Cádiz, 150000 Ew.; aus maur. Zeit stammt der Alcázar (11.–13. Jh.); zahlreiche Kirchen, u. a. die fünfschiffige Stiftskirche S. Salvador (urspr. 13. Jh., im 18. Jh. barock verändert), S. Miguel (um 1430–1550, Fassade 17. Jh.; Hauptretabel von J. MARTÍNEZ MONTAÑÉS), Kloster S. Domingo (urspr. 13. Jh., got. Kreuzgang); prachtvolle Paläste des 16.–18. Jh., u. a. Palacio de Montana (18. Jh., Innenhof mit Arkadengal.), Cabildo Viejo im Platereskenstil (1575; mit Archäolog. Mus.). – 5 km südöstlich ehem. Kartäuserkloster (1477 gestiftet; barocke Kirchenfassade von 1667).

Jerez de los Caballeros [xer'εð ðe lɔs kaβaʎ'εrɔs], Stadt in der südwestspan. Prov. Badajoz, rd. 12500 Ew.; ma. Stadtbild (maurisch geprägte Häuser) mit hierzu kontrastierenden Kirchen in üppigem Barock, etwa S. María und S. Miguel (beide 17. Jh.) und v. a. S. Bartolomé, dessen Fassade und Turm überreich mit versch. Dekorformen aus Stuck (Arabesken, Muscheln u. a.) und polychromem Schmuck aus Glas und Keramik verziert sind (Anf. 18. Jh.).

Jerichau, Jens Adolf, dän. Bildhauer, *Assens (Fünen) 17. 4. 1816, †Neder Dråby bei Frederikssund 24. 7. 1883, studierte in Rom und war seit 1849 Prof. an der Kopenhagener Akad. J. begann im klassizist. Stil B. THORVALDSENS und gelangte später zu stärker bewegten Formen (›Pantherjäger‹, 1846; Kopenhagen, Glyptothek). – Seine Frau Elisabeth, geb. Baumann (*1819, †1881), ist als Malerin eine Vertreterin des nationalpatriot. Stils.

Jericho, Oasenstadt des Westjordanlandes, im Jordantal, 6800 Ew.; im Tell es-Sultan älteste Siedlungsreste: mittelsteinzeitl. Anlage, im 7. Jahrtsd. v. Chr. Stadt der Natuf-Leute mit Mauern und Türmen, Rundhäuser aus Trockenziegeln, im 6. Jahrtsd. v. Chr. Stadt mit rechteckigen Hausgrundrissen; in dieser jungsteinzeitl. Anlage Kultfiguren von Mensch und Tier, mit Gipsmasse übermodellierte Ahnenschädel. Auf dem Tulul abul-Alajik Reste einer durch TITUS zerstörten Palastanlage HERODES' D. GR. in der sonst im O nicht vorkommenden Opus-reticulatum-Technik mit Hippodrom und Schwimmbecken.

Jerichow [-o:], Stadt im Kr. Genthin, unweit der Elbe nördlich von Magdeburg, Dt. Dem. Rep., 2900 Ew., mit ehem. Prämonstratenserstift. Die Kirche (im wesentlichen 2. H. 12. Jh.) ist einer der bedeutendsten roman. Backsteinbauten in Dtl.; dreischiffige Säulenbasilika mit Querschiff, zweischiffige, zum Langhaus geöffnete Krypta mit reichen Kapitellen. Die Klausur an der Südseite der Kirche (12./13. Jh.) ist größtenteils erh.; hervorragende Kapitelle im Südflügel (Winter- und Sommerrefektorium); Kreuzgang z. T. erh.

Jernberg [j'æ:rnbærj], August, schwed. Maler, *Gävle 16. 9. 1826, †Düsseldorf 22. 6. 1896, studierte in

Stockholm und bei T. COUTURE in Paris, lebte seit 1854 in Düsseldorf. J. malte bes. Stilleben und figurenreiche frische Volksszenen.

Jerpoint Abbey [dʒ'ə:pɔɪnt 'æbɪ], Klosterruine einer 1158 gegr. Abtei mit gut erhaltenem Skulpturenschmuck, südwestlich von Kilkenny, Irland.

Jerusalem, hebr. **Jeruschalajim,** arab. **El-Kuds,** Hauptstadt des Staates Israel, gelegen im Bergland von Judäa, 355 500 Ew. – Die heutige Altstadt mit mittelalterlich-oriental. Charakter ist von einer gewaltigen Mauer mit 34 Türmen und 8 Toren umgeben, in ihrer heutigen Form 1542 von SÜLEIMAN II. errichtet, zum größten Teil auf der Trasse und z. T. auch auf den Fundamenten älterer Ummauerungen.

Die Stadt ist in 4 Quartiere eingeteilt: das Viertel der Muslime im O, das der Christen im NW, das Armenierviertel im SW und das Judenviertel im S (Reste von Häusern des 8. und 7. Jh. v. Chr., auch aus dem 2. und 1. Jh. v. Chr.). Der Haupteingang zur Altstadt führt im N durch das 1537 errichtete Damaskustor; unter ihm Reste der alten Mauer und eines Tores aus dem 2. Jh. Im NO, in der Nähe des St.-Stephans-Tores (Löwentor), liegt die St.-Anna-Kirche (1142). Die hier beginnende Marientorgasse wird von der ›Via dolorosa‹ fortgesetzt, dem Kreuzweg Christi, der im Christenviertel an der Grabeskirche endet. Sie wurde von KONSTANTIN D. GR. 326–35 über dem →Heiligen Grab erbaut, 614 von den Persern, 1009 – nach Wiederaufbau – von Sultan HAKIM zerstört, im 12. Jh. von den Kreuzfahrern auf den Überresten neu erbaut: Fassade und Glockenturm aus dieser Zeit, das Grabmonument anstelle eines abgebrannten got. Baus von 1555 im 19. Jh. in barockem Stil errichtet. In der Nähe der Grabeskirche liegt die 1898 gew. evang. Erlöserkirche, im armen. Viertel die St.-Jakobs-Kirche (urspr. 11. Jh., im 12. Jh. erneuert). Die Zitadelle im gleichen Viertel steht auf dem Platz des früheren Herodespalastes; Reste von diesem (Phasael-Turm) sind im späteren Bau (v. a. aus der Mamelucken-Zeit, 1. H. 14. Jh., mit Ergänzungen SÜLEIMANS II., 1531: Doppeltor im O) sichtbar.

Jerusalem: Felsendom, von Südosten

Im O der Altstadt befindet sich auf dem Platz und den Fundamenten des herodian., durch Titus zerstörten →Tempels die bedeutendste islam. Stätte von J. (arab. Haram asch-Scharif). Den Zugang zu dem allseits umschlossenen monumentalen Platz (mit den Seitenlängen von 462 m, 281 m, 491 m und 310 m) vermitteln Tore im N und W. Im Mittelpunkt steht auf einem großen Podium mit mehreren, z. T. durch Arkaden geschmückten Treppenzugängen der →Felsendom. Auf dem Platz wie auf dem Podium finden sich weitere, durch kleinere Kuppelbauten, Michrabs u. a. ausgezeichnete Gedächtnisstätten, Denkmäler und Brunnen (Kubbet el-Chidr, Kubbet el-Miradsch, Sebil Kait-Beys u. a.). Namen und Bedeutung haben sich im Lauf der Zeit geändert. – An der W-Seite des ehem. Tempelbezirks erhebt sich die ›Klagemauer‹, eine freiliegende Wand (18 m hoch, 48 m lang); die 5 untersten Steinlagen aus herodian. Zeit, die 4 folgenden aus dem 1. Jh., die restl. 15 sind arabisch. – An der S-Seite des Platzes steht die El-Aksa-Moschee (Djami el-Aksa); ihre ältesten Teile gehören der Zeit AL-WALIDS I. (Anfang 8. Jh.) an. Der heutige Bau, ein Längsbau mit 7 ›Schiffen‹ (das Mittelschiff breiter) sowie einem Querschiff mit Kuppel vor dem Michrab, ist im wesentlichen das Werk des Kalifen AZ-ZAHIR (1035); nach Erdbebenschäden Wiederherstellung 1938–42, nach Brand (1969) Restaurierungen.

Außerhalb der Altstadt liegt im O, durch das Kidrontal getrennt, der Ölberg. Das älteste Heiligtum ist hier die durch Helena und Konstantin. d. Gr. 333 n. Chr. erbaute Eleona-Basilika; am W-Fuß des Ölbergs der Garten Gethsemane; in der modernen Kirche Teile von Fußbodenmosaiken der ehem. byzantin. Kirche. – Bed. Museen in J. sind das Israel-Mus. (Haus des Buches mit den Schriftrollen vom Toten Meer und Funden aus Masada; Kunstgarten mit Skulpturen aus neuerer Zeit; Archäolog. Mus.; Kunstmus. Bezalel, eine Samml. jüd. Ritualkunst, u. a.) und das Rockefeller-Mus. (bed. antike Funde aus Israel u. a.); im Hadassah-Krankenhaus 12 von M. CHAGALL entworfene Glasfenster (seit 1961).

KATHLEEN M. KENYON: J. (a. d. Engl., 1968); T. A. BUSINK: Die Tempel von J.... eine archäologisch-histor. Studie (Leiden 1970); B. MAZAR: Der Berg des Herrn. Neue Ausgrabungen in J. (1979).

Jesaja, Isaias, einer der großen Propheten des A. T., wirkte in Jerusalem zw. 740 und 707 v. Chr.; schon früh dargestellt (Fresko der Priscilla-Katakombe, Rom); erhielt die Kennzeichen der Prophetengestalt (Nimbus, Bärtigkeit, langes Gewand, Schriftrolle) spätestens im 6. Jh. n. Chr. Als Attribut trat hinzu: Ast mit Blättern (Hinweis auf die Wurzel Jesse). Seine messian. Prophezeiung läßt ihn typologisch in den Zusammenhang der Darstellung des Marienlebens treten (so auch das J.-Relief in Souillac, Ste-Marie, um 1130, Bezug auf die Verkündigung im Isenheimer Altar GRÜNEWALDS, 1505–15). Mit der Tempelvision ging J. in die Gestaltungsgeschichte der →Maiestas Domini ein. – Bed. sind J.-Darstellungen am Mosesbrunnen der Chartreuse von Champmol bei Dijon von C. SLUTER (um 1402) und in der Sixtin. Kapelle von MICHELANGELO (1508–12).

Jesd, Yazd, Oasenstadt in Zentral-Iran, 1243 m ü. M., rd. 136000 Ew. J., zu sassanid. Zeit ein wichtiges Zentrum des Zoroastrismus (es gibt noch heute ›Türme des Schweigens‹), wurde im 7. Jh. von den Arabern erobert. Das Kuppelmausoleum Duvazdah Imam (›12 Imame‹), ein solider Ziegelbau, wurde 1036/37 errichtet. Die Freitagsmoschee von 1119 wurde zerstört, aber 1375 wiederaufgebaut; der überkuppelte Gebetssaal (Kuppelzwickel mit Ziegelstalaktiten) hat reiches Dekor von Fayencenmosaik (der nach S vorgelagerte Iwan wahrscheinlich 15. Jh.). Eine weitere Moschee (1326), ehem. Teil eines nicht mehr vorhandenen Gebäudekomplexes mit Medrese, Bibliothek und Sternwarte, besitzt einen quadrat. Gebetssaal und eine Kuppel mit hoher, von Fenstern durchbrochener Trommel und reichem Fliesendekor.

Jesse, grch. Form für **Isai** (Name von Davids Vater). In der bildenden Kunst ist die **Wurzel Jesse** eine Darstellung des Stammbaums Jesu in Gestalt eines Baums, der von dem ruhenden J. (Parallele zum schlafenden Adam), dem Vater Davids, ausgeht und in seinen Verzweigungen die Brust- oder Vollbilder der Vorfahren Christi trägt (das erste umfassende Beispiel im Evangeliar Königs Wratislaws, 1085: 54 Halbfiguren von Abraham bis Christus); die Verzweigungen auch in Gestalt eines Weinstocks; Erweiterung in Ranken und Randleisten mit Propheten, Sibyllen (in der Wurzel Jesse in Hildesheim, St. Michael, Fresken der Mittelschiff-Decke aus dem frühen 13. Jh., Abstammung bis auf Adam und Eva, u. a.). BILD H. Douvermann

Jesuitenbaukunst, Kirchen und Klosterbauten des Barock, die von den Jesuiten v. a. nach dem Vorbild von Il Gesù (beg. 1568) und S. Ignazio (beg. 1625) in Rom errichtet worden sind. Bes. verbreitet war die J. in S-Dtl., im Rheinland, in Belgien, in Böhmen und Polen, auch in Indien. Lateinamerika, wo sich der Kolonialbarock durch bes. üppigen Dekor und gestalter. Phantasie auszeichnet, ist das größte Verbreitungsgebiet der J. Urspr. wurde dieser Stil von Franziskanern eingeführt, wird aber als **Jesuitenstil** bezeichnet, da er von den Jesuiten gefördert und in allen von ihnen gegr. Siedlungen Südamerikas verbreitet wurde.

Jesuitenporzellan, Exportporzellan, das Mitte des 18. Jh. unter Einfluß missionierender Jesuiten in China hergestellt wurde. Christl. Themen, oft im Stil europ. Kupferstiche gestaltet, wurden in dem häufig monochrom schwarzen Dekor dargestellt.

Jesus Christus, der Stifter des Christentums. – Über J. C. in der bildenden Kunst →Christusbild.

Jesuskind, die künstler. Darstellung Jesu als Kind, v. a. in Zyklen und in Zusammenhang mit dem →Marienbild, als Einzelfigur seit dem frühen 14. Jh. (Einfluß der Mystik), in der Gegenreformation oft mit Passionswerkzeugen. (→Andachtsbild 2)

Jet [dʒet, engl.], →Gagat.

Jeu de Paume [ʒødəp'o:m], Museum in Paris, in dem bis 1986 die Werke der Impressionisten untergebracht waren, die jetzt im Musée d'Orsay (→Orsay) ausgestellt sind.

Jever, Stadt im Kr. Friesland, Ndsachs., 12300 Ew.; im Schloß (16. Jh., heute Schloß- und Heimat-Mus.) mit originellem Turm eine reich geschnitzte Renaissancedecke (1560–64). In der Stadtkirche hervorragendes Renaissance-Grabmonument aus der Antwerpener Werkstatt des C. FLORIS (1561–64).

Jičín [j'itʃi:n], Stadt in der ČSSR, →Jitschin.

Jihlava [j'ihlava], Stadt in der ČSSR, →Iglau.

Jimini [dʒ-], **Ligbe,** kleine Volksgruppe im nördl. Grenzgebiet Elfenbeinküste/Ghana, von der nur Masken und Webrollenhalter bekannt sind, keine Figuren. Neben sehr seltenen, ästhetisierenden Widdermasken werden Typen verwendet, die den Kpelié-Masken der →Senufo stark verwandt sind, jedoch breite, vertikal gebogene Hörner haben, die auch ein besonderes Kennzeichen der Webrollenhalter sind.

Jinan [dʒi-], Stadt in China, →Tsinan.

Jindřichův Hradec [j'indrʒi:xu:f hr'adɛts], Stadt in der ČSSR, →Neuhaus.

jinistische Kunst [dʒ-], die Kunst im Dienst der Jaina-Religion, die in NO-Indien gleichzeitig mit dem Buddhismus entstand (Begründer: der MAHAVIRA VARDHAMANA, um 500 v. Chr.). Die Entwicklung der j. K. verlief parallel zur buddhist. Kunst, wie auch die relig. Ziele und Praktiken Gemeinsamkeiten aufweisen. Rituelles Zentrum waren reliefgeschmückte Stupas und aufgesockelte, mit Glückszeichen versehene Ayagapattas, auf denen seit dem 1. Jh. n. Chr. die Tirthankaras mit dem Ehrentitel Jina (›Sieger‹) in menschl. Gestalt abgebildet wurden. Die seit der Mathura-Kunst der Kushanazeit bekannten großformatigen Kultfiguren zeigen die Jinas stets nackt in Meditationssitz oder in steifer Standpose mit Kräusellocken oder langsträhnigem Asketenhaar (Rishabhanatha) und dem Shrivatsa-Zeichen auf der Brust. Ihre Darstellungen sind an den versch. Reittieren (Vahana) zu erkennen. Zentren der j. K. waren die weitläufigen Tempelanlagen von Satrunjaya und →Girnar (12. und 13. Jh.) und Abu in SW-Rajasthan (seit dem 11. Jh.), ferner in Sravana Belgola mit der monolith. Kolossalfigur des Gommateshvara aus dem 10. Jh. Zu den hervorragendsten Werken der j. K. zählen die Bronzen des 7. Jh. aus Akota mit Darstellungen der Tirthankaras, der Göttin Ambika u. a. (größtenteils im Mus. von Baroda).

jinistische Miniaturmalerei [dʒ-]. Die zur →jinistischen Kunst gehörende j. M. entwickelte sich etwa vom 11. Jh. an in Gujarat und Rajasthan, aber auch in Teilen Zentral- und Südindiens. Illustriert wurden jinist. Texte auf längl. Palmblättern, deren hochformatige Malereien nur etwa ⅛ der Seite ausmachten, oder auf hölzernen Manuskriptdeckeln. Die einzelnen Seiten wurden durch Schnüre zusammengehalten, die durch ornamentierte Schnurlöcher gezogen wurden. Die Palmblätter wurden im 14. Jh. durch Papier ersetzt, die Malereien aus dieser Zeit fallen durch das über die Profillinie hervortretende Auge der dem Betrachter abgewandten Gesichtshälfte auf. Ende des 15. Jh. nahm die j. M. auch hinduist. Themen auf und verschmolz im 16. Jh. weitgehend mit der →Rajput-Malerei.

Jitschin, früher auch **Gitschin**, tschech. **Jičín** [j'itʃi:n], Stadt im Ostböhm. Kreis, ČSSR, 14000 Ew. Die ma. Gründung, ab 1621 im Besitz WALLENSTEINS, der hier planmäßig das Zentrum seines Hzgt. gestalten und die bedeutendsten Bauten von ital. Architekten errichten ließ: Schloßkomplex (›Waldstein-Palais‹; 1624–34 durch Umbau und Erweiterung eines bescheidenen Palastes; heute Mus. mit Gemäldegal.), Kirche St. Jakob (1623 als Bischofskirche beg.), St. Ignatius, die für die Jesuiten umgebaute got. Pfarrkirche (um 1400), Jesuitengymnasium (1627/28). Nahe der Stadt die frühbarocke ehem. Kartause Valdice (1627–65).

Jizo [dʒizo], japan. Bez. des Bodhisattva Ksitigarbha, Schutzpatron der Reisenden und Kinder wie auch Helfer der Seelen im Fegefeuer. J. wird als kahlköpfiger Mönch mit Pilgerstab, jedoch durch Nimbus, Wunschjuwel und Urna vergöttlicht dargestellt; häufig als Steinfigur am Wegrand.

Jnạnamudrạ [dʒ-, Skt.], ind. Geste der relig. Erkenntnis (→Mudra) an Bildwerken lehrender Asketen und Götter.

Jọachim, der Vater Mariens und Mann von →Anna, als Einzelfigur meist im Zusammenhang der Wurzel →Jesse und der Hl. Sippe dargestellt, erst seit dem 17. Jh. eigenständig, in langem Rock und Mantel, mit Stab (Stuckfigur von J. A. FEUCHTMAYER, 1749; Birnau), Buch (Skulptur von I. GÜNTHER, 1748/49; München-Thalkirchen). Oft wird seine Begegnung mit Anna an der Goldenen Pforte zum Motiv (Fresken in S. Maria Antiqua, Rom, 8. Jh., und in der frz. Kathedralplastik). GIOTTO (1303; Padua, Arenakapelle) nimmt in diesem Zusammenhang byzantin. Anregungen auf (Wirkung seines Bildaufbaus auf die ital. und span. Kunst des 15./16. Jh.). Nach TIZIAN, V. CARPACCIO und P. VERONESE wurde die Szene nicht mehr dargestellt.

João de Rouão [ʒu'ãu dı ro'ãu], in Frankreich **Jean de Rouen** [ʒã də ru'ã], frz. Bildhauer, Architekt, nachweisbar zw. 1510 und 1572, seit etwa 1521 in Portugal tätig (→Belém 1), →Coimbra), wo er ein Hauptmeister des Emanuelstils wurde.

João Pessọa [ʒu'ãum-], Hauptstadt des Bundesstaats Paraíba, Brasilien, an der Atlantikküste, 290400 Ew. Die Kirche des Klosters São Francisco de Assis (1710–1779) gilt als ein Meisterwerk des lusitan. Rokoko; Mus. für sakrale Kunst.

Joch, U-förmiger Stein, der wie Hacha und Palma aus der klass. Epoche (200–1000) der Golfküste Mexikos stammen und zu dem in Mesoamerika verbreiteten Ballspiel in Beziehung steht. Die J. sind Nachbildungen der Schutzgürtel, die die Spieler trugen; sie sind z. T. verziert mit Menschenköpfen, Schlangen, Kröten oder der Maske des Regengottes.

Joch, Travée [trav'e, frz.], Baukunst: In mehrschiffigen, durch Pfeiler oder Säulen gegliederten Räumen, bes. Basiliken, wird die jeweils durch 4 Stützen begrenzte Raumeinheit rechteckigen oder quadrat. Grundrisses J. genannt. Zu einer wirkl. Einheit wird diese erst, wenn sie überwölbt ist. Daher nennt man auch jede der Gewölbeeinheiten J. Bei Räumen mit Gliederung durch →Stützenwechsel spricht man von rhythm. Travée.

Jocho [dʒotʃo], japan. Bildhauer, †1057, führender Bildhauer der Fujiwara-Zeit (897–1185), angeblich Erfinder der Yosegi-Methode (→Holzbildhauerei). Sein HW ist der vergoldete Amida-Buddha im Byodoin bei Uji (BILD japanische Kunst).

Jode, 1) Pieter de, d. Ä., fläm. Kupferstecher, *Antwerpen 1570, †ebd. 9. 8. 1634, Schüler von H. GOLTZIUS, schuf Kupferstiche nach ital. und niederländ. Bildern.

2) Pieter de, d. J., fläm. Kupferstecher, Sohn von 1), *Antwerpen 22. 11. 1606, †England nach 1674, arbeitete v. a. nach P. P. RUBENS, J. JORDAENS und A. VAN DYCK, dessen ›Ikonographie‹ er mitgeschaffen hat.

Jodhpur [dʒ'ɔdpʊə], Stadt in Rajasthan, Indien, am Ostrand der Wüste Thar, 493600 Ew.; ab 1459 als Hauptstadt des ehem. Staates Marwar erbaut. Hoch über der Stadt die gewaltige Festungsanlage mit ihren Palästen. Die in den Miniaturen der Malschule von J. (→Rajput-Malerei) porträtierten Herrscher zeichnen sich durch hohe Turbane aus.

Joedicke, Jürgen, Architekt, Architekturtheoretiker, *Erfurt 26. 6. 1925, beschäftigt sich mit den Ursprüngen und der Entwicklung der modernen Architektur, wissenschaftl. Ansätzen zur Systematisierung von Planungsprozessen und den versch. Aspekten der Raumwirkung in der Architektur.

Schriften: Gesch. der modernen Architektur (1958); Bürobauten (1959); Für eine lebendige Baukunst (1965); Moderne Architektur (1969); Architektur im Umbruch (1980). – Hg.: H. HÄRING: Das andere Bauen (1982).

Joest van Kalkar, Joest van Calcar [jo:st-], Jan, niederrheinisch-niederländ. Maler, *Wesel um 1460, †Haarlem 1519, dort seit 1509 nachweisbar, war wohl Schüler von D. BAEGERT und stark von G. DAVID beeinflußt, schuf um 1505 den ›Altar der Sieben Schmerzen‹ in Palencia (Spanien), 1505–08 den großen Flügelaltar in der Nicolaikirche in Kalkar. Seine Kunst zeigt ernste Sachlichkeit, atmosphär. Raumwiedergabe bei unkonzentrierter Komposition und porträthafte Menschendarstellung. Er war auch ein scharf beobachtender Porträtmaler. J. VAN CLEVE und B. BRUYN D. Ä. waren wohl seine Schüler.

Jogjakarta, Jogyakarta, Stadt in Indonesien, →Yogyakarta.

Johannes, 1) J. der Evangelist, einer der 12 Apostel, vermutlich auf der Insel Patmos unter TRAJAN verstorben; ihm werden das J.-Evangelium, die J.-Briefe und die Apokalypse zugeschrieben. Die bildende Kunst des O zeigt ihn meist als älteren Mann, seine Schriften dem Sekretär Prochoros diktierend (dieser auch als von der Muse inspirierter Dichter: Elfenbein-Diptychon des 5. Jh.; Paris, Louvre), im W eher als Lieblingsjünger, beim Abendmahl dicht bei Christus (→Andachtsbild

2), meist jugendlich und bartlos, damit von den anderen Aposteln unterschieden (822, Mosaik in S. Prassede, Rom und in der frz. Kathedralplastik); in der ital. Renaissance mit langem, strähnigem Bart (Marmorstatue von DONATELLO, 1412/15; Florenz, u.a.). Attribute sind: Schriftrolle oder Buch (mit den Anfangsworten seines Evangeliums), Ölfaß als Hinweis auf sein Martyrium, Kelch als Hinweis auf eine legendäre Giftprobe (H. MEMLING, 1479; Mitteltafel des J.-Altars in Brügge). – Zyklen: im 7. Jh. in der Vorhalle von S. Giovanni in Laterano, Rom; im 14. Jh. in der Peruzzi-Kapelle, Florenz, S. Croce, von GIOTTO; um 1497/98 als Teil der Apokalypse von A. DÜRER; seine Vision auf Patmos (H. BURGKMAIR, 1502), Anlaß zur Schilderung einer phantast. Landschaft (H. MEMLING); im 20. Jh. u.a. Holzschnitt von E. BARLACH, Kohlezeichnung von L. SAMBERGER.

2) J. der Täufer, asket. Bußprediger kurz vor der Zeit Jesu, von HERODES ANTIPAS enthauptet (›Tanz der Salome‹ legendär), von der bildenden Kunst des 3. Jh. im Mantel des kyn. Philosophen, seit dem 4. Jh. als Prophet und Bußprediger dargestellt, in Gewand und Mantel aus Kamelhaaren (Statue von DONATELLO, um 1450; Siena, Dom, Cappella di S. Giovanni); Attribute: Lamm (→Lamm Gottes), Kreuzstab, Zeigegestus der rechten Hand (als Hinweis auf Christus). – Szenen: Verheißung an →Zacharias, Heimsuchung Mariä, Namengebung (FRA ANGELICO), Aufenthalt in der Wüste oder als Einsiedler in der Landschaft (GEERTGEN TOT SINT JANS, H. MEMLING), Predigt in der Wüste (L. CRANACH D. Ä., 1516, J. BRUEGEL D. Ä., 1603), →Taufe Christi, Enthauptung (A. DEL VERROCCHIO, A. DÜRER, M. DEUTSCH), als Vorläufer Christi in der Deesis gegenüber von Maria, als Prophet der Erlösung (GRÜNEWALD, Isenheimer Altar). – Zyklen häufig an Baptisterien (Florenz, Dom, Bronzetür des A. PISANO, 1339) und Taufbrunnen (Hildesheim, Dom, 1. H. 11. Jh.), auch parallel zu Darstellungen der Jugend Jesu (GIOTTO, Fresken in Florenz, S. Croce). Eine Sonderform der Darstellung ist seit dem 13. Jh. das Haupt des J. auf einer Schüssel **(J.-Schüssel),** etwa im Dom zu Naumburg (frühes 13. Jh.).

Johannot [ʒɔan'o], **1)** Alfred, frz. Illustrator, *Offenbach 21. 3. 1800, †Paris 7. 12. 1837, illustrierte viele romant. Dichtungen.

2) Tony, frz. Illustrator, Bruder von 1), *Offenbach 9. 11. 1803, †Paris 4. 8. 1852, illustrierte einfallsreich mehr als 150 Bücher. (BILD Vignette)

Johansen, Viggo, dän. Maler, *Kopenhagen 3. 1. 1851, †ebd. 18. 12. 1935, schloß sich der Künstlerkolonie Skagen an, war 1906–20 Prof. an der Kopenhagener Akad. Seine besten Arbeiten sind seine Bilder aus dem häusl. Leben mit impressionist. Lichtwirkung.

John [dʒɔn], Sir Augustus Edwin, engl. Maler, Radierer, *Tenby (Wales) 4. 1. 1879, †Fordingbridge (Hampshire) 31. 10. 1961, bildete sich an P. P. RUBENS, REMBRANDT, F. GOYA, später auch an den Italienern der Frührenaissance und an P. PUVIS DE CHAVANNES; Einzelfiguren und Gruppen (Bauern oder Zigeuner), gelegentlich vor landschaftl. Hintergrund und v.a. treffsichere Porträts (›W. B. Yeats‹, 1907; Manchester, City Art Gal.).

Jasper Johns: Flag on Orange Field; 1957 (Köln, Museum Ludwig)

Johns [dʒɔnz], Jasper, amerikan. Maler, Graphiker, Plastiker, *Allendale (South Carolina) 15. 5. 1930, einer der Bahnbrecher der amerikan. Kunst. Seine um 1955 entstandenen Fahnen- und Zielscheibenbilder erreichten die Identität von Form und Inhalt. J.' Werk wurde durch die neu gesehene Thematik von Gegenständen des Alltags wegbereitend für die amerikan. Pop Art.

J. J., Ausst.-Kat., Köln (1978).

Johnson [dʒɔnsn], **1)** Eastman, amerikan. Maler, *Lovell (Maine) 29. 7. 1824, †New York 5. 4. 1906; nach Studien in Europa schuf er v.a. von den Niederländern und der frz. Kunst seiner Zeit beeinflußte Genrebilder (›Familie Hatch‹, 1871; New York, Metropolitan Mus.).

2) Philip Cortelyou, amerikan. Architekt, *Cleveland (Ohio) 8. 7. 1906, studierte klass. Philologie, 1940 bis 1943 Architektur bei M. Breuer. Bis 1956 waren sei-

Philip C. Johnson: Amon Carter Museum of Western Art, Fort Worth, Texas; 1961

ne Bauten stark von L. MIES VAN DER ROHE beeinflußt; in seinen späteren Großbauten (bes. Museen) fand er zu monumentalen Formen. J. machte die Architektur des Internationalen Stils in den USA bekannt, seine jüngsten Planungen bedienen sich jedoch zunehmend der Formensprache der postmodernen Architektur.

HW: Ash Street House, Cambridge, Massachusetts (1942); Glass House, New Canaan, Connecticut (1946–49); Kneses Tifereth Israel Synagogue, Port Chester, New York (1956); Mus. Munson-Williams-Proctor, Utica, New York (1960); Amon Carter Mus., Fort Worth, Texas (1961); New York State Theater, Lincoln Center for the Performing Arts, New York (1962–68); Kunsthalle der Stadt Bielefeld (1968); Pennzoil Place, Houston, Texas (zus. mit J. BURGEE 1970 bis 1976); AT & T Building, New York (mit dems. 1978 ff.).

Schriften: The international style. Architecture since 1922 (1932, mit H.-R. HITCHCOCK); Mies van der Rohe (1947); Architecture 1949–65 (1966, autobiograph.); Writings (1966, dt.).

J. M. JACOBUS: P. J. (New York 1962).

Jolin [jul'i:n], Einar, schwed. Maler, *Stockholm 7. 8. 1890, in Paris Schüler von H. MATISSE, gehörte mit I. GRÜNEWALD zum Kreis der jungen schwed. Expressionisten, malte Landschaften und Volksszenen, Stockholmer Ansichten.

Jona, Jonas, Prophetengestalt des A. T. aus der Zeit zw. 400 und 200 v. Chr., vielfach mit Motiven seiner Legende dargestellt (J. flieht aus Ninive mit einem Schiff, wird zur Stillung eines Sturms in das Meer geworfen, von einem Fisch verschluckt und an Land gespien), im Typus des Propheten (Augsburg, Dom; Anf. 12. Jh., Glasgemälde) oder jugendlich (MICHELANGELO, Rom, Sixtin. Kapelle), im Barock oft als bärtiger, älterer Mann (P. P. RUBENS, 1618/19). – Szenen: Meerwurf und Ausspeiung (Katakombenmalerei seit Mitte des 2. Jh. – Hinweis auf die Auferstehung); J. unter dem Baum von Ninive (Relief an der Fassade der Kathedrale von Amiens, um 1230), Meerwurf als typolog. Bild der Grablegung (Klosterneuburger Altar, 1181).

Jones [dʒəʊnz], **1)** Allen, engl. Maler, Graphiker, *Southampton 1. 9. 1937, gehört mit seinen großformatigen, oft torsohaft angeschnittenen Darstellungen von erotisch attraktiven Mädchen zur 2. Phase der engl. Pop Art. 1969 entstanden auch lebensgroße Frauengestalten als Möbelstücke.

H. STÜNKE: A. J. Das graph. Werk (1969); M. LIVINGSTONE: A. J. (London 1979).

2) Inigo, engl. Baumeister, Landschaftsmaler, Bühnengestalter, *London 15. 7. 1573, †ebd. 21. 6. 1652, bildete sich um 1600 in Italien; hier studierte er v. a. die Bauten A. PALLADIOS, in dessen klassizist. Formensprache er die engl. Profanarchitektur prägte (→Palladianismus). Seit 1605 als Bühnengestalter am engl. Hof tätig, gilt er als Begründer der von Szene zu Szene wechselnden Dekoration. Mit den neuen, aus Italien kommenden Maschinen inszenierte er v. a. die höf. Maskenspiele (›masques‹). Nach einem 2. Italienaufenthalt (1613–14) wurde er Generalbauinspektor (1615–49); er entwarf Pläne für den Königspalast Whitehall (Entwürfe von 1619, nur teilweise ausgeführt; erhalten blieb der Bankettsaal). Er baute Queen's House, Greenwich (voll. 1635), die Südfront von Wilton House, Wiltshire (um 1635) u.a. und die bes. für den engl. Städtebau wichtige Covent Garden Piazza, London (beg. 1630).

3) Owen, engl. Innenarchitekt, Kunstgewerbler, Schriftsteller, *London 15. 2. 1809, †ebd. 19. 4. 1874, wurde bes. von der islam. Kunst angeregt, schuf neuartige Dekorationen u.a. für den Kristallpalast der Weltausstellung in London (1851).

Schrift: The grammar of ornament (1856; das erste umfassend illustrierte Werk über die Ornamentik aller Völker).

Jongkind, Johan Barthold, niederländ. Maler, Radierer, *Lattrop (Overijssel) 3. 6. 1819, †La Côte-Saint-André (Isère) 27. 2. 1891, lebte 1845–55 und seit 1860 in Frankreich, schuf Landschaften, die in ihrer Wiedergabe von Luft und Licht impressionist. Stilmittel zeigen.

Jonson van Ceulen [-van k'ø:lə], **Janssens van Ceulen,** Cornelis, niederländ. Maler, getauft London 14. 10. 1593, †Utrecht 5. 8. 1661, schuf in London und seit 1643 in Holland Porträts in der Nachfolge A. VAN DYCKS; malte auch Miniaturbildnisse; gehört zu den hervorragendsten Porträtisten der Stuart-Epoche.

Jónsson [j'ounsɔn], Einar, isländ. Bildhauer, *Galtafellí Arnes 11. 5. 1874, †Reykjavík 18. 8. 1954, Schüler von S. SINDING in Kopenhagen, schuf allegor. Kompositionen und Porträtstatuen (z. T. im J.-Mus. in Reykjavík). Sein Bruder Ásgrímur (*1876, †1958) malte vom frz. Impressionismus beeinflußte Landschaften.

Joos van Cleve, niederländ. Maler, →Cleve 1).

Joos (Justus) van Gent [-van xɛnt] oder **van Wassenhove,** niederländ. Maler, *wohl in Gent um 1430, †wahrscheinlich Urbino nach 1475, wurde 1460 Meister in Antwerpen und 1464 in Gent (Kreuzigungsaltar, ebd., St. Bavo; Zuschreibung), wo er bis zu seiner Übersiedlung nach Italien 1469/70 ansässig blieb. Seine ernste, ruhig-ausgeglichene relig. Malerei verschaffte ihm dort Ansehen. Spätestens seit 1472 war er im Dienst des Herzogs FEDERIGO DA MONTEFELTRO in Urbino. Sein dortiges HW ist eine Darstellung des letzten Abendmahls (1474; ebd., Nat.-Gal.). Seine ›Sieben freien Künste‹ (nur noch ›Musik‹ und ›Rhetorik‹ erh., London, Nat.-Gal.) und 28 Porträts bed. Persönlichkeiten der Geistesgeschichte, die er wohl um 1476/78 unter Mitwirkung von P. BERRUGUETE für das ›studiolo‹ (Studierzimmer) des Herzogs malte, verraten die Berührung mit der ital. Kunst, bewahren jedoch niederländ. Wärme des Tons, der Stimmung und des Lichts (heute ebd., Nat.-Gal., und Paris, Louvre).

J. v. G., Berruguete et la cour d'Urbino, Ausst.-Kat., Gent (1957).

Jordaens [j'orda:ns], Jakob, fläm. Maler, getauft Antwerpen 20. 5. 1593, †ebd. 18. 10. 1678, nach P. P. RUBENS und A. VAN DYCK der bedeutendste fläm. Maler des 17. Jh., war Schüler seines Schwiegervaters ADAM VAN NOORT und wurde 1615 Meister. Er war nie in Italien, doch wirkte durch A. JANSSENS und bes. durch Rubens die Kunst des CARAVAGGIO auf ihn ein. J. gestaltete meist in großen Formaten sittenbildl., mytholog. und, obgleich er Protestant war, relig. Themen für kath. Kirchen, außerdem charaktervolle Porträts. Nach Rubens'

Jakob Jordaens: Die Erziehung des Jupiter; 1640 (Kassel, Staatl. Kunstsammlungen)

und van Dycks Tod fielen ihm alle repräsentativen Aufträge zu, u.a. die Ausmalung des Huis ten Bosch, Den Haag, auch zahlreiche Teppichentwürfe. Bes. seine mytholog. und Genredarstellungen werden durch einen eigenen, von ihm entwickelten Figurentyp geprägt: die aus dem Volk gegriffenen derben Gesichter in kräftiger rotbrauner Farbe. Die schon zu seinen Lebzeiten geschätzten sittenbildl. Darstellungen enthalten moralisierende Aussagen. Über 400 von seinen oft farbenreichen, dynam. Handzeichnungen sind erhalten.

HW: Anbetung der Hirten (1616; New York, Metropolitan Mus. of Art; 1618, Stockholm; Nat.-Mus.); Kreuzigung (1617; Antwerpen, Paulskirche); Martyrium der Hl. Apollonia (1628; ebd. Augustinerkirche); Die Erziehung des Jupiter (1640; Kassel, Staatl. Kunstsamml.); Verherrlichung des Prinzen Friedrich Heinrich von Oranien (1652; Den Haag, Huis ten Bosch); Jesus unter den Schriftgelehrten (1663; Mainz, Mus.); Der Satyr beim Bauern (München, Alte Pinakothek); Wie die Alten sungen, so zwitschern die Jungen (Berlin-West, Schloß Charlottenburg); Fährboot nach Antwerpen (Kopenhagen; Statens Mus. for Kunst).

J. J., 1593–1678, Ausst.-Kat., Ottawa (1969); J. J. tekeningen en grafiek, Ausst.-Kat., Antwerpen (1978). – R. A. D'HULST: J. J. Drawings, 4 Bde (Brüssel 1974); ders.: J. J.. (a. d. Niederländ., 1982).

Jorgan Tepe, Ruinenstätte in Mesopotamien, →Nuzi.

Jorhan, 1) Christian d. Ä., Bildhauer, Vater von 2), getauft Griesbach (Niederbayern) 6. 10. 1727, †Landshut 8. 10. 1804, Schüler seines Vaters, dann J. B. STRAUBS in München, von ihm und I. GÜNTHER wesentlich beeinflußt. Seine Plastiken zeigen virtuose Bearbeitung der Oberfläche. Neben Günther war J. der Hauptmeister der bayr. Rokoko-Plastik.

2) Christian d. J., Bildhauer, Sohn von 1), *Landshut 6. 8. 1758, †Passau 14. 7. 1844, Schüler seines Vaters, seit 1775 auf der Wanderschaft in Passau, Neuburg a. d. Donau, Wien und Frankreich, bis er sich 1794 in Passau niederließ. Hier schuf er eine Reihe von Altären und Grabmälern, die noch im frühen 19. Jh. dem Louis-seize verpflichtet waren.

Asger Jorn: Lustige Vorgänge; 1957/58 (München, Galerie van de Loo)

Jorn, Asger Oluf, eigtl. **Jørgensen,** dän. Maler, Graphiker, Keramiker, *Vejrum (Struer) 3. 3. 1914, †Århus 1. 5. 1973, lebte abwechselnd in Paris und bei Genua. J. wurde zum führenden Mitgl. der Gruppe →Cobra und des figurativen Informel. Mit eruptiver Farbintensität gestaltete er visionäre Bilder mit figürl. Motiven, die z. T. aus der nord. Volkskunst stammen.

A. J., hg. v. W. SCHMIED (1973).

Joruba, Volk in Westafrika, →Yoruba.

Jos [dʒɔːs], Stadt Nigerias, etwa 100 000 Ew., 1200 m ü. M. im Bauchi-Hochland (Jos-Plateau); archäolog. Museum (Nok-Kultur); Freilichtmus. für traditionelle afrikan. Architektur.

Joseph, 1) Sohn Jakobs und der Rachel im A. T., dargestellt in versch. Szenen (Traum von den 7 fetten und mageren Jahren, Aufsicht über die Vorratshäuser des Pharao, J. und seine Brüder; legendäre Verführung durch Potiphar). – Frühe Darstellungen schon in der Synagoge von Dura Europos (245–56) und in der Katakombe an der Via Latina, Rom (spätes 4. Jh.), auch in S. Maria Antiqua (Rom, 2. H. des 8. Jh.). Ausführl. Zyklen finden sich in der Wiener Genesis und auf der →Maximianskathedra. Weniger reich als die Zyklen der byzantin. Kunst sind die der abendländ. Kunst (Glasmalereien, Miniaturen; Kathedralplastik), bes. in neuerer Zeit (Holzschnitt-Folgen von H. HOLBEIN D. J.; REMBRANDT, RAFFAEL); auch im 19. Jh. (Fresko von P. CORNELIUS).

2) der Mann Mariens, der Pflegevater Jesu, in der bildenden Kunst lange Zeit nur Nebenfigur versch. Bildzyklen (→Geburt Christi, →Drei Könige, →Flucht nach Ägypten, →Heilige Familie; →Marienbild), seit dem 15./16. Jh. im Zusammenhang der Hl. Sippe, v. a. in der Krippenkunst. – Attribute: Jesuskind, Lilie (wohl aus dem Attribut des blühenden Stabes abgeleitet), Zimmermannswerkzeuge.

Josephson [j'uːsɛfsɔn], Ernst, schwed. Maler, *Stockholm 16. 4. 1851, †ebd. 22. 11. 1906, studierte an der Stockholmer Akad., ließ sich 1879 in Paris nieder, wo er, von den Impressionisten, bes. von E. MANET, beeinflußt, meisterhafte Porträts schuf. Später wandte er sich von realist. Darstellungen ab und malte Bilder, deren Stoffe an A. BÖCKLIN erinnern (›Nöck‹, 1882; Stockholm, Nat.-Mus.). Eine 1888 ausbrechende geistige Erkrankung bewirkte die seltsame Phantastik seiner letzten Arbeiten. J. verhalf dem Expressionismus in Schweden zum Durchbruch.

Josua, im A.T. der Nachfolger des Moses und Anführer der israelit. Stämme bei der Landnahme in Palästina; schon in der frühchristl. Kunst dargestellt (Mosaiken in S. Maria Maggiore, Rom, 2. Viertel des 5. Jh.: Eroberung des Landes Kanaan – mit diesem Motiv auch die →Josua-Rolle des 10. Jh.); weitere Szenen: J. mit Kaleb als Träger der großen Weintraube aus Kanaan (Katakombenmalerei, Heilsspiegel u.a.); Eroberung Jerichos (im Zusammenhang des Jüngsten Gerichts als Sinnbild); J. läßt während des Kampfes gegen die Amoriter Sonne und Mond stillstehen.

Josua-Rolle, vermutlich in Konstantinopel in der 1. H. des 10. Jh. für den byzantin. Kaiser KONSTANTIN VII. PORPHYROGENNETOS geschaffene Pergamentrolle mit Illustrationen, die in fortlaufenden Bilderstreifen die bibl. Kämpfe des →Josua schildern (Anfang und Ende der Rolle fehlen; Rom, Vatikan. Bibl.). Die J.-R. (in Format und Illustrationstyp ein antikisierender Rückgriff) ist ein bed. Zeugnis der Buchmalerei der Makedon. Dynastie (illusionist. Landschaft, Verwendung von Schatten und Glanzlichtern, klar modellierte Formen und dezente Farben).

Jouarre [ʒu'ar], Gem. im frz. Dép. Seine-et-Marne, östlich von Paris; ehem. Sitz eines Benediktinerinnenklosters (im 7. Jh. gegr.), dessen Gebäude mehrfach zerstört und wiedererrichtet wurden. Erhalten blieb die merowing. Krypta des 7. Jh. mit Sarkophagen (7. und 13. Jh.), verbunden mit einer Kapelle des 9. Jh.

Jouvenet [ʒuvn'ɛ], Jean, gen. **Jean le Grand** [ʒã lə gr'ã], frz. Maler, getauft Rouen 1. 5. 1644, †Paris 5. 4. 1717, seit 1707 Rektor der Akad., arbeitete anfangs eng zus. mit C. LEBRUN. In seinen relig. Monumentalbildern entwickelte er einen eigenen, an den CARRACCI und N. POUSSIN geschulten Stil. Seine barocken Kompositionen (Deckenbild im Justizpalast in Rennes, 1694 beg.) gehen oft auf RAFFAELS Spätwerk zurück und sind zugleich dem fläm. Naturalismus verpflichtet.

Juan de Borgoña [xu'an ðe βɔrɣ'oɲa], in Spanien tätiger burgund. Maler, →Borgoña.

Juan de Flandes [xu'an ðe-], seit etwa 1496 in Spanien tätiger niederländ. Maler, †Palencia(?) vor dem 16. 12. 1519, seit 1498 Hofmaler der Königin ISABELLA I. Die Zartheit der Farben und der kühle Gesamtton des Kolorits haben Verwandtschaft mit den Werken von G. DAVID, die miniaturhafte Feinheit seines HW zeugt vom Einfluß der am burgund. Hof tätigen niederländ. Buchmaler.

HW: Oratorium der Königin Isabella (Altarwerk aus urspr. 46 Täfelchen mit Szenen aus dem Leben Marias und Christi, um 1500; 15 Täfelchen in Madrid, Königl. Palast).

Juan de Juanes [xu'an ðe xu'anes], span. Maler, →Masip 2).

Judas, J. Iskariot, ein Jünger Jesu, der (aus unerkennbaren Gründen) der jüd. Behörde Gelegenheit gab, Jesus zu verhaften; seit frühchristl. Zeit beim →Abendmahl und bei der Gefangennahme Christi (Judaskuß) dargestellt, seltener bei der Entgegennahme des Verräterlohns (Naumburger Lettner, um 1260), häufiger (bis zum 16. Jh.) in der Szene der Selbsterhängung, von REMBRANDT das Motiv der vergebl. Rückgabe der Silberlinge (Gemälde, 1629).

Judd [dʒʌd], Donald, amerikan. Metallplastiker, *Excelsior Springs (Montana) 3. 6. 1928, kam um 1965 zu Strukturen aus sich wiederholenden kub. Raumelementen, die mit dem gleichzeitigen Werk von R. MORRIS im Zentrum der Minimal Art stehen. Auch als Theoretiker hat J. den Standort der Minimal Art präzise umrissen und vom europ. Konstruktivismus abgesetzt.

D. J.: Complete writings 1959–75 (Halifax, Kanada, 1975); D. J., Ausst.-Kat., Ottawa (1975).

Judenbad, →Mikwe.

Judenburg, Stadt in der Steiermark, Österreich, an der Mur, 11 200 Ew., im MA. bed. Handelsstadt. Stadtpfarrkirche (1513–19, barockisiert 1673) mit frei stehendem Turm (1444), in der Marienkapelle wertvolle Madonna mit Kind (Sandstein, um 1420); Magdalenenkirche (um 1360) mit hervorragenden Glasgemälden (Ende 14. Jh. und um 1420) und Fresken (Ende 14. Jh.); die ehem. Jesuitenkirche (1364, Umbau 1621 bis 1658) wurde 1950 zur Festhalle umgestaltet. Unterhalb der Ruine Liechtenstein (1140 erwähnt) Schloß Neu-Liechtenstein (um 1650); Schloß Weyer (Ende 16. Jh.).

jüdische Kunst, die v. a. relig. und von der Tradition bestimmte Kunst im Judentum.

Architektur (nur in kult. Zusammenhang): Erstes bed. Zeugnis ist der Bau des 1. großen Tempels in Jeru-

jüdische Kunst: Megilla-Esther-Rolle mit Miniaturen; Prag, 18. Jh. (Jerusalem, Museum des Großen Rabbinats)

jüdische Kunst: LINKS Fragment des Mosaikfußbodens der Synagoge in Maion, mit Darstellung des siebenarmigen Tempelleuchters (Menora) und seinen Attributen; 6. Jh. (Jerusalem, Israel Museum). RECHTS Türen eines Thoraschreins der Krakauer Synagoge mit jüdischen Symbolen; Holz, 18. Jh. (Jerusalem, Museum des Großen Rabbinats)

salem unter König SALOMO (970–930 v. Chr.). Nach seiner Zerstörung (586 v. Chr.) wurde die →Synagoge in Palästina wie im babylon. Exil zu einem Mittelpunkt des relig. wie des öffentl. Lebens. An die Stelle eines nachexil. Tempels in Jerusalem setzte HERODES D. GR. auf eine durch Aufschüttung und Stützmauern (ein Teil von ihnen ist die Klagemauer) verdoppelte Grundfläche 20/19 v. Chr.–64 n. Chr. den sogenannten 2. Tempel (70 n. Chr. durch TITUS zerstört). Seine Anlage entsprach den Erfordernissen des Kults und war insofern auch ein wesentl. Ausdruck der j. K.; Formen der Architektonik und des Bauschmucks gehörten eher zum allg. Stil der Zeit. – Malerei und Plastik: Trotz des →Bilderverbots kennt die j. K. bildner. Darstellungen auf Fresken (→Dura Europos) und Mosaiken (→Beth Alpha), Stuckarbeiten (jüd. →Katakomben in Rom), in der Bauplastik und Sarkophagplastik mit jüd. Symbolik (Menora, Thoraschrein, Adler, Löwe, Feststrauß u. a.) und in der Buchmalerei. Diese sind vermutlich aus der Berührung mit der hellenist. Kunst z. Z. der Ptolemäer in Alexandria entstanden; hierfür sprechen auch die Fresken von Dura Europos und die frühchristl. Codices (Cottonbibel/London, →Wiener Genesis, →Josua-Rolle), z. T. mit Illustrationen, die in der Tradition rabbin. Quellen stehen. Bilderfeindl. Strömungen und Bilderstürme zum Ende des 1. Jahrtsd. ließen die j. K. erst wieder im MA. aufblühen. Die ma. Buchmalerei der j. K. war z. T. von spanisch-maur. wie von frz.-got. Illuminationen beeinflußt. Frühe jüd. Buchdrucke entstanden in Mantua und Rom vor 1475. Infolge der Linksläufigkeit der hebräischen Schrift sind auch die Illustrationen von rechts nach links zu lesen. Ausmalungen der Synagogen in Polen und Dtl. im 18. Jh. (E. SUSMANN, Betstube; 1735; Schwäbisch-Hall, Mus.) rücken oft in große Nähe zur Volkskunst. Im 18. Jh. entstand

jüdische Kunst: Seder-Becher; Silber feuervergoldet; Nürnberg, 2. Hälfte des 17. Jh. (Frankfurt am Main, Museum für Kunsthandwerk)

jüdische Kunst: Seite aus der Darmstädter Pessach Haggada; geschrieben von Israel ben Rabbi Mëir aus Heidelberg, Illustration 1. Hälfte des 15. Jh. (Darmstadt, Hess. Landes- und Hochschulbibliothek)

die erste jüd. Büste (M. Mendelssohn von P. A. Tassaert, 1785). Künstler der Emanzipationszeit (M. Liebermann, C. Pissarro, A. Modigliani) arbeiteten nicht mehr in der jüd. Tradition, sondern waren vorrangig Künstler ihrer Zeit (Ausnahme: M. →Chagall). – Kunsthandwerk: Silberschmiedekunst, Metallarbeiten, keram. Erzeugnisse, Glas und Textilien sind immer von ihrer Bestimmung in Haus und Synagoge geprägt (Alltag und Feiertage des jüd. Jahres). Sie zeigen den dekorativen Zug der jüd. Ornamentik und der jüd. Schrift. Da für Juden oft das Verbot der Handwerksausübung bestand, wurden die Gerätschaften bei christl. Künstlern und Handwerkern in Auftrag gegeben. Auf Grund des jüd. Lebensstils sind sie jedoch als typisch jüdisch zu bezeichnen: Menora, Chanukka-Leuchter, Beschneidungsbesteck u. a.

H. Strauss: Die Kunst der Juden im Wandel der Zeit und Umwelt (1972); G. Eimer: Jüd. Brauchtum und Kultgeräte, Ausst.-Kat., Frankfurt a. M. (1977).

Judith, eine Gestalt des A. T., dargestellt v. a. in den Szenen ihrer Legende. J. schlägt dem gegner. Feldherrn Holofernes das Haupt ab, die Belagerer ihrer Heimatstadt Baitylia/Bethulia fliehen: Donatello (um 1455; Florenz, vor dem Palazzo Vecchio). L. Ghiberti (1425 bis 1452; Bronzegruppe an der Paradiestür des Baptisteriums am Dom in Florenz). A. Mantegna (um 1490). Michelangelo (1508–12; Rom, Sixtin. Kapelle, Zwikkelfelder). L. Cranach d. Ä. – Triumph der J.: Fresken des G. B. Götz (1754; Regensburg, St. Kassian).

Juel [ju:l], Jens, dän. Maler, *Balslev (Fünen) 12. 5.

1745, †Kopenhagen 27. 12. 1802, arbeitete 1772–76 in Rom, dann in Paris und Genf, wurde 1784 Prof. an der Kopenhagener Akad., Lehrer von P. O. RUNGE. Er malte schlichte, mit frischem Wirklichkeitssinn erfaßte Porträts, Genrebilder, Landschaften und Stilleben; neben N. ABILDGAARD der bedeutendste dän. Maler des 18. Jh.

Jugendstil, Stilrichtung im Kunstgewerbe um 1900, auch auf Architektur, Malerei, Graphik, Plakat- und Buchkunst, Plastik bezogen sowie zur Interpretation von Literatur, Musik und Theater genutzt. Der J. begann um 1890, gestützt auf die engl. Arts-and-Crafts-Bewegung (→Arts and Crafts Movement), und dauerte bis 1914. Die dt. Bez. leitet sich vom Namen der Ztschr. ›Jugend‹ ab. Die frz. Bez. **Art Nouveau** [a:rnuv'o] nach der gleichnamigen Pariser Galerie des Hamburger Kunsthändlers S. BING wurde international gebräuchlich. Gängige Bez. in angelsächs. Ländern ist **Modern Style** [m'ɔdən staɪl], in Spanien **Modernismo,** in Österreich **Sezessionsstil.** Stilprägend wurden für den J. ein neues Naturstudium, die Einflüsse der japan. Kunst, handwerkl. Sorgfalt, kostbare Materialien, aber auch Einflüsse des Historismus, der frz. Malerei, des Spätimpressionismus und der Ideen von W. MORRIS und seinen Forderungen nach künstler. Formgebung des Alltags für alle. Tatsächlich blieben die aufwendigen Erzeugnisse des J. nur wenigen zugänglich.

Die Einheit des Künstlerischen konnte nur durch eine individuell geprägte Formgebung erreicht werden. Dies erklärt die Mannigfaltigkeit der ästhet. Formen des J. Das individualist. Moment machte den J. zur Vorstufe der Moderne, die Begrenzung auf das primär Dekorative ließ ihn ein Übergangsphänomen zw. Historis-

Jugendstil: Glasvase von L. C. Tiffany, um 1900 (Privatsamml.)

Jugendstil: Joseph Maria Olbrich, Ernst-Ludwig-Haus in Darmstadt, Eingang; 1901

Jugendstil: Henry van de Velde, Bucheinband, ausgeführt von P. Claessens; Brüssel, 1895 (Hamburg, Museum für Kunst und Gewerbe)

mus und Moderne bleiben. Zunächst prägten eine flächig-lineare, abstrakt-florale Dekoration seine Erscheinung, oft in direktem Bezug auf japan. Vorbilder. Der Belgier H. VAN DE VELDE machte daraus eine abstrakt-vegetabilische Ästhetik in Architektur, Innenausstattung, Objekt- und Buchkunst. Von Schottland ausgehend (C. R. MACKINTOSH, BILD), breitete sich eine geometr. Variante des J. aus, die v. a. in Wien (→Wiener Werkstätte) dominierend wurde. Diese strengere Form

Jugendstil: Bernhard Pankok, Gläserschrank und Leuchter; um 1900 (München, Stadtmuseum)

prägte auch die Serienprodukte, die seit 1908 entstanden, energisch gefördert durch den Deutschen →Werkbund.

Die schnelle Ausbreitung des J. in alle westl. Länder wurde durch die illustrierten Kunstzeitschriften ermöglicht, v. a. durch die engl. ›The Studio‹ (1893 ff., London), die frz. ›Revue Blanche‹ (1891–1903, Paris), die deutschen ›Pan‹ (1895–1900, Berlin), ›Jugend‹ (1896–1920, München) und ›Simplicissimus‹ (1896 ff., ebd.), ›Deutsche Kunst und Dekoration‹ (1897–1934, Darmstadt) sowie die österr. ›Ver Sacrum‹ (1898/99, Wien).

Die wichtigsten Pariser Künstler der Epoche waren H. GUIMARD (Architektur, Möbel), É. GAILLARD (Möbel), R. LALIQUE (Schmuck, Glas). Als ›École de Nancy‹ gewannen É. GALLÉ (Glas, Möbel; BILD É. Gallé) und L. MAJORELLE (Möbel) sowie die Firma ›Daum Frères‹ (Glas) eine Sonderstellung. Die besten frz. Töpfer waren J. CARRIÈS, A. DELAHERCHE u. a.

In Brüssel entstanden durch V. HORTA programmat. Bauten des vegetabil. J.: ›Hôtel Tassel‹ (1892–93) und ›Maison du Peuple‹ (1896–99; 1956 abgerissen).

In Deutschland wurde München durch O. ECKMANN, R. RIEMERSCHMID, P. BEHRENS, A. ENDELL (BILD) und H. OBRIST das erste Zentrum des J. Für Berlin, Weimar und Hagen (Kreis um E. OSTHAUS) gewann H. van de Velde an Bedeutung; in Darmstadt bildeten P. BEHRENS, H. CHRISTIANSEN und J. OLBRICH die →Darmstädter Künstlerkolonie mit programmat. Zielsetzung, ermöglicht durch das Mäzenatentum des Großherzogs ERNST LUDWIG. Geometrisierende Funktionalität und luxuriöses Raffinement prägten den Stil der ›Wiener Werkstätte‹. Die Architekten O. WAGNER, J. HOFFMANN (BILD) und der Maler G. KLIMT (BILD) sind ihre bedeutendsten Persönlichkeiten. Hohen Rang gewann das Wiener Kunstgewerbe durch die Entwürfe von K. MOSER, C. O. CZESCHKA, M. POWOLNY. Mit den Bauten von A. LOOS und der Graphik des jungen O. KOKOSCHKA entfaltete sich auf der Grundlage des Sezessionsstils der österr. Beitrag zur Kunst des 20. Jh.

In den USA spielte neben den Zeichnern der Plakate für populäre Magazine (E. PENFIELD, W. BRADLEY) der Glaskünstler L. C. TIFFANY eine internat. Rolle. Sein lüstrierendes Favrile-Glas stellt den Luxuscharakter des J. vor Augen.

Neben den regionalen Leistungen sind individuelle von größerer Bedeutung: Die Bauten des Katalanen A. GAUDÍ (v. a. in Barcelona, BILD), die Bilder des Norwegers E. MUNCH, dessen Werk den symbolist. Gehalt auf expressive Weise mitteilt. Symbolist. Tendenzen vertraten ferner der Schweizer F. HODLER (BILD) und der Niederländer J. TOOROP. Eine Synthese der unterschiedlichen Richtungen findet sich im Werk des Engländers A. BEARDSLEY (BILD).

R. SCHMUTZLER: Art Nouveau – J. (1962); H. H. HOFSTÄTTER: Gesch. der europ. J.-Malerei ([3]1969); Ein Dokument dt. Kunst, Ausst.-Kat., Darmstadt, 5 Bde. (1976); J., Art Déco, hg. v. A. BANGERT, 4 Bde. (1980/81); L. BUFFET-CHALLIÉ: Art Nouveau-Style (Paris 1981); Architektur des J., hg. v. F. RUSSEL (a. d. Engl., 1982); M. WEISSER: Im Stil der ›Jugend‹. Die Münchner illustr. Wochenschrift für Kunst und Leben ... (1982); ders.: Ornament und Illustration um 1900, Hb. für Bild- und Textdokumente ... (1982).

Jugendstil: Gustav Klimt, Judith; 1909 (Venedig, Galleria Internazionale d'Arte Moderna)

Jujuy [xux'ui], Stadt in Argentinien, →San Salvador de Jujuy.

Jukun [dʒ-], **Djukun,** Volk in O-Nigeria am S-Ufer des mittleren Benue, etwa 30 000 Menschen. Von der historisch belegten Bronzegußtradition sind keine Werke vorhanden (Ausgrabungen 1983 im Gange). Die (seltenen) Holzskulpturen der J. ähneln denjenigen der nordöstlich benachbarten →Mumuye (mit denen sie häufig verwechselt wurden), sind jedoch weniger abstrakt gestaltet. Die J. haben naturalistisch konzipierte Tierkopfmasken sowie Tanzaufsätze von abstrakter Form, die einen Menschenkopf verkörpern sollen.

Jülich, Stadt im Kr. Düren, NRW, 31 000 Ew.; J. entstand an der Stelle des röm. **Juliącum;** nach Brand 1547 nach Gesichtspunkten einer Renaissance-Idealstadt neu geplant, 1944 fast völlig zerstört. Wiedererstanden sind das Schloß auf der Zitadelle (1549–56, eindrucksvolles Zeugnis ital. Hochrenaissance in den Rheinlanden) und Rurtor (Anf. 14. Jh.). Römisch-German. Mus.

Julita [jyl'i:ta], Gem. in Södermanland, Mittelschweden; das Schloß wurde Mitte 18. Jh. an der Stelle eines Zisterzienserklosters (Ende 12. Jh.) erbaut, gehört heute dem Nord. Mus. (u. a. Kunstsamml.).

Julius-Stil, →Echter-Stil.

Jumièges [ʒymj'ɛ:ʒ], Gem. im frz. Dép. Seine-Maritime, Normandie, 1500 Ew., mit Ruinen einer während der Frz. Revolution zerstörten Benediktiner-Abtei (im 7. Jh. gegr.). Die Kirche Notre-Dame (1040 bis 1067) ist ein großartiges Beispiel normann. Baukunst (zwei 52 m hohe W-Türme, Fassade und der größte Teil des Schiffes erh.); Kirchenruine St. Pierre (10. Jh.), Kapitelsaal, Abtshaus (10. Jh.).

Junągadh [dʒ-], Stadt in Gujarat, westl. Indien; in der Nähe der hl. Berg →Girnar.

Juncker, fränk. Bildhauerfamilie, die in mehreren Generationen in Walldürn (Baden), Miltenberg und Würzburg von der 2. H. des 16. bis in die 2. H. des 17. Jh. nachweisbar ist. Der Stammvater Michael d. Ä. (†um 1619) fertigte den Kamin im Hohenlohe-Schloß in Weikersheim (1602–03). Von dem bedeutendsten seiner Söhne, Hans (*um 1582, †um 1624), stammt die Ausstattung der Schloßkirche in Aschaffenburg (vielfiguriger Hochaltar aus Alabaster und Marmor, 1614, und Kanzel, 1618–19), ein bed. Zeugnis des Übergangs von der Kunst der Spätrenaissance zum Frühbarock.

Juncker, Justus, Maler, Radierer, *Mainz 24. 7. 1703, †Frankfurt a. M. 15. 6. 1767, lebte ebd. seit 1726. Seine Innenraumbilder mit Alchemisten und Gelehrten zeigen den Einfluß von T. WYCK. Ferner malte J. Stilleben in der Art von J. D. DE HEEM und J. VAN HUYSUM, schließlich zeitgenöss. Genreszenen.

Jüngere Palastzeit, Periode der →kretisch-mykenischen Kunst, etwa 1650 – etwa 1375 v. Chr.

Junge Wilde, →Neue Wilde.

Jungfernbecher, Brautbecher, einer weibl. Figur nachgeformtes Trinkgefäß, eine Abart des →Sturzbechers, bestehend aus einem bewegl. kleineren Gefäß für

Jungfernbecher: Silber vergoldet und emailliert; Nürnberg, 2. Hälfte des 16. Jh. (Nürnberg, German. Nationalmuseum)

die Dame und einem größeren für den Herrn. Beide Becher mußten gleichzeitig ausgetrunken werden, wobei es darauf ankam, nichts zu verschütten. J. wurden im 16. und 17. Jh. in Dtl., v. a. in Nürnberg hergestellt.

Jungfrauen, kluge und törichte J., Gestalten einer vermutlich in der Urgemeinde entstandenen Parabel des N. T. (Warten auf das Kommen des Bräutigams, nur die klugen J. mit brennenden Lampen werden gerufen). In der bildenden Kunst wird die Szene als Hindeutung auf das →Jüngste Gericht oft in seinem Zusammenhang dargestellt (frz. Kathedralplastik), auch am Portal der ›Brautpforten‹ (Magdeburg, Dom, Paradies-Vorhalle, um 1240), auf Fresken (Schloß Hocheppan, um 1200) und in der Buchmalerei; in der Graphik des 15. und 16. Jh. meist nur je eine Jungfrau (M. SCHONGAUER, Kupferstich-Folge, um 1480).

Jüngstes Gericht, die christl. Vorstellung, daß die Gesch. der Menschheit am Jüngsten (letzten) Tage durch ein Gericht Gottes beendet wird. – In der frühchristl. Kunst wurde das J. G. in symbol. Bildern (Scheiden der Böcke von den Schafen, kluge und törichte Jungfrauen) dargestellt. Das im MA. kanon. zeilenförmige Schema (Mosaik in Torcello) wird erst im 15. Jh. (S. LOCHNER; nach ihm R. VAN DER WEYDEN, H. BOSCH, P. P. RUBENS) in einen Gesamtraum zusammengefaßt. – Zum Programm der byzantin. Kunst gehören folgende Einzelbilder: im Mittelpunkt Christus in der Mandorla, umgeben von den Evangelistensymbolen (Maiestas Domini), rechts und links Maria und Johannes d. T. als Fürbitter, die Apostel als Beisitzer, ferner Engelsscharen, Thronbereitung für die Wiederkunft Christi (Etimasia), ein vom Thron ausgehender Feuerstrom, Engel mit Posaunen, Auferstehung der Toten, Michael mit der Seelenwaage, die von einem Cherub bewachte Paradiesestür, der Schoß Abrahams, das Paradies und der Feuerstrom der Hölle. In Dtl. entstanden um 1000 die Darstellungen auf der Reichenau (W-Wand in St. Georg, Oberzell), im Perikopenbuch Heinrichs II. und in der Bamberger Apokalypse (über Christus mit dem Kreuz Engel, neben ihm Engel mit Posaunen, die Auferstehenden, Selige und Verdammte). In Werken des 11. Jh. sind Einflüsse byzantin. Vorbilder erkennbar (Deesis, Seelenwägung, Etimasia, Schoß Abrahams). In der Gotik wurde durch die Arma Christi und das Zeigen der Wundmale der Christus der Passion hervorgehoben. Lilie und Schwert, vom Mund Christi ausgehend, symbolisieren den Spruch des Richters (Fresko im Münster von Breisach, um 1490). – Das J. G. erscheint auf W-Wänden (Torcello, S. Angelo in Formis, Padua), von Frankreich ausgehend (Autun, Moissac, Reims, Chartres, Bourges) in den Tympana der W-Portale, im 14. und 15. Jh. auch auf Epitaphien (als Fürbittbilder) und in Rathäusern; seit dem 15. Jh. oft auf Altar-Retabeln (R. van der Weyden, Beaune). Monumental ist die Darstellung MICHELANGELOS (1534–41; Vatikan, Sixtin. Kapelle).

Juni [x'uni], Juan de, in Spanien tätiger Bildhauer burgund. Herkunft, *Joigny (Burgund) um 1507, †Valladolid April 1577, bildete sich in Italien und schuf unter dem Eindruck der lombard. Renaissance und MICHELANGELOS manierist. Plastiken; arbeitete seit 1535 in León, ab 1540/41 in Valladolid. J. schuf Tonfiguren und farbig gefaßte Holzbildwerke mit metall. Schimmer in einem ausdrucksstarken, naturalist. Stil; ein Vorläufer der →Estofado-Skulptur.

HW: Altäre in den Kathedralen von Burgo de Osma (1550–54), Valladolid (1562 voll.), Segovia (1571); Grablegung (Valladolid, Skulpturenmus.).

Junk Art [dʒ'ʌŋk ɑ:t, engl.], Richtung der zeitgenöss. Kunst, die Abfallprodukte der Industriegesellschaft zu künstler. Objekten (Junk Sculpture) gestaltet.

Jupiter: Kolossalkopf aus Pompeji; 1. Jh. v. Chr. (Neapel, Archäolog. Nationalmuseum)

Juno, lat. **Iuno,** die bedeutendste Göttin des antiken Rom. Entsprechend dem Genius des Mannes galt sie urspr. als die jugendl. Kraft der Frau. Dann wurde sie als Gemahlin des Jupiter (mit ihm und Minerva bildete sie die **Kapitolin. Trias**) Beschützerin des Frauenlebens, v. a. von Ehe und Geburt, und der grch. Hera gleichgesetzt. In der röm. Kunst erscheint sie meist als Gattin des Jupiter analog zu Darstellungen der →Hera.

Ju Péon, chines. Maler, →Hsü Pei-hung.

Jupiter, lat. **Iuppiter,** der altröm. Himmels- und Lichtgott, dessen Tempel auf Hügeln lagen, als Wettergott v. a. Herr des Blitzes, oberste Gottheit in Rom. Mit dem Kult der **Kapitolin. Trias** (mit Juno und Minerva) wurde er im Staatsheiligtum auf dem Kapitol verehrt. Im Mythos wurde er als Gemahl der Juno dem Zeus gleichgesetzt und ihm auch in der Kunst (Kolossalkopf des J. aus Pompeji, 1. Jh. v. Chr., Neapel, Archäolog. Nat.-Mus.) nachgebildet.

Jupitersäulen, Juppitersäulen, Gigantensäulen, dem Jupiter geweihte Denkmäler aus dem 2. und 3. Jh. n. Chr., die als viereckigen Sockel einen ›Viergötterstein‹, darauf einen meist achteckigen oder runden ›Wochengötterstein‹ und zuoberst einen reitenden Jupiter in röm. Feldherrnrüstung zeigen, der über einem zusammenbrechenden schlangenfüßigen Giganten dahinsprengt. Röm. und einheim. relig. Vorstellungen scheinen sich bei dieser auf einen Teil der röm. Provinzen Germanien und Gallien, bes. auf das Moselland, beschränkten Denkmälergruppe zu vermischen.

WERNER MÜLLER: Die Jupitergigantensäulen ... (1975); G. BAUCHHENSS u. P. NOELTKE: Die J. in den german. Provinzen (1981).

Jurjew, russ. Name der Stadt →Tartu.

Jurjew-Polskij, Stadt im Gebiet Wladimir nordöstlich von Moskau an der Kolokscha, UdSSR, 23 000 Ew.; gegr. 1152 als Festung des Fstt. Susdal. Bedeutendstes Kunstdenkmal ist die St.-Georgs-Kathedrale (1230–34), nach Zerstörung 1471 z. T. verändert wiederaufgebaut. Die Vierpfeileranlage mit Zentralkuppel, 3 Apsiden und 3 Vorhallen bewahrt reichste Bauplastik, einen Höhepunkt der Nowgoroder Skulptur des 13. Jh. – Das Erzengel-Michael-Kloster, gegr. 13. Jh., besteht heute aus Bauteilen des 17. und 18. Jh.: Torkirche Johannes Evangelist (1654), Glockenturm (17. Jh.), Kathedrale (1729).

Jurojin [dʒurodʒin], eine der japan. Sieben Glücksgottheiten (Shichi-fukujin), meist dargestellt als bärtiger Alter mit Bambusblattfächer und Wanderstab.

Jussow [-o:], Heinrich Christoph, Baumeister, *Kassel 9. 12. 1754, †ebd. 26. 7. 1825, arbeitete nach Studienreisen v.a. nach England unter S. L. Du Ry an den Schloßbauten der Wilhelmshöhe (heute Kassel).

Juste [ʒyst], eigtl. **Giusto** [dʒ'usto], in Frankreich tätige Bildhauerfamilie ital. Ursprungs. Antoine (*Settignano 1479, †Tours 1. 9. 1519) und Jean (*bei Florenz 1485, †Tours 1549) brachten ital. Renaissanceformen nach Frankreich.

HW: Grabmal Ludwigs XII. und der Anna von Bretagne in St. Denis (1516–31).

Justinian I., byzantin. Kaiser (527–65), *Tauresium (wohl bei Niš) 482, †Konstantinopel 11. 11. 565, suchte die Einheit des röm. Universalreiches nochmals zu verwirklichen. Umfangreich war seine Bautätigkeit (Wiederaufbau zerstörter Städte, Neuanlagen, bes. auch von Befestigungen; zahlreiche Kirchenstiftungen). Seine Regierungszeit führte zur Blüte der →byzantinischen Kunst.

Justus van Gent [-van xɛnt], →Joos (Justus) van Gent.

Jüterbog, Stadt in Brandenburg, im Fläming, Dt. Dem. Rep., 13 200 Ew., mit gut erh. altem Stadtbild (Teile der Stadtmauer, Neumarkter, Zinnaer und Dammtor, 2. H. 15. Jh.). Hauptkirche St. Marien, dreischiffige spätroman. Backstein-Basilika (12. Jh.) mit spätgot. Chor (15. Jh.); spätgot. Backstein-Hallenkirchen sind die Nikolaikirche (15. Jh.) mit spätgot. Gemälden (v.a. vom ehem. Hochaltar, 1486), Flügelaltar und Schreinaltar (1. H. 16. Jh.) und die ehem. Franziskanerkirche (Ende 15. Jh.) mit Gewölbemalereien. Spätgot. Rathaus (1450–1506) mit reichem Maßwerkgiebel, Bürgermeisterzimmer mit Zellengewölbe.

Juvarra, Juvara, Filippo, ital. Baumeister, *Messina 27. 3. 1678, †Madrid 31. 1. 1736; Schulung durch C. Fontana in Rom, schuf dort Theaterdekorationen und Bauentwürfe, wurde 1714 königl. Architekt in Turin, wo er eine überaus vielfältige Tätigkeit entwickelte, unterbrochen durch Reisen nach Lissabon (1719/20) und nach Madrid (1735, Entwurf des Schlosses). J. ging bei seinen Planungen zunächst von leicht überschaubaren Raumvorstellungen des 16. und 17. Jh. aus. Mit hohen Wandpfeilern und Freistützen errichtete er die Gerippe seiner Bauten. Nach vielen versch. Planstufen (durch zahlreiche Skizzen belegt) vollendete er dann seine phantasievollen Raumgestaltungen. J. führte den mit G. Guarini einsetzenden piemontes. Spätbarock auf die Höhe europ. Geltung. Seine Bauten (→Superga, →Stupinigi) gehören zu den architekton. Höchstleistungen Italiens im 18. Jh. (Bild S. 84)

HW: Schlösser: Venaria Reale (1714 ff.), Stupinigi (1729 ff.); Votivkirche Superga (1717–31); in Turin: Fassade von S. Cristina (1715); S. Filippo (1722), Chiesa del Carmine (1732–36); Paläste (v.a. Palazzo Madama, 1718 ff.).

Juwelenporzellan, Porzellan mit durchsichtigen farbigen Emailauflagen, Perlen und Schmucksteinen,

Filippo Juvarra: Inneres der Votivkirche Superga bei Turin; 1717–31

die auf Goldplättchen zur Verzierung aufgelegt wurden. Diese Dekoration war in Sèvres am Ende des 18. Jh., aber auch in England, beliebt.

Juwelierkunst, Verarbeitung von Edelsteinen, Glasperlen, Korallen und Perlen, bisweilen unter Verwendung von Email und Niello sowie aller Techniken der Goldschmiedekunst wie Filigran, Granulation oder Treibarbeit, zu Geschmeide und zum Schmuck von Buchdeckeln und Geräten. I. e. S. spricht man von J. seit der Erfindung des Kantenschliffes der Edelsteine, bes. der Diamanten durch L. VON BERQUEN aus Brügge um 1456. Die Griechen und Römer verwendeten Gemmen und Kameen in Fassungen aus einer sich nach unten verjüngenden Zarge, in deren oberen breiten Rand die Steine gefaßt waren, das MA. durchgehend nur geglättete Edelsteine (Cabochon) neben Glaspasten und Perlen in kostbaren Filigranfassungen. Um 1000 traten erstmals Edelsteine mit ›à jour‹-Fassungen auf, deren stark durchbrochene Rückseite die höchstmögliche Durchleuchtung der Steine erlaubte. Große Bedeutung erlangte das Fassen, Aufbringen und Verzieren der Steine im 15. Jh. Diese Techniken erreichten im 16. Jh. ihren Höhepunkt. H. HOLBEIN D. J., V. SOLIS, E. DELAUNE u. a. lieferten die Entwürfe, Meister wie B. CELLINI führten sie aus. Während die Renaissance v. a. farbige geschliffene Steine in Verbindung mit Email und Gold verarbeitete, bevorzugte das 17. und 18. Jh. brillantgeschliffene, farblose Diamanten. Erst die neuere Zeit griff wieder auf die Farbigkeit des Renaissanceschmucks zurück.

Jyotirlinga [dʒ-, Skt. ›flammendes Linga‹], das Linga des hinduist. Gottes Shiva. Reliefdarstellungen dieses kosmischen Phallussymbols zeigen eine von Flammen umzüngelte Säule (Lingodbhavamurti).

K

Ka [ägypt.] *der,* im alten Ägypten die dem Menschen innewohnende Lebenskraft. Vom Verstorbenen wurde gesagt, er gehe zu seinem Ka (er vereinige sich also im Jenseits wieder mit seiner Lebenskraft).

Kaaba, Kaba [arab. ›Würfel‹], ein in Mekka im Mittelpunkt der Großen Moschee gelegenes Gebäude, Ziel der allen Muslimen vorgeschriebenen Pilgerfahrt (Hadjdj, Hadsch) und Mittelpunkt des islam. Glaubens. Die K., bereits in vorislam. Zeit Stadtheiligtum Mekkas, ist ein fensterloses, rechteckiges Gebäude, dessen Dach von 3 hölzernen Säulen gestützt wird; es ist an besonderen Pilgertagen zugänglich. An der südöstl. Ecke neben dem Eingang in 1½ m Höhe ist der bes. verehrte Schwarze Stein – Hadjar (Hadschar) al-aswad – eingemauert; die K. selbst ist mit einem schwarzen Tuch bedeckt.

Kaaden, tschechisch **Kadaň** [k'adanj], Stadt im Nordböhm. Kreis, ČSSR, etwa 10000 Ew.; planmäßig angelegte Gründung des 12. Jh. mit großem Marktplatz und Befestigungsanlagen des 13. Jh. Die Burg, eine große Vierflügelanlage des 13. Jh., wurde im 16., 18. und 19. Jh. verändert. Das got. Rathaus (14. Jh., mit Turm des 15. Jh.) wurde barock umgestaltet, die got. Dekanatskirche der Kreuzerhöhung nach 1619 erneuert und verändert, das ehem. Franziskanerkloster mit -kirche (15. Jh.) wurde im 18. Jh. barockisiert.

Kaaz, Katz, Carl Ludwig, Maler, *Karlsruhe 22. 1. 1773, †Dresden 14. 7. 1810, bildete sich ebd. seit 1796 an J. C. KLENGEL und J. W. MECHAU, war 1801–04 in Italien, schuf bes. ideale romant. Landschaften.

Kabah, archäolog. Fundstätte der klass. Maya-Kultur (600–900 n. Chr.) im N des Bundesstaates Yucatán, Mexiko. K. ist mit Uxmal durch eine 14 km lange Zeremonialstraße (Sacbé) verbunden, die in beiden Stätten durch ein Tor markiert wird. Bedeutendstes der bisher freigelegten Bauwerke ist der Maskenpalast (Codz Poop), dessen Fassade urspr. in ganzer Breite (45 m) und Höhe (6 m) mit steinernen Mosaikmasken des Regengottes Chac geschmückt war.

Kabah: W-Fassade des Maskenpalastes

Kabgayi, Ort in Ruanda, Afrika, 1860 m ü. M., westlich von Kigali; Missionsmus. mit völkerkundl. und kunstgewerbl. Sammlung.

Kabinett [frz.-ital.], Ausgang des 16. Jh. in Dtl. Bez. für Nebenzimmer, Kammer. Im 18. Jh. diente das K. als kleiner Raum den Studien oder der Verwahrung von Kostbarkeiten. Als **Kunst-K.** bezeichnet man ein kleines Zimmer mit Kunstgegenständen, Naturalien, Kuriositäten, daher das **K.-Stück,** ein bes. wertvoller Kunstgegenstand. **Münz-K.** für die Samml. von Münzen.

Kabinettscheibe, Kabinettmalerei, →Glasmalerei.

Kabinettschrank, Kunstschrank, Schrank, der sich aus dem ital. Schreibkabinett, einer Kassette mit Deckel, entwickelt hat und vielfach einen Untersatz in Form eines tischartigen Gestells aufweist. Das Oberteil besitzt viele einzelne Schubfächer zur Unterbringung von Kostbarkeiten (Münzen, Medaillen). Im 16. und 17. Jh. war der K. sehr beliebt und oft prunkvoll mit Intarsien, Beschlägen u. a. ausgestattet. Das kostbarste Beispiel war der ›Pommersche Kunstschrank‹ von 1615/17 (im 2. Weltkrieg zerstört).

Kabirenvasen, schwarzfigurige Trinknäpfe der griechisch-spätklass. Zeit (430–300 v. Chr.) aus Böotien, vorwiegend aus dem Kabirenheiligtum bei Theben stammend. Die Bemalung besteht aus Wein- und Efeuranken, v. a. aus burlesken Figuren- (Kabirenkult-)szenen und Mythenparodien in flüchtig-karikaturist. Malstil.

Kabul, Hauptstadt Afghanistans, 1800 m ü. M. in einem Hochbecken, Kreuzungspunkt alter Verbindungswege, 913 000 Ew. K. hat muslimisch geprägtes Stadtbild; Grabmal von Babur, dem Gründer der ind. Mogul-Dynastie. Im Nat.-Mus. bed. Werke der Gandhara-Kunst aus Surkh Kotal, Hadda und Fondukistan. Bei K. buddhist. Ruinen der Gandhara-Kunst sowie das Surya-Heiligtum von Khair Khaneh aus der Shahi-Zeit.

Kachel, glasiertes, feinkeram. Erzeugnis. Der Scherben entspricht dem von Steingut (porös) oder Porzellan (dicht). K. werden im Unterschied zu Fliesen zur Verkleidung von Öfen verwendet. Bei dem **Kachelofen** des MA. (seit dem 14. Jh.), dessen Heimat wohl die Alpenländer waren, wurde der Ofen mit eingetieften Topf-K. überzogen. Neben die Topf-K. trat die Tafel-K. Eine Zwischenform war die Nischen-K., ein halbierter, oben und unten geschlossener Tonzylinder, dessen Tiefe plast. Verzierungen von hohem Relief gestattete. Aus diesen K. mit relig. oder allegor. Darstellungen in reicher architekton. Rahmung wurden seit 1500 Prunköfen in der Form von Bauwerken errichtet, die ein Kernstück der Raumausstattung bildeten. Eine Sonderform entwickelte sich in der Schweiz, wo bei den **Winterthurer** und **Züricher Öfen** große, flache, buntbemalte Fayence-K. überwiegen und in den Aufbau des K.-Ofens ein bis zwei heizbare K.-Sitze einbezogen sind. Mit Beginn der Barockzeit verlor die Einzel-K. an Bedeutung. Gleichfarbigkeit trat an Stelle der Vielfarbig-

Kachel: K.-Ofen; Südtirol, 1555 (Nürnberg, German. Nationalmuseum)

keit. Auch bei den klassizist. K.-Öfen in Form von Säulen, Obelisken und Grabdenkmälern blieb die Einzel-K. der architekton. Linie untergeordnet. Zu Anfang des 19. Jh. verbreitete sich der Etagenofen, bei dem im Innern eingebaute Kanäle den Heizeffekt des Ofens steigern und die äußere Form bestimmen. Auch einfache Öfen aus weiß glasierten Tafel-K. **(Berliner Öfen)** waren in Gebrauch. Nach einer Periode der Imitation aller Stilrichtungen betont der K.-Ofen der Gegenwart wieder den kub. Aufbau aus gleichmäßigen, gebrannten Formstücken.

J. RINGLER: Tiroler Hafnerkunst (1965); K. STRAUSS: Die K.-Kunst des 15. und 16. Jh. in Dtl., Österreich und der Schweiz (1966).

Kachinas [kats'i:nas] *Mz.*, Geister im Kult der Pueblo-Indianer, v. a. der Hopi, im SW der USA, die als Mittler zw. Menschen und übernatürl. Mächten gelten. Sie werden in zeremoniellen Tänzen von maskierten und kostümierten Hopi verkörpert, die dabei selbst zu K. werden. Bei den Tänzen werden kleine hölzerne Nachbildungen von K. verschenkt, **Kachina-Figuren (Kachina-Puppen),** die wohl hauptsächlich als Anschauungsobjekte und Symbole des K.-Kultes dienen sollen. Die einfachen, aus Holz geschnitzten Figuren (15–30 cm hoch) sind kunstvoll und farbenprächtig bemalt und mit Federn u. a. Materialien geschmückt. Die Figuren, es gibt Hunderte von unterschiedl. Arten, sind erst seit der Mitte des vorigen Jh. bekannt; sie sind begehrte Sammelobjekte und werden seit 1945 auch kommerziell hergestellt.

H. HARTMANN: Kachina-Figuren (1978); ders.: K. (1981).

Kachinas: Kachina-Figur der Hopi (Berlin-West, Staatl. Museen)

Kadaň [k'adanj], Stadt in der ČSSR, →Kaaden.

Kadishman [-ʃ-], Menashe, israel. Künstler, *Tel Aviv 1932, begann mit archaisch wirkenden Steinskulpturen. In den 60er Jahren entstanden große, der Minimal Art nahestehende Außenplastiken. In den 70er Jahren gewann das Werk zunehmend Züge der Concept Art und weitete sich zu umfangreichen Environments, die den Ggs. von Natur und Artefakt betonen (›Der Wald‹, 1970 in Montevideo; Environments mit Bruchglasstrukturen von der Decke).

M. K., Ausst.-Kat., Krefeld (1972).

Kadjaren, Kadscharen, pers. Dynastie türkmen. Ursprungs (1794–1925), begründet von AGHA MOHAMMED (1794–97), der den Iran einte und Teheran zur Hauptstadt machte. In der K.-Zeit entstanden Bauten mit Fliesenverkleidung, deren Kompositionen (Blütenornamente, Medaillons, histor., auch relig. Szenen) die architekton. Gliederung überspielen (Teheran: Gulistan-Palast, Freitagsmoschee, Paradetor; Shiraz: Gouverneurspalast); häufige Verwendung von Spiegelglas für Gewölbe, Decken und Wände mit Reliefstuck. Porträt- und Deckenmalerei (Öltechnik auf Leinwand) standen unter Einfluß frz. Genremalerei.

Kadmiumfarben, Maltechnik: Kadmiumsulfid oder -selenidverbindungen von brillanter Farbe (Gelb, Orange und Rot) und besten maltechn. Eigenschaften. Die Entdeckung der K. Anfang des 19. Jh. verdrängte viele bis dahin verwendete Pigmente. Wegen ihrer Giftigkeit wird die Verwendung heute sehr eingeschränkt. **Kadmiumgrün** ist eine Mischfarbe aus Kadmiumgelb und Chromoxidgrün.

Kadmos, grch. Mythos: Sohn des phönik. Königs Agenor, wurde von diesem ausgesandt, seine Schwester Europa zu suchen. In Böotien gründete er auf Befehl des delph. Orakels Theben mit der Burg **Kadmeia** und erschlug den Drachen des Ares, dessen Zähne er aussäte (daher ›Drachensaat‹). Daraus erwuchsen geharnischte Männer, unter denen ein Kampf entstand, den nur 5 überlebten. K. mußte darauf 8 Jahre dem Ares dienen, heiratete dessen Tochter Harmonia und wurde dann König von Theben. Drachenkampf und Hochzeit wurden v. a. auf grch. Vasen (6. und 5. Jh. v. Chr.) dargestellt. Die neuzeitl. Kunst bevorzugte thematisch die Aussaat der Drachenzähne (S. ROSA, T. BLANCHET).

Kaesŏng, Songdo, Song'ak, Kaekyong, Stadt in N-Korea (Prov. Kyongki), 140 000 Ew. K. war die Hauptstadt der Koryo-Dynastie (919–1394). Im Stil dieser Epoche sind das S-Tor, die Sŏnjuk-Steinbrücke, die Manwŏl-Terrasse, der Kyongdŏk-Palast und der Kwandŏk-Pavillon errichtet.

Kaffgesims, Sonderform des got. Gesimses mit Hohlkehle und Deckplatte, das zur Wasserführung unter Fenstern entlang und um Strebepfeiler herumläuft.

Kagami [jap.], Bronzespiegel der Yayoi- und Asuka-Zeit (um 100 v. Chr.–7. Jh. n. Chr.) in Form einer Scheibe mit glattpolierter Vorderseite. Die Rückseite weist einen Reliefdekor und statt Griff eine knopfartige Halterung auf. Die frühen K. ahmen chines. Spiegel der Han-Zeit nach (geometr. Ornamente, taoist. Symbole). Später folgt eine Japanisierung der Formen und Motive zu einem realist. Stil mit erzähler. Tendenzen; auch Krieger- und Hausdarstellungen.

Kager, Johann Matthias, Maler, Kupferstecher, Baumeister, *München um 1575, †Augsburg 1634, lernte bei F. SUSTRIS in München und ging 1598 nach Italien. Wieder in München wurde K. Hofmaler MAXIMILIANS I. von Bayern und ließ sich 1603 in Augsburg nieder. K. schuf Öl- und Wandbilder, Miniaturen, Kupferstiche und Architekturentwürfe. Seine Bilder verbinden spätmanierist. mit barocken Elementen und zeigen den Einfluß von Sustris, C. SCHWARZ, H. ROTTENHAMMER und P. P. RUBENS. K.s Hauptwerke, Fassadenmalereien in München und Augsburg und die Dekoration des Goldenen Saales im Augsburger Rathaus, wurden im 2. Weltkrieg zerstört.

Kahn [kɑːn], Louis Isidore, amerikan. Architekt, *auf Ösel (Estland) 20. 2. 1901, †New York 17. 3. 1974. K. hat eine eigene Architekturtheorie entwickelt und war als Lehrer von großem Einfluß.

HW: Kunst-Gal. der Yale-Univ., New Haven, Connecticut (1951 bis 1953); Medizin. Forschungslabors A. N. Richards, Philadelphia, Pennsylvania (1957–61 und 1964); Biolog. Forschungsinstitut J. Salk, La Jolla, Kalifornien (1959–65); Stadt Dacca (1962–74); Kimbell Art Mus., Fort Worth, Texas (1966–72).

L. I. K., complete work, 1935–74, hg. v. H. RONNER u. a. (1977); R. GIURGOLA: L. J. K. (a. d. Engl., Neudr. 1979).

Kahnweiler, Daniel-Henry, Kunsthändler, *Mannheim 25. 6. 1884, †Paris 12. 1. 1979, Sammler und Verleger, eröffnete 1907 in Paris seine 1. Gal. wo er die Fauves A. DERAIN und M. VLAMINCK ausstellte. Er war ein engagierter Vertreter und Förderer der Kubisten, ein persönl. Freund von J. GRIS, dessen Biographie er 1947 veröffentlichte und von P. PICASSO, den er seit 1907 als Kunsthändler vertrat. Seine Gal. wurde nach dem 2. Weltkrieg von seiner Schwägerin LOUISE LEIRIS weitergeführt.

Schriften: Wege zum Kubismus (1920); Mes galeries et mes peintres (1961, dt.).

K'aifeng, Kaifeng, Stadt im O der chines. Prov. Honan, 6 km südlich des Hwangho in günstiger Verkehrslage, über 300 000 Ew. Z. Z. der 5 Dynastien (10. Jh.) Hauptstadt versch. Staaten; bis zur Eroberung durch die Dschurdschen Hauptstadt der Nördl. Sung-Dynastie (960–1127). Im NW an der Stelle des ehem. Sung-Palastes Drachenpavillon (17. Jh.) auf massivem, pyramidenartig sich verjüngendem Podest. Im S das 555 gegr. Kloster Hsiang-kuo-ssu; der heutige Gebäudekomplex (1766) umfaßt die Große Schatzhalle, eine oktogonale, mit glasierten Ziegeln gedeckte Halle sowie eine Halle zur Aufbewahrung der Sutren. Im NO die dreizehnstöckige, mit braunglasierten Reliefziegeln verkleidete ›Eisenpagode‹ (53,4 m hoch) von 1049, die als Wahrzeichen der Stadt gilt. Im SO die Pagode Fan-t'a (977); auf die 3 unteren erh. Geschosse des urspr. neunstöckigen Baus wurde in der Ming-Zeit ein Glokkenturm gesetzt.

Kaigetsudo, Kwaigetsudo, japan. Meister des →Ukiyo-e zu Beginn des 18. Jh. Die eindrucksvollen großformatigen, handkolorierten Tuschdrucke mit der Signatur K. stellen meist eine einzelne Schöne in den schweren großgemusterten Stoffen ihrer Zeit dar; es sind Werke von K. ANDO und seiner 3 Schüler ANCHI, DOSHIN und DOHAN.

Kailạsa, Kailasanatha, Shiva-Tempel in →Elura.

Kain, im A. T. der erstgeborene Sohn von Adam und Eva, der aus Neid seinen Bruder →Abel erschlug. Mit ihm gemeinsam wird K. schon in der frühchristl. Kunst dargestellt. Ihr Opfer ist zugleich ihr Attribut (Abel ein Lamm, Kain eine Ährengarbe) und steht typologisch dem Opfer Christi gegenüber (Ravenna, S. Vitale, 6. Jh.). Abel galt als Symbol der Kirche, Kain als Symbol der Synagoge. Im MA. wurde die Ermordung Abels hervorgehoben (Kain mit einer Keule: Bronzetür des Hildesheimer Doms, Anf. 11. Jh.); diese Szene wurde bis zu A. DÜRER, J. DA PONTORMO, TIZIAN, TINTORETTO u. a. häufig dargestellt.

Kaineus, grch. Mythos: ein Hauptheld der Lapithen, der unverwundbar war und daher von den Kentauren lebend mit Baumstämmen und Felsbrocken unter die Erde gerammt wurde. Sein Tod erscheint v. a. auf grch. Vasen (Françoisvase), Tempelfriesen u. a. Reliefs (Bronzerelief aus Olympia, 7. Jh. v. Chr., Olympia, Museum).

Kairo, engl. **Cairo** [k'aɪərəʊ], arab. **Misr al-Kạhira,** Hauptstadt Ägyptens, am Nil, 20 km südlich von seiner Teilung in einzelne Deltaarme, 5,084 Mio. Ew. – Das Stadtbild entwickelte sich aus der von AMR IBN AL-AS, Heerführer des Kalifen OMAR, 641 eroberten röm. Festung **Babylon** (heute **Alt-Kairo,** mit Resten der alten Festungstürme, kopt. Kirchen, Kopt. Mus.) und der

Kairo: Al-Azhar-Moschee

unmittelbar nach der Eroberung nördlich davon angelegten Siedlung **Fustat.** Von der Moschee des Amr ist keine urspr. Bausubstanz erhalten (heutiger Bau 14. und 18. Jh.). Die bed. Stiftung AHMED IBN TULUNS (876 bis 879) nördlich davon (Moschee mit reicher Stuckornamentik) richtet sich in ihrem Bau wie die fatimid. al-Azhar-Moschee (970–72) und die Stiftung AL-HAKIMS (990–1013) nach dem Vorbild der klass. Hofmoscheen in Medina u. a. Die Betonung einer Hauptfassade durch Ecktürme, Torbau und reiche Bauplastik (Moschee al-Hakims) übernehmen auch die kleineren Bauten der Fatimidenzeit (969–1171) wie die Moschee AL-AKMARS (1125) u. a. Zw. 1087 und 1092 begann auch die Befestigung der sich ausdehnenden Stadt, v. a. unter dem Aijubiden SALADIN (1176–93; Tore 1171–76, Zitadelle 1179). Unter den Mamelucken (1250–1517) blühte die Baukunst auch in K. auf. Seit der Stiftung des Sultans AL-MANSUR KALA'UN (1284/85) – mit kraftvoll gegliederter Fassade (Elemente der frühgot. Kreuzfahrer-Architektur) und hohem seldschuk. Nischenportal – werden Medrese, Moschee u. a. in monumentale Baukomplexe eingebunden. So ordnet die Stiftung Sultan HASANS (1356–62) dem Mittelpunkt der Medrese mit Hof und 4 Iwanen das von 2 Minares (in der für K. typ. Achteckform) begleitete Mausoleum zu. Die spätere mameluck. Architektur setzte an die Stelle eines geschlossenen Baublocks malerisch zueinander gruppierte Baukörper in flacher Gliederung und farbl. Wechsel. Seit der türk. Zeit (seit 1517) entstanden keine richtungweisenden Großbauten mehr. Die Moschee MEHMED ALIS auf der Zitadelle (1857 voll.) ist eine aufwendig historisierende Kopie einer osman. Moschee des 16. Jh.

Die Altstadt von K. bildet von der Stiftung al-Hakims bis zur Stiftung Sultan Hasans unterhalb der Zitadelle ein einzigartiges histor. Ensemble, in dem neben den vielen Stiftungen auch der Profanbau eine bed. Rolle spielt. – Neben dem Kopt. Mus. besitzt K. auch bed. Museen der ägypt. und islam. Kunst.

Kairouan [kɛrw'an, frz.], span. **Kairuán,** arab. **Al-Kairawan,** Stadt in Zentral-Tunesien, 54 500 Ew.; eine der 4 heiligen Städte des Islam, 671 von OKBA IBN NAFI als erste arab. Stadt in N-Afrika gegr. Gänzlich ummauerte Medina (1052). Die Große Moschee Sidi Okba (beg. 672, bis ins 20. Jh.; Hauptbaukörper 817 bis 863 in syrisch-omajjad. Tradition) wurde zum architekton. Archetyp der westislam. Sakral- und Profanbaukunst: T-förmiger Grundriß, versetzte Kuppelkonstruktionen, gekielte Hufeisenbogen im Narthex, Zwillingssäulen, fayenceumkleideter Michrab, Maksura und Minbar in reichem Holzschnitzwerk, wuchtiges dreistöckiges Minarett (724–11. Jh.), 17 Schiffe mit je 8 Jochen auf 414 antiken Säulen; das O-Tor Lalla Rihana (1224) ist ein eleganter Quadratrisalit im spanisch-maur. Stil. Hervorragende Beispiele islam. Dekorkunst sind die Fassade der Moschee Tleta Bibane (866) und die gesamte Zawija des Sidi Sahab (prachtvoller Stuck- und Fayencedekor des 17. Jh.). In der Zawija des Sidi Amor Abada (1860; 5 Rippenkuppeln) Waffensamml. Turmbrunnen Bir Barouta (17. Jh.). Mus. für islam. Kunst. Kunstgewerbezentrum (v. a. Teppiche). Nördlich der Medina die Bassins der Aghlabiden (9. Jh.) mit 48seiti-

Kairouan: Große Moschee, Gebetssaal mit antiken Säulen (Spolien); 9. Jh.

gem Hauptbecken (128 m ∅). 8 km im O die Ruinen der Aghlabidenresidenz Rakkada; 1,5 km im SW die Ruinen der Fatimidenresidenz Sabra Mansourija.

Kaiser|augst, Gem. im schweizer. Kt. Aargau, 2000 Ew. K. liegt an der Stelle des röm. **Castrum Rauracense.** Erh. sind Teile der Mauern, u. a. ein frühchristl. Baptisterium. Südlich von K. in der Gem. **Augst,** Kt. Basel-Land, 960 Ew., finden sich Überreste der röm. Bürgersiedlung **Augusta Raurica:** Theater, 3 Tempel, 3 Thermenanlagen, Wohnquartiere, Reste der nicht fertiggestellten Umfassungsmauern u. a.; Rekonstruktion eines röm. Wohn- und Geschäftshauses (›Römerhaus‹). Im Römer-Mus. u. a. der Silberschatz von K.

Kaiser-Friedrich-Museum, ehem. Mus. in Berlin-Ost, seit 1958 **Bode-Museum,** 1897–1904 auf der Museumsinsel von E. von Ihne erbaut, wurde unter der Leitung von W. von Bode (*1845, †1929) eines der bedeutendsten Museen Europas. Es enthielt die Skulpturen und Gemälde der nachantiken Zeit bis Ende des 18. Jh., von denen die dt. und niederländ. 1930 in das neuerbaute Dt. Mus. kamen, ferner das Münzkabinett und bis 1931 die islam. Samml.; es besitzt heute nur noch einen Teil des alten Bestandes. (→Staatliche Museen)

Kaiserpfalz, →Pfalz.

Kaiserslautern, ehem. Reichsstadt in Rheinl.-Pf., 100 100 Ew., aus dem fränk. Königshof ›Lutra‹ entstanden. Von der 1152–56 durch Friedrich Barbarossa erbauten Pfalz und dem östlich anschließenden Renaissanceschloß (1570/80) sind nur geringe Reste erhalten (Burgmus.). Ehem. Prämonstratenser-Stiftskirche (1176 gegr., Chor frühgotisch 1250–90, Langhaus

1325ff.) durch Türme, Giebel und Dachformen von maler. Gesamtwirkung. In der ehem. Minoriten-, jetzt Martinskirche (nach 1284) barocke Stuckdecke (um 1700). Bemerkenswert die Fruchthalle, ein Bau des Historismus (1843–46) von A. v. VOIT. Pfalz-Gal. (v.a. Malerei und Graphik des 19./20. Jh.). Im Ortsteil **Hohenecken** Burgruine der Stauferzeit (Anf. 13. Jh.).

Kaiserswerth, Stadtteil von Düsseldorf, NRW; im MA. Reichsstadt. Von der stauf. Kaiserpfalz (Bauinschrift 1184) blieb die Hauptfront des Palas erh. Die Suitbertkirche des ehem. Benediktinerklosters (um 700 gegr.) ist eine flachgedeckte Pfeilerbasilika (1078 gew.) mit Chor im rhein. romanisch-got. Übergangsstil (1264 voll.); im Kirchenschatz Suitbertus-Schrein (1264).

Kaisheim, Markt im Kr. Donau-Ries, Bayern, 3150 Ew., mit ehem. Zisterzienserkloster, gegr. 1134. Die got. Kirche ist ein HW der schwäb. Zisterzienserbaukunst (1352–87). In den barocken Abteigebäuden (1716 beg. von F. BEER) prächtiger Kaisersaal (1718–23) mit origineller Stuckdekoration.

Kakemono [jap. ›Hängeding‹] *das,* →Hängerolle.

Kaki|emon, japan. Porzellandekor. Von Mitgliedern der K.-Familie um 1640 in Arita entwickelte Kunst, Porzellan mit einem Dekor von roten, gelben und grünen, fast transparenten Überglasurfarben zu brennen. Die K.-Porzellane mit milchweißer Grundglasur hatten einen sehr graziösen Stil in der Bemalung, der später u. a. in Meißen genau kopiert wurde.

Kala [Skt. ›Schwarzer‹, ›Tod‹, ›Zeit‹, ›Zerstörer‹], Skelettgestalt des ind. Todesgottes Yama, als →Mahakala auch eine Form Shivas.

Kalabscha, Kalabsha [-ʃ-], das antike **Talmis,** ein im Stausee des Assuandamms untergegangener Ort Nubiens, am W-Ufer des Nils. Der dem nubischen Gott Mandulis geweihte Tempel, zw. 29 v. Chr. und 14 n. Chr. an der Stelle eines Heiligtums der 18. Dynastie erbaut, folgt in Anlage und Details dem Vorbild der großen Ptolemäertempel (Philae, Edfu, Dendera). Der Tempel wurde 1961–64 abgebaut und weiter nördlich (15 km südl. von Assuan, KARTE ägyptische Kunst) wiedererrichtet. Bei der Verlegung kamen Blöcke eines ptolemäischen Tempels zum Vorschein, den man 1974/75 aus einem Teil des Materials auf Elephantine wieder aufbaute; der übrige Teil gehörte zu einem Tor (Pylon), das in Berlin-West (Ägypt. Museum) wieder-aufgebaut wurde.

H. STOCK u. K. G. SIEGLER: K. (1965).

Kalach [hebr.], assyr. **Kalchu,** antike Stadt an der Mündung des oberen Zab in den Tigris (KARTE Alter Orient), heute **Nimrud,** zeitweilige Hauptstadt Assyriens, wahrscheinlich von SALMANASSAR I. um 1270 v. Chr. gegr., 612 beim Untergang des Assyrerreiches von den Medern zerstört.

Die weiten Ruinen der Stadt (2100 × 1670 m) wurden zunächst von A. H. LAYARD (1845–51) und H. RASSAM (1852) untersucht, später von M. E. L. MALLOWAN (1949–63) teilweise ausgegraben. Auf der Akropolis an der Südwestecke wurden 6 Paläste der Könige ASSUR-

Kalach: Möbelzierstück, Elfenbein z. T. vergoldet mit eingelegten Steinen, Höhe 10,2 cm; Ende des 8. oder Anfang des 7. Jh. v. Chr. (London, Brit. Museum)

NASIRPAL II. bis ASARHADDON festgestellt. Neben einer noch nicht erforschten Zikkurat lagen Tempel der Ischtar und des Ninurta, ein Nabu-Tempel barg ein größeres Tontafelarchiv. Im SO der Stadt lag ein befestigter Palast SALMANASSARS III. V. a. in diesem Gebäude wurden zahlreiche wertvolle Elfenbeinschnitzereien versch. Werkstätten entdeckt. Die Paläste waren urspr. reich mit reliefierten Alabaster-Orthostaten und Großplastiken (Mischwesen als Türhüter) geschmückt. Aus K. stammt die ›Bankettstele‹ Assurnasirpals II. (jetzt Bagdad, Irak-Mus.) mit Relief des Königs und langem Text über Zeremonien bei Einweihung des Palastes.

M. E. L. MALLOWAN: Nimrud and its remains, 3 Bde. (London 1966).

Kala-Köpfe, Kala-Makara, fabeltierköpfiges Abwehrsymbol in der javan. Kunst, bes. in der Architektur über Tempeleingängen, ähnlich dem ind. Kirtimukha. Es symbolisiert u. a. die Verbindung der Welt der Menschen mit der der Götter (Himmelsbogen), aber auch die Polarität Himmel-Unterwelt (letzteres wird stärker in der ostjavan. Kunst betont).

Kalam, Qalam [arab.], im islam. Orient ein zugeschnittenes Rohr für das Schreiben mit Tusche. **Kalamdam, Qalamdam,** der Behälter für K.; gravierte, tauschierte Metallkästen, -dosen, -gürtelbestecke, Leder- und Lacketuis, oft kombiniert mit Tuschebehälter, Reibstein, Messer, Falzbein (älteste Beispiele 17. Jh.).

Kalamis, wahrscheinlich aus Böotien stammender grch. Bildhauer aus der Mitte des 5. Jh. v. Chr., arbeitete in Erz, Marmor und Goldelfenbein. Die antike Literatur berichtet von zahlreichen Werken, die er geschaffen haben soll: ein Kultbild des Gottes Amun, eine Hermesstatue, einen Apollon, eine Frauenstatue (›Sosandra‹), die am Eingang der Akropolis von Athen stand; keines ist erhalten. Auch seine Tierbildwerke, bes. seine Pferde, wurden gerühmt.

Kalasan, Candi K. [tç-], buddhist. Tempel südlich des Vulkans Merapi auf Zentraljava (KARTE indonesische Kunst). Er stammt aus dem 9. Jh. und wurde um und über ein älteres, kleineres Heiligtum gebaut, das wiederum Vergrößerung eines noch älteren ist.

Kalasha [-ʃ-, Skt.], indisches Gefäß, als Attribut von

Götterdarstellungen Symbol der Unsterblichkeit (auch Ghata) sowie topfartiger Aufsatz auf Tempeltürmen im Nagara-Stil.

Kal'at Beni Hammad, Ruinenstadt der berber. Ziriden-Dynastie in N-Algerien (Hodna-Berge) beim Dorf Bichara, 36 km nordöstlich von M'Sila; 1007 gegr., 1152 von den Almohaden zerstört. Guterhaltene Ruinen von 5 Palastanlagen und der Großen Moschee innerhalb der weitläufigen Ummauerung zeigen die Bedeutung von K. B. H. als Bindeglied zw. ostislam. und westislam. Kunst sowie als Geburtsstätte wesentl. Elemente des →maurischen Stils (auch Einfluß auf die sizilian. Normannenpaläste des 12. Jh.s). In raffinierter Gestaltung fließen Bau- und Dekorformen ineinander (irak. Lüsterfliesen, Vielpaßnischen, kreuzpolylobe Bögen, Doppelstockarkaden, Schrägschnitt-Stukkaturen, Akanthus- und Muschelmotive), überziehen in den Prunkbauten gerade und gewölbte Flächen und vereinen alle vorherigen islam. Kunststile zu neuen Formen. In K. B. H. scheint die 7elementige Stalaktittrompe entwickelt worden zu sein (Vorformen im mittleren Orient: Nischapur, Tim), die später im ziselierten Spitzenklöppelstil der Alhambra Vollkommenheit erreichte.

Der quadrat. Menar-Palast (Lichtpalast) mit vertikal tief kannelierten Außenmauern hat im Innern Rampen, kreuzförmige Räume und eine zentrale, prachtvoll facettierte Mukarnaskuppel. Der riesige Palastkomplex Dar al-Bar (Seepalast) umschließt ein rechteckiges Wasserbassin (75 × 53 m), dem sich westlich hinter transversalen Empfangshallen ein großer auskragender Festsaal anschließt, während in der O-Wand das zentralaxiale Monumentaltor hinter transversaler Halle liegt. Im anschließenden ummauerten Palastbereich (über 600 m lang) sind mehrere Privatbauten nach dem Prinzip der asymmetr. Gruppierung symmetr. Gebäudeeinheiten angelegt. Auch in den Palästen Salam (Friedenspalast) und Salut erscheint das zirid. Innenraum-System des Palastes von Ashir, später Grundlage der Palastteile der Alhambra. Die ausgegrabene Große Moschee in T-Konzeption mit quadrat. Grundriß (65 × 65 m), 4seitigen Riwaks um den Sahn, 13schiffigem Gebetssaal und auskragender, zentraler Michrabnische in der S-Wand hat als richtungsweisende Neuerung eine auskragende Nische neben dem Michrab zur Aufnahme des rollbaren Minbar. Zentralaxial in der N-Wand das 25 m hohe quadrat. Minarett, dessen S-Vertikale durch harmon. Wechsel von Bau- und Dekorformen gegliedert ist; es gilt als Vorform der großen maur. Minarette von Marrakesch, Rabat, Sevilla und Mansoura mit ihren zum Selbstzweck gewordenen dekorativen Flächenaufteilungen. Ausgrabungsfunde (v. a. Keramik) in den Mus. von Algier und Constantine.

Kalathos [grch.] *der,* aus Weiden geflochtener, runder, nach oben wie ein Lilienkelch sich erweiternder Arbeitskorb der grch. Frau in der Antike. Der Name K. wurde auf Gegenstände ähnl. Form übertragen (Kopfbedeckungen v.a. von Göttern, Gefäße, Körper des korinth. Kapitells).

Kal'at Scherqat, Ruinenstätte der assyr. Stadt →Assur.

Kal'at Sim'an: Oktogon; zwischen 476 und 490 entstanden

Kal'at Sim'an, einer der bedeutendsten frühchristl. Wallfahrtsorte des Orients, in N-Syrien etwa 30 km nordwestlich von Aleppo, zw. 476 und 490 um die (z. T. noch erhaltene) Säule des Asketen SYMEON STYLITES entstanden. Ein Oktogon mit der Säule als Mittelpunkt verbindet 4 dreischiffige Kreuzarme. Liturg. Funktion hatte nur der abgeschlossene O-Arm; südlich anschließend ein Kloster mit eigener Kirche, 100 m weiter südlich ein Zentralbau als Baptisterium mit seitlich anschließender Basilika, daneben ein zweibogiges Eingangstor und Pilgerherbergen mit Ställen (Umfang des gesamten Bezirks etwa 350 m × 150 m). Auf der Pilgerstraße vom Dorf Telanissos (Deir Sim'an; gut erhaltenes Wallfahrtszentrum des 5. und 6. Jh.) ein weiteres, noch in Resten erhaltenes Tor in Form eines Triumphbogens.

Kalb Loseh, Ruinenstätte einer christl. Kirche aus der Mitte des 5. Jh. etwa 60 km südwestlich von Aleppo. Die Kirche zeigt den Typ der nordsyr. Weitarkaden-Basilika mit Doppelturm-Fassade: dreigeteilter Narthex mit offenem mittlerem Durchgang; darüber im Obergeschoß Terrasse zw. den flankierenden Türmen, die vom Dach des Mittelschiffs überragt werden.

Kalbträger: um 570 v. Chr. (Athen, Akropolis-Museum)

Kalbträger, eine archaische Statue der Athener Akropolis: Ein bärtiger Mann, laut Inschrift der Basis mit Namen [Rh]ombos, trägt als Votivgabe ein Kalb auf den Schultern (um 570 v. Chr., Athen, Akropolis-Mus.).

Kalckreuth, 1) Leopold Karl Walter Graf von, Maler, Graphiker, Sohn von 2), *Düsseldorf 15. 5. 1855, †Eddelsen bei Hamburg 1. 12. 1928, bildete sich in Weimar und München (Bekanntschaft mit F. v. LENBACH) und lehrte 1885–90 an der Weimarer, 1895–1905 an der Stuttgarter Akad. In seinen grautonigen Freilichtbildern, bes. des ländl. Arbeitslebens, zeigt sich eine zum Monumentalen neigende Auffassung.

J. K., Wesen und Werk meines Vaters. Lebensbild des Malers L. v. K., bearbeitet von H. MOLLIER (1967).

2) Stanislaus Graf von, Maler, Vater von 1), *Koschmin (Pommern) 25. 12. 1820, †München 25. 11. 1894, studierte bei J. W. SCHIRMER in Düsseldorf und war 1860–76 Direktor der Weimarer Kunstschule. Er schuf

Kalenić: Zwillingsfenster der Kirche; 15. Jh.

bes. Gebirgslandschaften mit stimmungsvoller Beleuchtung.

Kalenić [k'alɛnitsj], Kloster in Serbien, Jugoslawien, südlich von Kragujevac. Die Klosterkirche, mit Fassaden aus wechselnden Reihen von Ziegeln und Haustein, reich verzierten Fenstern und Fresken im Innern, gehört zu den bedeutendsten Werken der Morava-Schule.

Kalf, Willem, holländ. Maler, getauft Rotterdam 3. 11. 1619, begraben Amsterdam 3. 8. 1693, der bedeutendste holländ. Stillebenmaler des 17. Jh., war wohl

Willem Kalf: Stilleben mit Prunkgefäßen; 1643 (Köln, Wallraf-Richartz-Museum)

Schüler von F. RYCKHALS in Dordrecht, lebte etwa 1645–50 in Frankreich, wo er bes. kleine, delikat gemalte Bilder von Küchen- und Hofecken mit Geräten und Gemüse schuf; seit 1653 in Amsterdam ansässig, entwickelte er unter dem Eindruck REMBRANDTS seinen reifen Stil. Er malte mit höchstem Geschmack zusammengestellte kostbare Porzellan-, Silber- und Glasgefäße, Zitronen und Orangen, meist auf Marmortischplatten mit Teppichen, in tiefdunkler Tonigkeit mit prachtvoll aufleuchtenden Farben.

L. GRISEBACH: W. K. 1619–1693 (1974).

Kali [Skt.], die weibl. Form Kalas in Skelettgestalt, v. a. die in Bengalen verehrte grausige ›schwarze Göttin‹ (urspr. eine Cholera-Göttin), die als Shakti des hinduist. Gottes Shiva, mit Hackmessern bewaffnet und mit einer Schädelkette geschmückt, auf dessen liegenden Körper tanzend dargestellt wird.

Kalibangan, Grabungsstätte im nördl. Rajasthan, Indien, an der die umfangreichsten Stadtanlagen der Prä-Harappa- und Harappa-Kultur auf dem Gebiet des heutigen Indien freigelegt wurden; Keramikfunde und Harappa-Siegel im Nat.-Mus. von Neu Delhi.

Kalide, Theodor, Bildhauer, *Königshütte (Oberschlesien) 8. 2. 1801, †Gleiwitz (Oberschlesien) 23. 8. 1863, studierte nach Lehre in den Eisenhütten Gleiwitz in Berlin (G. SCHADOW, C. D. RAUCH) und Rom. In seinem bedeutendsten Werk ›Bacchantin auf dem Panther‹ (1848) zeigt sich seine Wendung vom klassizist. zum naturalistisch-barocken Stil. Da es als Ausdruck der Revolution galt, erhielt K. seitdem keine Aufträge mehr. Erst 1871 wurde es für die Berliner Nat.-Gal. angekauft (heute fast völlig zerstört).

Lit.: →Berliner Bildhauerschule.

Kalinin, bis 1931 **Twer,** Gebietshauptstadt in der Russ. SFSR, an der oberen Wolga, 416 000 Ew. Im MA. Hauptstadt des Fstt. Twer und Wirtschaftsrivalin Moskaus. Bis ins 18. Jh. entwickelte sich die Stadt um den Kreml mit der fünfkuppeligen Kathedrale (1689–96), die einen mittelalterl. Vorgängerbau ersetzte. Nach einem Brand 1763 wurde die Stadt einheitlich mit frühklassizist. Bauten neu gestaltet und mit 4 Plätzen auf den Putewoj-Palast KATHARINAS II. ausgerichtet; dieser, das ehem. Haus des Adels (1766–70) und das ehem. Magistratsgebäude (1770–90) sind die bedeutendsten histor. Bauten des 18. Jh. in K.

Kaliningrad, russ. Name für →Königsberg (Pr.).

Kalinowski, Horst Egon, Künstler, *Düsseldorf 2. 1. 1924, schuf zunächst Collagen aus Packpapier, kam um 1960 zur Objektplastik: Kästen aus Holz und dunklem Leder, mit eingefügten Fundstücken und Beschlägen, Höhlungen und Buckeln, die ein fetischartig geheimnisvolles Leben ausstrahlen (›Caissons‹).

H. E. K., Ausst.-Kat., Darmstadt (1982).

Kalisch, poln. **Kalisz** [k'aliʃ], Wwschaftshauptstadt in Polen, 96 000 Ew.; hatte vom 14./15. Jh. bis 17./18. Jh. wirtschaftl. Bedeutung. Bed. sind die got. Kirchen St. Nikolaus (Pfarrkirche) und die Kollegiatskirche, die Kirchen und Klöster der Franziskaner (um 1250, 1599–1632 im Sinne der Spätrenaissance verändert), der Bernhardiner (nachgotisch 1594–1607, im 18. Jh. barock verändert) und der Jesuiten (frühbarock 1587–95 von G. M. BERNARDONI und A. FONTANA). Der Palast der Erzbischöfe von Gnesen (1583/84) wurde klassizistisch verändert. Bürgerhäuser aus dem frühen 19. Jh., ebenso die klassizist. Brücke über die Prosna (1825).

Kaliyadamana [Skt.], Darstellung des Hindugottes Krishna, der als Knabe die dämon. Wasserschlange Kaliya besiegt. V. a. Kleinbronzen und Miniaturmalereien zeigen ihn auf der vielköpfigen Schlangenhaube tanzend.

Kalk, Maltechnik: Bez. für Calciumhydroxid, das durch Brennen von Kalkstein bei 900° C–1200° C entsteht; nach Zugabe von Wasser und Aufnahme von Kohlendioxid aus der Luft wandelt es sich wieder in Kalkstein zurück. K. ist heute wie vor 5000 Jahren das Bindemittel für Kalkmörtel, Putze, Fresko- und Kalkmalerei. Seine Eigenschaften verbessern sich, je länger der K. nach der Zugabe von Wasser (Lösche) eingesumpft bleibt (Sumpfkalk 3–5 Jahre). Durch seine starke alkal. Wirkung wird K. u. a. zum ›Aufschließen‹ von →Kasein und zusammen mit Schmierseife als Abbeizmittel verwendet.

Kalkar, Stadt im Kr. Kleve, NRW, 11 000 Ew. Die Nikolaikirche, eine spätgot. Backsteinhalle mit mächtigem Westturm (1409–1501), besitzt mit 7 erstrangigen Schnitzaltären der Spätgotik und der Frührenaissance eine ungewöhnlich reiche Ausstattung: der Passions-Hochaltar hat 208 Figuren und 20 Flügelgemälde (1505–08 von J. JOEST VAN KALKAR); von kaum zu übertreffendem Formenreichtum ist der Siebenschmerzenaltar (1519–22 von H. DOUVERMANN). Aus der Gotik stammen das Rathaus (1438–46) und Backsteingiebelhäuser.

Kalkar, Jan **Joest van K.** [jo:st-], niederrheinisch-niederländ. Maler, →Joest van Kalkar.

kalkecht, Maltechnik: Bez. für →Pigmente, deren Farbmischung in alkal. Umgebung unverändert bleiben.

Kalkin [Skt.], die zukünftige Erscheinungsform (Avatara) des hinduist. Gottes Vishnu, dargestellt als Reiter.

Kalkkase|in, Maltechnik: mit Kalk ›aufgeschlossenes‹, d. h. wasserlöslich gemachtes →Kasein.

Kalkmalerei, eigtl. **Kalksecco,** Maltechnik: eine mit Kalkmilch gebundene Malerei auf dem abgebundenen (→Abbinden) oder schon geweißten (gekälkten) Putz (al secco ›aufs Trockene‹). K. war im MA. nördlich der Alpen die verbreitetste Wandmalereitechnik.

Kalkmörtel, Maltechnik: Gemisch aus Kalkbrei und Sand, seit ältesten Zeiten zum Mauern und Verputzen verwendet. K. ist der Malgrund für Wandmalereien. Durch Zugabe z. B. von Vulkanasche (Trass) oder durch Brennen tonhaltiger Kalksteine (Mergel) erhärtet der K. auch unter Luftabschluß (röm. Beton- und Unterwasserbauten, ma. Steingußplastiken).

Kalksecco, →Kalkmalerei.

Kalkstein, ungenau **Kalk,** überwiegend aus Kalkspat bestehendes Sedimentgestein. **Marmor** ist ein metamorph umkristallisierter K. – K. kommt weltweit vor und wird in der Bau- und Bildhauerkunst seit dem Altertum verarbeitet. Plattiger K. aus Solnhofen im Altmühltal wird wegen seiner Feinkörnigkeit in der Lithographie verwendet.

Kalkutta, engl. **Calcutta** [kælk'ʌtə], Hauptstadt Westbengalens, Indien, 3,3 Mio. Ew. (Stadtregion über 10 Mio. Ew.); entwickelte sich ab Ende 17. Jh. zum brit. Stützpunkt (1773–1912 Hauptstadt Britisch-Indiens) mit starkem, mehrfach erneuertem Fort. In K. liegt das älteste Museum des Landes (Indian Museum, 1885 erbaut) mit reichen archäolog. Samml. (u. a. Reste des Steinzaunes von →Bharhut). WILLIAM JONES gründete in K. 1784 die ›Asiatic Society of Bengal‹, eine Gesellschaft zur Erforschung der indischen Kunst, Archäologie, Epigraphie u. a.

Kalkweiß, Maltechnik: Brei aus gelöschtem Kalk für Mal- und Anstrichzwecke.

Kalligraphie [grch. ›Schönschrift‹], die Schriftkunst, bei der i. Ggs. zu den Gebrauchsschriften ästhet. und relig. Beweggründe vorrangig waren. Eine besondere Bedeutung erlangte sie in der bilderfeindl. islam. Kunst, in der sie als edelste der Künste gilt, denn ihr ist Gottes Wort anvertraut. Zu allen Zeiten war es verdienstvoll, den Koran abzuschreiben, und so stammen Koran-Exemplare nicht nur aus der Feder der bedeutendsten Kalligraphen, sondern auch von der Hand berühmter Herrscher, Prinzen und Staatsmänner. Schon in frühislam. Zeit gab es neben Lapidarschriften (v. a. das →Kufi) kursive Schriftarten, von denen Thuluth, Naskhi, Muhakkak, Raihani, Rika und Tauki zur kanon. Gruppe der ›Sechs Schriften‹ (aklam al-sitta) zusammengefaßt wurden. Ihnen galt seit frühabbasid. Zeit die besondere Bemühung jedes Kalligraphen. Im 10. Jh. erfuhren sie durch den Wesir IBN MUKLA die entscheidende Systematisierung. Seine Proportionsregeln behielten stetige Gültigkeit; Meister wie IBN AL-BAWWAB (†1022) und JAQUT AL-MUSTA'SIMI (†1298), aber auch spätere wie die Türken HAMDULLAH IBN AL-SCHAIKH (†1520) und HAFIZ OSMAN (†1698) strebten eigene Vollkommenheit immer innerhalb dieses Rahmens an. – Von jüngeren Schriftarten verdienen der freiere Duktus des von MIR ALI aus Täbris um 1400 entwickelten Nasta'lik, das schnell zur vorherrschenden Buchschrift in Persien wurde, sowie das Schikeste und in der Türkei das Diwani Erwähnung; die beiden letzten Schriftarten sind durch größere Freiheit gekennzeichnet, die aber auf Kosten der Lesbarkeit geht, worüber schon bald gebildete Orientalen geklagt haben.

Ostasien: In China, wo seit alters eine hohe Schriftkultur bestand (auf Orakelknochen, Große Siegelschrift 11.–7. Jh. v. Chr.), wurde in der Zeit der Sechs

Kalligraphie: Shikishi von Koetsu; etwa 1606–15 (Berlin-West, Staatl. Museen)

Dynastien (3.–6. Jh.) die Schrift zu einer vom gebildeten Beamten- und Literatentum kultivierten Kunstform. Die betont handschriftl. Formen (Kursiv- und Konzeptschrift), welche das dynam. Element der Bewegung des auch in der Malerei verwendeten elast. Haarpinsels hervorkehren und sich als Träger für die Expression der Persönlichkeit des Schreibenden eignen, nahmen einen großen Aufschwung. Der bed. Meister und unumstrittene Ahnherr und Vollender der chines. K. war der in späteren Zeiten unermüdlich imitierte WANG HSI-CHIH (†um 365). Bed. Samml., die dem Schriftkünstler in langjähriger Übung als Vorbilder dienten, besaß die gebildete Oberschicht. Zu bes. Bedeutung gelangte sowohl als Kalligraph wie als Sammler im 12. Jh. HUI-TSUNG (BILD). Von China wurde die korean. K. seit dem 8. Jh. beeinflußt.

Die japan. K. unterscheidet sich von der chines. durch die zusätzl. Verwendung der Silbenzeichen. Seit dem 9. Jh. entstanden Gedichte, bes. auf Shikishi (36 Shikishi von KOETSU in den Staatl. Museen, Berlin-West), aber auch auf Querrollen, Hängerollen, Faltbüchern, Fächern und gerahmten Bildern (Gaku), häufig zur Erläuterung von Tuschbildern im leeren Raum oberhalb des Bildes. In den versch. Epochen erhielten die jeweils besten 3 Meister den Ehrentitel ›sampitsu‹ (3 Pinsel) oder ›sanseki‹ (3 Spuren).

L. LEDDERHOSE: Die Siegelschrift in der Ch'ing-Zeit (1970); Y. H. SAFADI: Islamic calligraphy (London 1978).

Kallikrates, grch. Architekt, etwa um 450–20 v. Chr. tätig, baute mit IKTINOS den Parthenon, ferner die Langen Mauern von Athen zum Hafen Piräus. Um 448 wurde er mit dem Bau des Niketempels auf der Athener Akropolis beauftragt, der nach 425 von ihm selbst oder einem seiner Schüler vollendet wurde.

Kallimachos, grch. Bildhauer und Maler des ausgehenden 5. Jh. v. Chr. Antike Autoren schreiben ihm eine Reihe bed. Werke zu: sitzende Hera, tanzende Mädchen (vielleicht Vorbild für die in Kopien erh. neuatt. Reliefs der tanzenden Mänaden).

Kallmorgen, Friedrich, Maler, *Altona 15. 11. 1856, †Grötzingen bei Karlsruhe 4. 6. 1924. Zunächst der anekdot. Genremalerei verpflichtet, entwickelte K. in seinen Landschaftsbildern eine am Impressionismus orientierte Koloristik.

Lit.: →Grötzinger Malerkolonie.

Kalmar, Stadt in S-Schweden, gegenüber der Insel Öland, 52 600 Ew. Die im 17. Jh. planmäßig auf der Insel Kvarnholmen angelegte Altstadt ist z. T. erh. Der Dom (1682 gew.) ist ein kreuzförmiger Zentralbau von N. TESSIN D. Ä. im ital. Barockstil; Hauptaltar von D. v. KRAFFT. Rathaus (1684–90 nach Entwurf von Tessin), Residenz (1674); vom Befestigungsgürtel bed. Reste erh. (Kavalierstor). Dem Festland vorgelagert ist das fünftürmige Schloß (Ende 13. Jh., im 16. Jh. zum mächtigen Renaissancebau erweitert; heute z. T. Mus.).

Kalocsa [k'ɔlotʃɔ], Stadt im Bez. Bács-Kiskun, Ungarn, in der Donau-Niederung, 18 600 Ew.; barocke Domkirche (1735–70) an der Stelle älterer Vorgängerbauten errichtet; barockes erzbischöfl. Palais (1760 bis 1766), im Speisesaal Grisaillen von F. A. MAULBERTSCH; barocker Bibliothekssaal.

Kalon, spätarchaischer Bildhauer aus Ägina, Meister der dortigen Erzgießerschule, tätig um 500 v. Chr.; vom Stil seiner nicht erh. Werke können die in derselben Zeit entstandenen Ägineten (→Ägina) eine Vorstellung geben.

kalte Nadel, scharf geschliffene Stahlnadel zur Bearbeitung der Metallplatte (meist Kupfer) bei der →Kaltnadeltechnik. Der Künstler zeichnet mit der k. N. wie mit einem Bleistift oder Griffel auf die blanke Platte; dabei entstehen zu beiden Seiten der eingekratzten Furche reliefartige Metallränder (→Grat), die beim Abdruck die charakterist. Linien einer **Kaltnadelarbeit** erzeugen. – Die Bez. k. N. entspringt der Unterscheidung zw. Kaltnadeltechnik und Radierung (mit der k. N. wird die Platte ›kalt‹, ohne die beim Ätzvorgang der Radierung entstehende Erwärmung, bearbeitet).

Kaltern, ital. **Caldaro,** Weinbaugem. (5700 Ew.) im Überetsch, 4 km nördlich des Kalterer Sees, Südtirol. Pfarrkirche Mariä Himmelfahrt (Neubau 1791; barokke Deckenfresken von J. SCHÖPF, 1792); am Kalterer Berg Kirche St. Nikolaus (Neubau 1521; Gewölbefresken des Riemenschneider-Sohnes Bartholomäus, gen. ›Bartlme‹, 1528–36); St. Katharina in Mitterdorf (um 1520 voll.; Fresken des 15. und 16. Jh.).

Kaltmalerei, im 17. und 18. Jh. beliebte Dekoration für Glas und Keramik mit Lack- oder Ölfarben, die nach dem Auftragen nicht eingebrannt wurden.

Kaltnadeltechnik, graph. Verfahren, bei dem die Metallplatte (meist Kupfer) mit der →kalten Nadel bearbeitet wird. Die K. kam um 1480 in Weiterentwicklung des Kupferstichs auf. Der HAUSBUCHMEISTER und A. DÜRER verwendeten sie, um den spontanen künstler. Ausdruck einer Zeichnung mitzuteilen, was beim Kupferstich, der sich durch die Bearbeitung mit dem

→Grabstichel v. a. für einen betont linearen Zeichenstil eignet, nicht möglich war. Ihren Höhepunkt erreichte die K. im Werk Rembrandts. Die Abgrenzung zur etwas später entstandenen Radierung, die auch die maler. Wirkungen betont, ist in der Praxis problematisch, da beide Verfahren oft kombiniert wurden **(Kaltnadelradierung).**

Kaluga, Stadt in der Russ. SFSR, an der Oka, südwestlich von Moskau, UdSSR, 270000 Ew. Die bedeutendsten Kirchen sind die Erlöser- und die Georgs-Kirche ›sa Werchom‹ (beide um 1700), die Pokrow-Kirche (1687) und die klassizist. Dreifaltigkeitskirche am Zentralplatz (1786–1819). Von besonderem Interesse sind der ausgedehnte Handelshof (1784–1821) und die Steinbrücke (1777–80). Die Stadt ist reich an Adelspalästen des 17.–19. Jh., darunter das Palais Korobow (Ende 17. Jh.) und das schloßähnl. Stadtpalais Solotarjow (1805–08).

Kalugumalai, Hügel im südl. Tamil Nadu, Indien, auf dessen Kuppe gegen Ende des 8. Jh. der monolith. Shiva-Tempel (›Vettuvankovil‹) ausgemeißelt wurde (Vorhalle und Unterteil unvollendet). Die hinduist. Götterfiguren am Vimana-Turm, der mit 10 m Höhe deutlich kleiner als der gleichartige Kailasa-Tempel in Elura blieb, zählen zu den Meisterwerken der Pandya-Kunst.

Kalundborg [kalonb'ɔr], Hafenstadt im W der dän. Insel Seeland, 19600 Ew. Die Frauenkirche (1170–90) ist ein Zentralbau aus Backstein über einem grch. Kreuz, mit 4 achteckigen Türmen und einem quadrat. Mittelturm; um die Kirche einige Steinhäuser des späten MA. erh., Fachwerkhäuser des 17. Jh.

Kalvari|enberg, der Kreuzigungsort Jesu, ehem. vor der Stadt Jerusalem; in kath. Gebieten (bes. in Österreich und S-Dtl.) Andachtsstätten zur Passion Christi mit einem →Kreuzweg in mehreren Stationen und einer Kreuzigungsgruppe am Ende, im Barock oft zu einer architekton. Anlage ausgestaltet: Freitreppen, Stationen, Kapellen, an der Spitze des Berges oft eine Wallfahrtskirche; Schnaittach/Oberpfalz (1715); Kreuzberg, Kloster Schöntal/Württemberg (1716); Maria Plain bei Salzburg (1728) u. a. – **Calvaires** [kalv'ɛ:r], große plast., vielfigurige Kreuzigungsgruppen in der Bretagne vom späten 15. Jh. (Tronoan) bis ins 17. Jh. (Pleyben).

Kalwaria Zebrzydowska [-zɛbʒid'ɔfska], Ort in Polen, in der Wwschaft Bielsko südwestlich von Krakau, 4500 Ew. Das bed. ehem. Bernhardinerkloster wurde 1603–09 von G. M. Bernardoni errichtet, die Kirche um 1702 mit Doppelturmfassade vergrößert. Kalvarienberg mit 42 Kapellen ab 1604 bis ins frühe 19. Jh. angelegt; die meisten Kapellen stammen noch aus dem 17. Jh.

Kalyanasundara Shiva [Skt.], die Darstellung der Hochzeit des hinduist. Gottes Shiva (→Vaivahikamurti) in seiner besonderen südind. Form als Gatte der Minakshi in Madurai.

Kalydon, antike Hauptstadt Ätoliens (Griechenland), östlich des heutigen Mesolongion, am Golf von

Patras; gut erh. Stadtmauer (4 km Umfang), Reste eines Artemisheiligtums und eines Heroons (2. Jh. v. Chr.). K. ist Schauplatz der Sage von der **Kalydonischen Jagd** (→Meleagros).

Kama [Skt.], der ind. Gott der Liebe, dargestellt mit einem Bogen, dessen Sehne aus Bienen und dessen Pfeile aus Blüten gedacht werden. Seine Gattin Rati symbolisiert die Lust. Ein Papagei ist sein Reittier (Vahana).

Kamakura: Der Große Buddha, Bronze, 11,4 m hoch; 1252

Kamakura, Küstenstadt auf Honshu, Japan, südlich von Yokohama, 169 900 Ew.; 1192–1333 Residenz der Shogune **(K.-Zeit);** während dieser Zeit entwickelten sich hier die Künste zu großer Blüte: bed. Tempel und Schreine wurden errichtet; Malerei und Bildhauerei sind geprägt durch klare und schlichte Formen. Zwei der 5 großen Tempel der Rinzai-Sekte des Zen-Buddhismus sind noch weitgehend erhalten: Kencho-ji und Engaku-ji. Zur Verehrung der Kriegsgottheit Ojin wurde 1191 der Schrein Tsurugaoka Hachiman gebaut und mit einer städtebaulich imposanten Achse zum Meer hin versehen. 1252 wurde im Tempel Kotoku-in eine 11,4 m hohe Bronzefigur des Amida-Buddha aufgestellt (Großer Buddha, →Daibutsu), ein Meisterwerk der Kunst der K.-Zeit. Zwei bed. Kannontempel: Hase Kannon mit einer 9,3 m hohen Holzstatue des elfköpfigen Kannon aus der Muromachi-Zeit und Sampon-ji mit 3 Holzskulpturen des elfköpfigen Kannon aus versch. Perioden zw. dem 8. und 12. Jh. Im Tempel Zuisen-ji ein Zen-Garten aus der K.-Zeit.

Unter dem Ashikaga-Shogunat (1336–1573), dessen Sitz wieder in Kioto war, blieb K. Hauptstadt des östl. Landesteiles; es verlor seine Bedeutung im 16. Jh.

Kamakura-bori, Besonderheit japan. →Lackkunst seit Ende 15. Jh.: mit Schwarz- oder Rotlack überzogenes Holzrelief, i. Ggs. zur Schnitzlacktechnik.

Kamandalu [Skt.], ind. Opfergefäß und Götterattribut, →Ghata.

Kamares-Vasen, Gruppe minoischer Keramikgefäße (etwa 2000–1600 v. Chr.), so benannt nach einem zuerst in einer Kulthöhle beim Dorf Kamares am Südabhang des Ida-Gebirges auf Kreta (KARTE kretisch-mykenische Kunst) gemachten Fund. Die Malerei der Tongefäße (Weihgaben) ist mit Weiß, Rot und Orange auf den schwärzlich gebrannten Tonschlicker des Grundes gesetzt. Die häufigsten Verzierungen sind Spiralen, abstrakte Ornamente und unbestimmbare Pflanzenmotive. Man unterscheidet über 10 Hauptformen (darunter Tassen und mehr oder weniger bauchige Gefäße mit Ausguß und 2 Henkeln). Die Wandung der Gefäße konnte sehr dünn sein (›Eierschalenware‹). Die K.-V., Erzeugnisse hauptsächlich der Palasttöpfereien von Phaistos, traten seit Beginn der Älteren Palastzeit um 2000 v. Chr. an die Stelle der frühbronzezeitl. Gefäße mit Weißmalerei, die auch schon für die Spirale eine Vorliebe bekundeten. Die ›Kamaresgattung‹ ist wichtig, weil sie ebenso wie die gleichzeitige Siegelschneidekunst das Aufkommen naturnaher, namentlich pflanzl. Motive anzeigt und über die Entstehung des naturnahen Stils der Jüngeren Palastzeit um 1650 v. Chr. Aufschluß gibt (→kretisch-mykenische Kunst).

Kamares-Vasen: Schnabelkanne aus Phaistos; um 1800 v. Chr. (Heraklion, Archäolog. Museum)

Kamba, Wakamba, Bantu-Volk in S-Kenia, 1,2 Mio. Menschen. Aus der Zeit vor dem 2. Weltkrieg sind von den K. nur einige wenige künstler. Arbeiten bekannt. Seit einigen Jahrzehnten stellen sie Schnitzwerke für den Touristenmarkt her und beliefern einen Großteil des ostafrikan. Marktes. Ihr Stil ist stark von europ. Schnitztradition geprägt (Missionsschulen); gelegentlich werden afrikan. Formelemente übernommen.

kambodschanische Kunst, →Khmer-Kunst.

Kamee [frz., zu ital. cameo], geschnittener Stein mit erhaben gearbeiteter Darstellung, im Unterschied zur →Gemme. (→Glyptik)

Kameiros, Kamiros, lat. **Camirus,** im Altertum einer der 3 grch. Hauptorte von Rhodos, an der W-Küste der Insel, deren Anfänge in minoische Zeit zurückgehen. Durch ital. Grabungen wurden die hellenist. Stadtanlage mit Tempel der Stadtgöttin Athena Kameiris, Stoa, Agora mit Apollontempel und unterhalb davon ein am Hang liegendes Wohnviertel mit vielen Peristylhäusern freigelegt.

Kamenz, 1) Kreisstadt in der Oberlausitz, an der Schwarzen Elster, Dt. Dem. Rep., 18 000 Ew.; spätgot. Marienkirche (1400–80) mit wertvoller Ausstattung, u. a. spätgot. Hauptaltar (Ende 15. Jh.), Michaelisaltar (1498), Kreuzigungsgruppe (Kruzifix Anf. 15. Jh.), Chorgestühl (Mitte 16. Jh.); spätgot. ehem. Franziskanerkirche (1493–1507); Katechismuskirche (14. Jh.) mit Emporen- und Deckenbemalung (1724).

2) K., poln. **Kamieniec Ząbkowicki** [kamj'ɛnjɛts zɔmpkɔv'itski], Ort in Polen, Wwschaft Wałbrzych (Waldenburg/Schlesien), mit ehem., 1249 gegr. Zisterzienserabtei, deren Kirche, ein got. Bau der 2. H. des 14. Jh., um 1700 barock verändert wurde. Zur barocken Ausstattung gehören u. a. Gemälde von F. LIŠKA und M. WILLMANN. Neugot. Herrenhaus von K. F. SCHINKEL (1838–63).

Kameoglas, Kamelenglas, Überfangglas mit eingeschnittenem Reliefdekor; im 18. Jh. bes. in China als Schnupftabakflasche beliebt.

Kameoka, Stadt in Japan, etwa 20 km nordwestlich von Kioto. K. ist eine ehem. Burgstadt; gut erhaltenes Straßenbild im ehem. Bürgerviertel (17. Jh.).

Kameruner Grasland, eines der produktivsten Zentren afrikan. Kunst, in W-Kamerun. Wichtigste Stämme sind die von NO ins K. G. zugewanderten →Tikar, vermutlich die ›Kulturbringer‹, die →Bamum um Foumban sowie die große Gruppe der →Bamileke westlich des Flusses Noun. Eine große Anzahl kleinerer Stämme und Unterstämme sind zu Dorfgemeinschaften zusammengeschlossen (›Chefferien‹), deren Häuptlinge die Gepflogenheit hatten, sich bei besonderen Gelegenheiten ihre Masken und Kultgegenstände gegenseitig zu schenken. Das hat – ebenso wie das gelegentl. Wandern von Schnitzern – zu einer ausgeprägten Stilverwirrung in diesem Gebiet geführt, und die Zuschreibung der Objekte z. T. unmöglich gemacht.

Wichtigste künstler. Erzeugnisse des K. G. sind

Kameruner Grasland: Perlenbesetzte Häuptlingsstühle

Stülp- und Gesichtsmasken, erstere auch in zoomorpher Gestalt (Büffel, Elefant, Vogel), Tanzaufsätze, figural reich beschnitzte Türpfosten, Trommeln und Hocker, Trompeten aus Elfenbein (seltener aus Bronze), Zeremonial-Trinkhörner aus Büffelhorn mit eingeschnittenen geometr. und figuralen Motiven, sowie Glasperlen-Applikationen an Stoffmasken (Elefantenmaske), Tanzaufsätzen, Kalebassen, Figuren und Sesseln (Thronen).

Auf Sultan Njoya geht der im K. G. verbreitete Brauch zurück, bes. schön gearbeitete Pfeifen aus Terrakotta, Bronze, Holz und (selten) Stein zu verschenken. Dabei durften nur Häuptlinge und andere Würdenträger Pfeifen mit figuralem Dekor tragen; die darauf dargestellten Personen entsprachen in Habitus und Schmuck der wirtschaftl. und polit. Bedeutung ihres Trägers (Tiara, Mäander- und Kaurimuster, Armreifen); zoomorphe Darstellungen wiesen auf ein bestimmtes Totem-Tier hin. Ganz große Pfeifen mit reichem Dekor, mit mehreren Personen oder einem Elefanten als Zierde, waren das exklusive Attribut eines Fon (Häuptling einer ›Chefferie‹) oder eines Fonte (Unterhäuptling). WEITERES BILD Raphia

Kamieniec Ząbkowicki [kamj'ɛnjɛts zɔmpkɔv'itski], →Kamenz 2).

Kamienna Góra [kamj'ɛna g'ura], poln. Name für →Landeshut i. Schles.

Kamień Pomorski [k'amjɛjn-], poln. Name für →Cammin i. Pom.

Kamin [grch.], offene Feuerstelle im Wohnraum. Der erste K. wurde, wenn Auslegungen des St. Galler Klosterplanes zu Recht bestehen, im 9. Jh. gebaut; er wurde jedoch erst im Hoch- und Spät-MA. häufiger errichtet (Gelnhausen, Kaiserpfalz, Ende 12. Jh.). Die Feuerstelle war in Wandnähe oder in einer Ecke. Über dieser befand sich ein Kaminmantel (**Mantelpiece** [m'æntlpi:s]) als Rauchfang. Dieser war wie die Seitenwände häufig

Kamin: Renaissance-K. im Palazzo Ducale in Urbino; 16. Jh.

reich dekoriert. Allmählich trat der K. tiefer in die Wand, die auch den Rauchmantel aufnahm. An der Kaminrückwand waren seit dem 15. Jh. gußeiserne, mit mytholog., bibl. Szenen, Wappen u. a. verzierte **Kaminplatten,** die zus. mit der Funktion des Schutzes zugleich eine wärmestrahlende Fläche boten, angebracht. Trotz der Konkurrenz des geschlossenen Ofens (→Ofenplatte) hat sich der K. seine Rolle in der Wohnkultur bewahren können. Er erscheint bes. in der Renaissance und im Barock als verziertes Prunkwerk. Neue Begünstigung verdankt er der um 1900 einsetzenden Vorliebe für engl. Wohnkultur.

Kaminaljuyú [-xuj'u], archäolog. Fundstätte der vorklass. Maya-Kultur im Hochland von Guatemala, im Vorortbereich der heutigen Hauptstadt, Blütezeit um 300 n. Chr. In einem Gebiet von 5 km^2 wurden etwa 200 Plattformen und Pyramiden mit reich ausgestatteten Gräbern, viele Stelen und 13 Ballspielplätze gefunden. Die Keramikfunde, dreifüßige, zylindr. Gefäße mit konischem Deckel aus dünnem, gelbrot bemaltem Ton, sowie die Architektur zeigen den Einfluß von Teotihuacán, als dessen Außenposten K. angesehen wird.

Kammergrab, Grabtypus v. a. der ägäischen Kultur des 2. Jahrtsd. v. Chr.: eine in Fels oder hartes Erdreich geschnittene, rechteckige Kammer mit meist flacher Decke, zugänglich durch einen offenen Korridor (Dromos) und Steintür.

Kampala, Hauptstadt Ugandas, nördlich des Victoriasees, etwa 1200 m ü. M. auf mehreren Hügeln, 458 000 Ew. National-Mus. Nördlich der Innenstadt auf dem Makerere-Hügel die Univ. mit Kunstsamml. und ständiger Ausstellung zeitgenöss. ostafrikan. Künstler in der School of Fine Art; in der Nommo-Gal. zeitgenöss. ugand. Kunst.

Kampen [k'ampə], Stadt in der niederländ. Prov. Overijssel, 29 600 Ew. Vom Reichtum der ma. Hansestadt zeugt der Bau der got. St. Nicolaaskerk, einer fünfschiffigen kreuzförmigen Basilika (14./15. Jh.) mit W-Turm (13. Jh.); der hohe Chor mit Umgang und Kapellenkranz, um 1350 beg., wurde seit 1369 von RUTGER VON KÖLN, Sohn des Kölner Dombaumeisters MICHAEL, weitergebaut; im Innern Natursteinkanzel (um 1500), Chorgitter (1552), prächtige Barockorgel (1670 bis 1671). Auch an der Liebfrauenkirche, einer dreischiffigen Halle (14./15. Jh.), baute Rutger seit 1369. Spätgot. Rathaus (um 1350, erneuert 1545) mit reich gegliederter Fassade; prachtvoller Kamin im Schöffensaal. Von der Stadtbefestigung sind einige stattl. Tore (14. und 15. Jh.) erh.; zahlreiche Bürgerhäuser mit spätgot. und v. a. Renaissance-Giebeln.

Kampen, Campen [k'ampə], Jakob van, niederländ. Baumeister, Maler, *Haarlem 2. 2. 1595, †Randenbroeck bei Amersfoort 13. 9. 1657, war 1617–24 in Italien, begründete den strengen an, A. PALLADIO und V. SCAMOZZI anknüpfenden Klassizismus palladian. Prägung (Palladianismus) in den Niederlanden. Als Maler arbeitete er unter dem Einfluß der Utrechter Caravaggisten.

Jakob van Kampen: Rathaus in Amsterdam (jetzt königl. Palast); beg. 1648

HW: Mauritshuis in Den Haag (Entwurf 1633, voll. um 1650; heute Mus.); Nieuwe Kerk in Haarlem (1645 beg.); Rathaus in Amsterdam (heute königl. Palast, beg. 1648).

Kampeng Phet, Stadt in Thailand, neben Sukhothai und Si Sacchanalai wichtigste Stadt in der Kunst von →Sukhothai, gegr. Ende 13. Jh., mit den für diese Zeit typ. Stupas im ceylonesisch beeinflußten Stil. Hauptwerke (heute Ruinen) sind das Wat Phra That und das Wat Phra Keo; diesem gegenüber Mus. mit Kunstwerken aller wichtigen Epochen Thailands.

Kampf, Arthur von, Maler, *Aachen 28. 9. 1864, †Castrop-Rauxel 8. 2. 1950, war nach Studien in Düsseldorf 1915–25 Direktor der Hochschule für bildende Künste in Berlin, einer der letzten Historienmaler und offiziell geschätzter Repräsentant der Kunst in der Wilhelmin. Zeit.

Kämpfer, Baukunst: **1)** Widerlager auf dem tragenden Gesims, Pfeiler oder Kapitell einer Säule, das den **K.-Druck** des aufsteigenden Bogens oder Gewölbes aufnimmt (Auflager). Die Anfangspunkte der Wölbung werden als **K.-Punkte,** deren gedachte Verbindungslinie als **K.-Linie** bezeichnet. **2)** ein in den Fensterblendrahmen fest eingebautes waagerechtes Stahl- oder Holzquerstück **(Losholz),** das das Fenster in ein oberes und ein unteres Feld teilt.

Kamp-Lintfort, Stadt am Niederrhein, Kr. Wesel, NRW, 38 300 Ew., mit ehem. Zisterzienser-Reichsabtei (1122 als 1. Niederlassung des Ordens in Dtl. gegr.): Chor (1410–15) und Langhaus (1683–1700, gotisierende Backsteinhalle) haben wertvolle Barockausstattung; kostbares Antependium (um 1320/30).

Kampmann, Gustav, Maler, Lithograph, *Boppard 30. 9. 1859, †Bad Godesberg 12. 8. 1917, lebte nach Ausbildung in Karlsruhe, in München, seit 1890 in Grötzingen. In seinen Landschaftsbildern beschränkte er die Naturformen mit zurückhaltender Farbgebung auf wesentl. Grundstimmungen.

Lit.: →Grötzinger Malerkolonie.

Kana, Kanaa, bibl. Ort in Galiläa, in dem Jesus (nach dem N.T.) auf einer Hochzeit Wasser in Wein verwandelte, vermutlich identisch mit dem heutigen Chirbet Kana, 14 km nördlich von Nazareth. – Die Darstellung der Hochzeit begegnet schon in frühchristl. Zeit (Katakombenmalerei), meist in verkürzter Form (Christus berührt mit einem Stab die Krüge, um das Wasser in Wein zu wandeln). Auf der Maximianskathedra (Mitte 6. Jh.) wird die Szene um Maria und 2 Diener erweitert, seit dem 9. Jh. um weitere Szenen: Maria als Vermittlerin, Füllen der Krüge, Apostel, Gäste (Ende 12. Jh.; Burgkapelle Hocheppan). GIOTTO (1305; Padua, Arenakapelle) bringt als Variation einen winkelförmigen Tisch (so noch bei H. BOSCH, um 1475); weitere Details des Festmahls bei TINTORETTO, 1561; P. VERONESE, 1562/63.

Kanachos, grch. Bildhauer aus Sikyon, um 500 v. Chr. tätig. Sein HW, die Bronzefigur des Apollon Philesios in Didyma, glaubt man in Nachbildungen erkennen zu können; alles übrige ist nur literarisch überliefert.

Kananga, bis 1968 **Luluaburg,** Hauptstadt der Prov. West-Kasai, zweitgrößte Stadt von Zaire, 704 200 Ew.; Mus. (traditionelle afrikan. Kunst).

Kanapee, Canapé [frz., aus grch. konopeion ›Bett mit Mückennetz‹] *das,* gepolstertes Sitz- und Liegemöbel mit Rücken- und Seitenlehnen, seit dem 17. Jh. bezeugt.

Kanazawa [-z-], Stadt in Japan, etwa 200 km nördlich von Kioto an der Japansee, 417 700 Ew. Ehem. Burgstadt; eine Straße mit Samuraihäusern sowie Teehandelshäuser aus der Edo-Zeit sind erh. Landschaftsgarten Kenroku-en (ehem. Residenz des Lokalfürsten) von 1819. Volkskunst-Mus.

Kanchipuram [-tʃ-], Stadt in Tamil Nadu, S-Indien, ehem. Hauptstadt der Pallava-Dynastie, die hier Anf. des 8. Jh. den shivait. Kailasanatha-Tempel, einen der frühesten Steintempel im Dravida-Stil und Vorbild für den gleichnamigen Monolith-Tempel in Elura, erbaute, ferner den vishnuit. Vaikunthaperumal, beide in Höfen, die durch Nischen und Säulenumgänge begrenzt sind. Weitere große Tempelbauten wurden von der Chola-Dynastie und den Königen von Vijayanagar beigefügt: der Varadaraja-Tempel mit dem Kalyana-Mandapa und der Ekambeshvara-Tempel mit riesigen Gopuras.

Kandelaber [frz., zu lat. candela ›Kerze‹], Kerzenständer oder Lampenhalter; in der Antike meist aus Bronze, fast immer mit dreiteiligem Fuß, der einen tischhohen Schaft mit einer Vorrichtung zum Aufstellen oder -hängen von →Öllampen trägt. Die teilweise phantasievoll gestalteten K. waren z. B. in der etrusk. Kunst oft von einer Statuette bekrönt oder hatten zw. Fuß und Schaft eine Trägerfigur eingefügt; prunkvolle

K. aus Marmor, reich mit Ornamenten verziert, wurden in der röm. Kaiserzeit hergestellt.

Kandinsky, Kandinskij, Wassily (Wassilij Wassiljewitsch), russ. Maler, Graphiker, *Moskau 4. 12. 1866, †Neuilly-sur-Seine 13. 12. 1944, kam 1896 nach München, wo er Schüler von F. v. STUCK war. K. bereiste Frankreich, Tunis, Italien, bis er 1908 von München aus mit GABRIELE MÜNTER nach Murnau zog, wo sie, beeinflußt von der Volkskunst, Themen aus der ländl. Umgebung bevorzugten. 1909 wurde er in München Mitbegründer der →Neuen Künstlervereinigung München, 1911 Mitbegründer des →Blauen Reiters (BILD). 1914–21 wirkte er in Rußland und seit 1922 am →Bauhaus in Weimar und Dessau. 1933 emigrierte er nach Frankreich. K.s frühe Münchner Bilder standen im Schnittpunkt von Jugendstil und russ. Volkskunst, deren Ikonographie lange nachwirkte. 1908/09 war K. einer der wichtigsten Vertreter der den Fauves nahestehenden Expressionisten in Dtl. 1910 malte er sein erstes abstraktes Aquarell, das die abstrakte Malerei zwar nicht begründete, aber deren kontinuierl. Entwicklung einleitete und K. als Vater des Abstrakten Expressionismus im 20. Jh. etablierte. In seiner grundlegenden Schrift ›Das Geistige in der Kunst‹ formulierte K. 1910 den Anspruch der abstrakten Malerei, die materialist. Haltung des 19. Jh. zu überwinden. Auf die explosiven ›Improvisationen‹ (BILD abstrakte Kunst) bis zum 1.

Wassiliy Kandinsky: Im Blau; 1925 (Düsseldorf, Kunstsammlung Nordrhein-Westfalen)

Weltkrieg folgten – nach der Begegnung mit den russ. Konstruktivisten und während der Lehrtätigkeit am Bauhaus – zunehmend geometrisch und linear gefestigte Kompositionen, in denen die Richtungskräfte von Fläche und Linie dynam. Spannungen erzeugen. Seine Bauhaus-Schrift ›Punkt und Linie zur Fläche‹ formulierte die fundamentale Harmonielehre der abstrakten Malerei. Dagegen öffnete sich das Pariser Spätwerk in eine heiter verspielte Formenwelt mit figurativen, biomorphen Assoziationen, die zu Unrecht gegenüber dem abstrakten Frühwerk abgewertet wurden. – K.s Bilder bis 1914 sind v. a. im Lenbachhaus München konzentriert (Stiftung G. Münter), während das Guggenheim-Mus., New York und das Centre Pompidou, Paris

(Stiftung Nina K.) große Teile des Spätwerks aufbewahren.

Schriften: Über das Geistige in der Kunst (1912); Selbstbiographie (1913); Punkt und Linie zur Fläche (1926). – W. K., Ges. Schriften, hg. v. H. K. ROETHEL u. JELENA HAL-KOCH, 1 (1980; 7 Bde. vorges.).
W. GROHMANN: W. K. Leben und Werk (1958); ERIKA HANFSTAENGL: W. K. Zeichnungen und Aquarelle (Nachdr. 1981); H. K. ROETHEL: K., das druckgraph. Werk (1970); ders.: K. (a.d. Engl., 1982); ders. u. J. K. BENJAMIN: K., Werkverz., 1: Ölgemälde 1900 bis 1915 (1983; 2 Bde. vorges.); K. und München 1896–1914, Ausst.-Kat., München (1982); C. V. POLING: K.-Unterricht am Bauhaus (1982).

Kändler, Johann Joachim, Bildhauer, Porzellanmodelleur, *Fischbach bei Arnsdorf (Sachsen) 15. 6. 1706, †Meißen 18. 5. 1775, nahm seit 1725 an der Arbeit für die Ausstattung des Grünen Gewölbes in Dresden teil, lernte seit 1727 bei dem Dresdener Hofbildhauer B. THOMAE und wurde 1730 von AUGUST DEM STARKEN zum Hofbildhauer ernannt. 1731–75 war K. Modellmeister der Porzellanmanufaktur in Meißen. Mit seinen kraftvoll modellierten Figuren, Tieren und Gruppen (Komödianten, Schäfer, Liebespaare u.a.), überzeugend aus den Möglichkeiten des damals noch neuen Werkstoffs gestaltet, wurde K. der Begründer der Porzellanplastik des 18. Jh. Er schuf auch die Modelle für viele Service (v.a. das ›Schwanenservice‹ des Ministers Graf Brühl in 2000 Einzelteilen, 1739), ferner Porträtbüsten, das Grabmal des Freiherrn von Militz (1739; Neustadt bei Meißen) und die Altarplastik aus Porzellan für die Schloßkapelle in Moritzburg. Ein Reiterdenkmal für August III. blieb unvollendet.

O. WALCHA: Meissner Porzellan (1973).

Kandy, Stadt im südl. Sri Lanka, 1592–1814 Hauptstadt des sinhales. Königreiches, buddhist. Pilgerzentrum (Perahera-Prozession) zur Verehrung der Zahn-Reliquie im Dalada-Maligawa-Tempel. Nahe bei K. liegt der mit Jataka-Szenen ausgemalte Höhlentempel Degaldoruva des 18. Jh.

Johann Joachim Kändler: Gemüsehändler; um 1740 (München, Bayer. Nationalmuseum)

Kangavar, Dorf zw. Kermanschah und Hamadan (W-Iran, KARTE Alter Orient) mit den Resten einer großen Tempelanlage. Steinmetzinschriften des späten 5. Jh. n. Chr. lassen auf eine Erbauung durch den Sasanidenkönig PEROZ schließen. Der Tempel, von Säulenhallen umgeben, lag auf einer Terrasse, zu der, ähnlich wie in Persepolis, eine Doppeltreppe hinaufführte. Außerhalb der Umfassungsmauern wurden Gräber der Partherzeit (1. Jh. n. Chr.) gefunden.

K'ang-hsi [chines.], 2. Kaiser (1662–1722) der von den Mandschu gegründeten Ch'ing-Dynastie. Unter seiner Förderung erlebte die kaiserl. Porzellanmanufaktur von Chingtechen eine neue Blüte (Blauweiß-Porzellan, Porzellan im Drei-Farben- und Fünf-Farben-Dekor; Exportware für den europ. Markt).

Kangra, Stadt in Himachal Pradesh, Indien, Hauptstadt eines ehem. Kleinstaates; brachte v. a. während der Regentschaft Sansar Chands (1775–1823) eine Malschule hervor (→Rajput-Malerei), die wegen der zarten Modellierung der Figuren und minutiöser Detailbehandlung zu den bekanntesten ind. Malschulen zählt.

Kanheri, Hügel nahe der ind. Stadt Bombay, mit zahlreichen buddhist. Kulthöhlen, deren älteste und bedeutendste die große Chaityahalle aus dem 1. bis 2. Jh. ist. Ihre Säulenfassade mit hohen Felsreliefs stehender Dampati-Paare blieb unvollendet; der vorgelagerte Hof war durch monolith. Balustraden abgeteilt. Die weiteren, teils reliefgeschmückten Höhlen wurden bis in das 8. Jh. als Mahayana-Kultstätten angelegt.

Kanisch, zu Beginn des 2. Jahrtsd. v. Chr. Name einer Stadt in Anatolien (KARTE Alter Orient), heute **Kültepe,** nordöstlich von Kayseri, Türkei. Der 19 m hohe Tell weist Siedlungsschichten von der Frühbronzezeit bis zur Römerzeit sowie einer Unterstadt auf, die von etwa 2000–1750 v. Chr. Residenz assyr. Kaufleute (Karum-K.) war. Unter den Funden (v. a. Tontafelarchive) zeigt die Glyptik eine stilist. Mischung von babylon. Erbe mit einheim. Motiven.

Kanishka [-ʃ-], König der Kushana-Dynastie in NW-Indien, mit dessen Inthronisation i. J. 115 n. Chr. (abweichende Datierungen: 124/125, 144 und – weniger wahrscheinlich – 78 oder 200) die etwa eineinhalb Jh. dauernde Serie der inschriftl. Daten (K.-Ära) auf Skulpturen v. a. der Mathura-Kunst einsetzte. Eine fragmentar. Steinskulptur (kopflos) des K. in Gestalt eines zentralasiat. Ritters wurde bei Mathura gefunden, eine historisch bed. K.-Inschrift stammt aus Surkh Kotal.

Kanneluren [von lat. canna ›Rohr‹], senkrechte Einkehlungen am Schaft einer Säule oder eines Pilasters. Sie lassen den Schaft schlanker erscheinen und verstärken den Eindruck angespannten Tragens. Die dorische Säule hat meist 20 flache und scharfkantige, die Säulen der ionischen und korinth. Ordnung haben 24 halbrunde K. mit Zwischenstegen.

Kannenbäckerland, Landschaft im SW des Westerwaldes mit reichen Tonlagern, erlebte im 16./17. Jh.

mit der Herstellung von Steinzeugkrügen und -kannen (Bartmannskrüge) seine künstler. Blütezeit.

Kannon, japan. Bez. für chines. →Kuan-yin; der Vollendete, der alle Gegensätze dieser Welt überwunden hat, auch den Geschlechtsunterschied (fälschlich als Göttin der Barmherzigkeit bezeichnet). Als Plastik häufig mit 11 Köpfen oder tausendarmig dargestellt, stehend mit Weidenzweig oder Lotossitz in der Hand. K. ist als Begleiter des Amida am Lotossitz erkennbar, den er bei sich führt, um die Seele eines Verstorbenen aufzunehmen. Weiteres Erkennungsmerkmal: die kleine Amida-Figur in seinem Stirnreif.

Kano, japan. Malerschule der weitverzweigten Malerfamilie K. und deren adoptierter Anhänger (mehr als 1000 Maler), die vom 16. bis 19. Jh. das offizielle japan. Kunstleben beherrschte (→japanische Kunst). Gründer war K. MASANOBU (*1434, †1530), an Bedeutung durch seinen Sohn MOTONOBU (*1476, †1559) übertroffen, der den Stil der chines. Tuschmalerei ins großflächig Dekorative übersetzte und damit den charakterist. **Kano-Stil** schuf. Dieser in seiner Eindringlichkeit herausfordernde Stil mit schwarzen Umrißlinien, vereinfachter, wenig detaillierter Darstellung diente der Bemalung von Stell- und Schiebewänden (Fusuma) in den Schlössern der Militärherrscher und in großen Tempeln. Die K.-Schule verwendete meist prachtvolle Farben auf Goldgrund, malte aber auch reine Tuschbilder. Bekannte Meister der Schule sind: EITOKU (*1543, †1590), SANRAKU (*1559, †1635), TANYU (*1602, †1674). Unabhängige Künstler dieser Richtung sind →Tohaku und KAIHO YUSHO (*1533, †1615).

Kano, Stadt in N-Nigeria, 399 000 Ew., Wirtschafts- und Kulturzentrum der Hausa. Die Altstadt mit Flachdachhäusern und dem Palast des Emirs (15. Jh.) vermittelt ein geschlossenes Stadtbild in arab. Lehmbauweise; 18 km lange Lehmmauer mit 15 Toren. Lokales Kunsthandwerk: Stoffärberei.

Kanoldt, Alexander, Maler, *Karlsruhe 29. 9. 1881, †Berlin 24. 1. 1939, Mitgründer der Neuen Sezession in München, lehrte seit 1925 in Breslau, seit 1933 in Berlin; malte Landschaften, Stilleben u. a. in einem farbenkräftigen, plastisch konstruktiven Stil; in den 1920er

Alexander Kanoldt: Stilleben; 1925 (Mannheim, Kunsthalle)

Jahren gehörte er zu den Künstlern der →Neuen Sachlichkeit.

Kanon [grch. ›Richtstab‹, ›Richtschnur‹], im übertragenen Sinn ›Maßverhältnis‹, die Beziehung zw. Größenordnung und Reihenfolge, in der bildenden Kunst die Proportionslehre für die Darstellung des Menschen nach einem den natürl. Verhältnissen entsprechenden Grundmaß; zuerst von POLYKLET in seiner Schrift ›K.‹ begründet; seine Statue des Speerträgers (Doryphoros) galt als Verwirklichung dieser Bestrebung. Die antike Proportionslehre wurde in der Renaissance wieder aufgenommen (LEONARDO DA VINCI, A. DÜRER); auch der nach Normen suchende Klassizismus forschte wieder nach dem K. der menschl. Gestalt (G. SCHADOW ›Polyklet oder von den Maßen des Menschen‹, 1834).

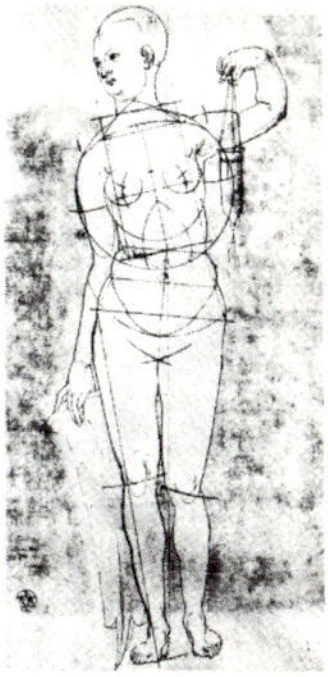

Kanon: Proportionsstudie Dürers; Zeichnung

Kanontafel, Übersicht, die in 10 Tabellen alle parallelen Stellen der 4 Evangelien zeigt; sie wurde den Evangelienhss. des MA. vorangesetzt. Die Kolumnen mit den Verweiszahlen wurden durch eine Folge von meist 12 oder 16 Säulenarkaturen gegliedert und gerahmt und zu dekorativen Prachtbildern ausgemalt.

Kanopen [n. der altägypt. Küstenstadt Kanopus] *Mz.*, in ihrer Gestalt dem Osirisbild von Kanopus ähnl. Steinkrüge, in denen die alten Ägypter die Eingeweide ihrer Verstorbenen beisetzten. Die Deckel waren im Alten Reich flach, im Mittleren Reich als Bildniskopf des Verstorbenen gestaltet; seit dem Neuen Reich bildeten die Köpfe der 4 Schutzgötter (4 Horussöhne), denen die K. unterstellt wurden, den Deckel (Amset, Hapi, Kebehsenuf, Duamutef = Mensch, Pavian, Falke, Hund).

Von ähnl. Gestalt sind – ebenfalls K. genannte – etrusk. Aschenurnen (BILD etruskische Kunst), die in der 2. H. des 7. und im 6. Jh. v. Chr. in Chiusi hergestellt wurden. Der abnehmbare Deckel hat die Form eines Menschenkopfes; die Urne selbst ist mit Henkeln oder kurzen Armen, manchmal auch mit Brustwarzen versehen. K. wurden aus Ton und Bronze hergestellt, manchmal wurden auch beide Materialien verwendet (z. B. Kopf aus Ton, Körper aus Bronze). Etwa ab 500 v. Chr. wird der Tote als sitzende oder lagernde Statue dargestellt; dann befindet sich unter dem abnehmbaren Kopf ein Hohlraum zur Aufnahme der Totenasche.

Kanovitz [kʹænəvɪts], Howard, amerikan. Maler, Graphiker, *Fall River (Massachusetts) 9. 2. 1927, Ver-

Kanopen: Eingeweidekrüge mit den Köpfen der vier Horussöhne (Berlin-West, Staatl. Museen)

Kanshitsu: Miroku-Bosatsu; Holz mit Lack und Vergoldung, 61,5 cm hoch; Heian-Zeit, 1. Hälfte 9. Jh. (Köln, Museum für Ostasiatische Kunst)

Kantharos; um 470 v. Chr. (Boston, Museum of Fine Arts)

treter des Fotorealismus, komponiert unter Benutzung photograph. Vorlagen realist. Abbildungen von Gegenständen und Figuren, die sich versch. Realitätsebenen zw. Illusion und Wirklichkeit zuordnen und die Wahrnehmung irritieren.

H. K., Ausst.-Kat., Duisburg (1974); H. K., Ausst.-Kat., Berlin-West (1979).

Kansas City [k'ænzəs s'ıtı], Stadt in Missouri, USA, 448 200 Ew.; Nelson-Atkins Gal. of Art (reiche Samml. aus 3 Jahrtausenden; u. a. Werke von H. MEMLING, P. CHRISTUS, N. POUSSIN und EL GRECO); William Volker Memorial Fountain (1958) von C. MILLES.

Kanshitsu [japan.], eine in Japan für buddhist. Plastiken bes. der Nara-Zeit (710–794) angewendete Trockenlack-Modellierung. Über einem Holz- oder Tonkern wurden mehrere lackgetränkte Lagen Hanfleinen zu einer Figur gestaltet, auf die für die Modellierung der Details eine Masse aus Ton und Holzmehl aufgetragen wurde. Der Holz- oder Tonkern wurde nach dem Trocknungsprozeß entfernt. Die Figuren waren wegen ihrer Leichtigkeit und Haltbarkeit hochgeschätzt.

Kantharos [grch.] *der,* lat. **Cantharus,** grch. Becher mit 2 geschweiften hochgezogenen Henkeln, seit dem 6. Jh. v. Chr. in Griechenland üblich.

Kanton, Canton, Kuangchou, amtl. chines. **Guangzhou** [-dʒɔu], Hauptstadt der südchines. Prov. Kwangtung, etwa 3 Mio. Ew. – Etwa 200 v. Chr. gegr., seit der T'ang-Zeit bed. Überseehandel. Reste frz. und engl. Niederlassungen viktorian. Stils auf der Insel Shamien. 1839–1927 spielte K. in Reform- und Revolutionsbewegungen eine bed. Rolle (mehrere Märtyrer-Gedenkstätten; ›Prov.-Mus. der Revolution‹). Im N der Stadt die fünfgeschossige rote Chen-hai-Pagode (1380, 1686 erneuert), heute histor. Mus. Weiter südlich die Huai-sheng-Moschee (627 gegr., heutige Gebäude modern). Röm.-kath. Kathedrale im neugot. Stil.

kantonierter Pfeiler, Pfeiler, dessen meist rundem Kern Halb- oder Dreiviertelsäulen als Dienste vorgelegt sind (Trier, Liebfrauenkirche, ab 1235).

Kantor, Tadeusz, poln. Maler, Theaterkünstler, *Wielopole (bei Krakau) 16. 6. 1915, wurde 1948 Prof. in Krakau. Seine frühen Bilder stehen im Bann des Surrealismus, während die folgenden Assemblagen dem Informel nahestehen. Das spätere Werk K.s steht im Schnittpunkt von Objektkunst, Happening, Environment und Avantgardetheater, wobei Theatermotive, Verkleidung und Verpackung eine starke Rolle spielen.

T. K., Ausst.-Kat., Nürnberg (1976)

Kanyoka, Stammesgruppe in S-Zaire. Die K. stellen leicht abstrakt gestaltete, meist schwarz, weiß und rot gefärbte Masken her. Ihre Holzfiguren und Karyatidenhocker weisen einen deutl. Einfluß des Luba-Stils auf; allerdings erscheinen die Figuren etwas länger, die Gesichter ovaler und die Nasen etwas spitzer als bei den Luba; ein deutl. Kennzeichen der K.-Köpfe ist die besondere Haartracht, 2 nebeneinanderliegende Haarknoten am Hinterkopf.

Kanzel, der erhöhte Standort für die Predigt, über

Kanzel im Dom in Pisa von Giovanni Pisano; 1302–12

eine Treppe erreichbar, von einer Brüstung umgeben, meist von einem Schalldeckel überdacht. Sie ist benannt nach den **Cancelli,** den Schranken, die in der frühchristl. Kirche Chor und Langhaus, den Klerus- und den Laienraum, trennten und mit denen der Ambo, die Vorstufe der K., verbunden war.

Die K. entstanden im 13. Jh. in Italien unter dem Einfluß der Bettelorden; v. a. in der Toskana wurden sie mit reichem Reliefschmuck ausgestattet (GUIDO DA COMO in Pistoia, NICCOLÒ und GIOVANNI PISANO in Pisa und Siena). Nördlich der Alpen bildete sich die K. im Zusammenhang mit dem Lettner heraus. Mit zunehmender Bedeutung der Predigt verselbständigte sich die K. und fand ihren Platz an einem der Langhauspfeiler, d. h. im Laienraum. Architektur und figürl. Schmuck wurden sehr vielgestaltig (Straßburger Münster, 1485; Reutlingen, Marienkirche, 1499; Wien, Stephansdom, 1515). Die phantasiereichste Schöpfung ist die Tulpen-K. in Freiberg in Sachsen (um 1510, BILD H. Witten). Die Renaissance führte außer den neuen Architekturformen allegor. Figuren ein und gestaltete den Kanzelträger oft figürlich (Jonas, Moses, Paulus, Simson, Engel als Karyatiden). Die Barock-K. wurde zu einem Prunk- und Schaugebilde, das der strenge Protestantismus allerdings ablehnte. Die K. konnte symbol. Gestalt annehmen: die eines Schiffes (Irsee, bei Kaufbeuren u. a.), einer Weltkugel (Znaim, S-Mähren) u. a. – Eine Eigentümlichkeit des späten MA. waren die →Außenkanzeln (Wien, Stephansdom u. a.).

Als Ort der Predigt rückte in den Kirchen der Reformation die K. in den Mittelpunkt, doch wurde zunächst ihre Stellung in den übernommenen ma. Kirchen nicht verändert. Die ersten kirchl. Neubauten als evang. Predigtkirchen, die Schloßkapellen von Stuttgart, Stettin und Schmalkalden, beließen die K. seitlich in der Höhe der umlaufenden Empore. In der Kapelle der Wilhelmsburg in Schmalkalden wurden zum erstenmal Altar, K. und Orgel in Front zur Gemeinde übereinander angeordnet. Doch war nicht diese Anordnung maßgebend für den evang. Kirchenbau des 17. und 18. Jh. in Dtl., sondern der Grundsatz, die K. müsse am ›gemeindenächsten‹ Platz stehen.

Kaolin [n. Kao-ling, einem Berg in der chines. Prov. Kiangsi] *der,* **Porzellan|erde,** erdiges Lockergestein, das mit Wasser vermischt plastisch wird. Eisenarmer Edel-K. ist reinweiß, sonst schwach gefärbt. K. besteht aus Kaolinit u. a. Tonmineralen, ferner Zersetzungsresten (Quarz, Feldspat, Glimmer) und Schwermineralen. Wichtige Vorkommen in Meißen, Halle (Saale), Schnaittenbach-Hirschau (Oberpfalz), Karlsbad, Limoges, Sèvres, Cornwall, weiterhin in Japan und China.

Kapala [Skt.], eine Schädelschale, in Indien, Nepal und Tibet Ritualinstrument und Attribut shivait. und bes. tantrischer Gottheiten wie Bhairava, Dakinis und Yoginis.

Kap Artemision, Fundort einer grch. Bronzestatue, →Gott aus dem Meer.

Kapelle, urspr. ein Verehrungs- und Aufbewahrungsraum der Cappa (Mönchsgewand des Hl. Martin) im Königspalast in Paris; dann allg. ein für gottesdienstl. Handlungen bestimmtes kleines Gebäude oder kleiner Raum in Burgen, Schlössern, Rathäusern, Privathäusern, auf Kirchhöfen, an Straßen, an Wallfahrtsorten oder auch ein Teil einer Hauptkirche, der je nach seiner Bestimmung Gebets-, Tauf-, Grab-K. sein kann. Burg- und Schloß-K. wurden oft als →Doppelkapellen gebildet. In der Gotik wurde neben der Dom-, Stifts- oder Klosterkirche oft eine Marien-K. errichtet. Dem Lang- oder Querhaus größerer Kirchen wurden auch K.-Reihen, dem Chor ein K.-Kranz angegliedert. Der Chorscheitel engl. Kathedralen wurde häufig durch eine Marien-K. (Lady Chapel) erweitert.

Kaperna|um, im N. T. Mittelpunkt des Wirkens Jesu am See Genezareth, seit dem 5./6. Jh. Ruinenstätte, heute **Tell Hum** am NW-Ufer des Sees; Reste einer dreischiffigen Synagoge des 2./3. Jh. mit reicher Dekoration: Steinfriese mit Darstellung von Tieren und myth. Gestalten; Überreste einer byzantin. Kirche (Zentralbau mit oktogonalem Grundriß), Mitte des 5. Jh.

Kapitalistischer Realismus, urspr. ironisch gemeinte Bez. für eine 1964 in Düsseldorf von G. RICHTER, S. POLKE und K. LUEG (eigtl. K. Fischer, *1939) begründete Kunstrichtung, die westl. Medienklischees (statt östl. Ideologien des Sozialist. Realismus) umsetzt. Später wurde der Begriff auf K. P. BREHMER (*1938), K. H. HÖDICKE und W. VOSTELL ausgedehnt, ohne sich als feste Stilbenennung durchzusetzen.

Graphik des K. R., hg. v. R. BLOCK ([2]1976).

Kapitell [mlat. capitellum ›Köpfchen‹] *das,* Kopfstück einer Säule oder eines Pfeilers, auf dem, meist

Kapitell

dorisches K. (Ägina, Aphaia-Tempel)

ionisches K. (Athen, Propyläen, Mittelhalle)

korinthisches Tholos-K. (Epidauros, Museum)

durch einen Kämpfer vermittelt, die Last der Decke, des Gewölbes, eines Bogens oder Architravs aufliegt. Die ausladende Form des K. veranschaulicht die stat. Verhältnisse und wird formal aus dem Holzbau (Sattelholz) und der Vorstellung vom Baum als Stütze abzuleiten sein. Die frühesten K. wurden in Ägypten aus Lotos- und Papyrosformen entwickelt. Die grch. Baukunst kannte 3 K.-Formen (dorisch, ionisch, korinthisch) analog den 3 →Säulenordnungen. Eine Sonderform ist das Komposit-K. mit stärkeren ionischen Komponenten. Das korinth. K. blieb in der Spätantike die gebräuchlichste K.-Form. Daneben entstanden in der byzantin. Baukunst neue K.-Typen: das Kämpfer-K., bei dem K. und Kämpferstein zu einer Einheit verschmolzen sind, das Korb-K., das Trichter-K. u. a. In der europ. ma. Architektur lebten zu Beginn röm. K.-Formen teilweise in vergröberter Form weiter. Als neuentwikkelte Typen kamen im 11. Jh. das Falten- oder Pfeifen-K. in Frankreich und das in Dtl. häufig vorkommende Würfel-K. hinzu. Das Würfel-K. bietet in seiner Durchdringung von Halbkugel und Würfel die formal ansprechende Überleitung vom runden Schaft der Säule zur quadrat. Deckplatte. In der Romanik, bes. ausgeprägt in Frankreich, wurde das Figuren-K. gebräuchlich, bei dem um den K.-Kern reiche, oft vollplast. figürl. Darstellungen gearbeitet sind. Diese bildhafte, erzählende Form des K. wurde im 13. Jh. abgelöst von der reduzierten Form des mit Blattknospen besetzten Kelch-K. (Knospen- oder Croché-K.). Die reifere Form ist das Blatt- oder Laub-K., das naturalistisch die Pflanzenwelt abbildet. Mit der Entwicklung zur Spätgotik wurde das K. auf seine urspr. Kelchform reduziert; oft verzichtete man völlig auf das K. und ließ die Gewölberippen direkt aus dem Pfeiler herauslaufen. In der Renaissance und im Barock wurden die antiken K.-Formen wieder aufgegriffen, aber auch wenige neue Sonderformen entwickelt, so das toskan. K. Im Klassizismus gelangten die antiken und ägypt. Vorbilder wieder zu Bedeutung. Der Historismus wiederholte bekannte K.-Formen und führte, der Bauaufgabe entsprechend, neue Ordnungen und Kombinationen ein.

H. WEIGERT: Das K. in der dt. Baukunst des MA. (1943); B. WESENBERG: K. und Basen, ... zur Entstehung grch. Säulenformen (1971); INGEBURG TETZLAFF: Roman. K. in Frankreich (1976).

Kapitol, 1) lat. **Capitolium,** Name des kleinsten der 7 Hügel Roms, dessen beide Kuppen als mons capitolinus bezeichnet wurden. Die nördl. Kuppe, auf der heute die Kirche S. Maria in Aracoeli steht, trug einst die Fluchtburg (arx) der Stadt, die südl. den Tempel der Göttertrias Jupiter Optimus Maximus Capitolinus, Juno und Minerva (Kapitolin. Trias), 509 v. Chr. geweiht, das erste gesicherte Datum der röm. Baugeschichte. Nach mehrmaligen Bränden wurde der letzte Aufbau des Tempels 80 n. Chr. von TITUS begonnen und von DOMITIAN vollendet. Der ehem. Talsenke zw. beiden Hügelkuppen entspricht heute der Kapitolsplatz.

Mit der Errichtung des Jupiter-Tempels wurde das K. religiöser und politischer Mittelpunkt der Stadt Rom und später des Römischen Reiches; außerdem wurden

Kapitell

frühchristliches Korb-K. (Ravenna, S. Vitale)

romanisches Figuren-K. (Mozac, St. Pierre)

frühgotisches Blatt-K. (Naumburg, Dom)

in vielen Städten des Imperiums weitere K.-Anlagen eingerichtet.

In republikan. Zeit wurden auf dem K. auch kleinere Tempel anderen Gottheiten geweiht, v.a. auf der arx, die ihre Bedeutung als Fluchtburg verlor, als nach dem Galliersturm (wahrscheinlich 378 v. Chr.) das K. in die Serviusmauer einbezogen wurde. Den Hang gegen das Forum, wo die antiken Zugänge zum K. lagen, beherrschte seit dem frühen 1. Jh. v. Chr. das jetzt unter dem Senatorenpalast noch zu besichtigende Tabularium, das Staatsarchiv.

Seit dem 5. Jh. n. Chr. verödete das K. und gewann erst nach der Neugründung des röm. Senats (1143) als Sitz der Stadtgemeinde neue Bedeutung. Während der antike Aufgang vom Forum her verfiel, öffnete die große Treppe von S. Maria in Aracoeli (1348) den Hügel auf die neuen Stadtviertel im W. Um 1470 erhöhte eine päpstl. Antikenstiftung (u. a. durch die Aufstellung der →Kapitolinischen Wölfin) die Weihe des Ortes. Die Aufstellung des vom Lateran stammenden antiken Reiterstandbildes Kaiser Mark Aurels durch MICHELANGELO (1538) wurde Angelpunkt seines Entwurfs zur Systematisierung des Platzes zu dreiseitig umschlossener trapezoider Form. Er begann die baul. Neuordnung mit der Freitreppe zum Senatorenpalast und der Zugangsrampe (Cordonata); erst 1563 (ein Jahr vor seinem Tod) bis 1587 (von GIACOMO DELLA PORTA voll.) wurde der Konservatorenpalast weitgehend nach seinem Plan umgebaut, das Kapitolin. Mus. entstand erst 100 Jahre später als Pendant. Bei der Neugestaltung der Fassade des Senatorenpalastes (1573–99) hielt sich della Porta nur i. a. an Michelangelos Entwurf. Am W-Hang des K. ist die alte Bebauung 1928 abgerissen worden. Das K. (heute ital. **Campidoglio** [-d'oʎo-] gen.) wurde zum ersten neuzeitl. Monumentalplatz Roms. Kapitolin. Mus., Konservatorenpalast und der dahinter liegende Palazzo Caffarelli beherbergen heute die städt. Kunstsammlungen der Kapitolin. Museen (→Rom, Abschnitt Museen). Das antike Reiterstandbild Mark Aurels befindet sich seit 1981 in Restaurierung.

H. SIEBENHÜNER: Das K. in Rom (1954); H. THIES: Michelangelo – Das K. (1982).

2) Parlamentsgebäude in den USA. Bei Entwurf der Pläne für die Bundeshauptstadt Washington (D. C.) bestimmte G. WASHINGTON (*1732, †1799) selbst die Lage des K. Den Entwurf lieferte W. THORNTON. Der Bau wurde 1793 beg., 1800 tagte der Kongreß erstmals im K., das z. T. noch ein Notbau war. 1803–17 hatte B. H. LATROBE die Bauleitung; ihm folgten C. BULFINCH u. a. Architekten. 1824 war die Inneneinrichtung vollendet; die Hauptgemälde schuf J. TRUMBULL. Nach dem Vorbild des K. in Washington wurden auch die Parlamentsgebäude der Einzelstaaten der USA und der meisten mittel- und südamerikan. Staaten gebaut.

Kapitolinische Trias, die Götter Jupiter, Juno und Minerva mit Kultstätte auf dem →Kapitol 1).

Kapitolinische Wölfin, Bronzestatue im Konservatorenpalast auf dem Kapitol in Rom, wohl ein etrusk. Werk der 1. H. des 5. Jh. v. Chr., stark griechisch beeinflußt. Im 16. Jh. wurden der K. W. die Zwillinge Romu-

Kapitolinische Wölfin: Bronzestatue im Konservatorenpalast in Rom; 1. Hälfte des 5. Jh. v. Chr. (Romulus und Remus im 16. Jh. hinzugefügt)

lus und Remus hinzugefügt, die wohl auch urspr. zur Wölfin gehört haben. Vom 10. Jh. an nachweisbar, ist sie eine der wenigen durch das ganze MA. hindurch bekannten antiken Statuen.

Kapkap, in Melanesien verbreiteter Brust-, gelegentlich auch Stirnschmuck: eine geschliffene runde, zur Befestigung in der Mitte durchbohrte Muschelscheibe (etwa 3–12 cm Durchmesser), verziert durch eine Auflage aus Schildpatt, die durchbrochen gearbeitet ist und schattenrißartig Menschen, Vögel, Fische oder geometrisch-abstrakte Formen meist innerhalb eines Kreises zur Geltung bringt.

Kappe, Teil eines Kreuzgewölbes zw. zwei Graten oder Rippen.

Kappel, Wallfahrtskirche der Hl. Dreifaltigkeit bei Waldsassen, Oberpfalz, eines der eigenartigsten Bauwerke des Barock (1685–89 von G. DIENTZENHOFER), mit symbol. Beziehung auf die Trinität durchweg auf der Zahl 3 aufgebaut.

Kappel am Albis, Gem. im schweizer. Kt. Zürich, 640 Ew.; ehem. Zisterzienserabtei (1185–1524). Got. Kirche (13./14. Jh.), dreischiffig mit Querhaus, schöne Maßwerkfenster, frühgot. Pontifikalsitze im Chor; hervorragende Glasmalerei (um 1310), nach Königsfelden die bedeutendsten got. Glasgemälde der Schweiz.

Kaprow [k'æprəʊ], Allan, amerikan. Künstler, *Atlantic City (New Jersey) 23. 8. 1927, entwickelte 1958 die ersten Environments und Happenings in den USA (›18 Happenings‹, 1959; ›The big laugh‹, 1960; ›A service for the dead‹, 1962; ›Gas‹, 1966). Mit seiner Schrift ›Assemblage, environments and happenings‹ (New York 1967) wurde er zum grundlegenden Theoretiker des Happenings.

Kapstadt, engl. **Cape Town** [keɪp taʊn], afrikaans **Kaapstad,** Hafenstadt in der Nähe des Kaps der Guten Hoffnung, Sitz des südafrikan. Parlaments, 1,2 Mio. Ew. Ältester Bau ist das Fort (1666–85). Im regelmäßig angelegten Stadtkern sind Bauten im niederländ. Kolonialstil (**kapholländischer Stil**) erh., u. a. Koopmans-de-Wet-Haus (1701, Mus.) und altes Rathaus (1755–61; Gal. holländ. und fläm. Gemälde);

Groote Kerk (1700 beg.). In der Nat. Gal. Samml. moderner afrikan. und europ. Künstler. Im Südafrikan. Mus. traditionelle afrikan. Kunst.

Karabel, Fels nördlich von Izmir, Türkei (KARTE Alter Orient), mit 2 fast ident. Reliefs der hethit. Großreichszeit (etwa 1500–1200 v. Chr.), die einen Krieger mit Speer, Bogen und Schwert darstellen. Die Lesung der beigegebenen Inschrift in Bildluwisch (Bilderschrift der Hethiter) ist noch ungesichert.

Karaffe [ital.-frz., aus arab.], bauchige Flasche aus meist geschliffenem Glas mit Glasstöpsel.

Karagwe, eine der Hinda-Dynastien (hamit. Hirtenvölker) in Ostafrika, deren Reich am SW-Ufer des Viktoriasees lag und von der einige Zeugnisse künstler. Schaffens im Stuttgarter Linden-Mus. erh. sind: Tierfiguren aus Eisen in abstrakter Gestalt sowie aus der Ziba-Region (im N desselben Reiches) Masken, die der Spaßmacher des Königs getragen haben soll.

Karakorum-Felsbilder, Felsbilder im innerasiat. Hochgebirge Karakorum, an der Karakorum-Autostraße, die einer seit 4 Jahrtsd. begangenen Route folgt; sie verbindet die ind. Tiefebene mit dem Tarimbecken. Die etwa 1000 K.-F. wurden 1979 von dem dt. Ethnologen K. JETTMAR in Hunza und im Industal zus. mit etwa 500 Inschriften (versch. ind., sogd., chines., baktr. Texte) entdeckt. Die ältesten K.-F. gehören der Frühbronzezeit an. Zentralasiat. Nomaden (in skyth. Tierstil) und Krieger des Perserreiches setzten die Tradition fort. In der buddhist. Periode (1.–8. Jh. n. Chr.) arbeiteten durchreisende Künstler für einheim. Adlige an den Felsbildern, um sich ein Zehrgeld zu sichern. Dank ihrer unterschiedl. Herkunft finden sich weit voneinander abweichende Stupaformen, auch buddhist. Einzelbilder oder Kultszenen in stilist. Varianten zw. China und Sogdien, dem Tarimbecken und Zentralindien. Die K.-F., oft durch Begleitinschriften datiert, geben daher Aufschluß über die künstler. Entwicklung in der ganzen Weite des asiat. Kontinents.

K. JETTMAR: K.-F., in: Beitr. zur allg. u. vergleichenden Archäologie, Bd. 2 (1982).

Karaman, Stadt in der türk. Prov. Konya am Nordfuß des Taurus-Gebirges, 43 700 Ew., im Altertum und MA. **Laranda;** aus der Zeit der hier 1275–1466 herrschenden Karamanoğlu-Dynastie mehrere bed. Grabanlagen, darunter die Ak Tekke (1371) mit Grab der Mutter Mewlamas, des Gründers der ›Tanzenden Derwische‹; ferner Zitadelle (urspr. 12. Jh., 1356 erneuert), Moschee (Yunus Emre Camii, 1349).

Karana, Stadt in Mesopotamien, heute Ruinenstätte →Tell Rimah.

Karatepe [türk. ›schwarzer Hügel‹], Name mehrerer Ruinenhügel in Anatolien. Bes. bedeutsam ist der K. in Kilikien am Ceyhan-Fluß (KARTE Alter Orient), das alte **Asitawadi**. Die späthethit. Festung (Ende 8. Jh. v. Chr.) besaß im Innern eine Burg, ferner 2 große Toranlagen im Mauerring, deren Kammern und Vorhöfe Orthostatenreliefs im späthethit. Provinzstil mit Themen des höf. Lebens, der Jagd und der Mythologie aufweisen.

Kara-Tepe, dreigipfliger Höhlenhügel im alten Termes (Usbek. SSR, nahe der afghan. Grenze) mit buddhist. Kultkomplex der Kushana-Kunst (1.–4. Jh.). Er besteht aus vielen Höhlentempeln und Höhlen mit oberird. Anlagen. Die Wände dieser Höfe waren mit farbigen Malereien bedeckt, die neben Stifterfiguren rein buddhist. Motive aufwiesen. Außerdem fanden sich Fragmente von Statuen aus Gipsstuck auf einem Lehmkern, Steinreliefs, Kultgefäße und Gebrauchskeramik mit Weihinschriften relig. Inhalts.

Karatsu, Stadt in Japan, auf N-Kyushu an der Japansee, 78 000 Ew. K. ist eine ehem. Burgstadt. In K. wird hellglasiertes Steingut hergestellt, bemalt mit traditionellen Mustern.

Karavan, Dani, israel. Künstler, *Tel Aviv 7. 12. 1930, baut seit 1959 architektonisch-plast. Environments (Negev-Monument 1964–68; Environment für den Frieden, Venedig 1976; Due Ambienti per la pace, Florenz 1978). Seine Formensprache geht von geometr. Elementarformen wie Pyramide, Kubus, Stufen aus und bezieht Wasserlinien, Weg- und Blickachsen mit ein. In jüngerer Zeit hat K. seine Arbeit auf große urbane Projekte erweitert (›Cergy Pontoise‹, Köln).

D. K., Ausst.-Kat., Baden-Baden (1982)

Karawanserei [pers.-türk.], **Chan, Han,** Rasthaus für Handelskarawanen in Vorderasien. Bed. architekton. Anlagen entstanden v. a. in Kleinasien und Iran. Die Seldschuken legten im 13. Jh. ein Netz solcher Unterkünfte im Abstand von einer Tagesreise (etwa 30 km) in Kleinasien an (viele Reste erh.). Der von Mauern mit Ecktürmen umgebene Komplex bestand oft aus einem langen dreischiffigen Pfeilersaal mit Mittelkuppel für Tiere und Wagen. Davor lag ein Hof, von meist zweistöckigen Gebäuden umgeben (oben Schlafräume, unten Bäder, Küchen, Werkstätten, Lagerräume). Alle K. hatten einen Betraum, größere eine Moschee. Die Herbergen gingen meist auf Stiftungen von Sultansangehörigen oder hohen Würdenträgern zurück. Eine der gewaltigsten Anlagen der Seldschuken ist der →Sultan Han an der Straße Konya–Aksaray.

Karcher, Johann Friedrich, Gartenarchitekt, Baumeister, *Dresden 8. 9. 1650, †ebd. 9. 2. 1726, nach Studien bei A. LE NÔTRE seit 1684 Obergärtner des Großen Gartens in Dresden, der, mit 8 Pavillons, von ihm stammt; seit 1690 Oberlandbaumeister für Polen und Sachsen in Warschau. Als Mitarbeiter von M. D. PÖPPELMANN nahm K. am Bau des Palais der Gräfin Cosel am Taschenberg in Dresden teil (1705–15).

Karden, Ortsteil von Treis-K., Kr. Cochem, Rheinl.-Pf., das römische **Cardena.** Vom ehem. Stift St. Kastor sind die Kirche (12./13. Jh. mit reicher originaler Farbfassung und wertvollem Hochaltar aus gebranntem Ton, um 1430), das spätroman. Stiftsherrenhaus (1238), das repräsentative Propsteigebäude (um 1200) und die Stiftsschule mit spätgot. Wandmalereien (Ende 15. Jh.) erh. Die Pfarrkirche in Treis (1823–31) ist eines der frühesten Beispiele neugot. Architektur im Rheinland.

Karikatur: Odysseus und Kirke, grch. Vasenmalerei; 5. Jh. v. Chr.

Kardowskij, Dmitrij Nikolajewitsch, russ. Maler, Zeichner, *Ossurowo (heute bei Pereslawl Salesskij, Gebiet Jaroslawl) 5. 9. 1866, †Moskau 9. 2. 1943, schloß sich nach Jurastudium in Moskau und Ausbildung an der St. Petersburger Akad. dem Freundeskreis von A. JAWLENSKY in München an; seit 1907 wieder in St. Petersburg. K. schuf Aquarelle, Ölgemälde, Historienbilder, Buchillustrationen und Theaterinszenierungen.

Karfunkel [lat. carbunculus ›kleine Kohle‹], **Karfunkelstein,** →Granat.

Karikatur [von ital. caricare ›überladen‹], satir. oder kom. Darstellung individueller und gesellschaftl. Zustände, meist in Form eines bewußt disproportionierten Porträts.

Die Anfänge der K. in der bildenden Kunst datiert man bis ins Neue Reich Ägyptens zurück; karikierende Darstellungen bes. aus dem Bereich des Mythos und Volksglaubens (Silene, Satyrn) finden sich in der grch. Kunst, v. a. der Vasenmalerei. Das Abweichen vom Normalen wie die körperl. Deformation wird auch in

Karikatur: Niccolò Boldrini (um 1566 tätig gewesen), ›Laokoon‹; Holzschnitt nach der K. von Tizian; Ausschnitt

Karikatur: James Gillray, ›Staats-Epikureer bei einem kleinen Mahl‹; 1805

der röm. Kunst als Groteske geschildert (fremdartiges Aussehen, Zecher, Athleten, Zwergmenschen, Mischwesen aus Mensch und Tier).

Die meist grobe K. des MA. richtete sich oft gegen bestimmte Personengruppen (Mönche, Landsknechte u.a.). Differenziert und künstlerisch profiliert zeigt sich die K. in der Renaissance, so um 1500 bei Leonardo da Vinci und A. Dürer; auch H. Bosch und später P. Bruegel d. Ä. bedienten sich der K. Zu der Darstellung des Individuellen kommt seit Renaissance und Reformation Kritik an Institutionen wie Kirche und Staat; die Gesellschaftsbezogenheit des Individuums wurde thematisch für die moderne K. Den Übergang von der Renaissance zu Manierismus und Barock in der K. vollzogen A. Carracci, G. L. Bernini, J. Callot und P. L. Ghezzi. F. Goya setzte in den Jahrzehnten um 1800 die K. als Mittel ein. Die K. der Gegenwart wurde im 18. und frühen 19. Jh. v.a. in England und Frankreich vorgeprägt. Paradigmatisch wirkte W. Hogarth in seiner Einheit von Satire und künstler. Gestaltung; in seiner Nachfolge stehen die oft sarkast. Zeichner T. Rowlandson und J. Gillray. Den künstlerisch satir. Höhepunkt der frz. K. erreichten H. Daumier, Grandville und P. Gavarni, Mitarbeiter der ersten, 1830 und 1832 von C. Philipon begründeten Ztschr. ›La Caricature‹ und ›Le Charivari‹. Weitere satir. Ztschr. folgten, so der engl. ›Punch‹ (1841), in Dtl. ›Fliegende Blätter‹ (1845), ›Kladderadatsch‹ (1848) und später ›Simplicissimus‹ (1896). Der sich im 18. und 19. Jh. ausbildende →Cartoon wurde zur populärsten Form der satir. Graphik, die sich (meist in Ztschr.) der K. als Mittel bedient. K. stammen in der Folge nun oft von Cartoonisten. Weitere satir. Zeichner des 19. Jh. waren in Frankreich J.-B. Isabey, C. Guys, H. Monnier, G. Doré, Caran d'Ache, im viktorian. England G. Cruikshank, J. Leech, R. Doyle, J. Tenniel, G. du Maurier. Nur wenige Deutsche (W. Scholz, A. Oberländer) erreichten satir. Prägnanz; eine Sonderstellung nahm W. Busch mit seinen Bildergeschichten ein. Um 1900 sammelten sich beim ›Simplicissimus‹ bed. Zeichner (T. T. Heine, E. Thöny, R. Wilke, der Norweger O. Gulbransson).

Die gegenwärtige K. zeigt Einflüsse der modernen Kunst (der richtungweisende Amerikaner rumän. Her-

Karikatur: Honoré Daumier, ›Der gesetzgebende Bauch‹; Lithographie, 1834

kunft S. STEINBERG scheint angeregt von P. KLEE und P. PICASSO). Wichtige Beiträge zur dt. K. des 20. Jh. stammen von H. ZILLE, G. GROSZ, O. DIX, E. OHSER und einigen zeitgenöss. Cartoonisten wie BOSC, P. FLORA und LORIOT.

W. HOFMANN: Die K. von Leonardo bis Picasso (1956); R. W. EICHLER: Die tätowierte Muse (1965); M. MELOT: Die K. Das Komische in der Kunst (a. d. Frz., 1975), Karikaturen der Welt, hg. v. W. RIMPLER, Ausst.-Kat., Berlin-West (1980).

Karkemisch, alte Handelsstadt am rechten Euphratufer (KARTE Alter Orient), heute **Djerablus** [dʒ-], im türkisch-syr. Grenzgebiet, seit dem frühen 2. Jahrtsd. v. Chr. besiedelt, Fürstensitz der Hethiter (um 1340 bis 1200 v. Chr.), nach deren Untergang als selbständige Stadt Zentrum späthethit. Kultur. Durch Ausgrabungen wurden Mauerring, Tore, Zitadelle, königl. Palast und der Tempelbez. des Wettergottes festgestellt; zahlreiche Funde von Skulpturen, Orthostatenreliefs und hethit. Hieroglypheninschriften.

Karla, Karle, Karli, die in einen Hügel in Maharashtra, westl. Indien, gemeißelte größte und besterhaltene buddhist. Chaityahalle, entstanden unter der Satavahana-Dynastie im 1. Jh. Hinter einer dreifach durchbrochenen, im Oberteil als Kudu-Fenster geformten Trennwand mit vital gestalteten Dampati-Relieffiguren erstreckt sich 38 m tief und 14 m breit die 3schiffige Säulenhalle mit geripptem Tonnengewölbe und monolith. Stupa in der Apsis. Die teils eingestürzte Vorhalle trägt an den Seitenwänden als Halbfiguren reliefierte Elefanten. Die zahlreichen Buddhareliefs sind spätere Zufügungen der Mahayana-Epoche (6.–7. Jh.).

Karl-Marx-Stadt, bis 1953 **Chemnitz,** Bezirkshauptstadt in der Dt. Dem. Rep., 310 800 Ew. Der altstädt. Kern wurde 1945 weitgehend zerstört, das Stadtbild beim Wiederaufbau stark verändert. Wiederhergestellt wurden das Alte Rathaus (urspr. 15. Jh., Turm mit Renaissanceportal 1559) und z. T. die um 1165 gegr. Stadtkirche St. Jakobi, eine dreischiffige spätgot. Hallenkirche (14./15. Jh.). Im N des Stadtkerns die Schloßkirche, ehem. Benediktiner-Klosterkirche (1136 gegr.), eine dreischiffige spätgot. Hallenkirche (Ende 15. Jh. beg., 1526 voll.), bes. bemerkenswert das reiche Nordportal, beg. um 1503/05 von H. WITTEN, von ihm auch Geißelsäule (1515), 2 Gemälde von L. CRANACH D. Ä. (1518–20). Jugendstilbeispiele: Innengestaltung des Neuen Rathauses (1907–11) und des Mus. (1906–09, darin Städt. Kunstsamml. v. a. dt. Maler des 18.–20. Jh.) sowie die Pfarrkirche St. Johannis (1913 unter Verwendung spätgot. Teile). Im Stadtteil **Ebersdorf** spätgot. ehem. Stiftskirche (Anf. 15. Jh.) mit wertvoller Ausstattung, u. a. Schnitzaltar mit dreifachen Flügeln (1513), von H. Witten Kruzifix (1513), 2 lebensgroße Pulthalter (1513), Grabstein Dietrich v. Harras (um 1502/05).

Karlsbad, tschech. **Karlovy Vary,** Stadt im Westböhm. Kreis, ČSSR, oberhalb der Mündung der Tepl in die Eger, 61 500 Ew.; bed. Kurort mit heißen Quellen, die schon im 14. Jh. genutzt wurden. Die ältesten Bauten sind das Armenhospital (1531) und das Kurhaus an der alten Wiese (1711). Bedeutendstes Kunstdenkmal ist die Kirche St. Maria Magdalena, 1732–36 nach Plänen von K. I. DIENTZENHOFER erbaut (ovaler Grundriß, zweitürmige W-Fassade). Zentrum des Kurbetriebs ist die klassizist. Mühlbrunn-Kolonnade (1878 von J. v. ZITEK).

Karlsburg, rumän. **Alba Julia,** Hauptstadt des Kr. Alba, am Mureş in Siebenbürgen, Rumänien, 42 000 Ew. In der Nähe des heutigen K. lag **Apulum,** der Hauptort der röm. Prov. Dakien, 1241 durch die Tataren fast völlig zerstört. – An der Stelle einer älteren zerstörten Basilika entstand die Kathedrale St. Michael, ein romanisch-frühgot. Bau (zw. 1241 und 1365) mit Resten einer Taufkapelle von 1130; im Innern Grabmäler bed. Persönlichkeiten. Die evang. Kirche, urspr. romanisch, wurde im 14. Jh. erneuert und erweitert. – Die ausgedehnte Festung wurde 1715–38 nach Vorstellungen des Prinzen Eugen von Savoyen erbaut. – In einem 1772 gegr. Kloster die Bibliothek Batthyaneum mit bed. ma. Hss., Wiegendrucken, Urkunden.

Karlshafen, Bad K., Stadt an der Weser, Nordhessen, 4500 Ew.; 1699 gegr. und mit Hugenotten besiedelt; das besterhaltene Beispiel einer planmäßig angelegten Barockstadt in Hessen. Mittelpunkt ist das rechteckige Hafenbecken, davor das Rathaus (1715–18); Invalidenhaus (1704–10); Freihaus (1723).

Karlskrona [-kr'u:na], Stadt an der SO-Küste Schwedens, 60 200 Ew.; 1680 als Marinestützpunkt gegr. Den Stadtbrand von 1790, dem die barocke Stadtanlage zum Opfer fiel, überstanden außer der ›Seemannsstadt‹ am Westrand die zweitürmige Fredrikskirche (1744) und der kuppelgekrönte Zentralbau der Dreifaltigkeitskirche (1714), beide von N. TESSIN D. J. in schlichtem ital. Barock; die Admiralitätskirche (1685) ist die größte Holzkirche des Landes; klassizist. Rathaus (nach 1790).

Karlsruhe, Stadt in der Oberrheinebene, Bad.-Württ., 275600 Ew., entstand planmäßig seit 1715 als Gründung des Markgrafen Karl Wilhelm von Baden-Durlach (1717–1918 Residenz). Nach den starken Zerstörungen im 2. Weltkrieg wurde von vielen Bauten nur das Äußere rekonstruiert. Die fächerförmig angeordneten Straßenzüge nehmen vom großzügig in Trapezform angelegten Barockschloß (1715 beg., 1752–85 Umbau nach Plänen B. NEUMANNS) ihren Ausgang. Im Schloß das Badische Landes-Mus. (europ. Kunstgesch. von der Antike bis zur Gegenwart, ›Türkenbeute‹). Seit 1800 prägte F. WEINBRENNER das klassizist. Bild der Stadt. Von ihm stammen kath. (1808–14) und evang. Stadtkirche (1807–16), Markgräfl. Palais (1803–14), Rathaus (1811–25) u. a. Die Orangerie (1853–57 von H. HÜBSCH) ist ein frühes Beispiel der Glas-Eisenarchitektur (Mus.). Im Ortsteil **Rüppurr** befindet sich eine der ältesten Gartenstädte Dtls. (1910–13); die Siedlung Dammerstock (1929 von W. GROPIUS) zählt zu den richtungweisenden Beispielen modernen Städtebaus. Staatl. Kunsthalle mit Gemälden und Graphiken (15. bis 20. Jh.). Bei K. das Renaissanceschloß **Gottesau** (1588 bis 1591 von J. SCHOCH); im Vorort **Bulach** neuroman. Säulenbasilika von H. HÜBSCH (1834–37) und barockes markgräfl. Lustschloß **Scheibenhardt** (1699 bis 1702); im Stadtteil **Durlach** Barockkirche (1698–1700) und ehem. Residenzschloß (1563 ff. und 1698 ff.), darin das Pfinzgau-Mus.

Karlstein, tschech. **Karlštejn** [-ʃtɛjn], Burg im Mittelböhm. Kreis, ČSSR, südwestlich von Prag auf einem 72 m hohen Kalkfelsen über der Beraun, für Kaiser KARL IV. 1348–57 erbaut (das Haus des Burggrafen 1520–30), 1887–99 von J. v. ZITEK durchgreifend restauriert. Reich ausgestattete Marien- und Katharinenkapelle. In der überreich ausgeschmückten Kreuzkapelle vergoldetes Gewölbe, Wandverkleidungen aus Halbedelsteinen, Gemälde (Tafelbilder) von THEODERICH VON PRAG, TOMMASO DA MODENA u. a.; in einer Nische über dem Hauptaltar wurden die Reichskleinodien aufbewahrt.

Karl & Faber, Kunstversteigerungshaus in München, gegr. 1923 durch die Kunsthistoriker G. KARL und C. VON FABER DU FAUR als ›Kunst- und Literatur-Antiquariat K. & F.‹. Seit 1927 zunächst Buchauktionen; später kamen Autographen, Holz- und Kupferstiche, Graphik und Malerei hinzu. Seit 1971 jährlich 2–3 Auktionen alter und moderner Kunst und Einzelausstellungen.

Karminrot, Maltechnik: leuchtend kühlroter Farbstoff aus Cochenille für die Textilfärbung, für kosmet. Zwecke und verlackt als Malfarbe. K. kam mit der Entdeckung Amerikas nach Europa und verdrängte dort den weniger stark färbenden →Kermes; heute wird K. durch Teerfarben ersetzt.

Karmir-Blur, Ruinenstätte in der Armen. SSR im Bez. Eriwan der urartäischen Stadt und Festung **Teschebaini**, Sitz eines Provinzgouverneurs. Ausgrabungen erbrachten in mehr als 100 aufgedeckten Räumen reiche Funde urartäischen Kunsthandwerks (Waffen,

Geräte u. ä. aus Bronze mit stark von Assyrien beeinflußten Verzierungen) sowie von Gebrauchsgegenständen, daneben auch Exportartikeln aus Ägypten. Die Festung wurde wahrscheinlich zu Beginn des 8. Jh. v. Chr. gegründet und von den Skythen Anf. des 6. Jh. v. Chr. zerstört.

Karnak, oberägypt. Dorf am O-Ufer des Nils (KARTE ägyptische Kunst), liegt mit dem 3 km entfernten →Luxor an der Stelle der altägypt. Hauptstadt →Theben. Die über 200jährige Baugeschichte der Tempelanlagen, die v. a. der theban. Dreiheit Amun, Mut und Chons geweiht waren, reicht von der 11. Dynastie bis in röm. Zeit. Hauptheiligtum ist der große Tempel für den Reichsgott Amun aus der 18. Dynastie, der in der 19. Dynastie um den Großen Säulensaal (134 Papyrusbündelsäulen in 16 Reihen auf 5400 m^2 Fläche), in der Spätzeit um die heutige Fassade (1. Pylon) erweitert wurde. Daneben entstanden in der 18. Dynastie ein eigener Tempel für die Göttin Mut; in der 20. und 21. Dynastie für den Gott Chons sowie Heiligtümer für Ptah, Osiris und weitere Gottheiten. Auch für den Totenkult der Könige wurden Bauten errichtet, v. a. der Festtempel THUTMOSIS' III. im Osten der Anlage. In den Pylonen sind Tausende von Blöcken aus früheren Heiligtümern verbaut, darunter von einer jetzt wiedererrichteten Stationskapelle (›Kiosk‹) SESOSTRIS' I. und einem Aton-Tempel ECHNATONS. Amun- und Mut-Tempel waren durch eine Widder-Sphinx-Allee miteinander verbunden, weitere führten zur Anlegestelle am Nil und zum Tempel von Luxor. Die ganze Anlage war von einer hohen Ziegelmauer eingefaßt (z. T. noch erh.), deren steinerne Tore aus ptolemäischer Zeit stammen. Von den vielen Obelisken, die im Neuen Reich aufgestellt wurden, steht nur noch je einer von THUTMOSIS I. und HATSCHEPSUT; auch von dem einst reichen Schmuck an Statuen von Göttern, Königen und Beamten ist nur noch ein kleiner Teil in K. zu sehen (die meisten Funde in Kairo, Ägypt. Mus.) Der noch zum großen Teil erhaltene Reliefschmuck der Wände zeigt in den Innenräumen kult. Szenen (König vor Gottheiten), auf den Außenflächen Darstellungen aus Kriegszügen der Pharaonen; nur noch in Spuren sichtbar ist die einstige bunte Bemalung von Säulen, Wänden und Dekken.

Karnak: 1. Pylon des Amun-Tempels und Widder-Sphinx-Allee

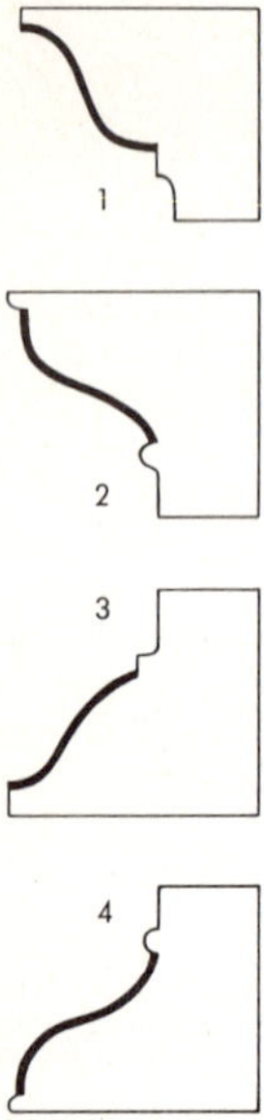

Karnies: 1 steigend (Sima), **2** verkehrt steigend (Kyma), **3** fallend (Sturzrinne), **4** verkehrt fallend (Glockenleiste).

Karnation, Maltechnik: →Inkarnat.

Karnburg, Dorf nördlich von Klagenfurt, Österreich; Pfarrkirche (927 erwähnt) mit z.T. karoling. Mauerwerk; zahlreiche röm. Relief- und Inschriftensteine verbaut; Reste roman. Fresken (13. Jh.); durch Sakristei mit got. Annenkapelle (wohl 15. Jh.) verbunden.

Karneol, Schmuckstein, →Carneol.

Karner [mlat. carnarium ›Fleischkammer‹] *der,* **Beinhaus,** Gebäude beim Friedhof zur Aufnahme der bei einer Neubelegung des Gräberraumes ausgegrabenen Totengebeine, manchmal mit Altar für Totenmessen. Als zweigeschossiges Bauwerk (mit einer Kapelle über dem eigtl. Beinhaus) kommt der K. seit dem 12. Jh. bes. in den Alpenländern vor (NÖ); er findet sich aber auch sonst in Europa: z. B. Bad Doberan, Mecklenburg; Hardehausen, Westfalen; Kiedrich, Rheingau; Oppenheim am Rhein; Fontevrault, Frankreich.

Karnies [frz. corniche] *das,* **Glockenleiste,** Baukunst: Profil mit S-förmiger Kontur, bestehend aus Wulst und Kehle; Teil eines Gesimses oder Rahmens. Man unterscheidet steigendes und fallendes K., je nachdem ob der obere Teil konkav und der untere konvex oder der untere konkav und der obere konvex ist.

Karobube, russ. **Bubnowyj walet,** russ. Künstlerkreis und Ausstellungsvereinigung, Ende 1910 in Moskau von M. LARIONOW und den Brüdern D. und W. BURLJUK begründet. Dem K. gehörte die westlich orientierte Moskauer Avantgarde der russ. Malerei an (P. KONTSCHALOWSKIJ, W. ROSCHDESTWENSKIJ, I. MASCHKOW, A. LENTULOW, R. FALK, A. KUPRIN u. a.). An den Ausstellungen des K. beteiligten sich auch P. PICASSO, G. BRAQUE, A. GLEIZES, H. LE FAUCONNIER, F. LÉGER, H. MATISSE, A. DERAIN, E. L. KIRCHNER, E. HECKEL, M. PECHSTEIN, E. MACKE, F. MARC u. a. Das Programm des K. war von der frz. Malerei (P. CÉZANNE und seine Nachfolger bis zum Kubismus) stark beeinflußt.

karolingische Kunst, die Kunst des Fränk. Reiches von etwa 800 bis ins 10. Jh. Chronologisch folgt sie im

karolingische Kunst: Rekonstruktion der Königspfalz in Ingelheim

karolingische Kunst: Aachener Münster, Oktogon

Stammland auf die merowing. Kunst und in den Randgebieten des Fränk. Reiches auf weitere Kunstströmungen der Völkerwanderungszeit (langobard., westgot., kelt. Kunst). Sie wird zutreffender als jede andere ma. Kunst nach dem sie fördernden Herrscherhaus (den Karolingern) benannt, da sie gänzlich (zumindest in ihrer Blütezeit, den ersten Jahrzehnten des 9. Jh.) im Auftrag des Hofes und einzelner mit ihm verbundener Personen entstanden ist. Sie ist Ausdruck für das Bemühen KARLS D. GR. (800–814) um eine ›renovatio‹ des

karolingische Kunst: Torhalle des Klosters Lorsch; wohl 774 voll.

karolingische Kunst: Bronzetüren des Aachener Münsters; um 800

röm. Imperiums (Karoling. Renaissance), die von dem bewußten Streben ausging, das geistige Erbe der Antike zu bewahren. Dieses wurde in eigenständiger Weise verarbeitet. Es gelang der k. K., Anschluß an die spätantike und frühchristl. Kunst des Mittelmeergebietes zu finden. Von der Kaiserpfalz Aachen ausgehend wurde versucht, einen einheitl. Stil zu schaffen, wodurch die k. K. für die ma.-abendländ. Entwicklung grundlegende Bedeutung erlangte und die Ansätze der ma. Kunst sowohl in Dtl. als auch in Frankreich bildete. Der german. Holzbau wurde durch den Steinbau ersetzt. Im Ggs. zur gleichzeitigen byzantin. Bilderfeindlichkeit wurden große christl. Bilderfolgen geschaffen und die menschl. Figur aus der ornamentalen Bindung gelöst.

karolingische Kunst: Meister Wolvinius, Goldaltar von S. Ambrogio in Mailand; um 840

In der Baukunst wurden vom S Zentralbautypen übernommen, so bes. in dem nach dem Muster von S. Vitale in Ravenna errichteten Aachener Münster (BILD Aachen), in St. Michael in Fulda und in der Kirche in Germigny-des-Prés (BILD). Die altchristl. Basilika wurde bereichert durch die Einbeziehung des Querhauses (Einhardsbasilika in Steinbach, Odenwald), Erweiterung der Ringkrypta (St. Luzi in Chur, St. Emmeram in Regensburg), Ausbildung des die weitere Entwicklung in Gallien bestimmenden Chorumgangs mit Kapellenkranz (St. Martin in Tours), Anlage eines Westchors oder Westwerks (Centula, Corvey) und durch Vierungs- und Treppentürme. Der Bauplan von St. Gallen vermittelt eine genaue Vorstellung einer vollständigen Klosteranlage der Zeit. Die Kirchen, bes. des Alpengebietes, waren nicht nur mit Fresken, sondern auch mit Stuckplastik geschmückt (Disentis, Cividale del Friuli). Das besterhaltene Beispiel einer Fassadendekoration bietet die Torhalle in Lorsch. Die Pfalzen sind nicht erhalten geblieben, aber durch Ausgrabungen rekonstruierbar geworden (Ingelheim).

Für die kaiserl. Repräsentation war nach der Architektur die Kleinkunst von entscheidender Bedeutung. Hierfür wurde in Aachen die →Hofschule Karls des Großen ins Leben gerufen, aus der sich zahlreiche Buchmalereien (→Adahandschrift) und Elfenbeinarbeiten erhalten haben. Sie bildeten Ehrengeschenke des Kaisers, die seine Macht und den polit. Rang des Beschenkten bekundeten. Mit dem →Codex Aureus aus Lorsch sowie dem Dagulf-Psalter (Paris und Wien) haben sich Hss. mit ihrem vollständigen Deckel-

karolingische Kunst: Die Evangelisten, Buchmalerei aus einem Evangeliar; um 810 (Aachen, Domschatz)

karolingische Kunst: Adahandschrift, Evangelist Lukas; um 800 (Trier, Stadtbibliothek)

schmuck erhalten. Die Elfenbeintafeln des Lorscher Evangeliars und die Elfenbeinplatte in Oxford folgen fünfteiligen Diptychen frühchristl. Zeit. Stärker byzantinisierend ist die gleichfalls in Aachen beheimatete Gruppe des Wiener Krönungsevangeliars. Von der Aachener Hofkunst abhängig sind die von dem Westgoten THEODULF V. ORLÉANS (*um 760, †821) in Auftrag gegebenen Buchmalereien und das Apsismosaik von Germigny-des-Prés, Denkmäler, die auf neutestamentl. Darstellungen verzichten. Gleichzeitig entstand in dem Karl d. Gr. unterstellten Kloster St. Johann in Müstair (um 800) der teilweise erst seit 1947 aufgedeckte Freskenzyklus mit neutestamentl. Szenen und einem Davidzyklus. Die Bronzetüren und Emporengitter des Aachener Münsters geben Zeugnis von einer hochentwickelten Gußtechnik. Unter den Goldschmiedearbeiten konnte die Stephansburse der Reichskleinodien (Wien, Hofburg) überzeugend in die Zeit Karls d. Gr. zurückdatiert werden, während die Reiterstatuette Karls d. Gr. (Paris, Louvre) erst spätkaroling. Zeit entstammt.

Mit dem Reimser Ebo-Evangeliar und dem zugehörigen Utrecht-Psalter verlagert sich das Schwergewicht nach W. Als ein Spätwerk der ›Reimser Schule‹ gilt die wohl am aufwendigsten geschmückte Hs. der Epoche, die Bibel von S. Paolo fuori le mura in Rom (um 870). Weitere Zentren sind die Schule von Tours (Grandval-Bibel in London, British Library, Vivians-Bibel in Paris, Nat.-Bibliothek) und die wohl in Paris zu lokalisierende →Hofschule Karls des Kahlen (Sakramentar und Psalter Karls des Kahlen in Paris). Zahlreiche spätkaroling. Elfenbeinarbeiten, neben Buchdeckeln der liturg. Kamm des Hl. Heribert (Köln, Schnütgen-Mus.), stammen aus Metz. Aus dem gleichen westfränk. Raum kommen auch die bedeutendsten Goldschmiedearbeiten, wie die Deckel des ›Codex Aureus‹ von St. Emmeram, das Arnulf-Ciborium (beide München, Schatzkammer der Residenz) und der Goldaltar (Paliotto) von S. Ambrogio, Mailand, des Meisters WOLVINIUS (→ Mailänder Goldaltar).

W. BRAUNFELS: Die Welt der Karolinger und ihre Kunst (1968); J. HUBERT u. a.: Die Kunst der Karolinger (1969); W. MESSERER: K. K. (1973).

Karolingische Renaissance [-rənɛs'ãs], die Erneuerung und Ausrichtung der christl. Kultur im Zeitalter KARLS D. GR. nach dem Maß der Antike. Sie wurde gefördert durch die Hofschule und -kapelle, an der bed. Gelehrte (ALKUIN, EINHARD u. a.) wirkten. Man bewahrte zunächst die röm. Lit. durch Abschreiben für die Nachwelt und erhob die lat. Sprache zur Literatursprache Europas. Insgesamt fühlte sich die K. R. der Antike jedoch überlegen, weil diese heidnisch gewesen sei; so verehrte Karl d. Gr. bes. das christl. und nicht das antike Rom.

Karsch, Joachim, Bildhauer, *Breslau 20. 6. 1897, †(Selbstmord) Groß Gandern (bei Frankfurt a. d. O.) 11. 2. 1945, schuf sensibel vereinfachende, im Ausdruck verhaltene Statuetten und Porträts.

Karsten, Ludvig, norweg. Maler, *Oslo 8. 5. 1876, †ebd. 10. 12. 1926, studierte in Rom und München, arbeitete später oft in der Künstlerkolonie Skagen, beeinflußt von E. MUNCH und H. MATISSE. Charakteristisch für sein Werk ist der expressive Umgang mit der Farbe.

Kartause, Kloster der Kartäusermönche, urspr. aus dem Bestreben entstanden, Eremiten in Form einer klösterl. Ordnung zusammenzufassen. I. Ggs. zu den übrigen Orden des MA. lebte im Kartäuserorden jeder Mönch allein in einem kleinen Haus mit Garten. Die Häuser, meist 12, selten 24 (Doppel-K.), gruppieren sich regelmäßig um den Kreuzgang. In der Hauptachse liegen die einschiffige Klosterkirche und das Haus des Priors. 1084 Gründung der Grande Chartreuse bei Grenoble durch den Hl. BRUNO.

W. BRAUNFELS: Abendländ. Klosterbaukunst (1969).

Karthago, antike Stadt auf einer Halbinsel nordöstlich von Tunis; 814 v. Chr. von Phönikern aus Tyros als Zwischenstation auf dem Weg nach S-Spanien gegr. K. entwickelte sich zur bedeutendsten phönik. Kolonie mit großem Machtbereich im westl. Mittelmeer; im 3. Pun. Krieg 146 v. Chr. von den Römern völlig zerstört. CAESAR und AUGUSTUS machten K. als ›Colonia Iulia Carthago‹ zur Hauptstadt der Prov. Africa. Als solche erlebte die Stadt in der Kaiserzeit eine neue Blüte.

Die Topographie der pun. Stadt ist durch Beschreibungen überliefert: Mittelpunkt waren Burg (Byrsa) und Markt mit enggebauter Innenstadt (z. T. vielstöckige Häuser; bei Grabungen in jüngster Zeit wurden pun. Wohnviertel des 4.–2. Jh. v. Chr. festgestellt); die Einwohnerzahl wird auf 120 000–400 000 geschätzt. Eine dreifache Stadtmauer schützte die Landseite nach W, an der Meerseite lagen ausgedehnte Hafenanlagen für Kriegs- und Handelsflotte. Nach der Zerstörung 146 v. Chr. wurde für die caesarisch-augusteische Kolonie eine auf das Dreifache vergrößerte regelmäßig angelegte Stadt neu errichtet. Baureste stammen bes. aus dem

Karthago

2. Jh. n. Chr.: ausgedehnte Thermen des Antoninus Pius, Theater, Odeum, Amphitheater, Circus, Zisternen, Palast (4. Jh.); Kirchenbauten außerhalb der Stadt (4.–6. Jh.): Basilika Bir-Knissia, zweischiffige Kirchen und die neunschiffige Damus-el-Karita. Im Mus. pun., röm. und frühchristl. Ausgrabungsfunde.

Karton [-t'ɔ̃, frz.], Maltechnik: maßstabsgerechte Vorzeichnung auf starkem Papier für monumentale Gemälde, Fresken, Wandteppiche, Mosaiken oder Glasmalereien, ausgeführt in Kohle, Graphit, Rötel oder Tusche. Seit dem 15. Jh. wurde der K. v. a. in der ital. Malerei bei großformatigen Werken zur Übertragung der Vorzeichnung auf die Malfläche benutzt (LEONARDO DA VINCI, MICHELANGELO).

Kạrttikeya [Skt.], der hinduist. Gott →Skanda.

Kar-Tukultị-Ninụrta, zeitweilige Residenz des assyr. Königs TUKULTI-NINURTA I. (13. Jh. v. Chr.) östlich von Assur (KARTE Alter Orient), heute **Tulul Aqr.** Die rechteckige Stadtanlage hatte im Zentrum einen Assurtempel und Zikkurat mit Wandmalereien, in der NW-Ecke 2 Paläste.

Kartụsche [frz. cartouche], **1) Königsring,** die ovale Umrahmung der Königsnamen in altägyptischen Hie-

Kartusche 1): aus einer Inschrift im Grab der Nefertari im Tal der Königinnen

roglypheninschriften in Form einer doppelt gelegten Schnur; sie sollte als mag. Schutzring den Namen umgeben.

2) medaillonförmiges Ornamentmotiv mit Volutenrahmung, das für Wappen, Inschriften oder als reine Zierform in Architektur und Kunsthandwerk verwendet wurde. Aus der spätmittelalterl. Schildform der ›kleinen Reitertartsche‹ und der antikisierenden Inschrifttafel der ital. Frührenaissance entwickelte sich gegen 1550 im Kreis der Dekorationsmeister von Fontainebleau die ›Rollwerkkartusche‹, die bis zum Ausgang des Barock mannigfache Umbildungen erfuhr.

Kartusche 2): Ornamentstich nach Entwurf von Federico Zuccari, um 1600

Karum, assyrische Bez. für Handelsniederlassung; K.-Zeit, →hethitische Kunst.

Karyatide, weibl. Gewandstatue als Gegenstück zum männl. Atlant an Stelle eines Säulenschaftes. K. kommen bereits an Schatzhäusern in Delphi (2. H. 6. Jh. v. Chr.) vor; auch die Koren des Erechtheions in Athen sind K. Durch VITRUV gingen die K. als weibl. und die ›Perser‹ als männl. Tragfiguren des Gebälks in die Kunstgeschichte ein. Eine von der antiken Herme abgeleitete Form bildet die Karyatidherme mit menschlich gestaltetem Oberkörper und pfeilerartig verjüngtem Unterbau. In den Vorlagebüchern der Renaissance finden sich mannigfache K.-Formen. Im Barock wurden K. zum beliebten Schmuck für Portale und zu Trägerinnen von Balkonen. Der Klassizismus bevorzugte antikisierende K.

Karyatide: K. am Erechtheion in Athen; Ende 5. Jh. v. Chr.

Kasakow, Matwej Fjodorowitsch, russ. Architekt, *Moskau 7. 11. 1738, †Rjasan 26. 10. 1812, prägte, zunächst unter dem Einfluß von W. BASCHENOW, den frühen klassizist. Baustil Moskaus: Senatsgebäude im Kreml (1776–87); Peterpalais (1775–82); Philippskirche (1777–88); alte Univ. (1786–93); Golizynhospital (1796–1801) u. a.

Kasan, Hauptstadt der Tatar. ASSR, Russ. SFSR, an der Mündung der Kasanka in die Wolga (Stausee), 1 Mio. Ew. Erh. und 1964 restauriert ist der Kreml (16.

Kasanlak: Wandmalerei in der Grabkammer des Kuppelgrabes

bis 17. Jh., Kern aus tatar. Zeit); dem 16. Jh. entstammen die Verkündigungs-(Blagoweschtschenskij-)Kathedrale (1562) und das Verklärungs-(Preobraschenskij-)Kloster mit Kirche (1596–1601 von einem Pleskauer Baumeister). Dem 18. Jh. entstammen die St.-Peter-und-Pauls-Kathedrale (1723–26), die Palastkirche des Kreml und 2 Moscheen. Bemerkenswert ferner die klassizist. Universitätsbauten (ab 1822), der Kaufhof von F. JEMELJANOW (um 1800) und eine Moschee des 19. Jh.

Kasanlak, Kasanlik, Kazanlăk, Stadt in Bulgarien, im Tal der Tundscha im S des Balkan, 54400 Ew.; Gemälde-Gal. und Heimat-Mus. im Kulturhaus Iskra. Kunsthistorisch bed. ist das am Stadtrand gelegene, 1944 entdeckte thrak. Kuppelgrab aus Backstein (etwa 310–290 v. Chr.) mit gut erhaltenen frühhellenist. Wandmalereien.

LJUDMILA ŽIVKOVA: Das Grabmal von K. (a. d. Bulgar., 1973).

Kasba [arab.], **Kasaba, Kasbah,** früher Zentrum einer Stadt, später befestigte Burg (Zitadelle) im nordafrikan., d. h. westislam. Bereich; heute noch Residenzen von Feudalherren im Atlas, aus Stampferde und ornamental versetzten Lehmziegeln, z. T. bemalt (Ouarzazate u. a.). BILD S. 139

Kasba Amargou [-g'u], Almoravidenfestung (Mitte 11. Jh.) in N-Marokko, 85 km nördlich von Fès auf dem Berg Amargou (681 m). Äußere Mauer (370 m Umfang, 5 m Höhe) mit 12 Türmen und 5 Toren; 3 Innenhöfe mit Mauern und 2 Türmen, Zisterne und unterird. Vorratskammern.

Kasba-Tadla, Stadt in Zentral-Marokko, 30 km nördlich von Beni Mellal. Die gewaltige Doppelkasba der Alidensultane (1687–1700 erbaut; gezinnte ockerfarbene Außenmauern mit Basteien, im Innern der Palast Dar el-Makhzen, 2 Moscheen, arabeskenverziertes Minarett) in Akropolislage über dem Oum er-Rbia kon-

Kasba: K. der Ait Benhaddou, südöstlich von Marrakesch, Marokko

trollierte die Berberstämme des Mittleren Atlas und gilt als schönste Festungsanlage Marokkos.

Kaschan, Kashan, Keshan, Stadt in Iran, südlich von Teheran, 80 000 Ew. K. war schon in sassanid. Zeit besiedelt. Es erlangte seit dem MA. große Bedeutung durch sein Kunstgewerbe: Teppiche u. a. Textilien, glasierte Ziegel (pers. ›Kaschi‹), Fliesen und Gefäße, v. a. in Lüstertechnik mit Blaumalerei sowie grün glasierte Gefäße mit schwarzer Malerei. Die mit Meistersignaturen versehenen Stern-, Kreuz- und Reliefflliesen waren mit Ranken, Tier- und Menschenfiguren, Versen und auch mit Korantexten geschmückt. Aus der Seldschukenzeit stammen das Minarett (1073) der Freitagsmoschee sowie das Zain-ad-Din-Minarett.

Kaschau, slowak. **Košice** [kˈɔʃitsɛ], ungar. **Kassa** [kˈɔʃʃɔ], Kreisstadt des Ostslowak. Kr., ČSSR, 191 000 Ew. K. wurde 1248 königlich-ungar. Freistadt und erhielt 1657 eine Jesuiten-Univ. Teile der im 13. Jh. begonnenen Stadtbefestigung sind erhalten. Der Dom St. Elisabeth (seit 1390) anstelle eines frühgot. Vorgängerbaus wurde bis 1508 (spätgot. Hochchor mit Netzgewölbe) voll. (1877–96 restauriert); der Elisabethaltar (1474–77) ist einer der größten bemalten Tafelaltäre Europas (11 m hoch, 8 m breit, mit 48 Tafelgemälden). Die got. Michaelskapelle (Ende 14. Jh.) hat ein schönes W-Portal mit Fialen und einem Wimperg. Die frühbarocke Prämonstratenserkirche ist 1671–84 als Jesuitenkirche entstanden. Aus spätgot. Zeit stammen das ehem. Bürgerhaus des A. Thurzo (Levoča-Haus) und das Nikolausgefängnis (15. Jh.). Das ehem. Haus der Bezirkshauptmannschaft ist im spätbarock-klassizist. (1779), das Rathaus im klassizist. (1782), das Theater im Neurenaissance-Stil (1898) erbaut.

Kaschauer, Jakob, österr. Bildhauer, Maler aus Kaschau (O-Slowakei), 1429 an der Dombauhütte in

Wien nachweisbar, † vor 1463, überwand den →Schönen Stil durch realist. Sinn für plast. Körperhaftigkeit. Erh. sind die 1443 vom Bischof N. DELLA SCALA bestellten Schnitzfiguren für den Hochaltar des Freisinger Doms (Muttergottes mit dem knieenden Stifter und dem Hl. Korbinian, München, Bayer. Nat.-Mus.; Hl. Sigismund, Stuttgart, Landesmus.).

Kaschmir, Landschaft in N-Indien, seit dem Altertum im Einflußbereich der ind. Kultur, in der Kushana-Zeit v.a. von der buddhist. Gandhara-Kunst geprägt. Bed. Steintempel: Surya-Tempel in →Martand (um 750), Shiva-Tempel in →Pandrethan (9.–10. Jh.). Als Randgebiet entwickelte K. stets eigene stilist. und ikonograph. Formen, so die vierköpfige Figur Vishnus als Vaikuntha und hinduistisch-buddhist. Mischgottheiten. Die Bronzekunst stand in K. seit dem 6./7. Jh. in hoher Blüte und beeinflußte nachhaltig die buddhist. Kunst in Ladakh und W-Tibet. Im 14.–15. Jh. errichteten die muslim. Eroberer über den alten Grundrissen ihre Moscheen, Grab- und Palastbauten (→Srinagar), häufig in der für K. typ. Holzbauweise. Schnitzkunst, Malereien, Lack- und Emailarbeiten zeigen in ihren besten Erzeugnissen noch die traditionellen Formen.

Kase|in [lat.], Maltechnik: Käsestoff der Milch, der mit besonderen Stoffen (→Kalk, Borax u.a.) zu Leim ›aufgeschlossen‹, d.h. wasserlöslich gemacht wird; dank seiner Emulgierfähigkeit ist K. häufig die wässerige Komponente von Temperaemulsionen. Kalkkasein wurde wegen seiner hohen Klebekraft und geringen Wasserempfindlichkeit seit der Antike sowohl als Holzkaltleim wie auch als Bindemittel für Seccomalereien benutzt.

Kaschmir, Kunst: LINKS vierarmiger stehender Brahma; Bronze, 7. Jh. n. Chr. RECHTS Lakshminarayana; grünlicher Speckstein, 9. Jh. n. Chr. (beide Objekte Berlin-West, Museum für Indische Kunst)

Kasematte [ital. aus grch.], in früheren Festungsanlagen ein gegen Artilleriefeuer gesicherter Raum zur Unterbringung von Mannschaften sowie zur Lagerung von Waffen, Munition und Vorräten.

Kasino, →Casino.

Kaskade [frz.-ital.], künstlich angelegter, stufenförmiger Wasserfall in der Gartenkunst der Renaissance und des Barock (Villa d'Este in →Tivoli).

Käsmark, slowak. **Kežmarok** [k'ɛʒmarɔk], Stadt im Ostslowak. Kreis, ČSSR, 12000 Ew. Die got. Burg (ehem. Kloster) aus dem 14. Jh., im 16. Jh. zum Renaissance-Schloß umgebaut, wurde restauriert und ist heute Mus. Die Pfarrkirche Hl. Kreuz (1444) ist eine netzgewölbte Halle mit eingezogenem Chor. Der Glockenturm (1586) ist ein für die Gegend charakterist. Renaissancebau mit Zinnenbekrönung und Sgraffitoschmuck. Die evang. Artikularkirche ist ein Holzbau von 1717, über einem grch. Kreuz als Grundriß errichtet; heute Mus. Das 1799 gestaltete klassizist. Rathaus enthält Teile des älteren Baus (von 1461, 1515 und 1541–53).

Kasper, Ludwig, österr. Bildhauer, *Gurten (OÖ) 2. 5. 1893, †Mauerkirchen bei Braunau 29. 8. 1945, schuf Porträts und weibl. Aktfiguren von strenger monumentaler Ordnung.

W. HAFTMANN: Der Bildhauer L. K. (1978).

Kasr, Qasr [arab.], Burg, Schloß, Palast.

Kasr al-Hair al-Gharbi, Ruinenstätte eines palastartigen Landgutes aus der Zeit des Kalifen HISCHAM (Anfang 8. Jh.) östlich von Homs in Mittel-Syrien, eine Anlage mit 4 Flügeln und 2 Geschossen, Turm und großem Arkadenhof; reiche Ausstattung, v.a. auch des Portals (Stuckornamentik, Säulen, Brüstungsplatten, Fenstergitter, Wandmalereien, figürl. Stuckplastik), z. T. im Nat.-Mus. von Damaskus rekonstruiert.

Kasr al-Hair asch-Scharki, in Syrien zw. Palmyra und Rusafa gelegener, großer befestigter omajjad. Palast-Landsitz aus dem Anfang des 8. Jh. (neben kleinem Wohnpalast größere ummauerte Anlage mit Moschee; als äußere Umfriedung eine gewaltige, 17 km lange Mauer mit 3 monumentalen Toren).

Kasr al-Karana, Ruinenstätte eines kleinen burgartigen Landsitzes südöstlich von Amman, Jordanien, erbaut in omajjad. oder voromajjad. Zeit um einen Arkaden-Innenhof.

Kassandra, grch. Mythos: Tochter des Priamos, die von Apoll die Gabe der Weissagung erhielt. Da sie die Werbung des Gottes zurückwies, vermochte sie nur noch Unheil zu verkünden und fand niemals mehr Glauben. So warnte sie vergebens davor, das hölzerne Pferd in die Stadt Troja hineinbringen zu lassen. Sie wurde dann Agamemnons Sklavin und Geliebte und mit ihm von Klytämnestra erschlagen. Ihre Schändung durch Aias bei der Eroberung Trojas oder ihre Tötung (auf einem Bronzeblech aus dem Heraion von Argos, 7. Jh. v. Chr.; Neapel, Archäolog. Nat.-Mus.) waren Gegenstand der Kunst v. a. auf grch. Vasen und Reliefs, gelegentlich in der Neuzeit (P. P. RUBENS, M. KLINGER).

Kassatkin, Nikolaj Aleksejewitsch, russ. Maler, *Moskau 25. 12. 1859, †ebd. 17. 12. 1930, Schüler von W. PEROW, Mitgl. der Peredwischniki. Er gestaltete als einer der ersten die industrielle Arbeitswelt (bes. die Arbeit der Bergleute).

Kassel, Stadt in Nordhessen, 200 000 Ew.; seit 1277 Residenz der Landgrafen von Hessen. Für K. bedeutsam war die Architektenfamilie DU RY. 1943 wurde K. stark zerstört; einige histor. Bauten wurden wiederhergestellt. Brüderkirche (1292–1376) des 1262–1526 bestehenden Karmeliterklosters; z. T. modern wiederaufgebaute Martinskirche (1364–1462) mit prächtigem Alabasterepitaph (1567–72). Aus der Renaissance bestehen noch Elisabeth-Hospital (1586/87), Marstall (jetzt Markthalle, 1591/92) und Ottoneum (1603–06, der 1. feste Theaterbau in Dtl.). In der Barockzeit entstanden die Karlsaue mit dem 140 m langen Orangerieschloß (1702–10) und dem Prunk-Marmorbad (1722 bis 1728), der in Europa einzigartige Bergpark Wilhelmshöhe (1701–18) mit dem ›Riesenschloß‹ (Oktogon mit Kolossalstatue des Herkules, 1713–17), das Palais Bellevue (1714, darin u. a. Städt. Kunstsamml.) und als 1. dt. Museumsbau das →Fridericianum. Klassizistisch sind Schloß Schönfeld (1777/1809) und Schloß Wilhelmshöhe (1786–98), letzteres mit kostbarer Einrichtung (Mus.) und der Staatl. Kunstsamml., einer der großen Gemäldegal. Dtl.s. Europ. Geltung besitzt die Löwenburg (1793–1801) von H. C. JUSSOW in englischer Neugotik (Mus.). Spät- und nachklassizist. Formen weisen Ständehaus (1834–36), Kulturhaus (1869–71) und Staatl. Gemäldegal. (1872–77) auf. Neubarockes Rathaus (1905–09); neoklassizist. Stadthalle (1911–14); Hess. Landesmus. (von T. FISCHER 1911–13 mit Jugendstileinfluß; u. a. Dt. Tapeten-Mus. und Kunsthandwerk). In K. findet die →Documenta statt. – Seit 1680 bestand in K. eine Fayencemanufaktur, die v. a. Blaugeschirr nach Delfter Vorbild herstellte. 1766–88 wurde neben Fayence auch Porzellan produziert.

K. 1850 bis heute, hg. v. W. KEMP u. F. NEUSÜSS (1981).

Kasseler Braun, Van-Dyck-Braun [van dɛjk-], Maltechnik: organ. Pigment aus Braunkohle.

Kasserine [frz. kasr'in], Stadt in W-Tunesien, 38 km westlich von Sbeitla, 22 600 Ew. Ruinengelände des antiken **Cillium:** guterhaltenes Theater, Triumphbogen, dreistöckiges Mausoleum für Flavius Secundus; ferner frühchristl. Kirche und byzantin. Burgenanlage.

Kassette [frz.], vertieftes Feld in einer Decke **(K.-Decke),** einem Gewölbe oder einer Bogenlaibung, seltener auch in der Möbelkunst. Die K. als Schmuckform ist urspr. bauphysikalisch bedingt, sie bildet die Füllung zw. den stärkeren Teilen einer Balkendecke oder den Gurten eines Gewölbes. Die K. ist meist von Zierleisten gerahmt und mit gemalten oder plast. Darstellungen, oft auch mit Rosetten, besetzt. (BILD S. 143)

kassitische Kunst, die Kunst Babyloniens (etwa 1600–1160 v. Chr.) unter der Herrschaft der Kassiten, einem aus dem Zagrosgebirge stammenden Volk, das in Babylonien eine Dynastie gründete. In der Baukunst

Kassette: Kassettendecke im Rittersaal auf Schloß Heiligenberg; 1580–84

verbindet sich, vielleicht absichtlich, der Rückgriff auf altes babylon. Gedankengut mit neuen Formen und Elementen, z. B. im Innin-Tempel des Kassitenfürsten KARAINDASCH zu Uruk (um 1420 v. Chr.): eine dreischiffige Anlage mit Langraum-Cella und quergelagertem Vorraum und bastionsartigen Gebäudeecken; die Außenfassade ist in Nischen gegliedert, in denen aus Formziegel gebildete Figuren eines Berggottes und einer Flußgöttin stehen. Auch der Palast in Aqar Quf, von KURIGALZU I. um 1370 v. Chr. errichtet und bis zum Ende des 13. Jh. in Benutzung, verrät Großzügigkeit und Eigenwilligkeit, v. a. in seiner Wandmalerei. In der bildenden Kunst stellen die Kudurru (›Grenzsteine‹, besser: Monumente über Landbesitz) eine vorher in dieser Form unbekannte Denkmalsgattung dar: stelenartige Steine unterschiedl. Form, mit Schrift und Relief versehen. Man unterscheidet eine präkanonische und eine kanonische Gruppe; letztere wurde erst zum Ende der Kassitenherrschaft geprägt (12. Jh. v. Chr.) und gibt nur noch Göttersymbole wieder, während vorher auch schreitende Mischwesen u. a. Figuren dargestellt waren. Die Denkmalsgattung der Kudurru, die noch bis in

kassitische Kunst: Fassade des Innin-Tempels des Karaindasch, Uruk; Detail, um 1420 v. Chr. (Berlin-Ost, Staatl. Museen)

die neubabylon. Kunst fortwirkte, brachte in selten klarer Form Staatskunst zum Ausdruck. In der Rollsiegelkunst werden 3 Gruppen unterschieden. Die 1. Gruppe führte in Thematik und Komposition altbabylon. Gedankengut weiter, entwickelte aber einen eigenen Stil und neue Symbolik (Überlängung der Figuren, neue Motive, z. B. das aus gleichlangen Kreuzarmen gebildete ›Kassitenkreuz‹). Die 2. Gruppe gibt sich thematisch und kompositorisch völlig gelöst von der babylon. Starrheit; dahinjagende Kentauren, fliegende Vögel u. a. Tiere, der wasserverbundene Berggott und Landschaftsdarstellungen prägen das Bild; Anklänge an die mittelassyr. und an die mitann. Kunst sind unübersehbar. Die 3. Gruppe kam erst zum Ende der Kassitenherrschaft auf und ahmte die beiden ersten Gruppen in vereinfachter Form und billigem Material (Fritte) nach. In der Plastik sind nur wenige Werke überliefert, reichhaltiger ist das Kunsthandwerk (Schmuck, Glasgefäße) belegt.

Kastell [lat. castellum ›kleines Lager‹], befestigte Anlage, nicht eindeutig definiertes Synonym für Burg und befestigtes Schloß; in der röm. Antike eine Grenzbefestigung.

Kastel-Staadt, Gem. an der Saar, Rheinl.-Pf., mit der auf hohem Felsen gelegenen ›Klause‹, einem Spätwerk F. SCHINKELS (1835), als doppelgeschossige Grabkapelle in romanisierenden Formen für König JOHANN VON BÖHMEN (†1346) errichtet.

Die Grabkapelle wurde auf Veranlassung des preuß. Kronprinzen Friedrich Wilhelm gebaut, der durch Zufall erfuhr, daß die Gebeine des Königs sich seit 1809 in privatem Besitz in Mettlach befanden, nachdem sie an versch. Orten aufbewahrt worden waren.

Kastl, Markt im Kr. Amberg, Oberpfalz, 2000 Ew., mit burgartigem ehem. Benediktinerkloster (1098 gegr.). Roman. Basilika (1103–95) mit Stützenwechsel; Grabmäler von LOY HERING (16. Jh.).

Kastor, grch. Mythos: einer der →Dioskuren.

Kastoria, Hauptstadt des Nomos K. in N-Griechenland, 16000 Ew.; bed. byzantin. Kirchen mit Fresken an Innen- und Außenwänden (v. a. Hagii Anargyri, um 1000, mit Fresken vom Ende des 12. Jh., und Panhagia Kubelitissa, 10./11. Jh.).

Kasumi [jap. ›Dunst‹, ›Nebel‹], Stilelement japan. Landschaftsmalerei; mit ihm lassen sich Bildtiefe erreichen und (auf Querrollen) Szenenwechsel und Zeitablauf andeuten.

Kaswin, Qazvin, Stadt in Iran, im NW von Teheran, 1220 m ü. M., 140000 Ew. K. wurde im 3. Jh. gegr., 644 von Arabern erobert, 1220 und 1256 von Mongolen zerstört. Die Freitagsmoschee, eine Vier-Iwan-Anlage, ist im Kern seldschukisch (1113), die übrigen Bauteile und der Dekor stammen aus safawid. Zeit. Ebenfalls seldschukisch ist die Medrese Haidariyeh (Anf. 12. Jh.). Schah TAHMASP I. (1524–1576) machte K. zur Residenz der Safawiden (bis 1598); von seinem Palast ist nur noch das Ali-Qapu-Tor erh.

Katafalk [frz.] *der,* ein zum Begräbnis einer hohen

Persönlichkeit stufenförmig errichtetes Gerüst, auf das der Sarg gestellt wird, verziert mit den Ehrenzeichen des Verstorbenen, Blumen und Standleuchtern; bes. im Barock entwickelt.

Katakomben, die in den vulkan. Tuff Roms eingeschnittenen unterird. Gänge und Kammern, die den röm. Christen zur Bestattung der Toten dienten (→frühchristliche Kunst).

Den Anfang der K. bildeten (Beginn des 3. Jh.) in den Hang eines Hügels eingeschnittene Gänge mit seitl. Nischen (Domitilla, Flaviergalerie) oder kleine Systeme von schmalen, niedrigen Gängen mit seitlich in die Wände eingetieften Gräbern (Lucina, Domitilla, Aurelierregion). Der Leichnam wurde in Tücher gehüllt in die Nische (Loculus) gelegt und diese mit einer Platte oder einem Ziegel geschlossen. Eine eingemeißelte oder aufgemalte Inschrift nannte den Namen. In den Putz wurden oft kleine Erinnerungsstücke eingedrückt (Goldgläser, Münzen, Bronze- oder Elfenbeinfigürchen). Die Grüfte wurden durch Tieferlegung des Niveaus und durch Nebengänge erweitert. Besitzer einer K. war die Familie oder ein Collegium. Wenig später entstand eine erste Gemeinde-K. (S. Callisto); ihr wurde die Gruft der Bischöfe des 3. Jh. angefügt. Die Blütezeit der K.-Bestattung waren die 2. H. des 3. Jh. und die 1. H. des 4. Jh. Die K. wurden jetzt als große Systeme einander rechtwinklig schneidender Gänge angelegt. In konstantin. Zeit entstanden häufiger Kammern, zunächst mit Wandloculi, dann mit Arkosolgräbern (S. Callisto, Domitilla, Praetextat, Priscilla, SS. Petrus und Marcellinus. – BILD Arkosolium).

In der 2. H. des 4. Jh. wurden die K. oft unter Zerstörung älterer Malereien von der ärmeren Bevölkerung

Katakomben: Cubiculum in der Katakombe SS. Petrus und Marcellinus in Rom

neu mit Gräbern belegt. Hauptanziehungspunkte blieben dabei die Märtyrergräber. Man stattete sie mit Inschriften (Damasus) und Marmorverkleidung (Felicissimus und Agapitus) aus. Außerdem schuf man rings um das verehrte Grab kapellenartige Erweiterungen (Sebastiano, SS. Petrus und Marcellinus) und legte Treppen an, die unmittelbar zu den Gräbern führten (Cornelius, Laurentius). Im 8. Jh. begann man mit der Überführung namhafter Märtyrer in die Stadt und nach auswärts. Die K. gerieten nach und nach fast völlig in Vergessenheit. Ende des 16. Jh. regten einige Zufallsfunde A. Bosio zu einer ersten wissenschaftl. Beschäftigung mit den K. an.

K.-Malereien in einer Reihe von Einzelgräbern und v.a. in Kammern des 3. Jh. sind von zeichenhafter Knappheit. Grundthema ist das in Christus gewirkte Heil. Im Mittelpunkt der Deckenmalereien standen oft Schafträgerfiguren, die Bilder des christl. ›Guten Hirten‹ sein konnten, umgeben von alttestamentl. Rettungsbildern (Noah, Daniel, Jonas, 3 Jünglinge im Feuerofen, Susanna) oder Hinweise auf die neutestamentl. Rettung durch Lehre und Taufe. Später erweiterte sich der Kreis dieser Bilder, bibl. Themen rückten in den Vordergrund. Alttestamentl. Rettungsbilder wechselten mit neutestamentl. Wunderszenen ab, kombiniert mit Herkulesbildern in der Via-Latina-K. in Rom.

Neben den christl. K. entwickelte sich eine Reihe von jüd. K. ähnl. Form (Vigna Randanini, Villa Torlonia). Auch synkretist. Gemeinden kannten die unterird. Bestattung (Viale Manzoni, Vibiagruft).

Außerhalb Roms sind ähnl. Anlagen in Neapel, Syrakus, auf Malta, in Alexandria bekannt. In der Anlage weichen sie von den römischen z. T. erheblich ab.

L. Hertling u. E. Kirschbaum: Die röm. K. und ihre Märtyrer (1950); A. Ferrua: Le pitture della nuova catacomba di via Latina (Rom 1960); E. Bock u. R. Goebel: Die K.-Bilder aus der Welt des frühen Christentums (1963); J. Stevenson: Im Schattenreich der K. (a. d. Engl., 1980).

Katharina, 1) K. von Alexandria, legendäre Märtyrerin zu Anfang des 4. Jh.; seit dem späteren MA. häufig dargestellt: ihre Disputation (Pinturicchio), v.a. die Marterung auf dem Rad (H. Holbein d. Ä., A. Dürer, L. Cranach d. Ä.), Verlobung mit Christus (Nürnberger Meister um 1460, L. Cranach d. Ä., Correggio, Tizian, P. Veronese, P. P. Rubens), Erhebung ihres Leichnams aus dem Sarg durch Engel und Entrückung zum Berg Sinai (B. Luini, Hans von Kulmbach); oft als Einzelfigur (K. Witz, M. Basaiti, Raffael, M. da Caravaggio) mit Rad, Palme, Buch (Gelehrsamkeit), Schwert (Enthauptung), z. T. auch den Fuß auf den Kaiser Maxentius setzend.

2) K. von Siena, *Siena um 1347, †Rom 29. 4. 1380, einflußreich wegen ihrer Visionen und kirchenpolit. Vermittlungen; dargestellt in Ordenstracht (Dominikanerin), mit Buch, Lilie, Kreuz, Herz, Dornenkrone (Fra Angelico, um 1437; D. Ghirlandaio, 1490; A. van Dyck, 1629).

Katharinenkloster, am Fuß des Djebel Musa (2285 m) auf der Sinai-Halbinsel gelegenes orthodoxes Kloster, in Art einer Festung zum Schutz der Mönche

Katharinenkloster:
OBEN Gesamtansicht,
LINKS Apsismosaik der Klosterkirche mit Darstellung der Verklärung Christi; um die Mitte des 6. Jh. erbaut

um die Mitte des 6. Jh. von JUSTINIAN I. erbaut (Name seit dem 14. Jh.). Das K. besteht aus einer Vielzahl von Gebäudekomplexen. Die Klosterkirche, eine dreischiffige Arkadenbasilika, ist zw. 548 und 565 entstanden; Apsismosaik (Verklärung Christi) und Dachstuhl stammen aus dieser Zeit. Bed. sind die Bestände der Kloster-Bibl. (darunter der ›Codex Sinaiticus‹, eine wichtige Hs. der grch. Bibel); rd. 2000 Ikonen des 9.–12. Jh. (auch aus der Zeit des Bilderstreits).

G. H. FORSYTH u. K. WEITZMANN: The monastery of Saint Catherine at Mount Sinai (Ann Arbor, Michigan, 1973).

Kathedra [grch.], →Bischofsstuhl.

Kathedrale [grch.-lat.], Hauptkirche eines kath. Bistums oder eines entsprechenden kirchl. Territoriums mit Sitz des Bischofs, in Dtl. und Italien meist Dom genannt. Ein best. Stil ist mit der K. nicht verbunden. Gleichwohl hat sich mit dem Begriff K. die Vorstellung verbunden, daß K. i.e.S. gotisch seien. Es entspricht der Tatsache, daß die got. K. ein nie wieder erreichter Höhepunkt des christl. Kirchenbaus ist. Durch das Zusammenwirken aller bildenden Künste kam es in der got. K. zu einem Gesamtkunstwerk. Die Gotik suchte die K. zu einem realen ›Abbild‹ des Himmels zu machen.

A. STANGE: Das frühchristl. Kirchengebäude als Bild des Himmels (1950); H. SEDLMAYR: Die Entstehung der K. (1950); G. BANDMANN: Ma. Architektur als Bedeutungsträger ([2]1959); H. JANTZEN: Kunst der Gotik ([6]1966); O. G. v. SIMSON: Die got. K. (a. d. Engl., [2]1982).

Katihasta [Skt.], die Armhaltung indischer Figuren, bei der die Hand auf die Hüfte gestützt wird (→Mudra).

Katmandu, Kathmandu, Hauptstadt von Nepal, etwa 500000 Ew.; Reste buddhist. Klöster und Skulpturen bezeugen Besiedlungen seit dem 3. Jh. und aus der Zeit der Licchavi-Dynastie. Das heutige Stadtbild mit den typ. roten Ziegelbauten und ihrem Holzschnitzwerk geht z.T. auf die Malla-Dynastie des 16.–18. Jh. zurück, die den großen Königspalast mit dem dreigeschossigen Haupttempel Taleju (um 1560), dem Degutale-Tempel (Ende 16.) und weiteren Anbauten um insgesamt 10 Innenhöfe errichten ließ. Nahe der Stadt mit ihrer Vielzahl kleiner buddhist. Tempel befinden sich die großen Kloster- und Stupabauten →Svayambhunath und →Bodnath.

Kato-Zakros, Ausgrabungsstätte einer minoischen Hafenstadt an der Ostküste Kretas, →Zakros.

Kaub, Stadt in Rheinl.-Pf., am rechten Rheinufer; 1500 Ew. Auf einer Felsklippe im Rhein liegt die ehem. kurpfälz. Zollburg **Pfalzgrafenstein** (1. H. 14. Jh.), eines der originellsten Bauwerke innerhalb der europ. Architektur. Über K. die **Burg Gutenfels** (1. H. 13. Jh., im 19. Jh. ausgebaut).

Kaufbeuren, ehem. Reichsstadt im bayer. Schwaben, 43700 Ew. Got. Martinskirche (1438–43); Blasiuskapelle (15. Jh.), auf der Stadtmauer erbaut, mit spätgot. Hochaltar von J. LEDERER (1518); Rathaus im Neu-

Katmandu: beschnitzte Fensterstöcke am Palast der ›Lebenden Göttin‹

renaissancestil von G. HAUBERRISSER (1879–81). Mus. der Gablonzer Glas- und Schmuckindustrie.

Kauffmann, 1) Angelica, Malerin, Radiererin, *Chur 30. 10. 1741, †Rom 5. 11. 1807, kam mit ihrem Vater, dem aus Schwarzenberg im Bregenzer Wald stammenden Maler Joseph Johann K. (*1707, †1782) 1752 nach Italien. Sie wurde 1762 Mitgl. der Florentiner Akad., ging 1763 nach Rom. 1766–81 lebte sie in London und fand hier Aufnahme in die Royal Academy. Nach ihrer Heirat mit dem Maler F. ZUCCHI ließ sich Angelica K. in Venedig, 1782 in Rom nieder. Dort wurde ihr Haus zum gesellschaftl. Mittelpunkt für Künstler und Gelehrte (J. J. WINCKELMANN, J. G. HERDER, J. W. v. GOETHE während seines Romaufenthalts). – Ihre Kunst betont den klassizist. Grundton des späten Rokoko und zeigt den Einfluß von A. R.

Angelica Kauffmann: Porträt Johann Joachim Winckelmann; 1764 (Zürich, Kunsthaus)

MENGS und J. REYNOLDS. Bekannt wurde sie weniger durch ihre weich und empfindsam gemalten Bilder mytholog., allegor., literar. und relig. Inhalts als durch ihre gefälligen und von feiner Farbgebung bestimmten Porträts (J. J. Winckelmann, 1764, Zürich, Kunsthaus; J. W. v. Goethe, 1787–88, Weimar, Goethe-Nat.-Mus., u. a.).

A. K. und ihre Zeitgenossen, Ausst.-Kat., Bregenz/Wien (1969); DOROTHY M. MAYER: A. K. (London 1978).

2) Hermann, Maler, *Hamburg 7. 11. 1808, †ebd. 24. 5. 1889, malte in frischer realist. Auffassung Landschaften und ländl. Volksszenen.

3) Hugo, Maler, *Hamburg 7. 8. 1844, †Prien/Chiemsee 30. 12. 1915, tätig in Kronberg i. T., Düsseldorf und Paris, seit 1871 in München und Prien; schuf unter dem Einfluß von A. VAN OSTADE und A. BROUWER humorvolle Genreszenen aus dem bayer. Volksleben in bräunl. Kolorit.

Kaufmann, Oskar, Architekt, *Neu St. Anna (heute St. Anna, Rumänien) 2. 2. 1873, †Budapest 8. 9. 1956, baute in Berlin bed. Theater im Stil der späten Gründerzeit (Neubarock und Neurokoko).

HW (in Berlin-West): Hebbel-Theater (1907); Theater am Nollendorfplatz (1912); Theater am Kurfürstendamm (1923); Komödie (1924). Stadttheater Wien (1913).

Kaulbach, 1) Friedrich, Maler, Vater von 2), Vetter von 4), *Arolsen 8. 7. 1822, †Hannover 5. 9. 1903, malte Historienbilder, später v. a. Porträts.

2) Friedrich August von (1886), Maler, Sohn von 1), *München 2. 6. 1850, †Ohlstadt bei Murnau a. Staffelsee 26. 7. 1920, 1886–91 Direktor der Akad. in München. Er malte farbenreiche, histor. Genrebilder und Porträts in gefällig eleganter Malweise.

K. ZIMMERMANN: F. A. v. K. 1850–1920 (1980, mit Werkverz.).

3) Hermann, Maler, Sohn von 4), *München 26. 7. 1846, †ebd. 9. 12. 1909, malte histor. Genrebilder in der Art seines Lehrers K. T. v. PILOTY.

4) Wilhelm von, Maler, Vater von 3), Vetter von 1), *Arolsen 15. 10. 1804, †München 7. 4. 1874, Schüler von P. v. CORNELIUS in Düsseldorf, lebte seit 1826 in München und war ebd. seit 1837 Hofmaler LUDWIGS I. Nach Aufenthalt in Rom (1838/39) wurde K. 1849 Direktor der Akad. in München. Im Sinn eines ideal gedachten Klassizismus schuf er hier effektvoll-theatral. Decken- und Wandgemälde mit histor., allegor. und mytholog. Darstellungen. Ruhig und sachlich gemalt sind seine Porträts. Zu seinen besten Leistungen gehören Illustrationen zu Werken der Weltliteratur, etwa zu J. W. v. GOETHES ›Reineke Fuchs‹.

HW: Decken- und Wandgemälde in München: Odeonssaal; Hofgartenarkaden (1827; zerstört); Palais Herzog Max, Neuer Königsbau der Residenz und Neue Pinakothek (1848–54). Gemälde: Die Hunnenschlacht (1834–37; Posen, Mus.); Die Zerstörung Jerusalems (1842–54; München, Neue Pinakothek); Ausmalung des Neuen Mus. in Berlin (1845–65).

EVELYN LEHMANN u. ELKE RIEMER: Die K.s - eine Künstlerfamilie aus Arolsen (1978); Die Münchner Schule 1857–1914, Ausst.-Kat., München (1979).

Kaunas, bis 1915 russ. **Kowno,** dt. **Kauen,** Stadt in der Litauischen SSR, UdSSR, am Memelstau, 377 000 Ew. K. war im MA. litauische Festung gegen den Dt. Orden. Reste des Backsteinschlosses aus dem 13. bis 17. Jh. (1812 stark zerstört) sind erh. Der Dom, die Jurgis-Kirche und die Vytautas-Kirche sind spätgot. Hallenkirchen. Spätgot. Hanse-Kontor (Perkunas-Haus, 15. Jh.) mit reich verziertem Giebel; Rathaus (ab 1542) mit barockem Turm; Jesuitenkolleg mit Kirche (1660 bis Mitte 18. Jh.); barockes Bernhardinerinnenkloster mit Dreifaltigkeitskirche (1634).

Kaupert, Gustav, Bildhauer, Medailleur, *Kassel 4. 4. 1819, †ebd. 4. 12. 1897, Schüler von L. v. SCHWANTHALER in München, 1867–92 Prof. am Städelschen Kunstinstitut in Frankfurt a. M.; schuf nach 1851 ein Relief am Washington-Denkmal in Richmond und das Bronze-Standbild ›Amerika‹ auf der Kuppel des Kapitols in Washington.

Kaus, Max, Maler, *Berlin 11. 3. 1891, †Berlin-West 5. 8. 1977, Prof. an der Berliner Akad., malte, vom Ex-

Wörter, die man unter K vermißt, suche man unter C, Ch oder Q

pressionismus ausgehend, Landschaften, Figürliches und Stilleben, nach 1945 auch Bilder mit stark abstrahierenden Strukturen.

M. K., Gemälde 1917–70, hg. v. L. REIDEMEISTER (1971); M. K., Ausst.-Kat., Hamburg (1973).

Kaushambi [-ʃ-], altindische Stadt bei Allahabad. Durch reiche Funde an Terrakotta-Figuren des 3. – 1. Jh. v. Chr. (Mus. von Allahabad), Buddha-Skulpturen aus der frühen Kushana-Zeit (Anf. 2 Jh.) und eine Klosteranlage wird K. als eines der frühen Kunstzentren N-Indiens ausgewiesen.

Kayọtsarga [Skt.], in der ind. Figuralplastik die aufrechte, unbewegte Standhaltung bes. der meditierenden jinist. Tirthankaras.

Kayseri [k'aj-], Hauptstadt der türk. Prov. K., 207 000 Ew., unter AUGUSTUS **Caesarẹa Cappadọciae** genannt; Stadtmauer und gut erhaltene Zitadelle, z. T. aus byzantin. Zeit (bis 1080); bedeutend der Stiftungskomplex der HONAT HATUN (einer Sultansgemahlin) von 1237/38 mit Medrese, achteckiger Türbe und Moschee (Schmuckformen in dem für K. typ. flachen Reliefstil; Hof bis auf das Brunnenjoch durch Gewölbejoche geschlossen); Moscheen des 12.–14. Jh., ferner Medresen des 13. Jh.; viele seldschuk. Grabmäler, darunter v. a. Döner Kümbet (um 1276/77), ein zylindr. Bau auf viereckigem Sockel (Reliefschmuck); in der Umgebung v. a. 2 Palastanlagen und der →Sultan Han.

Kaysersberg, maler. Städtchen (ehem. Reichsstadt) im Oberelsaß nordwestlich von Colmar, 3000 Ew.; überragt von den Ruinen einer Hohenstaufenburg (13. Jh.). Pfarrkirche (12.–15. Jh.; im 19. Jh. spätgotisch umgebaut) mit roman. Portaltympanon (Marienkrönung, wohl Ende 12. Jh.) und reicher Ausstattung (u. a. geschnitzter Flügelaltar, 16. Jh., Glasfenster von P. HEMMEL, um 1470); zweigeschossiger Karner St. Mi-

Kayseri: Döner Kümbet (Grabmal), um 1276/77

chael (um 1463); Rathaus (Renaissancebau, 1604); befestigte Brücke mit Marienkapelle (1514).

Kazimierz Dolny [kazj'imjɛʒ d'ɔlni], Stadt an der Weichsel in der Wwschaft Lublin, Polen, 4400 Ew.; zeigt ein fast ungestörtes Ensemble von Bauten der Renaissance: Pfarrkirche (1586–89), 1626 gegr. Franziskanerkloster, Spitalkirche St. Anna (1649–70) sowie reich verzierte Bürgerhäuser (Przybyła-Haus, um 1615; Celej-Haus, um 1635). Über der Stadt Ruine einer königl. Burg (14.–17. Jh.).

Kbor Roumia [-rumj'a], numid. Grabdenkmal aus dem 2. Jh. v. Chr. (fälschlich ›Grab der Christin‹) in N-Algerien, 60 km westlich von Algier. Über zylindr. Haustein-Unterbau (64 m ∅) mit 60 ionischen Halbsäulen auf attischen Basen und 4 Scheintüren (je 5,2 m hoch, berber. Kreuzornamente) erhebt sich der Tumulus aus konischen Steinringen mit Tuff-Füllung. Gesamthöhe 34 m (urspr. 40 m), Volumen 80 000 m³. Im Innern führt ein 152 m langer Spiralgaleriegang zum zentralen Grabraum (Urnenbestattung) mit kreuzförmiger Vorkammer. Das Bauwerk kombiniert ägypt., grch. und berber. Stilelemente und ist in seiner Struktur ähnlich wie →Medracen und die →Djeddars.

Kẹa, altgrch. **Kẹos,** westlichste der Kykladen-Inseln, Griechenland, 1700 Ew. Ausgrabungen in Hagia Irini (im NW der Insel) erbrachten Reste einer Siedlung, deren 1. Blütezeit in der frühen Bronzezeit lag; es bestand intensiver Kontakt zu Kreta (Wandmalereien im minoischen Stil, keram. Importe aus Kreta) vom Ende der mittleren Bronzezeit bis zur Zerstörung um 1450 v. Chr.; in einem seit der späten Bronzezeit benutzten Heiligtum wurden Teile mehrerer unterlebensgroßer weibl. Tonfiguren minoischen Stils gefunden.

Keaka, Unterstamm der →Ekoi, in W-Kamerun. Wie die anderen Volksgruppen des Cross-Fluß-Gebietes verwenden die K. mit Leder überzogene Tanzaufsätze, außerdem die dort i. a. weniger gebräuchl. Ahnenfiguren sowie große janusköpfige Masken, die von einer Figur gekrönt werden und offenbar nicht zum Tragen bestimmt sind. Die Figuren – fast alle dick mit Rußpatina verkrustet – zeichnen sich durch bes. hohe Expressivität und Vielgestaltigkeit aus. (BILD Figurengefäße)

Kecskemét [k'ɛtʃkɛme:t], Hauptstadt des Bez. Bács-Kiskun, Ungarn, 93 000 Ew.; ehem. Piaristenkirche, 1724–30 als zweitürmige Barockkirche erbaut; Franziskanerkirche, mehrfach umgebaut, (13. Jh.); barocke ref. Kirche (1682).

Kedạton, Candi K. [tç-], javan. Heiligtum (Ende 14. Jh.) auf dem Berg Jangin, O-Java (KARTE indonesische Kunst). Um eine zentrale Terrasse gruppieren sich Altäre und weitere Terrassen.

Kedleston Hall [k'edlstən hɔ:l], engl. Herrenhaus, nordwestlich von Derby, inmitten ausgedehnter Parkanlagen; 1757 von J. PAINE (*1716, †1789) beg. und von R. ADAM 1759–62 in veränderter Form im palladian. Stil vollendete Anlage, deren Hauptblock die von Säulen umstellte Hall und den überkuppelten Salon enthält, der zur Gartenseite als Risalit nach dem Vorbild röm. Triumphbogen mit vorgestellten korinth. Säulen und Statuen sowie hoher Attika ausgestattet ist.

Keene [ki:n], Charles Samuel, engl. Karikaturist, *London 10. 8. 1823, †ebd. 4. 1. 1891, schilderte das engl. Bürgertum in treffenden Zeichnungen, die meist in der satir. Zeitschrift ›Punch‹ erschienen.

Keep [ki:p, engl.] *der,* Wehr- und Wohnturm der engl. normann. Baukunst, entspricht etwa dem frz. Donjon. Früheste erh. Beispiele: London (Tower, um 1070–90), Colchester; aus dem 12. Jh.: Dover, Hedingham, Norwich, Portchester und Rochester.

Kefar Baram, Ruinenstätte in Israel zw. See Genezareth und der libanes. Grenze mit gut erh. Resten einer Synagoge des 3. Jh. Über dem Hauptportal ein steinernes Blumengewinde, urspr. von 2 fliegenden Gestalten getragen, die später von Bilderstürmern abgemeißelt wurden; steinerne Platte mit Tierkreiszeichen im Archäolog. Mus., Jerusalem.

Kefermarkt, Gem. im Mühlviertel, OÖ, 1700 Ew.; spätgot. Pfarrkirche St. Wolfgang (1470–76) mit 13,50 m hohem Schnitzaltar (um 1500), der zu den hervorragenden Leistungen oberdt. Schnitzkunst gehört und mit der Werkstatt des Passauer Künstlers MARTIN KRIECHBAUM (*um 1445) in Verbindung gebracht wird.

Kehle, Kehlung, Baukunst: rinnenartiges Profil an Gesimsen (Hohlkehle); auch einspringende Kante zweier zusammenstoßender Dachflächen (Dachkehle).

Keilrahmen, nachspannbarer →Blendrahmen.

Kekayon, balines. Lederfigur, →Gunungan.

Kekrops, grch. Mythos: erdgeborener, schlangenbeiniger Urmensch, urspr. wohl Schutzgeist, dann Urkönig Athens und Kulturbringer. K. wurde in menschl. Gestalt, z. B. am Westgiebel des Parthenon, und schlangenbeinig, v. a. auf klass. attischen Vasen, dargestellt. Die K.-Töchter waren häufig Gegenstand der Kunst des 16. und 17. Jh. (P. VERONESE, P. P. RUBENS, J. JORDAENS).

Kelch, →liturgische Geräte.

Kelchkapitell, →Kapitell.

Kelermes, Nebenfluß des Kuban, N-Kaukasus. Am K. wurden mehrere Kurgane ausgegraben, bei denen es sich nach Grabanlage und Inventar um skyth. Fürstengräber vom Beginn des 6. Jh. v. Chr. handelt. Ein silbernes Rhyton und ein vergoldeter Spiegel mit myth. Darstellungen sind grch.-ion. Arbeiten. Die reichverzierten Waffen und Ausrüstungsstücke tragen Verzierungen im frühen Tierstil mit iran. und urartäischen Einflüssen.

Kelheim, Stadt am Donaudurchbruch, Niederbayern, 14500 Ew. Auf dem Michelsberg ließ König LUDWIG I. von Bayern 1842–63 von F. v. GÄRTNER und L. v. KLENZE die Befreiungshalle, einen antikisierenden Rundbau, zur Erinnerung an die Freiheitskriege (1813 bis 1815) errichten.

Kelibia, Seebad und Hafenstadt am Kap Bon, Tunesien. Oberhalb des Hafens gewaltige byzantin. Burganlage (Großquaderwerk, quadrat. Türme) aus dem 6. Jh. mit tiefen Zisternen und Bauten aus späteren Epochen. Die wichtigsten Funde des röm. **Clupea** und aus frühchristl. Zeit befinden sich im Bardo-Museum.

Kelim *der,* **Kilim** [türk. ›Teppich‹], Wandbehang oder Teppich in oriental. Musterung mit beidseitig gleichem Aussehen; bes. im Kaukasus hergestellt. Die verschiedenfarbigen Fäden des Eintrages werden nur über oder unter so vielen Kettfäden geführt, als es das Muster verlangt, so daß an den kettparallelen Farbgrenzen Schlitze entstehen. Dementsprechend werden geometr. Muster mit rechtwinkliger Abstufung bevorzugt.

Y. PETSOPOULOS: Der K., ein Hb. (a. d. Engl., 1980).

Kelitik, in der indones. Kunst farbig gefaßte flache Holzfiguren (→Wayang).

Keller, 1) Albert von (1898), Maler, *Gais (Kt. Appenzell) 27. 4. 1844, †München 14. 7. 1920, malte in einem von H. MAKART und A. BÖCKLIN angeregten Stil mit zunehmend impressionist. Mitteln Genrebilder in vornehmen Interieurs und mondäne Porträts, auch Szenen mit relig. wie spiritist. und okkulter Thematik.

Die Münchner Schule 1850–1914, Ausst.-Kat., München (1979).

2) Ferdinand, Maler, *Karlsruhe 5. 8. 1842, †Baden-Baden 8. 7. 1922, Schüler von J. W. SCHIRMER und H. CANON, in Rom zeitweilig (1867–69) Mitarbeiter A. FEUERBACHS, seit 1870 Lehrer (seit 1878/79 oft Direktor) an der Kunstschule in Karlsruhe. K. malte Historienbilder, Porträts und Illustrationen.

Symbolismus, Ausst.-Kat., Baden-Baden (1976).

3) Johann Balthasar, Erzgießer, *Zürich 16. 3. 1638, †Paris 1702, goß viele Bronzestandbilder für den Park in Versailles und 1693 (nach dem Modell von F. GIRARDON) das Reiterdenkmal LUDWIGS XIV. (1792 zerstört). Meist arbeitete er mit seinem Bruder Johann Jakob (*Laufen 17. 12. 1635, † Colmar 1700) zusammen, der ebenfalls Erzgießer war und sich v. a. dem Geschützguß widmete.

4) Joseph von, Kupferstecher, *Linz am Rhein 31. 3. 1811, †Düsseldorf 30. 5. 1873, bed. als Stecher von Reproduktionen.

Kellerhoven, Moritz, Maler, *Altenrath bei Siegburg 1758, †München 15. 12. 1830, war nach Studien in Düsseldorf seit 1779 Schüler H. FÜGERS in Wien. Seit 1784 arbeitete K. für den Hof KARL THEODORS in München und wurde ebd. 1805 Prof. an der Akad. Seine formklaren Porträts betonen den gesellschaftl. Rang der Modelle.

Kellerthaler, Familie von Goldschmieden und Kupferstechern in Dresden. Die bekanntesten sind:

1) Daniel, *Dresden um 1575, †ebd. vor dem 27. 11. 1651, wurde vor 1612 Meister ebd., arbeitete für den sächs. Hof.

HW: Goldschmiedearbeiten (Dresden, Grünes Gewölbe): Taufbecken der Wettiner (1613–15) mit Gießer (1617), Rosenwasserbekken (1629) mit Kanne; Porträtmedaillen (nach Wachsmodellen anderer Meister).

2) Hans, *Dresden um 1562, †ebd. 1611, dort 1585 als Meister erwähnt.

HW: Schmuckschrank der Kurfürstin Sophie v. Sachsen, Ebenholz mit Silberverkleidung und vergoldeten Figuren (um 1585; Dresden, Grünes Gewölbe).

Kells [kelz], kleine irische Marktstadt im NW von Dublin. Aus der Zeit um 800 ist St. Columb's House erhalten, ein rechteckiges Oratorium aus Bruchstein mit innerem Tonnengewölbe und zellenartigen Räumen unter dem Steindach. Ein 807 gegr. Bistum K. wurde im 13. Jh. mit Meth vereinigt; von der (erneuerten) Kirche ist im wesentlichen nur der Glockenturm von 1578 sowie ein älterer Rundturm (vor 1076) erh.; in der Nähe 2 Steinkreuze des 9. Jh. – **Book of Kells** [bʊk ɔv-], ein HW der →insularen Buchmalerei.

Kelly [k'elɪ], Ellsworth, amerikan. Maler, Graphiker, Bildhauer, *Newburgh (New York) 31. 5. 1923. Seine Werke sind in der scharfen Kontrastierung homogener Farbfelder und gekanteter Flächen Beiträge zur Kunst des Hard Edge.

E. K., Ausst.-Kat., Baden-Baden (1980).

Kelso Abbey [k'elsəʊ 'æbɪ], Abtei in der schott. Borders Region, am Tweed, 1126 von König David I. (*um 1082, †1153) gegr. Die Abteikirche des späten 12. Jh., eine Querhausbasilika mit Staffelchor und zusätzl. Westquerschiff mit Vierungsturm, ist seit 1545 Ruine. Die innere Mittelschiffsgliederung besitzt über den Erdgeschoßarkaden mit Rundpfeilern in 2 Höhen Laufgänge mit enger Säulenstellung in Anlehnung an Bauten der engl. Frühgotik.

Kelsterbacher Porzellan-Manufaktur, 1761 in Kelsterbach am Main gegr., bestand mit Unterbrechung (1768–89) bis 1802; es wurden Figuren nach F. A. Bustelli und Geschirre in klassizist. Formen hergestellt. Die K. P.-M. ging aus einer Fayencemanufaktur (1758–88) hervor.

Kelter, Christus in der K., symbol. Bild (Offenb. 19, 15: Christus tritt die Weinkelter im Weinberg Gottes), im dt. Sprachraum oft dargestellt (2. H. 12. Jh.; Regensburg, St. Emmeram, u.a.), im 14. Jh. mystisch vertieft als Andachtsbild, seit Ende 15. Jh. v.a. als Hinweis auf die Eucharistie (Opfertod Christi in der Kelter: Epitaph, 1471; Nürnberg, St. Lorenz), ausgeweitet mit der Allegorie der Kirche als Weinberg (bis zum 18. Jh.).

keltische Kunst. Die k. K. entfaltete sich auf dem Boden der Hallstatt-Kultur seit dem 5. Jh. v. Chr. (Latènezeit) im Rahmen des prunkvollen Schmucks und Hausrats der führenden Schichten der kelt. Stämme und erlebte ihre letzte Blüte auf den Brit. Inseln im frühen MA. (7.–9. Jh.). Die Kenntnisse über die frühe k. K. entstammen bes. Grabfunden (Waffen, Schmuck, Beschläge, Geräte) aus Frankreich und SW-Dtl. (Hochdorf). Im 5./4. Jh. v. Chr. veränderte sich die Ornamentik im Kunsthandwerk vom geometr. zu einem kurvolinearen Stil mit phantasiereichen Verbindungen von Tier- und Pflanzenornamenten. Schöpferisch wurden Anregungen von etrusk. und grch. Vorbildern verarbeitet. Im 5. Jh. v. Chr. erschien das Motiv der menschl.

Maske, Metalltreibarbeiten und -gußarbeiten entwickelten weitere Motive. Ein Charakteristikum ist die Mehrfarbigkeit, zunächst durch Koralleneinlagen, dann durch roten Glasfluß und Schmelzeinlagen. Nachdem während des 3. Jh. v. Chr. das höf. Kunsthandwerk an Bedeutung verloren hatte, kam seit dem Ende des Jh. und voll im 2. Jh. v. Chr. der plast. Stil zur Geltung mit (häufig durch feine Gravur ergänzten) Reliefornamenten sowie der ›Stil der schönen Schwerter‹ (nach den vollendet ausgeführten Scheiden). Auf dem Festland blieb die Steinskulptur trotz griechisch-röm. Einflüsse grob, aber expressiv. Auf den Brit. Inseln entwickelte sich nach der Römerzeit eine spätkelt. Kunst, die im 7.–9. Jh. unter dem Patronat der Kirche einen großen Aufschwung erlebte. Kirchl. Geräte und illuminierte Handschriften (Book of Durrow, Book of Kells) gelangten durch irische Mönche aufs Festland und inspirierten dort die klösterl. Kunst. Einzigartig für die Brit. Inseln blieben die →Steinkreuze 1).

I. FINLAY: Celtic art (London 1973); Celtic art in ancient Europe, hg. v. B.-M. DUVAL u. C. HAWKES (London 1976); F. SCHLETTE: Kelten zw. Alesia und Pergamon (^{3}1980); Die Kelten in Baden-Württemberg, hg. v. K. BITTEL (1981).

Kemberg, Stadt südlich von Wittenberg, Dt. Dem. Rep.; Stadtkirche St. Marien (v.a. 1.H. 14.Jh.), eine spätgot. Hallenkirche, mit Sakramentshaus (2.H. 15.Jh.), Holzkruzifix (um 1500), Flügelaltar (1565) von L. CRANACH D. J.; Renaissance-Rathaus (1609 voll.), am Seitengiebel spätgot. Maßwerk (15.Jh.).

Kemenate [mlat.], urspr. ein heizbarer Raum, später auch das ganze Gebäude, bes. auf Burgen (nicht nur das Frauengemach). Auch die feuersicheren →Steinwerke der niedersächs. Bauernhöfe und Fachwerkstädte werden häufig K. genannt.

Kemeny, Zoltán, schweizer. Bildhauer ungar. Abstammung, *Banica (Ungarn) 21. 3. 1907, †Zürich 14. 6. 1965, studierte in Budapest Architektur und war anfänglich als Designer tätig, ging 1930 nach Paris und 1942 nach Zürich. Seit 1954 schuf er Metallreliefs mit rissigen, aber konstruktiv gefestigten Strukturen (z.T. unter Verwendung von Metallabfällen).

Kemnade, Ortsteil von Bodenwerder, Kr. Holzminden, Ndsachs.; die salische, flachgedeckte Pfeilerbasilika ist ein Rest der 1046 gew. Kirche der ehem. Benediktinerinnen-Reichsabtei (um 960 gegr.).

Kempen, Stadt bei Krefeld, NRW, 30200 Ew.; die ehem. kurkölnische Burg (1396–1400) ist ein dreitürmiger Backsteinbau holländ. Typs; in der got. Marienkirche (13.–15.Jh.) reiche Ausstattung, v.a. 3 reichgeschnitzte Antwerpener Altäre (Anf. 16.Jh.), Chorgestühl (1493) und Sakramentshaus (1461); im ehem. barocken Franziskanerkloster und seiner Kirche (17./18.Jh.) das Städt. Konrad-Kramer-Mus. (niederrhein. Kunst, bes. Plastik).

Kempeneer, Peter de, spanisch Pedro de **Campaña** [kamp'aɲa], niederländ. Maler, *Brüssel 1503, †ebd. 1580, ging um 1529 nach Italien, war 1537–62 in Sevilla tätig, dann in Brüssel als Leiter der Teppichmanufaktur. Sein manierist. Stil, der niederländ. Malweise mit ital. Formengut verschmilzt (›Kreuzabnahme‹, 2 Fassungen 1547 und 1548; Montpellier, Mus. Fabre, und Sevilla, Kathedrale), war von großem Einfluß auf die Sevillaner Malerschule.

Kempten, ehem. Reichsstadt im Allgäu, Bayern, 57000 Ew., an der Stelle des röm. **Cambodunum;** aus evang. Altstadt und Stiftsstadt bestehend (1811/18 vereinigt). Aus dem 752 gegr. Benediktinerkloster entwikkelte sich ein mächtiges Fürststift mit prunkvoller Barockresidenz (1651–74) und italienisch anmutender Lorenzkirche (1652–70 von M. BEER und J. SERRO). Die St.-Mangkirche (15. Jh.) wurde 1767/68 barockisiert. Spätgot. Rathaus (1474); im Kornhaus (um 1700; mit Barockgiebeln) das Allgäuer Heimatmus. Klassizist. Stadttheater (1828); Zumsteinhaus (1802).

Kenotaph [grch.] *der,* Leer- oder Scheingrab zum Gedächtnis an einen Toten, der an einem anderen Ort oder nicht nach geltender Sitte bestattet ist, z. T. schon zu Lebzeiten errichtet; in der Antike oft in Form von Steinbauten, vom Klassizismus übernommen.

Kensett [k'enzɪt], John Frederick, amerikan. Maler, *Cheshire (Connecticut) 22. 3. 1818, †New York 16. 12. 1872, ausgebildet als Stahlstecher, ließ sich 1846 nach Studien in Europa in New York nieder. Seine Landschaften sind von der →Hudson River School geprägt.

Kent, 1) Rockwell, amerikan. Maler, Holzschneider, Lithograph, *Tarrytown Heights (New York) 21. 6. 1882, †Plattsburgh (New York) 13. 3. 1971, Schüler von W. M. CHASE und R. HENRI. K. unternahm ausgedehnte Entdeckungsreisen, die Motive für seine symbolhaft-realist. Landschaftsmalerei lieferten (›Der Trapper‹, 1921; New York, Whitney Mus.).

2) William, engl. Architekt, *Bridlington (Yorkshire) um 1685, †London 12. 4. 1748, begründete mit seinem Mäzen, LORD BURLINGTON, eine neue strenge Form des palladian. Klassizismus nach dem Vorbild von I. JONES, die gegen den barocken Stil C. WRENS gerichtet war. Sie wurde zunächst für kleinere Landhäuser benutzt (Chiswick House bei London, 1717), beeinflußte jedoch bald die gesamte engl. Architektur. K. war auch der 1. bed. Vertreter des engl. Landschaftsgartens (Kensington Gardens, London, →Rousham House).

Kentaur, Zentaur, grch. Mythos: wilde Fabelwesen, aus Mensch und Pferd gebildet, die in den Gebirgen des grch. Festlandes hausten und unter denen v. a. Chiron als Erzieher vieler Helden, Nessos und Pholos hervorragten. Außer mit Herakles, Theseus, Peleus und Atalante kam es v. a. auf der Hochzeit des Lapithen Peirithoos zum Kampf mit den K. **(Kentauromachie),** die sich berauschten und an den Frauen vergriffen. K. sind seit dem 8. Jh. v. Chr. auf grch. Vasen und Reliefs nachweisbar und wurden meist aus menschl. (männl.) Oberkörper und Pferdeleib, seit hellenist. Zeit auch als See-K. (röm. Sarkophage), gebildet. Kentauromachien zeigen u. a. die Südmetopen des Parthenon. Das MA. stellte K. u. a. in der Bauplastik meist dämonisiert als negati-

Kentaur: K. und toter Lapith; Metope von der Südseite des Parthenon, 448–442 v. Chr. (London, Brit. Museum)

ves Symbol dar. Erst die Neuzeit bevorzugte wieder den Lapithenkampf (P. P. RUBENS, F. v. STUCK, O. REDON, P. PICASSO).

Kenz, Gem. bei Barth, Bez. Rostock, Dt. Dem. Rep.; spätgot. Backsteinkirche (1. H. 15. Jh.) mit Resten von gleichzeitigen Glasmalereien; ungewöhnlich das Grabmal Herzog BARNIMS VI. VON POMMERN-WOLGAST (†1405), ein hölzerner Schrein mit geschnitzter Gestalt unter aufklappbarem Deckel.

Kenzan, japan. Maler, Töpfer, Kalligraph, Dichter, *1663, †1743, aus der Familie OGATA, tätig in Narutaki bei Kioto und in Edo. Seine Gemälde und keram. Arbeiten sind dem wirkungsvollen Dekorationsstil seines Bruders KORIN verwandt. Durch seine gekonnte Schmelzfarbenmalerei über der Glasur im Stil NINSEIS erreichte die Kioto-Keramik (Kyo-yaki) hohes Niveau.

Kepes [ungar. k'ɛpɛʃ], Gyorgy, ungar.-amerikan. Künstler, *Selyp (Ungarn) 4. 10. 1906, arbeitete 1934 in Berlin mit L. MOHOLY-NAGY, lehrte seit 1937 am Neuen Bauhaus in Chicago, später ebd. am Institute for Design, seit 1946 am Massachusetts Institute of Technology (Cambridge, USA), wo er 1967–74 das von ihm gegr. Center of Advanced Visual Studies leitete. K.s Beiträge zur Lichtkunst und Kinetik erschließen diesen Richtungen eine neue, städtebaul. Dimension.

Schriften: The language of vision (1944); The new landscape in art and science (1956); Arts of the environment (1971). – Hg.: Vision and value series (seit 1965).

Kephisodot, grch. Bildhauer: **1) K. der Ältere,** um 375 v. Chr. tätig, wahrscheinlich Vater und Lehrer des PRAXITELES; sein HW ist eine Statue der Eirene (Marmorkopie in der Glyptothek, München).

2) K. der Jüngere, Sohn des Praxiteles, tätig in der 2. H. des 4. Jh. v. Chr., schuf v. a. Porträts (Menander).

Kerala, Bundesstaat in SW-Indien, im 8.–10. Jh. von den Pandyas, im 10.–13. Jh. von den Cholas beherrscht, entwickelte als Randregion originelle Stilformen der Architektur, deren Holzkonstruktionen an Nepal erinnern (Padmanabha-Tempel in →Trivandrum), sowie der späthinduist. Bronzekunst mit Blüte im 16. Jh.

Kerameikos, Stadtteil im NW des antiken Athen (PLAN Athen im Altertum), das Töpferviertel; hier lag vor der Stadtmauer mit dem Dipylon-Tor der Friedhof, auf dem vom 11. Jh. v. Chr. bis zum 4. Jh. n. Chr. Grabstätten angelegt wurden. Ausgrabungen brachten zahlreiche Vasen (→Dipylon) und Grabdenkmäler zutage. Diese Funde sind eine der Hauptquellen der heutigen Kenntnis der att. Töpferkunst aus geometr. und archaischer Zeit sowie der Bildhauerkunst (Grabreliefs) des 5. und 4. Jh. v. Chr.

Keramik [grch. keramos ›Ton‹] *die,* nach dem durch seine Tongefäß-Funde bekannt gewordenen Athener Begräbnisfeld **Kerameikos** benannte Sammelbez. für Objekte aus gebranntem Ton. Zur K. gehören folgende Hauptgruppen: 1. →Hafnerware, 2. →Steingut, 3. →Steinzeug, 4. →Porzellan.

Der in feuchtem Zustand bildsame Ton, der meist aus nichtplast. Magerungsmitteln (Quarzsand, Aluminiumoxid, gebranntem, zerriebenem Ton) und Flußmitteln (Feldspat) aufbereitet werden muß, ist die Grundlage für das älteste Handwerk der Menschheit.

EUROPA

Vorgeschichte. In größerem Umfang erschienen keram. Erzeugnisse erst in neolith. Töpfereien (→Buntkeramik), die sich im 6. vorchristl. Jahrtsd. über den Vorderen Orient (auf dem Weg von Handelsunternehmungen und durch Wanderungen über die nördl. Mittelmeerländer) verbreiteten. Während in Europa südlich der Alpen die Töpferscheibe bereits im 3. Jahrtsd. angewandt wurde, hat sie im nordalpinen Europa erst im 4. Jh. v. Chr. (Latènezeit) Eingang gefunden.

In der ägäischen Kultur zeichnen sich v. a. die kret. Vasengattungen durch Vielfalt der Gefäßtypen und Reichtum abstrakter und naturnaher Dekoration aus (→Kamares-Vasen, →Meeresstil, →kretisch-mykenische Kunst). Auch das grch. Festland und die Kykladen haben seit dem 3. Jahrtsd. v. Chr. individuelle Gattungen qualitativ hervorragender K. produziert (→helladische Kunst; →kykladische Kunst). Aus der myken. Epoche stammen große Gefäße mit vorher unbekannten figürl. Motiven (→Kriegervase).

Antike. Die Griechen entfalteten eine reiche Produktion keram. Gefäße, entwickelten eine Vielzahl von Formen und bemalten sie, in der Frühzeit (10.–8. Jh. v. Chr.) mit geometr. Mustern, in der archaischen Periode mit schwarzfiguriger, in der klass. Zeit mit rotfiguriger Dekoration (→Vasen).

Die grch. K., deren Wirkung auf der Feinheit des Tons und seines Überzugs, der vollkommenen Beherrschung der Form und der mattglänzenden Dekoration in wenigen Farbtönen beruht, findet auf italischem Boden einen Widerhall in der etrusk. Kunst, die die Tempel mit Terrakottaverkleidungen und Göttergestalten aus Ton schmückte. Den Effekt des schon seit frühesten Zeiten beliebten Schwarz und reinen Rot nutzten der etrusk. →Bucchero und die jüngere →Terra sigillata der Römer. Der Verfall des Röm. Reiches bedeutete einen tiefen Einschnitt in der Produktion.

Mittelalter und Neuzeit. Das frühe MA. kannte nur eine grobe, oft ohne Töpferscheibe hergestellte K. Eine Ausnahme bildete Spanien, wo durch die Araber die islam. Tradition gepflegt wurde. Hauptumschlagplatz der islam. (maurischen) K. wurde während des hohen MA. Mallorca. Die Italiener, die in den umbrischen, toskan. und oberital. Städten Nachahmungen der weiß glasierten K. herstellten, nannten sie nach dieser Insel: Majolica. Der Hauptort der Majolicaproduktion wurde Faenza. Als die mit weißer Zinnglasur überzogene K. in Frankreich und Dtl. hergestellt wurde, nannte man sie nach der ital. Stadt Faenza ›Fayence‹.

Während dieser Entwicklung entstand nördlich der Alpen zunächst nur einfache Irdenware ohne Glasur. Erst vom 13.–14. Jh. an wurde es üblich, Gefäße und Fliesen mit farbiger Bleiglasur zu überziehen. Kupfergrün, Eisengelb und Manganviolett sind die wichtigsten Töne dieser Hafner-K.

Dank der Lager von Steinzeugtonen im Rheingebiet konnte vom späten 13. Jh. an in Europa auch Steinzeug hergestellt werden.

Von der Spätrenaissance an datieren Versuche, europ. Porzellan zu erzeugen. Als Vorform entstand zunächst das →Böttgersteinzeug. In etwa einem halben Jh. breitete sich die Kenntnis der Porzellanherstellung in ganz Europa aus. Daneben behaupteten sich alle älteren Formen der K., in der Volkskunst die Hafnerware und das rhein. Steinzeug, in bürgerlich-bäuerl. Bereichen die Fayence; in England kamen das Wedgwood-Steinzeug (nach dem engl. Keramiker J. →Wedgwood) und das Steingut hinzu.

Die stagnierende Entwicklung erhielt während des 19. Jh. durch den Historismus neue Impulse, v. a. im Bereich der Glasur. Einen bisher unbekannten Typus von Steinzeug lernten die Europäer nach der Öffnung Japans für den W kennen. Das japan. Schönheitsideal, das ein natürlich-zufällig scheinendes Ergebnis zum Ziel hat, gab Anregungen für einen neuen Typus von K., der sich während des Jugendstils ausbreitete. Die moderne westl. K. verzichtete mehrere Jahrzehnte lang fast gänzlich auf Ornamente und Dekore und beschränkte sich auf die Farbigkeit oder Struktur der Glasuren.

Unter allen kunsthandwerkl. Objekten haben keram. Gefäße – und später auch keram. Bildwerke –, am frühesten Sammler gefunden. Neben den Unikaten entstanden die funktional geprägten Service des Industrie-Porzellans, nicht selten gleichfalls in Wechselbeziehung mit der Künstler-K., v. a. um 1900. Die strengen Formen früher chines. und korean. K., die seit den 1920er Jahren in Europa bekannt wurden, gaben manche Anregung sowohl für die Unikat- wie für die Serienproduktion.

Nach dem 2. Weltkrieg beschäftigten sich auch einige Maler intensiv mit dem Bemalen von K., unter ihnen P. PICASSO, M. CHAGALL und F. LÉGER. Die Künstler der Gegenwart bevorzugen als Ausdrucksmittel wieder die ›gelenkte Zufälligkeit‹ der Glasur.

Wörter, die man unter K vermißt, suche man unter C, Ch oder Q

AUSSEREUROPÄISCHE KULTUREN

Im Alten Orient ist unter K. überwiegend die Gefäßproduktion aus Ton zu verstehen, aber auch andere Gegenstände (z. B. →Terrakotta-Reliefs) wurden aus Ton gearbeitet. Schon im keram. Neolithikum (7. Jahrtsd. v. Chr.) wurde K. vereinzelt hergestellt, um 6000 v. Chr. wurde sie allgemein eingeführt; wirtschaftl. Notwendigkeit, d.h. der Bedarf nach Gefäßen aller Größen, dürfte ausschlaggebend gewesen sein, wohl eine Folge der Entwicklung zu kleinteiliger Vorratswirtschaft und differenzierter Besiedlungsstruktur im Verlauf des 7. Jahrtsd. v. Chr. Die Herstellungstechnik erreichte bald einen 1. Höhepunkt in der handgemachten →Buntkeramik. Durch die Einführung der sich schnell drehenden Töpferscheibe im 4. Jahrtsd. v. Chr. wurde K. als Massenprodukt erzeugt, ohne daß dadurch die Herstellung künstlerisch gestalteter keram. Objekte (bemalte K., äußerst dünnwandige und hochgebrannte, Metallvorbilder nachahmende Ware) verschwand. K. wurde auch über weite Strecken verbreitet (so schon im 5. Jahrtsd. die ›Halaf-Ware‹) und dann lokal nachgebildet.

In fast ganz Afrika ist K. verbreitet und wird mit wenigen Ausnahmen von Frauen hergestellt (häufig die Frauen von Schmieden). Die urtüml. Herstellungsverfahren sind bis in die heutige Zeit erh.; Töpferscheiben werden (ebenso wie Brennöfen) außer in modernen Handwerkerschulen oder Kunstgewerbezentren nicht verwendet. Weit verbreitet ist die Wulst- oder Spiraltechnik (›Aufbauen‹), auch das Aushöhlen und Ausformen eines Tonklumpens durch ständiges Drücken und Formen der Masse bei gleichzeitigem Drehen (›Treiben‹) und das ›Abformen‹, wobei ein schon fertiges Gefäß oder auch nur ein abgebrochenes Gefäßteil verwendet wird, auf das die Töpferin durch Treiben die Tonmasse verarbeitet und dadurch dessen Form kopiert. Flache Steine, Tierfelle, Fruchtschalen u. a. dienen zum Glätten des Tons, Kämme, geschnitzte Rollen oder solche aus geflochtenen Pflanzenfasern zum Anbringen von Mustern vor dem Brennen. Bemalt und ziseliert wird nach dem Brennen. Die berufl. Trennung in Ton-Bildhauer (→Terrakotta) und Töpfer ist in Afrika i. a. nicht gegeben.

In Ozeanien hat sich bei Ankunft der Europäer die Verbreitung der K. auf Mikronesien und Melanesien beschränkt. In Polynesien war die Töpferei nach der Besiedlung der Marquesas-Inseln, d.h. ab etwa 300 n. Chr., schrittweise aufgegeben worden; lebendige Traditionen wurden im 19. und 20. Jh. nur noch auf Fidschi (Harzüberzug) sowie in Melanesien angetroffen.

Die keram. Traditionen von Melanesien variieren stark nach Herstellungstechnik, Gefäßformen und Verzierungstechniken. In der Herstellung wird fast beliebig kombiniert: Aufbauen aus Spiralwülsten, Ringwülsten, Lappen sowie Treiben aus dem Vollen mit Ausformen von Hand, mit Streich-, Schneid- und Glättwerkzeugen, auch mit Hilfe von Holzschlegel und Amboß aus Stein. Verziert wird durch Einstechen und Ritzen, Eindrücken von gezahnten Muschelrändern, Kammverzierungen, plastisches Aufsetzen, punktförmige Einstiche von der

Gefäßinnenseite her, die außen kleine Buckel erzeugen; das Eintiefen von Mustern durch Herausschneiden von Ton, z. T. in Kerbschnitt-Technik, wurde in N-Neuguinea zu besonderer Vollkommenheit entwickelt. Gebrannt wird immer im offenen Feuer; Schlicküberzug ist selten (Marianen), Glasur fehlt. Die Aufteilung auf Männer- (seltener) und Frauenarbeit (häufiger) läßt keine eindeutigen Kriterien erkennen. Die Verbreitung von K. und Herstellungstechniken ist nur z. T. zusammenhängend. Sie fehlt völlig im Hochland von Neuguinea, dem Gebiet, in dem zahlreiche figürl. Steinpistille und verzierte Mörser gefunden worden sind. Bei den Gefäßformen vieler lokaler Traditionen ist ein fließender Übergang von tägl. Gebrauchs-K. (Koch-, Wasser- und andere Vorratsgefäße) zu Gefäßen des zeremoniellen und rituellen Gebrauchs festzustellen.

Bes. reichhaltig sind die K.-Traditionen im Gebiet des →Sepik (N-Neuguinea). Hier haben sich Herstellung und Verzierung der K. zur Kunstform verselbständigt, bes. im Produktionszentrum Aibom (Mittelsepik), wo Frauen auch das plast. Verzieren der großen bauchigen Sagovorratsgefäße sowie der weiten Feuerschalen besorgen, sowie bei den →Kwoma, deren Zeremonialkeramik von Männern hergestellt wird: kerbschnittverzierte Speisenäpfe, spitzbodig mit reicher Kurven- und Spiralornamentik, durchmischt mit abbildend-figürl. Elementen sowie aus Gefäßen entwickelte Tonplastiken. Als Gebrauchskeramik durch Handel weit verbreitet, wurden die konischen Eßschalen aus bes. feinem Ton, mit eingetieften, z. T. bemalten Verzierungen auf der Außenseite, hergestellt in den Sawos-Dörfern Kwaiwut und Kamanggaui von Frauen (Töpferarbeit) und Männern (Verzierungen). Erwähnenswert sind auch die Tonfiguren und kopfartigen Topfstützen der Marwat (Yuat-Keram-Gebiet). – Künstlerisch herausragende K.-Traditionen finden sich ferner bei den Azera im Markham-Tal (NO-Neuguinea), z. B. Griffe als Tierköpfe ausgebildet, sowie bei den Bewohnern der Amphlett-Inseln im Massim-Gebiet, die extrem dünnwandige, große Gefäße mit feinen aufgesetzten sowie gerillten Mustern herstellten, eine begehrte Handelsware (bes. auf den Trobriand-Inseln).

Amerika. Die älteste bekannte Tonware (um 3000 v. Chr.) des vorkolumb. Amerika wurde in Valdivia im NW Südamerikas gefunden. Ihre höchste Entwicklung erreichte die K. bei den Andinen und Mesoamerikan. Hochkulturen. Sie wurde ohne Töpferscheibe hergestellt und fand Verwendung in versch. Gebrauchsgegenständen (Stempel, Spinnwirtel, Geschirr), Grabbeigaben und Kultgeräten (z. B. Räuchergefäße). Eine Vielzahl von Formen wurde entwickelt, von einfachen, geometr. Formen zu Figurengefäßen und Tonfiguren. Für Mesoamerika und Zentralamerika sind Dreifußgefäße charakteristisch, für Nordperu Kugelgefäße; ein allg. Charakteristikum der andinen Keramik sind Bügelausgüsse (BILD Nazca). Dekoriert wurde die K. mit Ritzverzierungen, Stuck und Bemalung. Die Negativtechnik, eine für Altamerika charakterist. Technik der Bemalung, steht am Beginn einer Entwicklung von einfarbiger zu polychromer Ware. Die Bleiglanz-K., ein Kennzeichen der frühen nachklass. Periode, ist das einzige Beispiel echter Glasur in Altamerika. – In Nordamerika stammt die künstlerisch hochwertigste K. aus vorgeschichtl. Zeit (→Mimbres, Mississippi-Anasazi-Kultur).

In China entstand im Spätneolithikum neben der grauen Gebrauchsware mit eingedrückten Mustern die Yangshao-Ware, in Wulsttechnik aufgebaute Gefäße mit schwarzer oder rötl. Bemalung mit geometr., zoomorphen und anthropomorphen Motiven sowie die auf der Töpferscheibe (seit um 1700 v. Chr.) gedrehte und doppelt gebrannte, schwarze, polierte Lungshan-Ware O-Chinas. In der Shang-Zeit entstand auch weiße Ware aus fast reinem Kaolin, deren Dekor an die gleichzeitigen Bronzegefäße erinnert; daneben bereits erste Feldspatglasuren. Als Erfindung der späten Chou-Zeit gilt das ›Protoporzellan‹, mit überaus fein geschlämmtem Scherben, der fast die Härte von echtem Porzellan aufweist und mit Feldspatglasuren überzogen ist. In der Han-Zeit folgten kalt bemalte Gefäße, deren Dekor die abstrakten Motive der Bronzeornamentik durch figürl. Darstellungen ersetzte. Schon im 1. Jh. n. Chr. erschien das später weit verbreitete Steinzeug ›Yüeh-yao‹ mit charakterist. olivbrauner bis blaugrüner Bleisilikatglasur. Das Yüeh-yao der T'ang-Zeit ist durch westlich, bes. sassanidisch, beeinflußte Gefäßtypen (Pilgerflasche, Amphora) und Dekorelemente gekennzeichnet. Beliebt sind Drei-Farben-Glasuren (T'ang-san-ts'ai) mit ineinanderfließenden grün, honiggelb, braun und seltener blau gefärbten Bleisilikatglasuren. In der Sung-Zeit war der künstler. Höhepunkt der Steinzeugproduktion und der späteren Epochen als Vorbild dienenden, elegant geformten monochromen Gefäße (→Seladon, →Temmoku). Daneben gab es das auch in späteren Zeiten produzierte volkstüml. ›Tz'u-chou-yao‹ mit skizzenhaftem, in flüssiger Maltechnik mit schwarzer Farbe über weißer Engobe aufgetragenem Dekor und transparenter Glasur.

Auch in Japan entwickelte sich die K. (Yaki) von einfacher Irdenware zu festem Steinzeug und bei noch höheren Temperaturen zu gebranntem Porzellan, das aber hier das dunkle Steinzeug nicht verdrängte. Die früheste K. bildet die Jomon-K. (›Schnurmuster‹-Irdenware) seit 5000 v. Chr. Vom 3. Jh. an entstanden mit höherer Brenntemperatur und Drehscheibe Yayoi- und Sue-Waren (→japanische Kunst). Glasuren stellte man seit dem 8. Jh. her. Die 6 führenden K.-Zentren Seto, Tamba, Imbe, Echizen, Shigaraki und Tokoname stellten jedoch, mit Ausnahme von Seto, bis ins 16. Jh. unglasierte K. her. Durch die Teezeremonie stieg der Bedarf an glasierter K., die nun auch andernorts hergestellt wurde (Shino-, Oribe- und Raku-yaki). Die Töpfer NINSEI und KENZAN stellten in Kioto im 17. Jh. farbig dekorierte K., Kyo-yaki gen., in rein japan. Stil her. Gleichzeitig entstand auf Kyushu durch korean. Töpfer Ko-Karatsu-K., einfache, weißlich oder dunkel glasierte Ware. Die farbig glasierte K. beeinflußte das Porzellan, das seit 1616 in Arita hergestellt wird.

In Thailand wurden v. a. in der Zeit des Sukothai-Stils (13.–15. Jh.) seladonartige Gefäße sowie K.-Baudekor hergestellt.

In der islam. Kunst wurde poröse Tonware für

Trinkwassergefäße, glasierte Tonware sowie seit dem 11. Jh. die durch Mischung erzeugte →Quarz-Fritte-Keramik für Haushaltsgefäße und Luxusobjekte hergestellt. Techn. und künstler. Anregung gaben chines. Seladon und Porzellan. Eigenleistungen der islam. K.-Produktion sind die gefärbten Glasuren, deren Bemalung vor und nach dem Brand (Fayence, Lüstertechnik) sich im 9. Jh. in Irak, die Unterglasurbemalung im 10. Jh. in Iran entwickelte. Die Gattungen der islam. K. wurden benannt nach den ersten archäolog. Fundorten (Samarra, Rakka, Sultanabad, Milet, Kubatscha, Rhodos, Nischapur) sowie nach tatsächl. oder vermuteten Produktionszentren (Afrasiab, Nischapur, Gurgan, Rajj, Kaschan, Valencia, Malaga, Manises bei Valencia, Paterna, Iznik, Fustat, Damaskus, Gomrun, Meschhed, Kutahya, Çanakkale). Nach ihrer Dekorationstechnik benannt sind →Lakabi-Ware, →Minaï-Ware, →Ladjwardina.

⇒Glasur · Terrakotta · Tonplastik · Ziegel

Europa: P. RADA: Techniken der Kunsttöpferei (a. d. Tschech., 1960); A. KLEIN: K. aus 500 Jahren (1973); G. SAVAGE u. H. NEWMAN: An illustrated dictionary of ceramics (London 1974); Europ. K. seit 1950, hg. v. H. SPIELMANN, Ausst.-Kat., Hamburg (1979). – **Alter Orient:** Ceramics and man, hg. v. F. R. MATSON (Chicago 1965). – **Ozeanien:** P. MAY u. M. TUCKSON: The traditional pottery of Papua New Guinea (Sydney 1982). – **Amerika:** G. H. BUSHNELL u. A. DIGBY: Ancient American pottery (New York 1955); F. H. BOOS: The ceramic sculptures of ancient Oaxaca (ebd. 1966); D. EISLEB: Töpferkunst der Maya (1969); ders.: Westmexikan. K. (1971). – **China:** CÉCILE u. M. BEURDELEY: Chines. K. (a. d. Frz., 1974); MARGARET MEDLEY: The Chinese potter (New York 1976); MARY TREGEAR: Die K. der Song-Zeit (1982). – Internationale K. der Gegenwart, bearb. v. HILDEGARD STORR-BRITZ (1980).

keramischer Druck, Verfahren zum Aufbringen von Mustern und Bildern auf Porzellan und Steingut. Mit hitzebeständigen Farben werden Stein-, Kupfer- und Stahldrucke nach Art der Abziehbilder hergestellt und unter oder auf der Glasur eingebrannt.

Kerbela, Karbala, Hauptstadt der Prov. K., Irak, südwestlich von Bagdad am Rand der Syr. Wüste, 110000 Ew. K. ist ein Wallfahrtsort der Schiiten mit den Grabmoscheen von Husain (Sohn des Kalifen Ali) und dessen Halbbruder Abbas, die beide 680 bei K. den Tod fanden. Schon früh errichtete Grabmale und Moscheen wurden immer wieder zerstört. Die innerhalb von Umfassungsmauern liegenden quadrat. Mausoleen mit vergoldeten Kuppeln aus safawid. Zeit sind bis heute oft restauriert worden. Die Tore sind mit blauen und goldenen Fayencefliesen geschmückt.

Kerberos, lat. **Cerberus,** grch. Mythos: der Höllenhund, der den Eingang zur Unterwelt bewachte. Er begrüßte die Eintretenden freundlich durch Schwanzwedeln, ließ aber niemanden hinausgelangen. K. erscheint auf grch. Vasen und Reliefs einköpfig (Metopen des Zeustempels in Olympia und des Hephaisteions in Athen, 5. Jh. v. Chr.), mit 2 Köpfen und Schlangenschwanz (Amphora des ANDOKIDESMALERS, 6. Jh. v. Chr.; Louvre) oder dreiköpfig und schlangenbedeckt (Caeretaner Hydria, 6. Jh. v. Chr.; Louvre) v. a. auch in der etrusk. und röm. Kunst. Neuzeitl. Künstler stellten ihn wie in der Antike v. a. zus. mit Pluto, Herakles und Orpheus dar. (BILD S. 165)

Kerberos: Herakles und K. auf einer Amphora des Andokidesmalers; 6. Jh. v. Chr. (Paris, Louvre)

Kerbschnitt, Kerbschnitzerei, Verzierung durch Einschnitte (Kerben) in die Oberfläche von Holz (meist Eiche) zur ornamentalen Musterung bei Mobiliar und Gerät. Der K. war eine gebräuchl. Technik der Verzierung in der Kunst bereits der ältesten Kulturepochen; in der Volkskunst des europ. Kulturraums bes. beliebt seit dem MA. bis in das 19. Jh.

Kerkovius, Ida, Malerin, Teppichweberin, *Riga 31. 8. 1879, †Stuttgart 7. 6. 1970, war Schülerin von A. HOELZEL an der Stuttgarter Akad. und studierte 1920 bis 1923 am Bauhaus. K. folgte Hoelzel auf seinem Weg zur abstrakten Malerei, aber der Schwerpunkt ihres Werks liegt auf Landschaften, Stilleben, Blumenbildern, in denen Hoelzels Lehre von den autonomen Mitteln sich mit leuchtenden Farben, einer teppichhaften Komposition und lyr. Stimmung verbindet. Späte Pastelle gehören zu ihren besten Leistungen.

K. LEONHARD: I. K. (1967).

Kerkrade, Gem. in der niederländ. Prov. Limburg, 46700 Ew., mit ehem. Abtei Rolduc (Kloosterrade). Die Kirche ist eine roman. kreuzförmige Basilika mit hohem Westbau (Krypta 1108 gew., Querschiff 1138, Langhaus 1143) und bed. Bauplastik. Der kleeblattförmige roman. Chor, im 16. Jh. durch einen spätgot. Langchor ersetzt, wurde 1853 von P. CUYPERS rekonstruiert. Klostergebäude 17.–20. Jh., ein Flügel im Renaissancestil (1671).

Kerkuk, Stadt im nordöstl. Irak (KARTE Alter Orient); hier lag in der 2. H. des 2. Jahrtsd. v. Chr. das Zentrum des Staates von Arrapcha. Nach K. wird die mitannische Glyptik (Rollsiegel) der Hurriter benannt, von der 3 Stilstufen unterschieden werden. Allen gemeinsam ist eine Vorliebe für Fabelwesen (Greif), eine gewisse kompositor. Schwäche (Fehlen von Standlinien) und – bei den jüngeren Gruppen – Bevorzugung billigen Materials (Fritte).

Kermann, Kirman, Hauptstadt der Prov. K., SO-Iran, 140800 Ew. Aus der Gründungszeit der Stadt stammen die Ruinen der dem Sassanidenkönig Arda-

Kerbschnitt: Mangelholz mit Kerbschnittverzierung (norddeutsch)

schir I. (224–41) zugeschriebenen Zitadelle. Ende des 11. Jh. wurde die seldschuk. Königsmoschee mit ihrer klass. Vier-Iwan-Anlage und schönem Kuppelraum errichtet; der Hauptteil sowie die feinen Stuck-Michrabs stammen aus dem 12. Jh. Die Freitagsmoschee (1349) wurde 1559–60 von den Safawiden restauriert (Michrab; Kacheldekorationen mit eigenwilligen Gelb- und Blautönen). Das Mausoleum Gumbad-i Dschabalijeh (vorseldschukisch), ein Zentralgebäude mit achteckigem Grundriß, nach oben treppenartig abgestuft, zeigt im Dekor starken sassanid. Einfluß mit der ältesten bekannten Doppelkuppel des Iran. Aus der Timuridenzeit sind Reste eines Rundbaus (Kubbeh-i Sabz, ›Grüner Dom‹) erh.

Kermes [arab.-pers.], Maltechnik: leuchtend roter Farbstoff aus getrockneten Schildläusen; im MA. vor dem Import des Karminrot aus Amerika zur Textilfärbung und als Farblack in der Malerei, meist auf Mennigeunterlegung, gebraucht.

Kern, Bildhauerfamilie des 16. und 17. Jh. aus Forchtenberg am Kocher (Württ.). Künstlerisch bed. waren Michael II. (*1580, †1649), sein Sohn und Schüler Achilles (*1607, †1691) und v. a. Leonhard (*1585 oder 1588, †1662), jüngerer Bruder von Michael II.; war 1609–14 in Italien (Rom, Neapel und Venedig) und lebte seit 1614 in Forchtenberg, seit 1620 dann in Schwäbisch-Hall. Seine weit verbreiteten kleinplast. Arbeiten (in Alabaster, Speckstein, Solnhofener Stein, Bronze, Buchsbaum, Elfenbein) zeigen den Einfluß der fläm. Skulptur und insgesamt den Wandel vom Spätmanierismus zum Frühbarock. – Von ihm stammen auch Figuren zu 2 Portalen des Rathauses in Nürnberg (1617).

Kẹrnos [grch.] *der, Mz.* **Kernoi,** Sammelbez. für unterschiedlich große Kultgefäße (Ton, Stein), die zum Aufbewahren und kult. Gebrauch mehrerer flüssiger oder fester Opfergaben dienten (Panspermien); v. a. in der ägäischen Frühzeit (3.–2. Jahrtsd. v. Chr.) und im Eleusinischen Kult der grch. Kultur verbreitet.

Keroplạstik [grch. keros ›Wachs‹], Wachsbildnerei: modellierte oder gegossene plast. Darstellung aus Wachs. K. ist für Antike und MA. literarisch überliefert. Große Bedeutung erlangte sie in der Renaissance bis zum ausgehenden 18. Jh. in der Porträtkunst, als z. T. lebensgroßes Votivbild und als Bildhauermodell.

Kersting, Georg Friedrich, Maler, *Güstrow 31. 10. 1785, †Meißen 1. 7. 1847, schloß sich nach Studien in Kopenhagen (1805–08) in Dresden G. v. KÜGELGEN und C. D. FRIEDRICH an. Seit 1818 leitete K. die Malereiabteilung der Meißener Porzellanmanufaktur. Von J. W. v. GOETHE gefördert, malte K. v. a. kleinformatige, schlichte, vom Licht belebte Innenräume mit ruhigen Figuren (BILD Biedermeier).

HW: C. D. Friedrich in seiner Werkstatt (1811; Hamburg, Kunsthalle); Die Stickerin (1812; Weimar, Staatl. Kunstsamml., Schloßmus. – Porträt der Luise Seidler); Lesender bei Lampenlicht (1812; ebd.); Auf Vorposten (1815; Berlin-West, Staatl. Museen); Kranzwinderin (1815; ebd.); Junge Frau, beim Schein einer Lampe nähend (1825; München, Neue Pinakothek); Mädchen vor dem Spiegel (1827; Kiel, Kunsthalle); Am Stickrahmen (1827; ebd.).

Kertsch, Kerč, Stadt in der Ukrain. SSR, im O der Halbinsel Krim, 154000 Ew.; als grch. Kolonie **Pantikapaion** im 6. Jh. v. Chr. gegr.; Hauptstadt des Bosporan. Reiches (480–110 v. Chr.); reiche Kleinkunstfunde in den Schacht- und Kammergräbern aus dieser Zeit, v. a. die **Kertscher Vasen,** eine attisch-rotfigurige Vasengattung des 4. Jh. v. Chr. (Hydrien, Peliken, Kelchkratere), deren Malereien in kurvig-linearem Stil, oft mit Hervorhebungen durch Weiß, Szenen aus dem Frauenleben, von Festen, Opfern u. a. wiedergeben. In einzelnen Gräbern Wandmalereien mit Darstellungen parth. Reiterkämpfe.

Keru, Bez. für Becher aus Ton, Holz oder Gold aus der Tiahuanaco- und Inka-Zeit, Südamerika. Die Form der K. aus Tiahuanaco ist ausladend, die K. aus der Inka-Zeit sind steilwandig. Als Grabbeigaben wurden die K. meist paarig gefunden. Bei den hölzernen K. (meist Inka-Zeit) sind die Konturen der Figuren eingeschnitten und mit harzhaltigen Farben ausgefüllt.

Kerykeion [grch.], urspr. ein mag. Zauberstab, dann Heroldsstab, v. a. im grch. Mythos Attribut des Hermes, der damit den Menschen Schlaf brachte und nahm. Seit dem 7. Jh. v. Chr. zeigte der Stab im oberen Teil eine an Schlangen erinnernde Gabelung, die u. a. einer Kreisform aufsaß oder in Form einer Acht verschlungen endete.

Kerykeion, Bronze, 5. Jh. v. Chr. (Palermo, Nationalmuseum)

Kessel, 1) Ferdinand van, fläm. Maler, Sohn von 3), *Antwerpen 7. 4. 1648, †Breda nach 1696, als Hofmaler des poln. Königs JOHANN III. SOBIESKI tätig; setzte als Stillebenmaler (v. a. Tiermaler) die Tradition seines Vaters fort.

2) Hieronymus van, fläm. Porträtmaler, Vater von 3), getauft Antwerpen 6. 10. 1578, †ebd. nach 1636, war in Antwerpen, Augsburg, Italien und Köln tätig.

3) Jan van, d. Ä., fläm. Blumen- und Tiermaler, Sohn von 2) und Vater von 1) und 4), getauft Antwerpen 5. 4. 1626, †ebd. 17. 4. 1679, wohl bei seinem Onkel(?) J. BRUEGEL D. J. ausgebildet, in dessen Stil er z. T. allegor. Stilleben schuf.

4) Jan van, d. J., fläm. Maler, Sohn von 3), *Antwerpen 23. 11. 1654, †Madrid 1708, wurde 1686 Hofmaler des span. Königs KARL II., schuf v. a. offizielle Porträts und Genreszenen.

5) Jan van, holländ. Maler, *Amsterdam 1641/42, begraben ebd. 24. 12. 1680, Schüler von J. VAN RUISDAEL, malte, von ihm und M. HOBBEMA beeinflußt, Wald- und Flachlandschaften sowie Straßenbilder.

Kessels, Matthieu, belg. Bildhauer, *Maastricht 20. 5. 1784, †Rom 3. 3. 1836, Schüler von B. THORVALDSEN in Rom. Sein ›Diskuswerfer‹ (Chatsworth House; Originalmodell in Brüssel, Musées Royaux des Beaux-Arts) ist das HW des belg. Klassizismus.

Kestner, Georg August, Diplomat, Kunstforscher, *Hannover 28. 11. 1777, †Rom 5. 3. 1853, seit 1817 im diplomat. Dienst in Rom, trat gegen W. v. GOETHE für die dt.-röm. Künstler P. CORNELIUS und J. F. OVERBECK ein, gründete 1829 das Archäolog. Institut in Rom, dessen Vors. er 1838 wurde. Seine Samml. bildete den Grundstock für das K.-Mus. in Hannover. Die K.-Gesellschaft, eine 1916 gegr. Kunstvereinigung, veranstaltete in den 20er Jahren Ausstellungen avantgardist. Künstler; 1936 verboten, wurde sie 1948 wiedergegr.

Keszthely [k'ɛsthɛj], Stadt im Bez. Veszprém, Ungarn, am Plattensee, mit got. ehem. Franziskanerkirche (1386; 1747 barock umgebaut), spätbarockem Rathaus (1790) und dem ehem. Schloß Festetics, als Dreiflügelanlage ab 1745 errichtet; Bibliothekssaal (nach 1792; mit klassizist. Mobiliar von 1801). Die Anlage wurde 1883–87 stark verändert und ist heute Mus.

Kete, eine in künstler. Hinsicht im Einflußbereich der →Kuba stehende Volksgruppe in SW-Zaire, am W-Ufer des Lulua-Flusses.

Ketel, Cornelis, holländ. Maler, *Gouda 18. 3. 1548, begraben Amsterdam 8. 8. 1616, lebte 1573–81 in England, wo er von der Kunst H. HOLBEINS D. J. beeinflußt wurde, ließ sich anschließend in Amsterdam nieder. K.s HW sind vornehme, bei aller Sachtreue feine psycholog. Porträts. Er schuf bed. Gruppenporträts, in denen er die übl. Aufreihung der Figuren durch Bewegung und räuml. Komposition überwand (Kompanie des D. J. Rosecrans, 1588, Amsterdam, Rijksmus.).

Kętrzyn [k'ɛntʃin], poln. Name von →Rastenburg.

Ketterer, Galerie Wolfgang K., Kunstversteigerungshaus in München, gegr. 1954 in Stuttgart; Vertretung in New York. In Frühjahrs- und Herbstauktionen gelangen neben Asiatica, Kunst aus Afrika, Ozeanien und Präkolumbien alte und moderne Kunst, Jugendstil und Art Déco zur Versteigerung.

Keule, eine Hieb- und Wurfwaffe; im Alten Orient, bes. in Mesopotamien und Syrien verbreitet. Der Kopf der K., aus Stein oder Metall, war meist glatt poliert, er konnte aber auch mit Relief oder Schrift verziert sein (→Mesilim). Die K. ist zwar bis ins 1. Jahrtsd. v. Chr. dargestellt (u. a. als Götterwaffe), wurde aber wahrscheinlich schon im 3. Jahrtsd. v. Chr. nicht mehr im Kampf, sondern nur noch zeremonial gebraucht.

Kevelaer [k'e:vəla:r], Stadt im Kr. Kleve, NRW, 21 800 Ew., der größte nordwesteurop. Wallfahrtsort: Gnadenkapelle (1654; barocker sechseckiger Kuppelbau), Kerzenkapelle (1643–45) und neugot. Marienkirche (1858–64, Backsteinbasilika nach dem Vorbild der Trierer Liebfrauenkirche).

Key [kɛj], **1)** Adriaen Thomasz., niederländ. Maler, Neffe von 3), *Antwerpen(?) um 1544, †ebd. 1589 oder danach, wurde 1568 Meister ebd., schuf v. a. realist. Porträts.

2) Lieven de, niederländ. Baumeister, *Gent um 1560, †Haarlem 17. 7. 1627, ebd. seit 1593 Stadtbaumeister; ein Hauptmeister der Spätrenaissance in den Niederlanden. (BILD S. 169)

HW: Pläne für die Fassade des Leidener Rathauses (1593/94); Fleischhalle in Haarlem (1602–03); Bürgerhäuser.

3) Willem, niederländ. Maler, *Breda um 1515, †Antwerpen vermutlich 5. 6. 1568, Meister seit 1542

Wörter, die man unter K vermißt, suche man unter C, Ch oder Q

Lieven de Key: Fleischhalle in Haarlem; 1602–03

ebd., malte Historienbilder mit klassizist. Tendenz, bibl. Szenen und charaktervolle, sorgfältig ausgeführte Porträts.

Keyser, 1) Keyzer [k'ɛjzər], Hendrick de, holländ. Baumeister und Bildhauer, Vater von 3), *Utrecht 15. 5. 1565, †Amsterdam 15. 5. 1621, Schüler von A. BLOEMAERT in Utrecht, seit 1591 in Amsterdam; ein Hauptmeister der holländ. Baukunst des frühen 17. Jh. In der Profanarchitektur schloß sich K. dem Florisstil an, in kirchl. Bauten dem Palladianismus. Als Bildhauer verarbeitete er ital. und frz. Anregungen.

Bauten in Amsterdam: Zuiderkerk (1603–11), Ostind. Hof (1606), Börse (seit 1608), Westerkerk, Noorderkerk (seit 1620); Rathaus in Delft (1620). – **Bildhauerwerke:** Grabmal Wilhelms von Oranien, Delft, Nieuwe Kerk (seit 1614); Bronzestandbild des Erasmus in Rotterdam (1621).

2) Nicaise de, belg. Maler, *Zandvliet bei Antwerpen 26. 8. 1813, †Antwerpen 16. 7. 1887, Vertreter der romant. Historienmalerei, malte wegen ihres lebhaften Kolorits vielbeachtete Schlachtenbilder (Sporenschlacht bei Courtrai, 1836; im Mus. ebd.).

3) Keyzer [k'ɛjzər], Thomas de, holländ. Maler, Sohn von 1), *Amsterdam 1596/97, begraben ebd. 7. 6. 1667, ging von C. KETEL aus, verarbeitete Einflüsse von F. HALS und später von REMBRANDT, malte tonig gehaltene vornehm-sachl. Porträts, auch kleinformatige Raumdarstellungen mit Porträtfiguren. Rembrandt schloß sich um 1630 an seinen Stil an. Bed. sind K.s Gruppenbildnisse (Anatomie des Dr. Sebastiaen Egbertsz. de Vry, 1619; Amsterdam, Rijksmus.; Kompanie des Allart Cloeck und des Leutnants Lucas Jacobsz. Rotgans, 1632; ebd.). Zuletzt schuf er hellfarbige Reiterporträts von Amsterdamer Patriziern. K., der sich schon 1640 bis 1654 mit Architektur befaßt hatte, wurde 1662 Stadtbaumeister von Amsterdam.

Kežmarok [k'ɛʒmarɔk], Stadt in der ČSSR, →Käsmark.

Khajuraho, Ort in Madhya Pradesh, Indien, mit 25 hinduist. und jinist. Tempeln des 9.–12. Jh. Der älteste ist der als rechteckiger Kranz von Figurenschreinen angelegte Tempel der 64 Yoginis (bis auf 3 Skulpturen sind die Kultbilder verschollen); die weiteren wurden von der Chandella-Dynastie im reifen Nagara-Stil erbaut, darunter der Khyndariya-Mahadeva- und der Lakshmana-Tempel. Ihr üppiger Skulpturenschmuck zeigt erot. Szenen als Ausdruck myst. Ekstase (Mithuna).

F. Fritz: K., 2 Bde. (1971).

Khajurabo: Lakshmana-Tempel, 954

Khalchayan, Ort in Usbekistan, →Chaltschajan.

Khandagiri-Udayagiri, Zwillingshügel im ind. Staat Orissa, mit einer Gruppe jinist. Kult- und Klosterhöhlen des 1. Jh. v. Chr., darunter 4 doppelgeschossige. Den meist schlichten Innenräumen vorgelagert waren säulengetragene Veranden mit reichem Reliefschmuck: Wächterfiguren, Friese mit Legendenszenen und Götter (Surya und Lakshmi).

Khartum, Hauptstadt der Rep. Sudan, am Zusammenfluß von Blauem und Weißem Nil, etwa 1 Mio. Ew.; Ethnograph. Mus., Histor. Mus., Naturhistor. Mus. Das 1971 eröffnete Neue Mus. hat die vor der Überflutung durch den Nassersee geretteten Altertümer aus N-Sudan aufgenommen: Fresken aus Faras, die Tempel von Buhen, den kleinen Ramsestempel von Akscha und das nubische Heiligtum von Semna.

Khemissa, weitläufiges Ruinenfeld des röm. **Tuburricum Numidarum** in NO-Algerien, 35 km südwestlich von Souk-Ahras. Guterh. Theater (Bühne, 21 Sitzreihen), ›Judenbrunnen‹, 5 Grabaltäre, Neues Forum mit Eingangstor (um 360), Altes Forum, Neptuntempel, Reste des Kapitols, großer Thermen und einer Basilika; oberhalb des Theaters byzantin. Burgruine.

Khirbat al-Mafjar, Ruinenstätte eines im 1. Viertel

Wörter, die man unter Kh vermißt, suche man unter Ch

des 8. Jh. unter dem Kalifen HISCHAM (724–43) erbauten omajjad. Landhauses im Jordantal, 2 km nördlich von Jericho; vor Moschee und Bad ein gemeinsamer monumentaler Arkadenhof mit kleinem Brunnen-Tempel. Das Bad (ein riesiger gewölbter Kuppelsaal in Art antiker Thermen) zeigt deutlich byzantin. Raumauffassung. Der Palast, reich mit Stuckdekorationen und Steinplastiken (z. T. im Archäolog. Mus., Jerusalem) geschmückt, gehört zu den bed. Schloßanlagen der frühislam. Kunst.

Khmer-Kunst: Harihara; 6. Jh. (Paris, Musée Guimet)

Khmer-Kunst, die histor. Kunst des Khmer-Volkes im heutigen Kambodscha und im südöstl. Thailand. Die K.-K. entwickelte sich im Tiefland des Mekong-Stromes zuerst unter ind. Einfluß, dann als Teil einer selbständigen Hochkultur weiter. Chinesen überlieferten mit ihrer Bez. des im südl. Indochina gelegenen Reiches als ›Fu-nan‹ (König der Berge) die Tatsache, daß man hier vom 2. bis 6. Jh. die ind. Vorstellung von Tempel und Palast als Bild des Weltbergs Meru mit dem Ahnenkult und mit dem Gedanken des Königs als Stellvertreter des Gottes auf Erden verband. Von der Kunst Funans, den hölzernen Tempeln und Skulpturen, blieb fast nichts erh. Die ältesten Steinskulpturen datieren aus dem 6. Jh., Statuen, die in der Einfachheit ihrer Form, der Durchsichtigkeit des Gewandes und ihrer Stilisierung Verwandtschaft zur klassischen Kunst Indiens (Gupta-Kunst) zeigen. Obwohl diese Skulpturen wie z. B. die Harihara-Figur (wohl urspr. im Ashrama-Maha-Rosei-Tempel) noch am Anfang der K.-K. stehen, ist ihre Vollendung nicht wieder erreicht worden.

Ein Jh. später erschienen in Sambor und bald auch im Delta des Mekong die ersten Ziegelsteintürme. Parallel zu Fu-nan entwickelte sich im mittleren Mekong-Becken das Kgr. Chen-la, das weniger dem ind. Einfluß ausgesetzt war. Um 550 vereinigten sich beide Länder zum Khmer-Reich, doch die urspr. Zweiheit lebte in der Kunst noch lange fort.

Khmer-Kunst: Sitzstatue des Brahma; 10. Jh. (Paris, Musée Guimet)

Die anschließenden Jahrhunderte werden als **präangkorianisch** bezeichnet, da sich das Herrscherhaus der Khmer noch nicht in Angkor niedergelassen hatte. Trotz polit. Wirren, die auch die Oberherrschaft Javas im 8. Jh. zur Folge hatten, fand eine rege Bautätigkeit statt. Die in dieser Zeit entstandenen Heiligtümer faßt man auf Grund stilistischer Zuordnungen in 3 Gruppen zusammen: 1. nach Sambor Prei Kuk (600–650); 2. nach Prei Khmen (635–700); 3. nach Kompon Prah (706–800). Es handelt sich v.a. um Turmheiligtümer (Prasat) aus Ziegel auf quadrat. oder rechteckigem Grundriß. Ihre hinduist. Cella schließt mit einem Kraggebälk ab, dessen Schichtung sich in der pyramidenförmigen Abstufung des Daches wiederholt. Haupt- und Scheinportale wurden mit Sandsteinreliefs hervorgehoben. Bes. fein reliefiert war der Türsturz. Die Bearbeitung der Säulen und Wandpfeiler wirkt filigranartig. Die Skulpturen der Zeit sind fast immer mit Verstärkungen oder Stützen versehen.

Um 790 wurde durch den aus Java zurückgekehrten König JAYAVARMAN II. das Khmer-Reich erneuert und

Khmer-Kunst: Karte der historischen Stätten im ehemaligen Königreich der Khmer innerhalb der Staatsgrenzen der Volksrepublik Kambodscha und im südlichen Vietnam

Wörter, die man unter Kh vermißt, suche man unter Ch

Khmer-Kunst: Apsaras, Relief am Tempel von Angkor Vat

die Residenz Sambor Prei Kuk in das Kulen-Hochland nach →Roluos verlegt. Auf einem Gipfel des Kulen-Gebirges (Mahendraparvata) ließ er durch einen Brahmanen einen Linga-Kult einrichten und sich als Gottkönig (Devaraja) inthronisieren. Seitdem wurde die vornehmste Bauaufgabe der Tempel des Devaraja.

Seit etwa 875 entfaltete sich in und um Angkor die eigentliche **angkorianische Kunst,** die bis zum 13. Jh. andauerte. Die wasserreiche, von Urwald überdeckte Ebene um den Tonle-Sap-See wurde urbanisiert. Es wurden Wasserbecken (→Barays) von gigant. Ausmaßen angelegt. Mit Palisaden und Gräben verteidigte Außenstädte umschlossen eine mit Mauern und breiten Gräben befestigte Innenstadt, die die Paläste und den Totentempel des jeweiligen Gründers umschlossen. Der Tempel (später auch drei, fünf und mehr Gebäude), v. a. der des Devaraja, wurde in Anlehnung an die älteren Bergtempel auf eine Stufenpyramide gestellt und durch reich verzierte Galerien und Torbauten (mit Überkraggewölben) verbunden. Von nun an wurde Ziegel in der Architektur nur noch bis etwa 925 (im Stil von Bakheng) verwendet und nach und nach durch Sandstein ersetzt. Der Stil von →Koh Ker zeichnet sich durch große Ausmaße in den Bauten wie auch häufig in den Skulpturen aus. Der Stil von →Banteay Srei weist Anklänge an die javan. Kunst auf und zeigt eine reichhaltige ikonograph. Palette und überaus feine Ornamentierung. Für die Sandsteinreliefs an den Ecktürmen und Zugangspavillons des gewaltigen Tempelberges →Baphuon in Angkor ist weniger feine Ornamentierung als plast. Modellierung charakteristisch. Sie zeigen die Vishnu-Legende, bes. anschaulich den Krishna-Zyklus. Die vollplast. Arbeiten erreichen im Baphuon höchste Qualität.

Khmer-Kunst: Kopf im Baphuon-Stil; 11. Jh. (Paris, Musée Guimet)

Die klassische Periode der K.-K. ist durch den Stil von →Angkor Vat repräsentiert (1100–1175). Die Architektur des Tempelberges erreicht mit Angkor Vat ihren Höhepunkt; ebenso der Reichtum und Umfang des Reliefschmucks. Die Galerien der ersten Stufe durchziehen 2 m hohe und mehr als 2000 m² bedeckende Relieffriese, die in flacher, fast zeichner. Ausführung Szenen der Hindu-Mythologie, verbunden mit dem Kult des Gott-Königs, zeigen. Vorsprünge und Mauernischen sind mit himml. Tänzerinnen (Apsaras) geschmückt, deren jugendl. Gestalt von einem weich drapierten Hüftrock umschlungen ist. Ihr Kopf- und Brustschmuck wie Arm- und Fußreifen geben eine Vorstellung von der hochentwickelten Goldschmiede- und Textilkunst der Khmer. Zu den Tempeln führende Straßen und Tempelterrassen wurden mit Steinplatten ausgelegt. Angkor Vat bildet die Endphase der hinduist. K.-K.: Als JAYAVARMAN VII. Angkor nach der Zerstörung durch die Cham aus seinen Trümmern wiedererstehen ließ, stand die Hauptstadt Angkor Thom und ihr neues Wahrzeichen, der →Bayon (1177–1230) im Zeichen des Buddha. Man verharrte an den tradierten Formen, versuchte aber durch Vereinfachung ornamentaler Gestaltung bereits vergangene Größe weiterhin darzustellen. Die ›Gesichtertürme‹ mit den monumentalen, in sich gekehrt lächelnden Gesichtern des Avalokiteshvara, den König Jayavarman VII. als Bodhisattva symbolisierend, sind nur vom Bayon bekannt (BILD Angkor Thom). Gegen Ende des Stils des Bayon weisen Buddha-Figuren Verwandtschaft zu solchen aus Thailand auf, bes. der meditierende Buddha, vom Schlangenkönig Muchilinda beschützt. In der Folgezeit traten die Khmer immer mehr zum Hinajana-Buddhismus über. JAYAVARMAN VIII. erhob ihn zur Staatsreligion; die großen Tempelbauten hatten ihren Sinn verloren, die Thai und Laoten machten sich im 14. Jh. selb-

Khmer-Kunst: Tempelturm in Angkor Vat 11./12. Jh.

Fernand Khnopff: Die Kunst oder Die Liebkosungen; 1896 (Brüssel, Musées Royaux des Beaux-Arts)

ständig, Angkor mußte verlassen werden, die Khmer zogen sich nach dem Mekong-Tal zurück.

Späte Hauptstädte waren Santhor, Lovek, Udong und Phnom Penh (um 1400, dann seit 1642). Für die Holzplastik der Spätzeit wurden Buddhafiguren im Fürstenschmuck charakteristisch.

Seit 1907 wurden die Ruinen von Angkor durch die Conservation d'Angkor wieder freigelegt und teilweise restauriert, eine Arbeit, deren Erfolge durch die Zerstörungen und Plünderungen im Verlauf der 1970 einsetzenden Kämpfe in Kambodscha größtenteils zunichte gemacht wurden.

B. P. GROSLIER: Hinterindien (1960); L. FRÉDÉRIC: Südost-Asien, Tempel und Skulpturen (a. d. Frz., 1968); JEANNINE AUBOYER: Die Kunst der Khmer, in: Indien u. Südost-Asien, hg. v. ders. und H. HÄRTEL (1971); R. R. DAS: Art traditions of Cambodia (Kalkutta 1974); MADELEINE GITEAU: Iconographie du Cambodge post-angkorien (Paris 1975); dies.: Khmer, Kunst und Kultur (a. d. Frz., [3]1978).

Khnopff [knɔpf], Fernand, belg. Maler, Bildhauer, *Grembergen (heute zu Dendermonde, Ostflandern) 12. 9. 1858, †Brüssel 12. 11. 1921, Hauptmeister des belg. Symbolismus, malte, angeregt von den engl. Präraffaeliten und G. MOREAU, Phantasiebilder mystisch-allegor. Inhalts, ferner Landschaften. Er war auch Radierer und Buchillustrator.

R. L. DELEVOY u. a.: F. K. (Brüssel 1979); F. K., Ausst.-Kat., Hamburg (1980). Weitere Lit.: →Symbolismus.

Khocho [xotʃo], **Kara Khoja, Chotscho, Chodjo, Chocho,** amtlich chines. **Qocho,** Ruinenstadt in der Oase →Turfan, andere Namen: Dakianusstadt (nach dem röm. Kaiser DECIUS 249/51), auch Idiqutshahri, Stadt des Idiqut (Titel des Uigurenkönigs); im 9. Jh. Hauptstadt des Königreiches der Uiguren. Es entstand eine vom Uigurentum geprägte Kultur, die v. a. dem buddhist. Kult diente, neben sich aber auch das Christentum in nestorian. Form und den Manichäismus bestehen ließ. Über die in K. entdeckten Malereien →zentralasiatische Kunst.

A. v. LECOQ: Chotscho (1913, Neudruck 1979).

Khotạn, Chotạn, amtl. chines. **Hetian,** Ruinenfelder bei der gleichnamigen Oase im S der autonomen Region Sinkiang, China. K. war eine Karawanenstadt und buddhist. Zentrum des 1. Jahrtsd. n. Chr. an der Seidenstraße. Engl. und dt. Ausgrabungen (1914, 1929) legten große Tempel mit Wandgemälden und Stuckplastiken frei, die eine iranisch-buddhist. Mischkultur zeigen. Unter den Funden (2.–3. Jh.) fallen einige Gemmen röm. Herkunft mit Bildern des Apoll und der Athene auf und Keramik mit hellenist. Silenköpfen. In Gräbern erhielten sich Seidenstoffe aus China (2. Jh. n. Chr.). Die Funde befinden sich z. T. im Übersee-Mus. Bremen und im Völkerkunde-Mus. München.

G. GROPP: Archäolog. Funde aus K. (1974).

Kịbla [arab.] *die,* bei den Muslimen die Richtung, nach der sie sich beim Gebet wenden (urspr. Jerusalem, später Mekka), in der Moschee mit einer Gebetsnische (→Michrab) bezeichnet.

Kichijoten [kitʃidʒɔtɛn], japan. Glücksgöttin; dargestellt als anmutige Frau, chinesisch in Typ und Gewandung, mit dem Wunschkleinod als Attribut, oft zus. mit dem Gott des Reichtums, Bishamon.

Kịdal, Candi K. [tç-], Heiligtum bei Malang auf Java, typisch für die Ostjavan. Periode (→indonesische Kunst) mit einem im Vergleich zu Sockel und Dach kleinen Cella-Mittelteil; K. ist das Grabmonument für König ANUSPATI (†1240). Bes. schön ist der Kala-Kopf über dem Tor.

Kiedrich, Gem. im Rheingau, Hessen, 3450 Ew. Die Valentinskirche (1454–93) ist eine der schönsten spätgot. Kirchen Dtl.s mit hervorragender Ausstattung (Lettner, Gestühl, Orgel); daneben die Totenkapelle St. Michael mit Karner (1445 gew.). Zahlreiche, meist barocke Adelshöfe; Rathaus (1585/86).

Kiefer, ein Nadelbaum, häufig in der japan. und chines. Landschaftsmalerei dargestellt. Als immergrüne Pflanze symbolisiert sie langes Leben und wurde als Baum, Zweig oder K.-Nadel bes. als Winter- oder Neujahrsemblem verwendet.

Kiefer, Anselm, Maler, *Donaueschingen 8. 3. 1945, begann mit Buchobjekten von reliefhafter Materialität mit rissigen Strukturen. Seine dichtgemalten Bilder zeigen stark expressive Züge, weshalb K. oft mit G. BASELITZ zusammen erwähnt wird. Ein Hauptunterschied liegt jedoch in K.s ausgeprägtem inhaltl. Interesse, das um dt. Mythologie (›Parsival‹ 1973, Nibelungenthemen 1976) und Geistesgeschichte kreist, aber auch polit. Themen einschließt.

A. K., Katalog der Kunsthalle Bern (1978).

Kiel, Hauptstadt von Schlesw.-Holst., 256 500 Ew.; ehem. Hansestadt, 1721–73 Residenz der Herzöge von Holstein-Gottorf; 1773–1866 dänisch; im 2. Weltkrieg stark zerstört. Vom ehem. Schloß nur der Rantzau-Bau (1695) erh.; Alte Univ.-Bibl. (1881–84 von M. GROPIUS); Rathaus (1907–11) mit 106 m hohem Turm und Stadttheater (1905–07) bilden ein wirkungsvolles Ensemble. Neben der got. Nikolaikirche (13.–15. Jh.) Bronzefigur ›Geistkämpfer‹ (1928) von E. BARLACH. Viele Museen: Kunsthalle (v. a. 19. Jh. und E. NOLDE); Archäolog. Samml.; Stiftung Pommern, Gemäldegal.; Mus. für Völkerkunde; städt. Mus. in der neubarocken Fischhalle (1909/10) und im Warleberger Hof (1616). In K.-Wik eigenwillige Jugendstilkirche (1905–09).

Kielbogen, Baukunst: →Eselsrücken.

Kielce [kj'ɛltsɛ], Woiwodschaftshauptstadt im südl. Polen, 164000 Ew. Bedeutendstes Baudenkmal ist das ehem. Schloß der Bischöfe von Krakau, von T. PONCINO 1637–41 als Rechteckbau mit oktogonalen Ecktürmen errichtet. Die Kollegiatskirche, eine frühbarocke Basilika von 1632–35, wurde im 19. Jh. neubarock umgestaltet (Ausstattung 18. Jh., einzelne Stücke aus Gotik und Renaissance; Schatzkammer).

Kienholz, Edward, amerikan. Objektkünstler, *Fairfield (Washington) 23. 10. 1927, gelangte über Assemblagen zu Environments (BILD) oft von brutaler sozialkrit. Aggressivität, die die spanisch-mexikan. Tradition eines Objektrealismus fortsetzen.

E. K., Roxys and other works, Ausst.-Kat., Bremen (1982, dt. u. engl.).

Kietz, Gustav, Bildhauer, *Leipzig 26. 3. 1824, †Laubegast bei Dresden 24. 6. 1908, wandte sich nach Architekturstudium der Bildhauerei zu und arbeitete mit E. RIETSCHEL an dessen Luther-Denkmal in Worms. Nach Rietschels Tod (1861) übernahm K. die Ausführung der Statuen von P. MELANCHTHON, J. HUS und PHILIPP VON HESSEN.

Kiew, ukrain. **Kijiw,** Hauptstadt der Ukrain. SSR, UdSSR, 2,2 Mio. Ew. Der älteste Stadtteil, am bergigen Ufer des Dnjepr um 880 als Fürstensitz des Nowgoroder Staates entstanden, war im 10.–12. Jh. Hauptstadt des Kiewer Reiches. Die eigtl. Stadt besteht aus der

Kiew: Sophienkathedrale

Oberen Stadt, der Unterstadt am Dnjepr (Podol) und Petschersk, der Siedlung um das Höhlenkloster. Nach 1945 kamen neue Stadtteile hinzu. Die Zerstörungen von 1944 sind weitgehend behoben.

In der Oberen Stadt liegt die Sophienkathedrale, 1037 bis um 1100 erbaut, 1240 zerstört, im 17./18. Jh. wiederaufgebaut; dabei wurden dem urspr. Bau, einer fünfschiffigen Kreuzkuppelanlage mit 13 Kuppeln, weitere 8 Kuppeln sowie eine Vorhalle und ein Glokkenturm hinzugefügt. Ferner Reste der Desjatinnaja-(Zehnt-)Kirche (989–996).

Das Höhlenkloster (**Kjewo-Petschęrskaja Ląwra**), gegr. 1051, ist das älteste Kloster im russ. Gebiet (nach den zuerst in Höhlen des Dnjepr-Hangs lebenden Mönchen so gen.); es hatte großen Einfluß auf Politik und Kultur; heute Mus. Die Hauptkirche des Höhlenklosters, die Koimesis-(Entschlafens-)Kirche (1073–78), frühestes Beispiel der russ. Sechspfeilerkirche mit 3 Apsiden, wurde 1944 zerstört; erh. sind die Dreifaltigkeits-Torkirche (1108, später barockisiert), das Refektorium (1727), der Kownir-Bau (1721–72) und der Glockenturm (18. Jh.). Weitere Gründungen des 11. und 12. Jh. sind das Michajlow-Slatowerchij-Kloster, die Michaelskirche ›mit dem goldenen Dach‹ (1108, im Innern fragmentierter Mosaikzyklus des 12. Jh.), das Wydubezkij-Kloster, ebenfalls mit Michaelskirche (1070 bis 1088, erneuert im 16./17. Jh.), Georgskirche und Refektorium (17. Jh.) sowie das Kirillow-Kloster (1140) mit Glockenturm (1760).

In der Unteren Stadt liegen die Koimesis-Kirche (1131–34), die Andreaskirche (1747–52) von B. F. RASTRELLI, ein Kreuzkuppelbau mit zweigeschossigem Sockel, die Pokrow-Kirche von 1766 und die Uferkirche St. Nikolaus (1772–75). Die Kirchen des 18. Jh. und der Klowskij-Palast (1755) gehören zu den wichtigsten Zeugnissen des Kiewer Barock. Bed. Bauten des Klassizismus sind die Univ. (1837–43) von W. I. BERETTI und das ›Kontrakthaus‹ (1815–17). Die Wladimir-Kathedrale wurde 1852–96 gebaut. – K. hat 15 Museen, darunter für ukrain., russ., westeurop. und oriental. Kunst.

Kijonaga, japan. Holzschnittkünstler, →Kiyonaga.

Kikutake, Kiyonori, japan. Architekt, *Kurume 1.4.1928. Mit M. OTAKA, F. MAKI, N. KUROKAWA u.a. gehört er seit 1959 zur Gruppe der Metabolisten (→Metabolismus), deren führender Theoretiker er ist.

HW: Entwürfe zu Wohnzylindern (1959); Meeresstädte (Marine City 1959 und die ›Schwimmende Stadt‹ 1960); eigenes Wohnhaus (1957–59); Verwaltungsgebäude für den Izumo-Schrein (1961–63); Kongreßhalle Kioto (1963); Pazifik-Hotel in Chigasaki (1965–66).
K. K. – Works and methods, 1956–1970 (Tokio 1973).

Kilian, irischer Wanderbischof, †(hingerichtet) Würzburg um 689; dargestellt als Bischof mit Stab (Sandstein-Relief im Kreuzgang von Neumünster, Würzburg, um 1170; Cyriacus-Fahne, 1266, das älteste dt. Feldzeichen), mit Schwert und Stab (T. RIEMENSCHNEIDER, Holzskulptur, 1490; Münnerstadt). – Zyklus: VEIT STOSS, 4 Altartafeln (1503; ebd.) u.a.

Kilian, Augsburger Familie von Kupferstechern und Verlegern des 16.–18. Jh.; bed. v.a.: Lukas, *Augsburg 1579, †ebd. 1637, nach Italien-Reise (1601–04) in Augsburg tätig. Seine Ornamentstiche behandeln mit viel Phantasie die Maureske und das →Knorpelwerk.

Dt. und niederländ. Stecher des 17. Jh. zeigen den Einfluß seiner Porträtstiche.

Ornamentstichfolgen: Grotesken für die Wand (1607); Neues Schildbüchlein (1610 u. 1633); Neues ABC-Büchlein (1627). – **Porträtfolgen:** Fuggerorum et Fuggerarum imagines (1593) u. a.

Kilkenny [kılk'enı], irisch **Cill Chainnigh** [kiʎx'eɲi], Hauptort der Cty. K., Rep. Irland, 10000 Ew., südwestlich von Dublin; ehem. Hauptstadt des Königreichs **Ossory** ['ɔsərı]. Die Stadtteile **Irishtown** ['aırıʃtaʊn], gegr. vom Bischof von Ossory, und **Englishtown** ['ıŋglıʃtaʊn], im 13. Jh. gegr. von WILLIAM V. PEMBROKE, wurden erst 1843 vereinigt. Die 1175 zerstörte Burg wurde 1192 wiedererrichtet und 1858–62 von T. N. DEANE (*1828, †1899) erneuert. Die Kathedrale St. Canice wurde um 1200 beg., der Turm 1360, die Fächergewölbe 1465 ausgeführt. Das 1125 gegr. Dominikanerkloster ist erh., das 1234 gegr. Franziskanerkloster Ruine. Aus dem 13. Jh. stammen die Pfarrkirchen St. Mary und St. John. Die kath. Kathedrale wurde 1843–57 als neugot. Querhausbasilika errichtet. – Südwestlich von K. →Jerpoint Abbey.

Kilpeck, Dorf südlich von Hereford in W-England mit roman. Pfarrkirche, die urspr. zu einem 1134 als Zelle von Gloucester Abbey gegr. Priorat gehörte (bis etwa 1150 als Saalbau mit eingezogenem Vorchorjoch und gestelzter Apsis errichtet). Das aufwendig dekorierte Südportal übernimmt in einer hochroman. Stilsprache skandinav. Formenmotive wie verschlungene Drachenleiber und Krieger in Flechtwerk, der Chorbogen wird von Halbsäulen mit übereinandergestellten skulptierten Heiligenfiguren getragen, die sich stilistisch an südfrz. und ital. Vorbilder der Zeit anlehnen.

Kilwa Kisiwani, Koralleninsel an der tansan. Küste, mit den Ruinen der Stadt **Kilwa,** die vom 12.–15. Jh. als schönste Stadt Ostafrikas galt (Goldausfuhr von Simbabwe). Von den seit Mitte des 12. Jh. (von Persern, Oman-Arabern und Portugiesen) erbauten Steinhäusern sind Reste erh.; Hauptmoschee (12.–15. Jh.), Sultanspalast (Anf. 14. Jh.), portugies. Kastell (Anf. 16. Jh.).

Kimon, grch. Maler des ausgehenden 6. Jh. v. Chr., aus Kleonai (Peloponnes); galt (lt. PLINIUS) als Erfinder der perspektiv. Schrägansicht.

Kinetische Kunst, Kinetische Plastik, Richtung der zeitgenöss. Kunst, die die Bewegung an sich zum Gestaltungsprinzip hat. Vorformen finden sich im ›Dynamismus‹ der Futuristen. Der Beginn einer eigtl. Kinetik liegt mit A. RODSCHENKOS mobilen Metallskulpturen (1917) und N. GABOS motorgetriebener Stahlfeder (1920) im russ. Konstruktivismus. L. MOHOLY-NAGY verband die Kinetik in den 1920er Jahren mit der Lichtkunst (Licht-Raum-Modulator, 1930), während A. CALDER seit 1929 seine Mobiles der natürl. Bewegung durch den Luftzug aussetzte, seltener einen mechan. Antrieb verwendete. Einen neuen Aufschwung nahm die K. K. in den 1960er Jahren, als die Gruppen Zero, die Groupe de Recherche d'Art Visuel und die Moskauer Gruppe ›Bewegung‹ um L. NUSSBERG, N. SCHÖFFER, J. AGAM, J. TINGUELY, H. KRAMER, TAKIS u. a. eine

Kinetische Kunst: ›Fortwährende Drehungen‹ von H. Demarco; 1966

Vielzahl von Bewegungsmöglichkeiten vom Wind über den Elektromotor bis zum Magnetismus einführten.

F. POPPER: Die K. K. (1975).

King, Philip, engl. Bildhauer, *Tunis 22. 5. 1934, lebt in London. Seine Plastiken, kombiniert aus Metallstäben, starkfarbigen Kegeln, rauhen Holzblöcken, Schieferstücken, Tauen u. a., bringen Raum und Farbe in meist einfachen Flächenkontrastierungen zu neuer Wirkung. Sie können beim Betrachter witzige Assoziationen wecken.

P. K., Ausst.-Kat., London, Hayward Gallery (1961).

Kingston upon Hull [k'ɪŋstən əp'ɔn h'ʌl], **Hull,** Stadt an der Einmündung des Hull in das Humber-Ästuar, England, 276600 Ew.; 1299 durch König EDUARD I. zur Stadt erhoben und mit Marktprivilegien ausgestattet; gleichzeitig Baubeginn der Kirche Holy Trinity; bis zur Jh.-Mitte Chor und Querhaus, 1389 bis 1418 das geräumige basilikale Langhaus mit hohen Seitenschiffarkaden und niedrigem Obergaden mit Flachdecke und großen Maßwerkfenstern im frühen Perpendicular Style. Um 1500 wurde der von Öffnungen durchbrochene Vierungsturm errichtet. Trinity House, urspr. Haus einer relig. Gilde von Seefahrern, entstand 1753 (Erweiterung Mitte 19. Jh.); die Guildhall (1906–14) mit neubarocker Säulenfassade ist von E. COOPER.

Kịnnara [Skt.], ind. Fabelwesen mit Vogelleib und menschl. Oberkörper, häufig dargestellt als Begleitung von Götter- und Buddhafiguren.

Kinrọss, Landhaus des Architekten W. BRUCE (†1710), erbaut 1685–93 auf der schott. Halbinsel Fife westlich von Loch Leven im palladian. Stil mit klarer Fassadengliederung und leicht vorgezogenen, durch Pilaster begrenzten Eckrisaliten.

Kinshạsa [-ʃ-], bis 1966 **Léopoldville** [-v'il], Hauptstadt von Zaire, am linken unteren Kongo am Ende des

Stanley Pool, 2,4 Mio. Ew.; Nat.-Mus. (reiche Samml. traditioneller kongoles. Kunst). Im Park der Académie des Beaux-Arts Werke der Bildhauerschüler.

Kiọsk [pers.] *der,* pavillonähnl. Bau, v.a. in Indien, Iran, Kleinasien verbreitet. Der häufig vereinzelt in einem Park gelegene K. hat polygonalen oder rechteckigen Grundriß und ist durch Bogenstellungen ringsum oder an allen Seiten geöffnet. Frühes Beispiel in der islam. Baukunst ist der K. in Konya (1250). In osman. Zeit wurden im Topkapı-Serai in Istanbul versch. K. errichtet: Çinili-K. (1466), Revan- und Bagdad-K. (1635 und 1638, zur Erinnerung an die osman. Eroberung von Eriwan und Bagdad) sowie die K. des Kara Mustafa Pascha (18. Jh.) und des Abdul Mecits (1840). Von hier aus gelangte Anf. des 18. Jh. (Zeit der Türkenmode) der Bautyp des K. nach Europa (Nymphenburg: Pagodenburg). – Auch pavillonähnl. ägypt. Tempel mit Umgang, die als Stationsheiligtum zum vorübergehenden Abstellen eines Kultbildes dienten, nennt man K. (K. Sesostris' I. in Karnak und des Kaisers Trajan in Philae).

Kioto, Kyoto, Stadt auf Honshu, Japan, 1,47 Mio. Ew.; mit rechtwinkeligem Straßennetz (nach dem Vorbild des chines. Ch'angan, →Sian) angelegt. Für die Kunstgeschichte ist K. die bedeutendste Stadt Ostasiens. K. war 794–1868 Kaiserstadt sowie kultureller und geistiger Mittelpunkt des Landes (heute noch Krönungsstadt und ein Zentrum des Buddhismus).

Vom Kaiserpalast aus dem 8. Jh. ist nur noch ein Teil des Gartens mit einem Teich erh. (Shisen-en); der jetzige stammt in seiner Anlage von 1788, seine Gebäude von 1855. In dem 730 × 400 m großen Bereich befindet sich zudem noch ein Palast für den zurückgetretenen Kaiser (Sento Gosho) aus dem 17. Jh. mit einem Landschaftsgarten (1633 beg.).

Das Tokugawa-Regime hinterließ das Nijo-Schloß (1603), einen Bau im Stil der damaligen Burg- und Festungsanlagen. Sein Palast (Ni-no-maru) besteht aus fünf stufenförmig aneinandergereihten Gebäuden, die durch außenliegende Gänge verbunden sind. Die farbenprächtige Bemalung von Wänden und Schiebe-Elementen stammt aus der Kano-Schule. Im SW von K. liegt am Katsura-Fluß die kaiserl. Villa Katsura (1620 bis 1624), wegen der klaren Formensprache und Materialreinheit ein bed. Beispiel japan. Wohnarchitektur (BILDER Haus, japanische Kunst). Sie liegt in einem Garten, der innerhalb der Gartenbaukunst als bestes Beispiel des Umwandlungsstils gilt; dem Betrachter wird der Garten nur jeweils in Ausschnitten gezeigt und so die Spannung gesteigert. Im NO liegt die andere kaiserl. Gartenanlage, Shugaku-in (1659); sie besteht aus 3 Gärten im Umwandlungsstil mit Teehäusern.

In K. gibt es etwa 1500 buddhist. Tempelanlagen; 30 Hauptquartiere buddhist. Sekten sind hier vertreten. Fast alle der hier genannten bilden oder beherbergen ›Nationalschätze‹ (Kulturgüter von höchstem Wert). Im N der Stadt, in den Bergen und am Fuß der Berge, liegen (von W nach O) der Seiryo-ji: Sandelholzplastik des Sakyamuni-Buddha, aus Indien über China 987 nach Japan gebracht. – Die große Tempelanlage Ninna-ji: errichtet neben dem Palast eines kaiserl. Prinzen,

Kioto: Nijo-Schloß, 1603

gegr. 886, Gebäude aus dem 17. Jh.; fünfstöckige Pagode, 5 Nebentempel. – Myoshin-ji: gegr. 1337; eine axiale Anlage, umgeben von kleinen Klöstern mit bed. Kunstschätzen und Gartenanlagen. – Ryoan-ji: als Villa 1473 erbaut; Kontemplationsgarten, ein um 1500 von Soami angelegter Steingarten (BILD Gartenkunst). – Kinkaku-ji, Rekonstruktion (1955) des mit Blattgold belegten Pavillons der Muromachi-Zeit. – Daitoku-ji: gegr. 1324, Gebäude aus versch. Epochen seit 1470, z. T. hierher versetzt vom Kaiserpalast und dem Fushimi-Schloß; um die axiale Anlage mit Torgebäude, Buddhahalle, Lesehalle, gruppieren sich mehrere Nebentempel und Klöster mit Zengärten (z. B. Daisen-in).

Im Osten, vom äußersten N bis zum äußersten S liegen die Tempel Sanzen-in: gegr. 970, Hauptgebäude (985) mit bemalter bootsförmiger Decke; Landschaftsgarten des 17. Jh. (BILD Gartenkunst). – Enryaku-ji: große weiträumige Tempelanlage auf dem Berg Hie, gegr. 788, war zeitweise eine Tempelstadt mit mehreren tausend Kriegermönchen; die im 16. Jh. zerstörte Anlage wurde im 17. Jh. z. T. wiedererrichtet; sie besitzt bed. Bauten und Schätze. – Shisen-do: ehem. Haus des Dichters JOZAN ISHIKAWA (*1583, †1672), erbaut 1631; sein Garten zählt zu den feinsten von K. – Ginkaku-ji (›Silberpavillon‹): bed. Pavillon der Muromachi-Zeit (1482), aus dem Wohnhausbau entwickelt, mit leichten Veranden, die den Bau zu einer Gartenanlage von Soami öffnen. – Chion-in: gegr. 1234, Torgebäude aus dem 17. Jh.; größte Tempelglocke Japans. – Nanzen-ji: gegr. 1293, Gebäude aus dem 17. und 19. Jh., umgeben von 12 Nebentempeln; der Daihojo (Haus des obersten Priesters) wurde aus dem Kaiserpalast des 16. Jh. hierher versetzt; Malereien der Kano-Schule, Garten. – Kiyomizu-dera: gegr. 798; die Haupthalle (1633) ist ein imposanter Holzbau mit weitgeschwungenem Zederrindendach auf großer Holzsubkonstruktion. – Tofuku-ji: gegr. 1236, große Tempelanlage mit Torgebäude aus dem 13. Jh., modernem Kontemplationsgarten (1938); vor der Halle des Gründers Garten von Sesshu. – Daigo-ji: 874 gegr.; die Pagode wurde 951, die übrigen Tempelgebäude im 17. Jh. errichtet. Der Sambo-in innerhalb der Anlage hat einen Landschaftsgarten. Neben dem Haupttempelbezirk gibt es einen weiteren Tempel auf dem nahen Berg.

Südlich des Zentrums, von W nach O, folgen der To-ji: gegr. 796; er stellt den östl. Eingangstempel der Kaiserstadt dar; die Gebäude (mit der höchsten fünfstöckigen Pagode der Erde) sind aus dem 16./17. Jh. Bed. Kunstsamml. – Nishi-Hongan-ji: gegr. im 12. Jh.; die große Tempelanlage gilt als bestes Beispiel buddhist. Tempelarchitektur, die Bauten sind aus dem 17. bis 19. Jh., z. T. hierher versetzt aus dem Fushimi-Schloß. Älteste No-Bühne in Japan. Im Garten der Hinukaku-Pavillon (16. Jh.), das ehem. Haus des Feldherrn und Staatsmannes Toyotomi Hideyoshi, mit Malereien der Kano-Schule. – Higashi-Hongan-ji: gegr. 1602; imposante Bauten von 1895 und später. – Hokai-ji: gegr. 9. Jh., Gebäude von 1051; Holzplastik des Amitabha Buddha von 1057. – Sanjusangen-do: Die 119 m lange und 55 m breite Halle des Tempels Rengeo-in von 1266 ist eingeteilt in 33 Felder, symbolisch für die 33 Menschwerdungen Kannons, mit einem sitzenden tausendarmigen und 1000 weiteren stehenden tausendarmigen Kannon-Statuen, geschnitzt innerhalb von 100 Jahren von 70 Künstlern unter der Leitung von Unkei und Tankei.

Im Westen (von N nach S): Koryu-ji: gegr. 622, Lesehalle von 1165, sitzende Holzplastik von Buddha, tausendhändiger Kannon und Fukukenjaku-Kannon. Oktogonale Halle mit Statue des Prinzen Shotoku. Miroku-Bosatsu aus der Asuka-Periode (552–645). – Saiho-ji (›Moostempel‹): gegründet 731, Gebäude aus dem 14. Jh.; Landschaftsgarten mit 40 verschiedenen Moosarten.

In K. befinden sich über 200 shintoist. Schreinanlagen. Bed. sind (von N nach S) der Kami-Kamo-Schrein und der Shimo-Kamo-Schrein: Die 2 etwa 3 km voneinander entfernten Anlagen stellen das Shinto-Heiligtum aus der Zeit vor der Stadtgründung (mit dem Berg Kayama als Hauptheiligtum) dar; es erlangte große Bedeutung, da seine Gottheiten die Schutzgötter des Kaiserpalastes wurden. Die Bauten wurden alle 21 Jahre erneuert, zuletzt 1863. – Der Kitano-Schrein ist dem Dichter und Staatsmann Michizane Sugawara (deifiziert Tenjin) geweiht; gegr. 947, Gebäude aus dem 17. Jh. – Der Heian-Schrein ist das Heiligtum zu Ehren der Kaiser Kammu (Gründer von K.) und Komei (letzter Kaiser in K.), 1895 zum 1100jähr. Bestehen der Stadt im Fujiwara-Stil erbaut, in der Form des ehem. Kaiserpalastes. – Der Inari-Schrein (Bild Schrein 2) ist ein Bergheiligtum mit verzweigtem Wegesystem, das durch dicht aneinandergestellte rote Torii-Tore zu einem ›Tunnelgangsystem‹ von 4 km Länge wird; am Fuß des Berges die Schreinbauten (15. Jh.), in denen als Hauptgottheit die Reisgöttin verehrt wird. – Der Yasaka-Schrein (Gion-Schrein) ist Meeres- und Mondgottheiten geweiht; Gebäude von 1654, als Schätze 2 Komainu (›Löwenhunde‹), geschnitzt von Unkei (13. Jh.).

Kiprenskij, Orest Adamowitsch, russ. Maler, *Landhaus Neschinskaja (bei St. Petersburg) 24. 3. 1782, †Rom 17. 10. 1836, seit 1816 meist in Italien. Von den Nazarenern beeinflußt, gestaltete er relig. Themen. Seine Begabung lag auf dem Gebiet des Porträts (Selbstbildnis 1808, Puschkin 1827, B. Thorvaldsen 1833). Er durfte als erster russ. Künstler sein Selbstbildnis für die Uffizien in Florenz anfertigen.

Kiradu, Ort im ind. Staat Rajasthan, mit hinduist. Tempeln im Nagara-Stil des 10.–11. Jh., darunter der Someshvara-Tempel, dessen Haupthalle von einer durch 8 Säulen getragenen Kuppel überwölbt ist.

Kirby Hall [k'ə:bɪ hɔ:l], Schloßanlage (1570 beg.) nordöstlich von Northampton, Mittelengland, im 17. Jh. verändert, heute größtenteils Ruine. Die Hoffassaden besitzen Pilaster nach dem Vorbild frz. Renaissancearchitektur, z. T. mit ital. Kandelaberreliefs: der Hall-Flügel wird durch einen dreigeschossigen Torturm (1572) und gekuppelte Säulen betont, das freie Obergeschoß ist mit Beschlagwerkkartuschen und halbkreisförmigem Giebelaufsatz ital. Herkunft dekoriert.

Kirchdrauf, Stadt in der ČSSR, →Spišské Podhradie.

Kirchenbau, die christl. Sakralarchitektur, auch das Gebäude zur Ausübung des Kults der christl. Religionen selbst. Die ältesten Kirchen waren Bischofs- und Märtyrerkirchen, wofür seit spätantiker Zeit (→frühchristliche Kunst) die →Basilika zum verbreitetsten Bautyp wurde. Daneben erschien, zunächst für Taufkirchen und Grabkirchen, der →Zentralbau. In Byzanz vorherrschend, hatte er auch den Langhausbau beeinflußt (→byzantinische Kunst) und trat nun auch im Abendland wieder hervor. Die Geschichte des Neubaus der →Peterskirche in Rom spiegelt das Ringen um einen kreuzförmigen oder zentralen Bau am deutlichsten wider. Im übrigen wandelte sich der K. mit den Stilen, an deren Gestaltung er über →Romanik und →Gotik bis zum →Barock entscheidend beteiligt war. Für den K. des →Klosters entwickelten die einzelnen Orden z. T. genaue Bauvorschriften (Benediktiner, Hirsauer Bauschule, Zisterzienser). Für die Pfarrkirche wurde im späten MA. die →Hallenkirche bevorzugt. Dorfkirchen, seit dem 8. Jh. erwähnt, waren aus Holz; für die nord. Länder kennzeichnend blieb lange die →Stabkirche. Steinerne Dorfkirchen (seit dem 12. Jh.) sind in den Formen sehr einfach (→Saalkirche) und oft landschaftlich charakteristisch abgewandelt. Anspruchsvoller war die →Wehrkirche, die auch als Bischofs- und Ordenskirche vorkommt. Die Reformation bedeutet einen Einschnitt in der Geschichte des K. Der K. hatte nicht mehr wie im MA. symbol. Bedeutung (Kreuzform im Grundriß; Abbild des himml. Jerusalems). V. a. die protestant. Kirche wurde zum Raum für die Predigt. Kennzeichnend für den K. des 19. Jh. sind die Nachahmung der Vergangenheit (das Eisenacher Regulativ machte den →Historismus zur Pflicht) und Leistungen der Denkmalpflege (Vollendung des Kölner Doms). Erst im 20. Jh. erwachte in beiden Konfessionen der Wille zu neuer Gestaltung.

Wörter, die man unter K vermißt, suche man unter C, Ch oder Q

Kirchenburg, Kirchenkastell, zu Verteidigungszwecken ausgebaute →Wehrkirche des MA.

Kirchenmalerei, Kunsthandwerk, das aus der Vereinigung versch. spezialisierter Berufe, mit der Entwicklung barocker Raumkunstwerke entstanden ist. K. umfaßt versch. Anstrichtechniken, Vergolden, Marmorieren und Maserieren, Ornamentmalerei u. a.

Kirchheimbolanden, Stadt im Donnersbergkreis, Rheinl.-Pf., 6100 Ew.; 1574–1797 Nebenresidenz der Fürsten von Nassau-Weilburg. Barocke Schloßkirche (1739–44 von J. L. ROTHWEIL, ähnlich seiner Weilburger Schloßkirche) mit Fürstengruft; vom ehem. Schloß (1738–40) nur der Ostflügel erh. Im Ortsteil **Rothenkircherhof** Reste eines ehem. Prämonstratenserklosters (1160 gegr.).

Kirchheim in Schwaben, Markt im Kr. Unterallgäu, Bayern; kam 1551 in den Besitz der Fugger, die das Renaissanceschloß (1578–85) mit dem ›Zedernsaal‹ (Kassettendecke 1585) und gleichzeitig die Schloßkirche errichten ließen.

Kirchheim unter Teck, Stadt am Fuß der Schwäb. Alb, Bad.-Württ., 31500 Ew.; planmäßige Anlage nach Brand 1690, gut erh. Straßenbilder mit einheitl. Giebelfronten des 17. und 18. Jh. Renaissanceschloß (1538 bis 1556); Fachwerkrathaus (1722–24); spätgot. Stadtkirche (15. Jh.). Im Kornhaus (spätes 15. Jh.) das Mus. (Volkskunde, Stilzimmer).

Ernst Ludwig Kirchner: Porträt Henry van de Velde; Holzschnitt, 1917

Kirchner, 1) Ernst Ludwig, Maler, Graphiker, Bildhauer, *Aschaffenburg 6. 5. 1880, †(Selbstmord) Frauenkirch bei Davos 15. 6. 1938. K. studierte 1901 bis 1905 in Dresden Architektur und gründete dort 1905 mit E. HECKEL und K. SCHMIDT-ROTTLUFF die →Brücke. Seit 1911 arbeitete er in Berlin, seit 1917 nach schwerer Erkrankung in Frauenkirch. 1937 wurden in Dtl. seine Werke als ›entartet‹ beschlagnahmt. K. war führend im dt. Expressionismus (BILD). Die Graphik wurde bei ihm wieder eine eigenwertige Kunstgattung neben der Malerei. In den frühen Gemälden kommt durch heftige Farb- und Formkontraste die Daseinsproblematik der Zeit zum Ausdruck. Um 1911/12 mäßigten sich seine Farben, die Strichführung wurde erregter, spitziger. Hauptthema war das Großstadtleben. In den seit 1918 entstandenen schweizer. Landschaften gelangte er zu einer neuen Farbigkeit und zu einer Weitung und Beruhigung des Blicks. Seit 1926/27 näherte er sich der abstrahierenden frz. Malerei (P. PICASSO), indem lineare Verschlingungen und einfache Farbflächen immer mehr seine Bildgestaltung bestimmten.

Schriften: Die Chronik der Brücke (1912); Aufsätze, z. T. unter dem Namen L. DE MARSALLE.

E. L. K., Zeichnungen und Pastelle, hg. v. R. N. KETTERER u. a. (1979); E. L. K., 1880–1938, Ausst.-Kat., Köln u. a. (1980); ANNEMARIE DUBE: E. L. K., Das graph. Werk, 2 Bde. (1980).

2) Johann Gottlieb, Porzellanmodelleur, Bildhauer, *Merseburg um 1706, †?, zunächst Modelleur, seit 1731 Modellmeister in Meißen. In dieser Zeit schuf er eine Reihe von Tierplastiken, Heiligenfiguren, eine Statuette Augusts des Starken und eine Pietà.

Kirill-Belosjorsk-Kloster, bedeutende Klosterfestung in der Russ. SFSR, Gebiet Wologda, am N-Ufer des Siwerskoje-Sees zw. Kirillow und Belosjorsk; auf mittelalterl. Grundlage im 16. Jh. neu errichtet. Sie besaß einen reichen Bestand an Ikonen, darunter Werke der Rubljow- und der Dionissij-Schule, heute auf versch. (v. a. Moskauer) Mus. verteilt.

Kiritamukuta [Skt.], in der ind. Kunst die zylindr., juwelen- und girlandengeschmückte Krone einiger Bodhisattva- und v. a. Vishnu-Darstellungen.

Kirke, lat. **Circe,** grch. Mythos: eine Zauberin auf der Insel Aia, Tochter des Helios, die einige Gefährten des Odysseus in Schweine verwandelte; von diesem mit dem Schwert bedroht, mußte K. sie wieder in Menschen zurückverwandeln. Verwandlung, Bedrohung der K. und Rückverwandlung sind in der Antike seit dem 6. Jh. v. Chr. auf grch. Vasen, später auch auf Wandbildern nachweisbar. Die neuzeitl. Kunst stellte gleichfalls diese mytholog. Szenen oder auch K. allein dar (A. CARRACCI, E. BURNE-JONES).

Kirkeby, Per, dän. Künstler, Kunsttheoretiker, *Kopenhagen 1. 9. 1938, stand in den 1960er Jahren der Fluxusbewegung nahe (»Romane« aus Photographien und Zeichnungen); kam Mitte der 1970er Jahre zu einer Malerei des Neoexpressionismus. Daneben architekton. Skulpturen (documenta 1982, Kassel)

P. K., Ausst.-Kat., Eindhoven (1981)

Kirschgummi, Maltechnik: →Cerasin.

Kirtimukha [Skt.], Dämonengesicht oder Löwenkopf als Dekorationsmotiv (urspr. magisch-bannender Bestimmung) an ind. Tempeln, über Eingängen, an Architraven sowie an Turbanen und Kronen z. B. Vishnus und der Bodhisattvas. In der Pala-Kunst diente K. als oberer Abschluß von Reliefplatten.

Kirtistambha [Skt.], reich dekorierte Säule an ind. Ehrenpforten, die in der Art von Triumphbögen an Tempeln (Modhera, Warangal u. a.) errichtet wurden, v. a. der zum Ruhmesturm ausgebaute K. in Chittor (12. Jh.).

Kisch, Stadtstaat im südl. Babylonien (KARTE Alter Orient), heute die Ruinenhügel **Tell el-Oheimir** und **Tell Inghara**; nach der sumer. Königsliste war K. Sitz der 1. Dynastie des Zweistromlandes nach der Sintflut. Schon in der Mitte des 3. Jahrtsd. v. Chr. wird die Vormachtstellung der Stadt durch den Titel ›König von K.‹ (mit der Bedeutung ›König der Gesamtheit‹) zum Ausdruck gebracht. Ausgrabungen legten einen Palast und einen Friedhof aus der Frühdynast. Zeit (2800–2300 v. Chr.) frei; Reste zweier Tempeltürme.

Kischi, Kiži, kleine Insel im N-Teil des Onegasees, nordöstlich von Petrosawodsk, Karel. ASSR, UdSSR, mit bed. Werken russ. Holzbaukunst: Verklärungs-(Preobraschenskij-)Kirche mit 22 Kuppeln (1714), Glockenturm (1874); Kirche der Fürbitte Mariae, Pokrow-Kirche (1764) u. a.; Freilichtmus. mit etwa 60 weiteren histor. Holzbauten, v. a. aus Karelien. (BILD S. 187)

Kishangarh [-ʃ-], etwa 1609 gegr. Kleinstaat und Stadt in Rajasthan, Indien, der im 18. Jh. eine Malschu-

Kischi: Pokrow-Kirche (1764) und Preobraschenskij-Kirche (1714, Glockenturm 1874)

le hervorbrachte, deren Bilder sich von Darstellungen anderer Malschulen der →Rajput-Malerei durch blattförmig geschnittene Augen unter hochgebogenen Brauen der meist im Profil gemalten Gesichter unterscheiden.

Kiss, August, Bildhauer, *Paprotzan bei Pleß (Oberschlesien) 11. 10. 1802, †Berlin 24. 3. 1865, arbeitete 1825–40 im Atelier von C. D. RAUCH und war seit 1830 Ziselierlehrer am Königl. Gewerbeinstitut. 1838 entschied sich K. für die Großplastik; sie weist ihn als bed. Tierbildhauer aus.

HW: Amazone zu Pferde im Kampf mit einem Tiger (1837–43, als Pendant zum Löwenkämpfer von A. WOLFF, 1844; Berlin-Ost, auf der Treppenwange des Alten Mus.). **Reiterdenkmäler:** Friedrich d. Gr. (1847; Breslau); Friedrich Wilhelm III. (1851, Königsberg; 1861, Breslau). – Standbild P. Beuth (1861, naturalist. Spätwerk; Berlin-Ost, im Hof des Märk. Mus.).

Lit.: →Berliner Bildhauerschule.

Kissi, Volksgruppe im NO Sierra Leones und in SW-Guinea. Im K.-Gebiet wurden kleine Specksteinfiguren gefunden, die meist Menschen in sitzender, kauernder Haltung zeigen, aber auch Tiere oder liegende und reitende Gestalten. Diese **Pomdo** *(Mz.* **Pomtan**) ähneln den Nomoli der →Sherbro und werden wie diese den alten sakralen Königreichen Bullom und Temne des 15./16. Jh. zugeschrieben; beide Figurentypen werden auf dem Kunstmarkt auch K. gen. Sie gelten z. T. noch heute als Zauberwesen, vor denen der Gerichtseid geleistet wird und die man in die Reisfelder stellt, um das Wachstum zu fördern.

P. ALLISON: African stone sculpture (London 1968); A. TAGLIAFERRI und A. HAMMACHER: Die steinernen Ahnen (a. d. Engl., 1974).

Kissingen, Bad K., Heilbad an der Fränk. Saale, Bayern, 22300 Ew. Klassizist. Pfarrkirche (1772–75); Barockrathaus (1709) von J. DIENTZENHOFER. Die Kuranlagen, urspr. 1738 von B. NEUMANN, wurden 1907–13 in Jugendstilformen von M. LITTMANN (*1862, †1931) erweitert; Kurtheater (1904).

R(onald) B. Kitaj: Malta; 1974 (Privatsammlung)

Kißlegg, Gem. an der Oberschwäb. Barockstraße, Bad.-Württ. Die Galluskirche (im Kern ma., 1734–38 im Frührokokostil umgebaut) besitzt einen reichen Augsburger Silberschatz. Altes Schloß (1560–70) mit 4 runden Ecktürmen und charakterist. Treppengiebeln; Neues Schloß (1721–27), eine dreiflügelige Barockanlage mit prunkvoller Einrichtung (Mus.).

Kißling, Richard, schweizer. Bildhauer, *Wolfwil (Kt. Solothurn) 15. 4. 1848, †Zürich 19. 7. 1919, tätig in Rom, seit 1883 in Zürich.

HW: Telldenkmal in Altdorf (1895); Porträtbüsten: G. Semper, G. Keller, A. Böcklin.

Kitaj [k'ıtaʒ], R(onald) B., amerikan. Maler, Graphiker, *Chagrin Falls (Ohio) 29. 10. 1932, seit 1958 in London, von der engl. Pop Art beeinflußt. K. ordnete unterschiedl. Materialien und Motive zu Kompositionen (u. a. Zeichnungen, Collagen), die eine Vielfalt von Assoziationen hervorrufen. Seit 1973 Bilder (v. a. Porträts) mit Aquarelleffekten, Pastelle, Zeichnungen.

R. B. K., Ausst.-Kat., Düsseldorf (1982).

Kithạra [grch.], altgrch. Saiteninstrument, bestehend aus einem vorn flachen, hinten gebauchten Holzkasten mit geschwungenen, parallel auslaufenden Jocharmen, Saitenhaltern und Steg, meist mit 7 (dann bis 18) Darmsaiten bespannt. Die Spielweise, später mit Plektron, ist nicht geklärt. Die oft abgebildete K. wurde meist von Männern im Stehen gespielt (Amphora des ANDOKIDESMALERS, 6. Jh. v. Chr., Louvre).

Kịtion, antike Stadt auf Zypern, heute →Larnaka.

Kitsch [Herkunft unklar; vielleicht von kitschen ›Schlamm zusammenscharren‹] *der,* wertlose ›Kunstware‹ (so um 1870 bei Malern und Kunsthändlern in München), ein kunstfertig, doch ohne künstler. Intention hergestellter Gegenstand (Bild, Plastik u. a.), der ohne den Filter der ästhet. Distanz unmittelbar den sentimentalen Selbstgenuß anspricht. – Neuerdings gilt K. auch als Ausdruck eines ›Trivialrealismus‹; in der Pop Art werden seine Gegenstände als Zitat einer außerkünstler. Realität verstanden. – Unterschieden wird der ›süße K.‹, der schöne Illusion und Rührung zu erwekken sucht, vom ›sauren K.‹, der sich mit vorgetäuschter Tiefgründigkeit dem Zeitgeschmack anpaßt. Mit Andenken-K. werden industrielle Nachahmungen volkstüml. Kunst bezeichnet. – Gegenstände eines überholten Stils (z. B. Symbolismus, Jugendstil) können unter anderen Voraussetzungen (veränderte ästhet. Vorstellungen) z. T. als K. empfunden werden.

Kittelsen, Theodor, norweg. Maler, *Kragerø (S-Norwegen) 27. 4. 1857, †bei Oslo 21. 1. 1914, studierte in München. K. malte von intensiven Naturerlebnissen getragene Bilder der nord. Landschaft, war aber v. a. ein bed. Zeichner und Buchillustrator mit reicher Phantasie und groteskem Humor.

Kitzbühel, Stadt in Tirol, Österreich, 8000 Ew. Maler. Stadtbild, v. a. durch die bunten Barockfassaden geprägt. Spätgot. Pfarrkirche St. Andreas (1435–1506), Inneres z. T. barockisiert, mit prächtigem Schnitzaltar von B. FAISTENBERGER (1663); Liebfrauenkirche (14. bis 15. Jh.), Doppelkapelle, Oberkapelle um 1738 barockisiert. Bei K. die Kapsburg (1615 erwähnt) und Schloß Lebenberg (16./17. Jh.).

Kitzingen, Stadt am Main, Unterfranken, 20400 Ew., mit ehem. Ursulinenklosterkirche in ital. Barockformen (1686–93 von A. PETRINI), got. Hallenkirche St. Johannes (15. Jh.), Renaissancerathaus (1561–63) und ehem. Kapuzinerkirche (1652 gew.) mit ausgezeichneten Barockaltären. Im Falltorturm (1469–96) das Dt. Fastnachtsmus. In **K.-Etwashausen** liegt die überkuppelte Heiligkreuzkapelle von B. NEUMANN (1741–45).

Kiva, Zeremonialkammer der prähistor. Pueblo-Indianer im SW Nordamerikas, halbunterirdisch, kreisrund (seltener rechteckig), mit einem Durchmesser bis 26 m. An den mit Steinplatten verkleideten Wänden finden sich farbenprächtige Wandmalereien, in älterer Zeit (um etwa 1000) mit geometr. Mustern, nach 1300 mit kunstvollen Darstellungen von Menschen und Tieren, jedoch ohne Perspektive oder räuml. Tiefe.

Kivik [tç'i: vi: k], Fundort eines bronzezeitl. Hügelgrabes mit Grabkammer in Megalithbauweise bei Södra Mellby, S-Schweden. Die Wandsteine der Grabkammer sind mit kult. Darstellungen (Menschengruppen mit Lurenbläsern, Schiff, Sonnenräder, Äxte usw.) verziert, die nach Vorbildern auf Kreta (Hagia Triada) auf Beziehungen zum östl. Mittelmeerraum schließen lassen.

Kiwschenko, Kivšenko, Aleksej Danilowitsch, russ. Maler, *Bez. Wenjow (Gouv. Tula) 22. 3. 1851, †Heidelberg 2. 10. 1895; Genre- und Jagdbilder, von westeurop. Malerei, bes. Düsseldorfer und Münchner Schule, beeinflußt (›Federsortierung‹, 1891; Leningrad, Russ. Mus.).

Kiyonaga, Kijonaga, Torii, japan. Farbholzschnittkünstler, *Uraga 1752, †Edo (Tokio) 28. 6. 1815,

Kiyonaga: Schauspieler Ishikawa Ebizo; Farbholzschnitt, 1777

Kiyonaga: Verabschiedung bei Nacht; Farbholzschnitt aus ›12 Monate im Süden‹. 1784

von der Torii-Familie in Edo adoptiert, Schüler des T. Kiyomitsu (*1735, †1785). Er löste sich um 1780 vom Torii-Stil der Schauspielerbilder, als er Ukiyo-e-Serien über die Vergnügungen der Bewohner Edos unter freiem Himmel und Szenerien der Stadt schuf (›Modischer Brokat des Ostens‹, ›12 Monate im Süden‹). Seine Figuren in monumentaler Zeichnung sind stilisiert und idealisiert. Er gilt als Erfinder des Landschaftsdrucks (›Kirschblütenschau in Asukayama‹, 1787). K. hatte bed. Einfluß auf seine Zeitgenossen, auch auf Utamaro.

Kiyonobu, Torii, japan. Maler, Holzschnittmeister, *Osaka 1664, †Edo (Tokio) 1729, Gründer der →Torii-Schule des Holzschnitts Ukiyo-e, die sich bes. der Theatergraphik widmete. Zu einem Begriff wurden seine Einblattdrucke und Buchillustrationen mit Schauspielerdarstellungen. Drastik und dramat. Linienschwung zeichnet seine frühen Werke aus, seine späteren sind nicht mehr mit Sicherheit von denen des K. II (*1702, †1752?) zu unterscheiden.

Kizil [-z-], **Kyzil, Qizil,** kleines, bei →Kucha in O-Turkestan gelegenes Dorf (Karte zentralasiatische Kunst). Hier entdeckten dt. Archäologen (1902–14) die meisten und bedeutendsten buddhist. Höhlenklöster mit den ältesten Malereien (um 500 n. Chr.) der nördl. Seidenstraße.

Lit.: →zentralasiatische Kunst.

Kladruby, dt. **Kladrau,** 1108 gegr. ehem. Benediktinerkloster im Westböhm. Kr., ČSSR. Die urspr. spätromanisch-got. Marienkirche wurde 1712–26 durch G. Santini zum Hauptwerk der böhm. Barockgotik (→

Santini) umgestaltet; Kuppelfresken von K. D. und P. J. ASAM. Der neue Konventbau um 1730–70 entstand vielleicht nach Plan von K. I. DIENTZENHOFER.

Klagenfurt, Hauptstadt des österr. Bundeslandes Kärnten, 95 000 Ew.; 1518–1848/49 im Besitz der Landstände (einmalig in der dt. Verfassungsgesch.). Dom (1582–91), urspr. der größte protestant. Sakralbau Österreichs (seit 1604 kath.), mit reichen Stukkaturen, Ausstattung weitgehend 18. Jh. (die Gemälde am Hochaltar von D. GRAN, Seitenaltarbild von P. TROGER); barocke Stadthauptpfarrkirche St. Egyd (1692–97), wie der Dom und andere Kirchen in K. mit Zwiebelhelmturm, zahlreiche Grabmäler seit dem 16. Jh.; Heiliggeistkirche, urspr. gotisch (14. Jh.), 1630 bis 1639 barock umgebaut; barocke Marienkirche (1613–24), Ausstattung v. a. 18. Jh. Das Landhaus (beg. 1574) an der Stelle der ma. Herzogsburg ist der repräsentativste Profanbau K.s, Renaissancefassade des nach der Stadt hin offenen Innenhofs erh., Außenfassade 1740 barockisiert. Großer Wappensaal mit Deckengemälde (1739/40) und 665 gemalten Wappen. – Landesmus. für Kärnten, Diözesanmus.

Klagenfurter Weiß, Maltechnik: besondere Qualität von →Bleiweiß.

Klap|heck, Konrad, Maler, *Düsseldorf 10. 2. 1935, malt Maschinen, techn. Geräte, deren sachl. Präzision, kompositionelle Zuspitzung und Isolation sich zum Ausdruck menschl. Psychologie verdichten (z. B. 3 Bohrgeräte als ›Der Krieg‹, 1965). K.s Bilder waren 1955 eines der entschiedensten Signale für die Rückkehr zum Gegenstand, zw. Rückgriff auf den Magischen Realismus und Vorwegnahme des Fotorealismus.

J. PIERRE: K. K. (a. d. Frz., 1970); K. K., Werkverz. der Druckgraphik 1960–77 (1977); K. K., Ausst.-Kat., Düsseldorf (1983).

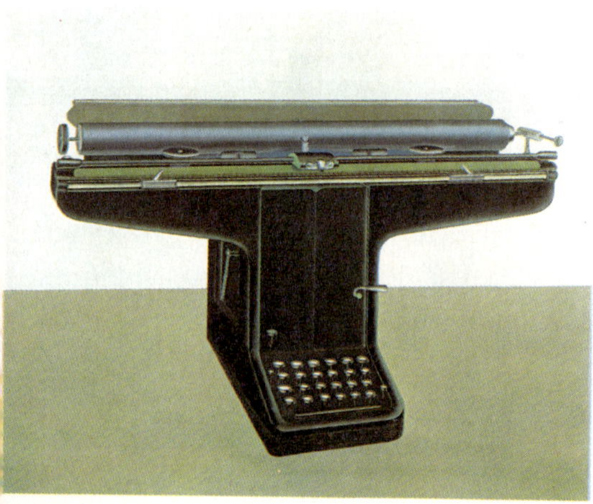

Konrad Klapheck: Athletisches Selbstbildnis; 1958 (Aachen, Neue Galerie, Sammlung Ludwig)

Klassizismus: Antonio Canova, ›Venus‹; 1812 (Florenz, Galleria Pitti)

Klara von Assisi, Heilige, *Assisi 1194, †S. Damiano (bei Assisi) 11. 8. 1253, gründete mit FRANZ VON ASSISI den 2. Orden der Franziskaner, die Klarissinnen; dargestellt mit Handkreuz, Buch, Lilie (GIOTTO, Florenz, S. Croce), seit dem 15. Jh. mit Monstranz.

klassische Kunst, Bez. der Epoche der →griechischen Kunst vom beginnenden 5. Jh. bis zum späten 4. Jh. v. Chr.

Klassizismus, 1) Stilbegriff zur Bez. von wiederkehrenden Kunstströmungen, die sich bewußt auf antike, meist grch. Vorbilder berufen und durch klare Kubenformen bestimmt sind. In der Architektur lassen sich klassizist. Richtungen seit dem 16. Jh. in Frankreich (→Classicisme), England und den Niederlanden (→Palladianismus) nachweisen, die um 1770 zum vorherrschenden Stil in der europ. und amerikan. Kunst wurden (→Klassizismus 2). Klassizist. Tendenzen, die sich oft nur schwer vom Historismus abgrenzen lassen und meist als →Neoklassizismus bezeichnet werden, finden sich um 1870, nach 1900, im 1. Viertel des 20. Jh. und neuerdings wieder in der postmodernen Architektur seit 1970.

2) Stilepoche zw. 1750 und 1840, die in betontem Gegensatz zur voraufgehenden und z. T. gleichzeitigen Kunst des Spätbarock um eine Klärung der Gesamtform im Hinblick auf ein stereometr. Grundbild bemüht war.

Die einsetzende wissenschaftl. Erforschung der grch. Kunst und Architektur bildete die Grundlage für die Rezeption antiker Vorbilder in allen künstler. Gattungen. Anstoß gaben die frühen Ausgrabungen von Herculaneum und Pompeji und die Forschungsreisen der Engländer R. WOOD (*1716, †1771) und J. STUART (*1713, †1788) sowie des frz. Grafen CAYLUS (*1692, †1765), außerdem die literar. Arbeiten von J. J. WINCKELMANN und die architekturtheoret. Werke von M.-A. LAUGIER (›Essai sur l'architecture‹, 1753) und J. F. BLONDEL (›Architecture française‹, 1752–56).

Klassizismus: Amalienborg-Kolonnade in Kopenhagen von K. F. Harsdorff; 1794

Klassizismus: Leo von Klenze, Glyptothek in München; 1816–30

Architektur: Seine deutlichste Ausprägung erfuhr der K. in Architektur und Stadtplanung fürstl. Residenzen des aufgeklärten Absolutismus. Blockartige Baukörperformationen mit vorgesetzten Säulenordnungen, die in ihrem städtebaul. Zusammenhang nach Möglichkeit herausgehoben wurden, lassen die Gestaltungsprinzipien der Barockarchitektur verschärft hervortreten. Zur Frühphase (früher auch →Zopfstil gen.) gehören das Petit Trianon (1762–66) in Versailles von J.-A. GABRIEL und in England die Landsitze von W. CHAMBERS und den Brüdern ADAM. Im Kirchenbau sind Ste. Geneviève (heute Panthéon) in Paris, 1764–89 nach Plänen von J.-G. SOUFFLOT, und die Abteikirche St. Blasien im Schwarzwald von P. M. D'IXNARD zu nennen. Bed. Stadtanlagen entstanden im letzten Jahrhundertviertel in Kassel (Oberneustadt mit Mus. Fridericia-

Klassizismus: Jacques-Germain Soufflot, Kuppel des Panthéon in Paris; 1764–89

num, 1769–79 von S. L. DU RY) und Berlin (Brandenburger Tor, 1788–91 von C. G. LANGHANS). In Frankreich zählen dazu die Bauten von C.-N. LEDOUX (Saline von Chaux), theoretisch u. a. vorbereitet durch É.-L. BOULLÉE (→Revolutionsarchitektur). Die 2. Phase des K. setzte um 1800 mit einer Anzahl bed. Stadtplanungen ein. In London führte J. NASH, in München L. v. KLENZE, in Karlsruhe F. WEINBRENNER, im heutigen Leningrad A. D. SACHAROW, in Washington P. C. L'ENFANT größere Stadterweiterungen mit jeweils einheitlich gestalteten Bebauungen aus. In der Architektur machte sich zu dieser Zeit ein stärkerer Rückgriff auf Formen der grch. Antike bemerkbar (→Greek Revival). Grch. Tempel oder Tempelfassaden dienten als Vorbilder für die Kirche Ste. Madeleine in Paris, 1806–42 von P. VIGNON, die Neue Wache (1817/18) und das Alte Museum (1822–30) in Berlin von K. F. SCHINKEL (BILD), das Brit. Mus. in London (1823–47) von R. SMIRKE sowie das Custom House in Boston (1804) von J. B. YOUNG. Ab 1820 lassen sich durch die Hereinnahme von Vorbildern der ital. Renaissance erste historist. Tendenzen erkennen, die den K. nur schwer gegen die Neurenaissance abgrenzen lassen. Die Entdeckung der Polychromie grch. Tempel 1830 durch J. I. HITTORF führte zu einer stärkeren Einbeziehung der Farbigkeit in die Architektur, die bes. durch verschiedenfarbige Materialien erreicht wurde und dem Stil eine romant. Richtung gab. Die wichtigsten Vertreter dieser Zeit sind G. SEMPER (BILD) in Dresden, F. VON GÄRTNER in München, die Brüder H. C. und T. HANSEN in Kopenhagen, Athen und Wien, G. LAVES in Hannover, C. R. COCKERELL in England.

In der Plastik läßt sich für Frankreich bereits seit dem mittleren 18. Jh. in den Werken von E. BOUCHARDON, M.-A. SLODTZ und G. COUSTOU D. Ä. eine Abkehr

Klassizismus: Gottlieb Schick, ›Heinrike Dannecker‹; 1802 (Stuttgart, Staatsgalerie)

Klassizismus: Glasfenster mit antiken Sagengestalten von Sigmund Frank; um 1810 (München, Bayer. Nationalmuseum)

von der durch G. L. BERNINI eingeleiteten barocken Tradition beobachten, die im letzten Jahrhundertviertel durch J.-A. HOUDON zu einer glatten, an grch. Statuen angelehnten Kunst weiterentwickelt wurde. Nach 1789 fand die frz. Richtung keine unmittelbare Nachfolge, da Napoleon den Italiener A. CANOVA (weiteres BILD Canova) und die von ihm vertretene antikisch-heroisierende Gestaltungsweise bevorzugte. Aus seiner Schule ging der Däne B. THORVALDSEN hervor, der in seinem röm. Atelier u. a. die Giebelskulpturen des grch. Tempels von Ägina ergänzte. In England führte die im mittleren 18. Jh. durch J. WILTON, J. NOLLEKENS und T. BANKS eingeleitete Entwicklung um 1800 zu ihrem Höhepunkt unter J. FLAXMAN. In Dtl. arbeiteten gleichzeitig G. SCHADOW (BILD) und C. D. RAUCH (BILD) als Bildhauer, in Schweden J. T. SERGEL, in den USA H. GREENOUGH und in Rußland I. P. MARTOS.

Für die Malerei des K. bedeutet das Deckengemälde ›Parnaß‹ (1761) von A. R. MENGS in der Villa Albani in Rom den programmat. Anfang. Die Gestaltungsprinzipien einer scharfen Linienführung und klaren Farbgebung wurden in den Gemälden von J. L. DAVID (BILD Historienmalerei) vor und nach der frz. Revolution (›Schwur der Horatier‹, 1784/85; ›Der ermordete Marat‹, 1793) sowie von J. A. D. INGRES (›Apotheose Homers‹, 1827) weiterentwickelt. In Frankreich markiert É. DELACROIX, in Spanien F. DE GOYA den Übergang zum vielfigurigen Historienbild. In England fand G. HAMILTON, ein wichtiger Wegbereiter des K., keine ebenbürtige Nachfolge, während die strengen, an der antiken Vasenmalerei orientierten Umrißzeichnungen Flaxmans, durch Stiche verbreitet, in ganz Europa bewundert wurden. Für N-Dtl. und Skandinavien stellte die Akad. in Kopenhagen unter N. ABILDGAARD ein künstler. Zentrum dar. Aus dem Kreis um A. J. CARSTENS, der antike Sujets bevorzugte, trat J. A. KOCH mit seinen idealen Landschaftsdarstellungen hervor, ein Genre, das in den grch. Landschaften von K. ROTTMANN einen Höhepunkt erreichte. Dagegen war im Kreis um P. v. CORNELIUS, zu dem F. OVERBECK, P. VEIT und W. SCHADOW zählten, durch die Ausrichtung auf ital. Vorbilder des 15. und 16. Jh. die romant. Komponente stärker vertreten.

K. und Romantik, Ausst.-Kat., Nürnberg (1966); R. ZEITLER: Die Kunst des 19. Jh. (1966); F. BAUMGART: Vom K. zur Romantik 1750 bis 1832 (1974); H. v. EINEM: Dt. Malerei des K. und der Romantik 1776–1840 (1978); BARBARA HARDTWIG: Nach-Barock und K. (1978); K. in Bayern, Schwaben und Franken, Ausst.-Kat., München (1980).

Martin Klauer: Goethe; Fragment einer Tonbüste; um 1790 (Weimar, Goethe-Nationalmuseum)

Klattau, tschechisch **Klatovy,** Stadt im Westböhm. Kr., ČSSR, 21 000 Ew.; im 13. Jh. mit rechtwinkligem Straßennetz und großem Marktplatz angelegt; got. Pfarrkirche (14.–15. Jh.); ›Schwarzer Turm‹ (1547–57, 75 m hoch); spätgot. Rathaus (16. Jh., im 18. und 19. Jh. entscheidend verändert). Die ehem. Jesuitenkirche, 1654–56 nach Plänen von C. LURAGO erbaut, wurde nach Brand im frühen 18. Jh. erneuert (Portal nach Plan von K. I. DIENTZENHOFER).

Klauer, Martin Gottlieb, Bildhauer, *Rudolstadt 29. 8. 1742, †Weimar 4. 4. 1801, seit 1773 ebd. Hofbildhauer. Er schuf v. a. lebensnahe, monumentale Porträtbüsten aus dem Goethe-Kreis (J. W. v. GOETHE, C. M. WIELAND, J. G. v. HERDER) in klassizist. Stil.

Klause [von lat. clausus ›geschlossen‹], enger, abgeschlossener Raum, Klosterzelle, Einsiedelei.

Klausen, 1) Wallfahrtsort im Moseltal, bei Wittlich, Rheinl.-Pf., besitzt in der ehem. Augustinerchorherren-Stiftskirche (1502 gew.) einen bed. Bau der Spätgotik. Von der reichen Ausstattung ist v. a. der geschnitzte Antwerpener Hochaltar (um 1480) hervorzuheben.

2) ital. **Chiusa** [kiˈuːsa], Städtchen (4000 Ew.) im Eisacktal, Südtirol; Pfarrkirche St. Andreas (1480–94), Apostelkirche (1450), Sebastianskapelle (Zentralbau, urspr. zweigeschossig; Anf. 13. Jh.), Kapuzinerkirche (1701 gew.) mit Loretokapelle und Schatzkammer. Über K. Burg Branzoll und Kloster **Säben** (vom 5. bis 10. Jh. Bischofssitz, Ende des 15. Jh. zur Festung ausgebaut, seit 1681 Benediktinerinnenstift) mit Heiligkreuzkirche (7. Jh., Chor Ende 17. Jh.), Marienkapelle (urspr. romanisch, im 17. Jh. verändert), Klosterkirche (1691 bis 1707) und Liebfrauenkirche (1652).

Klausenburg, rumän. **Cluj-Napoca** [kluʒ-], Hauptstadt des Kr. Cluj, in Siebenbürgen, Rumänien, 262 500 Ew. K., bereits z. Z. Hadrians röm. Municipium in Dakien, wurde nach den Mongolenstürmen des 13. Jh. durch Kolonisten neu gegr. Dem MA. entstammen die got. Kirche St. Michael, eine vierjochige, dreischiffige Hallenkirche (beg. um 1350, voll. größtenteils 1444, wertvolles Renaissance-Portal an der Sakristei von

Klausenburg: St.-Michaels-Kirche; begonnen um 1350

1528), die ref. Kirche (15. Jh., Renaissance-Kanzel von 1646) und die spätgot. Franziskanerkirche, gegr. unter MATTHIAS I. CORVINUS (1458–90), dessen spätgot. Geburtshaus heute Mus. ist. Erh. sind auch Reste der Stadtumwallung des 15. Jh. Das Rathaus entstand vom 16. bis 18. Jh., im 18. Jh. die Piaristenkirche und die ehem. Jesuitenkirche. Im spätbarocken Bánffy-Palast (1773–85) heute Kunst-Mus.

Klausur [lat.], der innere Bereich des Klosters.

Klazomenai, Klazomenä, ionische Stadt am S-Ufer des Golfs von Izmir (Türkei) beim heutigen Urla. K. war Fundort von ostgrch. figürl. und ornamental bemalten Tonsarkophagen des späten 6. und frühen 5. Jh. v. Chr. **(Klazomen. Sarkophage).** Auch eine Gattung schwarzfiguriger Keramik aus der 2. H. des 6. Jh. v. Chr. wurde vermutlich in K. hergestellt **(Klazomen. Vasen).**

Klee, Paul, Maler, Graphiker, *Münchenbuchsee bei Bern 18. 12. 1879, †Locarno-Muralto 29. 6. 1940. K. lernte 1898–1901 in München u. a. bei F. v. STUCK, war 1901 in Italien und ließ sich 1906 in München nieder, wo er mit A. KUBIN, W. KANDINSKY, F. MARC und A. MACKE befreundet war. 1912 empfing er in Paris bes. von P. PICASSO und H. ROUSSEAU wichtige Anregungen. 1914 war er mit Macke und L. R. MOILLIET in Tunis und Kairuan. 1921–30 wirkte er als Meister am →Bauhaus in Weimar und Dessau, 1930–33 als Akad.-Prof. in Düsseldorf. 1933 siedelte er nach Bern über. 1937 wurden in Dtl. 102 seiner Werke als ›entartet‹ beschlagnahmt.

K. entwickelte seit etwa 1902 den eigenen Zeichenstil, zunächst ein unruhiges Umspinnen der Konturen mit zarten, seel. Erregung ausdrückenden Linien. Gegen 1912 gewann er in seinen Zeichnungen, seit 1914 auch in zartfarbigen Gemälden die für sein Werk charakterist. Bildsprache. Nachdem K. zunächst als der Malerpoet traumhafter Erlebnisse und romant. ›Weltinnenräume‹ gesehen wurde, trat in jüngerer Zeit der ›Formdenker‹ mit der umfassendsten Systematisierung

Paul Klee: Das Vokaltuch der Kammersängerin Rosa Silber; 1922 (New York, Museum of Modern Art, Schenkung Mr. und Mrs. Stanley Resor)

bildner. Denkens im 20. Jh. hinzu, der Rutengänger nach einem utop. Generalbaß von Zeichnung und Malerei, dessen Werk träumer. Assoziation und ästhet. Konstruktion, Geheimnis und Kalkül in einer säkularen Synthese in sich vereint. Wenngleich eine Entwicklung eher durch kompositionelle Untersuchungsreihen und Bildfolgen ersetzt wird, herrschte in der Frühzeit der iron. Zeichner, bis zum Ende des 1. Weltkriegs der romant. Maler, während der Bauhauszeit der Form- und Gestaltlehrer vor. Im Berner Spätwerk fand er mit

Paul Klee: Hilferuf; Pinselzeichnung, 1932 (Düsseldorf, Kunstsammlung Nordrhein-Westfalen)

seinen dunklen Zeichen zu einer neuen psychograph. Intensität und (im kleinen Format) zu innerer Monumentalität, die Ironie und Romantik hinter sich ließ.

Schriften: Pädagog. Skizzenbuch (1925); Über die moderne Kunst (1945); Tagebücher 1898–1918, hg. v. FELIX K. (1957); Briefe an die Familie 1893–1940, hg. v. dems., 2 Bde. (1979); Schriften, Rezensionen und Aufsätze, hg. v. C. GEELHAAR (1976).

FELIX K.: P. K. (1960); W. KORNFELD: Verz. des graph. Werkes v. P. K. (1963); W. GROHMANN: Der Maler P. K. (1966); E. J. GLAESEMER: P. K., die farbigen Werke im Kunstmus. Bern, 1 (1976 ff.); CAROLA GIEDION-WELCKER: P. K. in Selbstzeugnissen und Bilddokumenten (1980); O. K. WERCKMEISTER: Versuche über P. K. (1981).

Kleeblattbogen, Baukunst: ein →Bogen in Form eines dreiblättrigen Kleeblatts.

Kleihues [-hu:s], Josef Paul, Architekt, *Rheine/Westf. 11. 6. 1933, gründete nach seiner Tätigkeit bei P. POELZIG 1962 ein Architekturbüro in Berlin und wurde 1973 Prof. an der Univ. Dortmund. K. ist Hg. der ›Dortmunder Architekturhefte‹ (seit 1975); 1979–82 Planungsdirektor der Internat. Bauausstellung Berlin 1984. Die Spröde der Rationalen Architektur sucht K. v. a. mit dem Moment der Poesie zu brechen. Klare, scharfkantige Bauformen werden durch architekton. Eingriffe, z. B. Brechung eines Rasters oder Wiederaufnahme histor. Bauformen inhaltlich bereichert.

HW: Kopfklinik Westend, Berlin (1960–66, mit P. POELZIG); Hauptwerkstatt der Berliner Stadtreinigung (1969–79), Haus für G. Baselitz, Projekt (1972); Blockbebauung Vinetaplatz, Berlin-Wedding (1972–78); Krankenhaus, Berlin-Neukölln (1973 ff.); Zentrum Wulfen (1975–79); Mus. Blankenheim (1976, Projekt).
Schrift: Berlinatlas zu Stadtbild und Stadtraum (1973).

Yves Klein: Schwammrelief; 1958 (Köln, Museum Ludwig)

Klein, 1) Johann Adam, Maler, Radierer, *Nürnberg 24. 11. 1792, †München 21. 5. 1875, ebd. seit 1837, malte v. a. Gemälde mit Genrestaffage. K. war als Radierer, bes. von Pferden, beliebt.

2) Max, Bildhauer, *Gönc (Ungarn) 27. 1. 1847, †Berlin 6. 9. 1908, lebte seit 1874 ebd. und arbeitete in Stukkatur-Werkstätten. K. schuf in neubarockem Stil Denkmäler und Porträtbüsten.

HW: Herkules mit dem nemeischen Löwen (1879; Berlin-West, Staatl. Museen); Fontane-Denkmal (1908; ebd., Tiergarten).
Lit.: →Berliner Bildhauerschule.

3) [klɛn], Yves, frz. Künstler, *Nizza 28. 4. 1928, †Paris 6. 6. 1962, schuf seit 1949 monochrome Bilder, bes. in leuchtendem Blau, die einen romant. Universalismus bezeugen. Seine Experimente mit den verschiedensten Materialien und Techniken (›Anthropometrien‹, Körperabdrücke seit 1958; ›Cosmogenien‹ mit Spuren von Wind und Regen und Pflanzen seit 1960; Feuerbilder seit 1961) gaben der →zeitgenössischen Kunst starke Impulse; Gründungs-Mitgl. des →Nouveau Réalisme. (BILD S. 199)

P. RESTANY: Y. K. (a. d. Frz., 1982).

Kleinbitsch, Stadt in der ČSSR, →Bytca.

Kleinbronzen, künstler. Erzeugnisse der Kleinkunst aus Bronze, im Mittelmeerraum zuerst in der kretisch-myken. Kunst vorkommend; später spielten sie in fast allen Phasen der grch., der etrusk. und der röm. Kunst der Kaiserzeit eine wichtige Rolle. Die im massiven Vollguß hergestellten Statuetten lehnten sich zwar an die Großplastik an, entwickelten aber einen durchaus eigenen Stil. In der 2. H. des 15. Jh. griffen ital. Künstler erneut diese Gattung auf (BERTOLDO DI GIOVANNI, A. DEL POLLAIUOLO). Im 16. Jh. wurden die K. von B. CELLINI, GIAMBOLOGNA u. a. zu begehrten Sammelobjekten. Eine Spätblüte erlebten die K. im 18. Jh. in Florenz (G. B. FOGGINI, *1652, †1725; M. SOLDANI, *1658, †1740).

H. R. WEIHRAUCH: Europ. Bronzestatuetten (1967).

Kleiner, Salomon, Architekturzeichner, Kupferstecher, *Augsburg 12. 4. 1703, †Wien 15. 3. 1761, schuf in Zeichnung und Stich zahlreiche Folgen und Einzelblätter süddt. und Wiener Barockbauten und -gärten.

Kleinheubach, Markt im Kr. Miltenberg, Unterfranken; Barockschloß (1723–32 von L. R. DE LA FOSSE und J. DIENTZENHOFER) der Fürsten von Löwenstein-Wertheim-Rosenberg, v. a. klassizist. Innenausstattung.

Kleinkunst, künstler. Erzeugnisse und kunsthandwerkl. Arbeiten kleinen Formats, die seit vorgeschichtl. Zeit in der Gesch. der bildenden Kunst bei allen Kulturen neben den Werken der großen Kunst eine wichtige Rolle spielen. Aus dem Altertum ist eine unübersehbare Fülle von Werken der K. (Statuen, Geräte aller Art) überliefert, die vielfach zum kult. Bereich gehören (Grabbeigaben, Beter- und Votivstatuetten); das Material kann Gold, Silber, Bronze, Kupfer, Eisen, Schmuckstein, Glas, Holz, Ton, Elfenbein u. a. sein. (Vgl. die Artikel über Elfenbeinschnitzerei, Goldschmiedekunst, Kleinbronzen, Kunsthandwerk, Porzellan, Tanagra, Terrakotta, Terra sigillata, Tonplastik, Siegel, Glyptik, Vasen und die Kunstartikel der versch. Kulturen des Altertums.)

Kleinmariazell, Gem. im Bez. Baden, NÖ, mit ehem. Benediktinerkloster (1782 aufgehoben); ehem. Stiftskirche (12. Jh.) nach 1750 barockisiert, qualitätvolle Ausmalung (1764/65), 2 roman. Portale erhalten.

Kleinmeister, nach ihren kleinformatigen Stichen benannte Gruppe von Kupferstechern des 16. Jh. in der Nachfolge A. DÜRERS, die nach Vorbildern der ital. Renaissance v. a. mytholog. und bibl. Themen darstellten. Zu ihnen gehörten bes. die Brüder H. S. und B. BEHAM, G. PENCZ, H. ALDEGREVER, J. BINCK, auch A. ALTDORFER und H. BROSAMER.

Meister um A. Dürer, Ausst.-Kat., Nürnberg (1961).

Kleinmeisterschalen, kleine grch. Trinkschalen auf hohem Fuß, um 560–530 v. Chr., v. a. aus Attika und Ionien; Bemalung auf den Außenseiten mit friesartig angeordnetem, miniaturhaftem Dekor (Ornament, Figuren); oft auch mit Inschriften (Wohl bekomm's o. ä.). Die Innenseite ist meist in der Mitte durch ein Medaillon (mit figürl. oder Tierdarstellung) geschmückt.

Kleistermalerei, Maltechnik: Kleister wird, mit Pigmenten verrührt, meist in Spachteltechnik aufgetragen. Beim Abheben des Malwerkzeugs entstehen reizvolle Strukturen, ähnlich denen, wie sie der Monotypie eigen sind; vereinzelt im 19. und 20. Jh. angewendet.

Klengel, 1) Johann Christian, Maler, *Kesselsdorf (bei Dresden) 5. 4. 1751, †Dresden 19. 12. 1824, seit 1800 ebd. Prof. der Akad. K. malte, von der traditionellen Sehweise der niederländ. Malerei zu eigener Naturbeobachtung übergehend, Landschaften mit mytholog. und alltäglich-bäuerl. Staffage. Mit seinen Morgen-, Abend- und Nachtstimmungen bereitete K. die Landschaftskunst der Romantik vor.

J. C. K., Ausst.-Kat., Freiberg (1950).

2) Wolf Caspar von, Baumeister, *Dresden 8. 6. 1630, †ebd. 10. 1. 1691, wurde nach Studien in den Niederlanden, Paris, Italien (G. L. BERNINI, F. BORROMINI) 1656 in Dresden Oberlandbaumeister. Zu seinen HW in Dresden gehören das Komödienhaus (1664–67), das Neue Ballhaus (1668–69) und das Schießhaus (1672 bis 1673), ferner der obere Teil des Turmes am Dresdner Schloß (1674–78, im Stil des niederländ. Barock). – V. a. unter dem Eindruck seiner ital. Studienreise hat K. den Dresdner Barock begründet.

Klenze, Franz Karl Leo von (seit 1833), Baumeister, Maler, Zeichner, *Schladen im Harz 28. 2. 1784, †München 27. 1. 1864, bildete sich in Berlin (F. GILLY, A. HIRT), Paris (P. F. L. FONTAINE, C. PERCIER) und Italien. Seit 1808 war K. in Kassel Hofarchitekt des Königs JERÔME von Westfalen, seit 1815 des späteren Königs LUDWIG I. von Bayern (seit 1820 Hofbauintendant), in dessen Auftrag er die Münchner Neustadt gestaltete (Königsplatz, Ludwigstraße, Odeonsplatz, große Teile der Briennerstraße). Sein Baustil entfaltete sich aus der Erfahrung der grch. Antike (Bauaufnahmen in Griechenland, 1823) und übernahm auch Elemente der Hochrenaissance. In diplomat. Mission reiste K. 1834 nach Athen an den Hof OTTOS I. und ordnete dort die Aufsicht über die Denkmäler der Antike (Einrichtung von archäolog. Zonen, Verzicht auf die Akropolis als Festung) und entwarf einen Bauplan für die Stadt.

HW in München: Leuchtenberg-Palais (1816–21); Glyptothek

(1816–30; BILD Klassizismus); Festsaalbau (1823–42) und Königsbau (1826–35) der Residenz; Alte Pinakothek (1825–36); Allerheiligen-Hofkirche (1826–37); Monopteros im Engl. Garten (1833–35); Ruhmeshalle (1843–54); Propyläen (1846–60). – Walhalla bei Regensburg (1830–42); Eremitage (1839–52; St. Petersburg/Leningrad); Befreiungshalle (1849–63; bei Kelheim).

L. v. K., Ausst.-Kat., München (1977); N. LIEB u. F. HUFNAGEL: L. v. K., Gemälde und Zeichnungen (1979); O. HEDERER: L. v. K., (²1981).

Kleobis und Biton, grch. Mythos: die Söhne einer Herapriesterin aus Argos, die deren Wagen aus Zeitnot selbst zum Opferfest im Tempel zogen. Die Mutter erbat für sie von der Göttin den schönsten Lohn, worauf sie schlafend starben. Von den ihnen nach Delphi geweihten Statuen haben sich die archaischen Standbilder des K. und B. erh., von POLYMEDES signiert (Marmor, um 590 v. Chr., Delphi, Mus.).

Kleophonmaler, hochklass., attischer Vasenmaler des rotfigurigen Stils, um 450–425 v. Chr. Geist und Stil seiner hochgewachsenen, in sich versunkenen Gestalten entsprechen der Plastik der Parthenonzeit.

Kleophradesmaler, einer der führenden Vasenmaler Athens um 500 v. Chr., wichtig für die Entwicklung des Ausdrucks von Stimmungen und Emotionen in der rotfigurigen Vasenmalerei.

Kleve, Stadt links des unteren Niederrheins, NRW, 44100 Ew.; 1647–79 Residenz des brandenburg. Statthalters JOHANN MORITZ V. NASSAU, der die barocken Garten- und Parkanlagen schuf (teilweise erh.), seit 1742 Badeort; 1944 zu 80 % zerstört. Teile der Schwanenburg (12.–17. Jh., verbunden mit der Lohengrin-Sage) sind wiederaufgebaut, Bauplastik aus dem Umkreis des SAMSON-MEISTERS. Die ehem. Stiftskirche (1341–1426), eine got. Stufenhalle, besitzt vorzügl. niederländ. Schnitzaltäre und ist die Grablege der Herzöge von K. Minoritenkirche (um 1440, asymmetrisch-zweischiffige Halle) mit got. Chorgestühl (1474). Klassizist. Wohnhaus des Malers B. C. KOEKKOEK (Mus.).

Kley, Heinrich, Maler, Zeichner, *Karlsruhe 15. 4. 1863, †München 8. 2. 1945, malte v. a. Hafenansichten und Industriewerke. Seine humorist. Zeichnungen und Radierungen von vermenschlichten Tiergestalten erschienen im ›Simplicissimus‹, in der ›Jugend‹ und auch in Sammelbänden.

Klimsch, Fritz, Bildhauer, *Frankfurt a. M. 10. 2. 1870, †Freiburg i. Br. 30. 3. 1960, Schüler von A. WOLFF und F. SCHAPER in Berlin, nahm 1898 ebd. an der Gründung der Sezession teil und war 1921–35 ebd. Prof. an den Vereinigten Staatsschulen. – K. schuf Denkmäler, Porträtbüsten und Grabmäler. Er war ein Hauptvertreter des Jugendstils, der sich in seinen Grabmälern mit Elementen des Neoklassizismus verbindet. Im Grabmal für E. Fischer (1920) überwiegen Motive des Symbolismus.

WW: Tänzerin (1898; Berlin-West, Staatl. Museen); Virchow-Denkmal (1906, enthüllt 1910; Berlin-Ost).

H. BRAUN: F. K. (1980). Weitere Lit.: →Berliner Bildhauerschule.

Klimt, Gustav, Maler, *Baumgarten (Wien) 14. 7. 1862, †Wien 6. 2. 1918, leitete 1897–1905 die von ihm

Gustav Klimt: Der Kuß; 1908 (Wien, Österreichische Galerie)

mitbegründete Wiener Sezession. Nach seinen frühen von H. MAKART beeinflußten Arbeiten malte er zartfarbige Kompositionen meist symbol. Bedeutung, in deren flächenhaftem Stil sich Figürliches mit ornamentalen Elementen zu raffiniert dekorativen Wirkungen verbindet (BILD Jugendstil); meisterhafte Zeichnungen.

HW: Deckenbilder für die Wiener Univ. (Philosophie, Medizin, Jurisprudenz, 1900–03; zurückgewiesen); Porträts; Der Kuß (1908; Österr. Galerie, Wien); Wandbilder im Palais Stoclet, Brüssel (1909 bis 1911).

F. NOVOTNY u. J. DOBAI: G. K., Œvre-Kat. der Gemälde ([2]1975); G. K., Zeichnungen, Ausst.-Kat., Essen (1976); C. M. NEBEHAY: G. K. (1979); G. K., Zeichnungen, hg. v. ALICE STROBEL, 1 (1981), 2 (1982).

Kline [grch.] *die*, in der grch. Antike das Bett, auch das Lager beim Mahl.

Kline [klaın], Franz, amerikan. Maler, *Wilkes-Barre (Pennsylvania) 23. 5. 1910, †New York 13. 5. 1962, einer der führenden Vertreter des →Abstrakten Expressionismus. Seine sperrigen Balkenkompositionen, in denen Schwarz und Weiß vorherrschen, stoßen über die Bildränder hinaus, erreichen aber eine tekton. Ausgewogenheit.

Klingenmünster, Gem. am Rand der Haardt, Rheinl.-Pf. Die roman. Kirche der ehem. Benediktinerabtei (um 1100) nur teilweise erh., barocker Neubau 1735–37. Oberhalb von K. die spätroman. Nikolauskapelle (um 1200); westlich die Reichsburg **Landeck** (1. H. 13. Jh.) mit Buckelquaderringmauer und -bergfried sowie die Burgruine **Waldschlößl** (1168 zerstört).

Klinger, Max, Maler, Radierer, Bildhauer, *Leipzig 18. 2. 1857, †Großjena (bei Naumburg) 4. 7. 1920, bildete sich in Karlsruhe, Brüssel und Paris, lebte 1888–93 in Rom, wo ihn A. BÖCKLIN beeinflußte, seitdem in Leipzig bed. Vertreter des Symbolismus (BILD). K.s bedeutendste Leistung sind seine Radierungen, in denen er mit virtuoser Technik seine eigene phantasiereiche Vorstellungswelt Gestalt werden ließ, weiterhin großformatige Malereien mit antikischer und christl. Thematik, Porträts. Sein Bemühen, die farbige Plastik der Antike zu erneuern, gipfelte in dem Sitzbild Beethovens (1886–1902; Leipzig, Mus. der bildenden Künste, z. Z. als Leihgabe im Gewandhaus).

A. DÜCKERS: M. K. (1976); M. K. 1857–1920, Malerei, Graphik, Plastik, Ausst.-Kat., Stuttgart (1981); KARIN MAYER-PASINSKI: M. K.s Brahmsphantasie (1982).

Max Klinger:
Beethovendenkmal; 1886–1902
(Leipzig, Gewandhaus)

Klinker, Hartbrandziegel, dessen Oberfläche durch hohe Hitze beim Brand leicht verglast. Wegen seiner dekorativen Wirkung und der Wetterbeständigkeit wurden K. bei Ziegelrohbauten v. a. des Expressionismus und des Neuen Bauens benutzt.

Klinkowström [kl'ıŋkostrø:m], Friedrich August von, Maler, *Steinhagen bei Stralsund 31. 8. 1778, †Wien 4. 4. 1835. Um 1803 stand K. in Dresden P. O. RUNGE, C. D. FRIEDRICH und F. TIECK nahe, studierte 1809 in Paris bei J. L. DAVID, kam 1810/11 in Rom mit F. OVERBECK und den Nazarenern in Berührung und ließ sich 1814 in Wien nieder. Hier vertrat K. mit F. SCHLEGEL und A. MÜLLER die kath. Romantik.

Klischee [frz. cliché] *das,* allg. Bez. für Druckplatten und Druckstöcke aller Art, bes. zur Wiedergabe von Bildern im Hochdruckverfahren. Die K.-Herstellung ohne Ätzung (wie bei der →Autotypie) arbeitet mit K.-Gravierung, d. h. die **K.-Graviermaschine** tastet das Original punktuell nach Helligkeitswerten ab und überträgt diese auf einen gravierenden Stichel.

Klitias, Kleitias, grch. Vasenmaler, um 570 v. Chr. tätig. Mit dem Töpfer ERGOTIMOS zus. signierte er die →Françoisvase; Kraft und Detailreichtum seiner Bilderzählungen machen ihn zu einem der bedeutendsten Vasenmaler aus der Frühzeit des schwarzfigurigen Stils in Attika.

Klodt von Jürgensburg, auch **Clodt von Jürgensburg,** Peter Jakow Karlowitsch, russ. Bildhauer, *St. Petersburg 5. 6. 1805, †Chalala (Finnland) 20. 11. 1867, besuchte ab 1833 die Akad. in St. Petersburg; schuf Pferde- und Reiterskulpturen, u. a. Pferdebändiger (Anischkow-Brücke, Leningrad, Kopien in Berlin und Neapel). Sein Sohn Michail Petrowitsch K. v. J. (*1835, †1914) war Genremaler, sein Neffe Michail Konstantinowitsch K. v. J. (*1833, †1902) Landschaftsmaler.

Kłodzko [kł'ɔtskɔ], poln. Name der Stadt →Glatz.

Kloster [lat.] *das,* zunächst der dem Laien unzugängl. Raum im K. (Klausur), seit dem frühen MA. identisch mit lat. monasterium (›Einsiedelei‹) und coenobium (›Ort des gemeinsamen Lebens‹); im christl. Kulturbereich auch der von der Außenwelt abgesonderte Gemeinschaftsbau für Angehörige des Klosterstandes.

Klosterbau. Baugeschichtlich ist das K. hervorgegangen aus den Einsiedlerkolonien, die sich seit Beginn des 4. Jh. in Ägypten und Palästina bildeten. Diese machte schon der Kopte Pachomius (†346) durch Umziehung mit einer Mauer, den Einbau einer Kirche, gemeinsame Speise-, Wohn-, Bücherräume zu einem K. Bereits im 5. Jh. gab es mächtige Anlagen (Kal'at Sim'an in Syrien, Thebessa in Nordafrika, das K. bei der Menasstadt in Ägypten). Gemeinsame Anlageprinzipien sind nur i. a., Abhängigkeiten von hellenist. Planungen hingegen deutlich zu erkennen. Auch später behielt das K. der Ostkirche eine gewisse Regellosigkeit, in der nur Kirche und Trapeza (Speisesaal) Mittelpunkte bildeten.

Das abendländische K. unterscheidet sich dank der Wirksamkeit des Hl. Benedikt durch eine straffer organisierte Gesamtanlage. Das älteste erhaltene Zeugnis ist der St. Galler Plan (um 820). An die S-Seite der die Anlage beherrschenden Kirche schließt sich ein Umgangshof an (→Kreuzgang), den die der Klausur unterworfenen Bauten des gemeinsamen Lebens umgeben: der Speisesaal (Refektorium, meist gegenüber der Kirche und parallel zu ihr), der Kapitelsaal, das Parlatorium (Sprechraum) und der Schlafsaal (Dormitorium, später manchmal über dem Kapitelsaal). Diese bilden mit der Kirche eine architekton. Einheit. Außerdem zeigt der St. Galler Plan viele Bauten und Anlagen (Abts-, Arzt-, Schul-, Novizen-, Gäste-, Krankenhaus, Schuppen, Ställe, Gärten, Friedhof u. a.), die das K. zu einer selbständigen Wirtschaftseinheit machen. In welchem Umfang die Benediktiner diesem Idealplan nachkamen, ist nicht nachzuprüfen. Das Prinzip des abendländ. K. war aber in ihm festgelegt und blieb in Abwandlungen für die meisten Orden verbindlich.

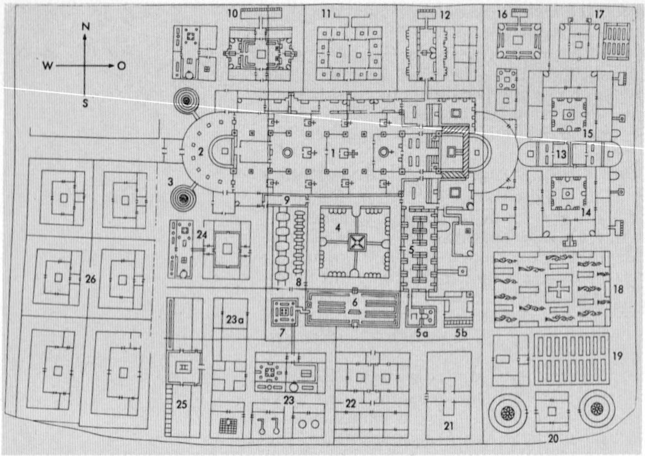

Kloster: St. Galler Plan, um 820 (St. Gallen, Stiftsbibliothek); Musterschema. Die Anlage wurde seit dem 16. Jh. durch Neubauten ersetzt. **1** Kirche, **2** Chor, **3** Glockenturm, **4** Kreuzganghof, **5** oben Schlafsaal, unten Wärmestube, **5 a** Badestube, **5 b** Aborte, **6** Refektorium, **7** Konventsküche, **8** Vorratshaus, darunter Kellerei, **9** Klosterpforte zur Klausur, **10** Gästehaus mit Nebengebäude, **11** Schule, **12** Abtshaus mit Nebengebäude, **13** Nebenkirche, **14** Noviziat, **15** Krankenhaus, **16** Aderlaßhaus, **17** Ärztehaus mit Kräutergarten, **18** Friedhof, **19** Nutzgarten mit Gärtnerhaus, **20** Geflügelhof, **21** Scheune, **22** Werkstätten mit Wohnungen für Handwerker, **23** Brauhaus und Bäckerei mit Nebenanlagen (Mühle, Malzdarre u. a.), **23 a** Böttcherei, **24** Volksherberge mit Nebenbau, **25** Kuhstall, **26** weitere Wirtschaftsgebäude mit Ställen und Knechtewohnungen

Die K.-Architektur nahm an der allg. architekton. Entwicklung oft führend teil (3. Bau von →Cluny, der an Größe mit St. Peter in Rom wetteiferte), konnte sich aber auch durch das programmat. Bekenntnis zur Schlichtheit, das meist nur in den Anfangszeiten der einander ablösenden Reformorden durchgehalten wurde, von den Bischofskirchen unterscheiden (Verzicht auf Türme, Wölbungen, Chorumgänge u. a. bei Zisterziensern und Bettelorden). Bedeutungsvoll war die Klosterarchitektur auch dadurch, daß sie nicht nur mit der Sakralarchitektur, sondern durch ihre Wohn- und Wirtschaftsbauten im engsten Zusammenhang auch mit der Profanarchitektur blieb. Die Notwendigkeit dazu steigerte sich mit der Verschärfung und Ausdehnung der Klausur, die schon bei den Cluniazensern einsetzte und bei den Zisterziensern durch die Aufnahme der Laienbrüder in die Umfriedung des K. zu dessen förml. Teilung führte, so daß die Laienbrüder eigene Plätze in der Kirche, Speise- und Schlafsäle sowie Werkstätten erhielten. Die ›Häuser‹ des Dt. Ritterordens waren zugleich Burgen und K. Die Benediktiner errichteten ihre K. gern auf Höhen, die Zisterzienser in abgelegenen Tälern. Die Bettelorden (Franziskaner, Dominikaner) waren die ersten, die K. in Städten gründeten; da der landwirtschaftl. und handwerkl. Betrieb bei ihnen wegfiel, konnten sie sich auf das K. i. e. S. beschränken. Ihre die Predigt architektonisch berücksichtigenden Kirchen wurden bedeutungsvoll für die städt. Pfarrkirchen, ihre Säle für die Versammlungen der Bürger. Kamaldulenser und Kartäuser hingegen waren nur auf das mönch. Einzelleben eingestellt. Ihre K. gaben jedem Mönch eine Einzelzelle mit einem Gärtchen. Einzelzellen wurden in dem zum Individualismus neigenden Spät-MA. auch in anderen K. eingebaut.

Die Renaissance stand dem Klostergedanken nicht günstig gegenüber, obwohl ihr Schöpfungen wie S. Marco in Florenz oder die Certosa bei Pavia zu danken sind. Erst mit der Gegenreformation gewann der Klostergedanke wieder an Boden. Die Klosterarchitektur der Jesuiten unterscheidet sich allerdings kaum von der gleichzeitigen Palastarchitektur. Die großartigste Verbindung von Palast und K. ist der Escorial (BILD). Weltoffener kam sie zumal in den dt. Benediktiner-K. des Barock zum Ausdruck (→Weingarten).

Außerhalb des Abendlandes gibt es kleine Holz- oder Steinbauten, aber auch mächtige K., die wie die altmesopotam. Heiligtümer Wirtschafts- und Handelszentren, ja ganze Städte waren und sind (z. B. Kumbum an der Geburtsstätte von Tson-kha-pa, des Erneuerers des Lamaismus). Die regellose gehöftartige Anlage ist so häufig wie die regelmäßige, bei der das Heiligtum sich in der Mitte einer rechteckigen Ummauerung erhebt und Reihen von Mönchszellen an die Mauern angebaut sind.

W. BRAUNFELS: Abendländ. Klosterbaukunst (1969).

Klosterbibliotheken, im MA. die Hauptträger der Wiss. und Lit. In den K. wurden klass. und kirchl. Lit., histor. Quellen und ein großer Teil der Nationalliteratur der Nachwelt erhalten. Die bedeutendsten K. waren in Italien Bobbio und Montecassino; in Frankreich Tours, Corbie, Fleury, Cluny, St. Victor, St-Germain-des-Prés; im Dtl. des MA. St. Gallen, Reichenau, Fulda, Murbach, Lorsch, Corvey, Hersfeld, Werden (Essen). In den evang. Ländern wurden die K. im 16. Jh. in öffentl. Besitz überführt, in den kath. Ländern durch die Frz. Revolution und die Säkularisation 1802/03. In Österreich gibt es noch große K. wie St. Florian, Kremsmünster, Admont, Lambach, Klosterneuburg; in der Schweiz Maria Einsiedeln; in Griechenland auf dem Athos.

E. LEHMANN: Die Bibliotheksräume der dt. Klöster im MA. (1957); J. F. O'GORMAN: The architecture of the monastic library in Italy, 1300–1600 (New York 1972); J. W. CLARC: Librairies in the Medieval and Renaissance Periods (London 1980).

Klostergewölbe, Sonderform des →Gewölbes in Art einer Kuppel bei polygonalen Bauten: gekrümmte Flächen, durch Grate voneinander getrennt.

Klosterlausnitz, Bad K., Gem. westlich von Gera, Dt. Dem. Rep., mit ehem. Augustinerinnenkloster. Die Klosterkirche, eine dreischiffige roman. Pfeilerbasilika (1152–80), seit dem 16. Jh. verfallen, wurde 1855–66 wiederaufgebaut.

Klosterlechfeld, Wallfahrtskirche mit Franziskanerkloster (1630 gegr.) nördlich von Landsberg, Bayern; Rundbau, 1603 von E. HOLL beg., 1656–59 beträchtlich erweitert. Vorzügl. Innendekoration der Wessobrunner Brüder FINSTERWALDER (1733–35).

Klosterneuburg, Stadt an der Donau, nordwestlich von Wien, NÖ, 26700 Ew., mit ehem. Augustinerchorherrenstift. Stiftskirche im Kern romanisch (1136 gew.), nach Brand (1158) erneuert, nach 1620 von J. B. CARLONE barockisiert; in der Leopoldskapelle (ehem. Kapitelsaal) der Verduner Altar (1181; mit über 50 Tafeln in Grubenschmelztechnik, →Nikolaus von Verdun) und Reste ma. Glasmalereien, in der Sebastianikapelle der Albrechtsaltar (um 1438/39); gotischer Kreuzgang (13./14. Jh.), im ehem. Refektorium das Lapidarium, u. a. mit ›Klosterneuburger Madonna‹ (1310). Der großartig entworfene barocke Stiftsneubau (beg. 1730 von D. F. D'ALLIO), von Kaiser KARL VI. als Residenz nach dem Vorbild des span. Escorial geplant, wurde nur z. T. verwirklicht. Stifts-Mus. (got. Tafelmalerei und Plastik).

Kloster Neuendorf, Gem. bei Gardelegen, Dt. Dem. Rep., mit ehem. Zisterzienserinnenkloster; frühgot. Klosterkirche (2. H. 13. Jh.), einschiffiger Backsteinbau, in den Chorfenstern z. T. Glasmalerei (14./15. Jh.) erh.; Grabsteine (14.–16. Jh.), Klostergebäude (im wesentlichen 15. Jh.) z. T. erhalten.

Klosterreichenbach, ehem. Benediktinerabtei bei Freudenstadt, Bad.-Württ.; Kirchenbau 1083–85 nach Hirsauer Schema mit Chorflankentürmen (1895 größtenteils erneuert). Teile der roman. Klostergebäude erh.

Kloster Zinna, Gem. bei Jüterbog, Dt. Dem. Rep., 2000 Ew. Von der 1170 gegr. ehem. Zisterzienserabtei erh. sind die frühgot. Kirche (gew. 1226), eine dreischiffige Granitpfeilerbasilika, und das Abts- oder Fürstenhaus, spätgotisch (Ende 15. Jh.) mit reich gegliedertem Staffelgiebel.

kluge und törichte Jungfrauen, allegor. Bild des N. T., →Jungfrauen, kluge und törichte Jungfrauen.

Klungkung, Stadt in O-Bali, war mehr als 300 Jahre, bis zur Inbesitznahme der Insel durch die Niederländer (1908), Hauptstadt und künstler. Zentrum des bedeutendsten Kleinfürstentums der Insel. Der Fürstenpalast wurde 1908 bei einem Aufstand weitgehend zerstört, jedoch z. T. restauriert, bes. die offene Gerichtshalle ›Kerta Gosa‹ mit ihren farbenprächtigen balines. Deckenmalereien in der Art der Wayang-Figuren.

Knackfuß, Hermann, Maler, Kunstschriftst., *Wissen (Kr. Altenkirchen) 11. 8. 1848, †Kassel 17. 5. 1915, ebd. Prof. der Akad., bis zu seinem Tode Hg. der ›Künstler-Monographien‹, 122 Bde. (1895–1941).

Knagge *die,* **Kopfband,** verstärkendes Holzstück zw. Pfosten und Rähm oder Schwelle im Fachwerk. Die Geschoßüberstände im ma. Fachwerk werden durch K. in der Art von Konsolen abgestützt.

Knaths [næðz], Karl, amerikan. Maler, *Eau Claire (Wisconsin) 21. 10. 1891, †Hyannis (Massachusetts) 9. 3. 1971, malte zunächst Landschaften und Stilleben in einem vom Kubismus abgeleiteten Stil, spätere Werke zeigen bis zur Abstraktion vereinfachte Naturformen.

Knaus, Ludwig, Maler, *Wiesbaden 5. 10. 1829, †Berlin 7. 12. 1910, erhielt nach Studien in Düsseldorf (1846–48) bei Aufenthalten in →Willingshausen und im Schwarzwald Motivanregungen aus dem bäuerl. Milieu. 1874–82 war K. Prof. an der Akad. in Berlin. Sorgfältige Technik, differenzierte Farbgebung und eine treffl. Typencharakterisierung machten K. zu einem geschätzten Genremaler und Porträtisten.

L. K., 1829–1910, hg. v. ULRICH SCHMIDT (1979).

Knecht, Richard, Bildhauer, *Tübingen 25. 1. 1887, †München 14. 8. 1966, Schüler von A. v. HILDEBRAND. Seine Porträtbüsten und Denkmäler zeigen den impressionist. Stil A. RODINS und die plast. Wirkung A. MAILLOLS. Seit der Porträtbüste seines Vaters (1913) war K. anerkannt (Ankauf durch den Staat).

WW: Mädchen, sich kämmend (München, Neue Pinakothek); Porträtbüste des Bildhauers E. HENKE (1927; ebd.).

Knechtsteden, ehem. Prämonstratenserabtei (1130 gegr.) im Stadtgebiet von Dormagen, NRW, mit roman. doppelchöriger Gewölbebasilika (1138 bis um 1162); Ostapsis gotisch (1477). Qualitätvolle Kapitellplastik, monumentale Fresken in der Westapsis (um 1160).

Kneller [n'elə], Sir (1692) Godfrey, eigtl. Gottfried **Kniller,** engl. Maler dt. Herkunft, *Lübeck 8. 8. 1646, †London 19. 10. 1723, lernte nach 1660 bei REMBRANDT und F. BOL in Amsterdam, um 1672 bei C. MARATTA und G. L. BERNINI in Rom, ging 1674 nach London, wo er Hofmaler wurde und nach dem Tod von P. LELY dessen künstler. Stellung einnahm. K. gehörte zu den begehrtesten Porträtisten seiner Generation (›Sir I. Newton‹, 1689; London, Kensington Palace).

J. D. STEWART: G. K. (London 1971).

Knick|achs-Tempel, im alten Mesopotamien, v. a. im N (Assyrien) verbreiteter Tempeltyp, bei dem der Kultraum als längsrechteckiger Saal angelegt ist und dessen Altar (Podium) an einer Schmalseite stand; der Kultdiener, der den Raum durch eine Tür in der Langseite nahe der anderen Schmalseite betrat, mußte sich um 90° drehen, ehe er dem Götterbild gegenüberstand.

Knidos, antike Stadt auf der türk. Halbinsel Reşadiye zw. Kos und Rhodos; Stätte der Wiss. (Ärzteschule seit dem 5. Jh. v. Chr.) und Kunst. Die urspr. von Dorern auf der äußersten W-Spitze (Kap Triopion) gegr. Stadt wurde in der 1. H. des 4. Jh. landeinwärts verlegt. Ausgrabungen legten Bauten dieser neuen Gründung frei: Stadtmauer, mehrere Tempel; Wohnquartiere mit Straßenkreuzungen und Läden, Podium eines Rundtempels (Tempel der Aphrodite?), 2 Theater u. a. Für das Aphroditeheiligtum schuf PRAXITELES eines seiner HW, die **Knidische Aphrodite** (nur in Kopien überliefert); in dem Bez. des Demeterheiligtums wurde eine grch. Originalskulptur aus parischem Marmor des 4. Jh. v. Chr. gefunden, eine Sitzstatue der Demeter (heute in London, Brit. Mus.).

Knie|lauf, eine im Alten Orient erstmals verwendete Bewegungsdarstellung des Menschen: Die beim Kämpfen, Festhalten von Tieren u. ä. auf die Knie gesunkene Figur ist dabei in einer Bewegungsphase festgehalten. Das Motiv ist auf Rollsiegeln erstmals in der Akkadezeit (etwa 2350–2200 v. Chr.) beim ›sechslockigen Held‹ bezeugt. Es wirkt weiter bes. in der archaischen Kunst Griechenlands.

Kniep, Christoph Heinrich, Maler, getauft Hildesheim 29. 7. 1755, †Neapel 11. 7. 1825, seit 1781 in Rom, später in Neapel. Von hier aus begleitete er J. W. v. GOETHE als Zeichner nach Sizilien. K. malte Veduten im Stil von P. HACKERT.

Kniestock, Halbgeschoß im Dach, →Drempel.

Kniestück, Bildnistypus, der den Dargestellten bis zu den Knien zeigt (→Porträt). K. ist gleichzeitig ein Ausdruck aus der Atelierpraxis, die den Preis für Porträtaufträge vom Kopfbild bis zur Ganzfigur staffelte.

Knobelsdorff, Georg Wenzeslaus von, Baumeister, Maler, *Kuckädel bei Crossen 17. 2. 1699, †Berlin 16. 9. 1753, urspr. Offizier, Gefährte FRIEDRICHS D. GR. in der Rheinsberger Zeit, wurde 1740 nach Bildung in Italien und Paris (A. PESNE) Oberintendant der königl. Schlösser und Gärten sowie aller Bauten der königl. Provinzen. An den Gartenanlagen von Rheinsberg, Potsdam (BILD), Sanssouci und des Berliner Tiergartens war K. maßgebend beteiligt. Er entwickelte die friderizian. Baukunst (z. T. nach neupalladian. Vorbildern) als feingliedrigen Klassizismus; die Ornamente der Innenräume sind im Stil des Rokoko gehalten.

HW: Schloß Rheinsberg, Ausbau (1737–39); Charlottenburg, Neuer Flügel (1740–43); Berlin, Opernhaus (1741–43; heute: Berlin-Ost, Staatsoper); Potsdam, Stadtschloß, Umbau und Kolonnade (1744–51; im 2. Weltkrieg zerstört); Schloß Sanssouci, nach Entwurf Friedrich d. Gr. (1745–47; K. baute davon die Rückfront mit Kolonnade und den Marmorsaal; im 2. Weltkrieg z. T. zerstört, danach wieder aufgebaut).

Knoblauch, Eduard, Baumeister, *Berlin 25. 9. 1801, †ebd. 29. 5. 1865, war maßgeblich am Ausbau des alten Berlin beteiligt. Die von ihm in oriental. Formen entworfene Synagoge (Oranienburger Straße, 1938 zerstört) wurde von F. A. STÜLER voll.

Knochenleim, Maltechnik: →Warmleim.

Knochenporzellan, engl. **Bone China** [bəʊn tʃ'aɪnə], engl. Frittenporzellan mit Zusätzen von Knochenasche und Speckstein (→Porzellan), wurde um 1745 in Chelsea, später auch in Worcester hergestellt.

Knoebel, Imi, eigtl. Wolf K., Künstler, *Dessau 1940 (arbeitete zus. mit R. GIESE, *1942, unter dem Namen IMI), studierte 1964–71 an der Düsseldorfer Akad. bei J. BEUYS. K. arbeitete zunächst mit Videoprojektionen. In den 70er Jahren entwickelte er monochrome weiße Bilder mit minimalen Formatveränderungen. Seine Weiß-in-Weißmalerei zielt zunehmend auf eine kontemplative Raumwirkung, die über das Einzelbild hinausgreift. Seit 1977 entstanden neben gestisch-expressiven Zeichnungen Bilder mit bunten geschnittenen ›Schnipseln‹, die über die Formatgrenzen hinweg zu einem fluktuierenden Farbraum zusammentreten.

W. K., Ausst.-Kat., Eindhoven (1982).

Knoedler, M. Knoedler Zürich AG, als eines der ältesten Kunsthandelshäuser 1846 in New York unter der Bez. M. K. & Co. Inc. gegr., führt die Gal. nach Zusammenlegung mit Turske Fine Art KAG, Zürich, seit 1981 den heutigen Namen. Schwerpunkte sind Werke der klass. Moderne und zeitgenöss. Künstler.

Knöffel, Johann Christoph, Baumeister, *Dresden 1686, †ebd. 6. 3. 1752, seit 1748 ebd. Oberintendant aller königl. Gebäude, baute dort eine Reihe von Palais: Wackerbarth-Palais (1723–28, 1945 zerstört), Kurländer-Palais (1728–29, 1945 zerstört), Palais Brühl (1737 bis 1751, 1900 abgebrochen), Palais Cosel (1744/45); seit 1737 Umgestaltung von Schloß Hubertusburg bei Oschatz; 1748 vollendete er ebd. die Hofkirche. – In der ausgewogenen Gliederung seiner Bauten wie im geringen Ornament-Schmuck steht sein Baustil an der Wende vom Rokoko zum Klassizismus.

Knoller, Martin, Maler, *Steinach (Tirol) 8. 11. 1725, †Mailand 4. 7. 1804, Schüler von P. TROGER, trat 1755 in Rom in Beziehung zu A. R. MENGS und J. J. WINCKELMANN. In Mailand wurde K. 1765 Hofmaler des österr. Statthalters Graf Firmian, 1793 Prof. der Akad. K. malte v. a. Deckenfresken für Kirchen in Tirol (1771–75; Bozen, St. Augustinus), S-Dtl. (1765–94, Ettal; 1771–75, Neresheim; 1774–75, München, Bürgersaal) und Mailand (1781–82; Palazzo Belgioso). Sein Werk gehört zunächst zur ital. Barockmalerei, folgt dann dem bayer. Rokoko und wendet sich schließlich dem Klassizismus zu.

K. SETZ: M. K. (1961); G. BARTEL: M. K., Maler (1967).

Knoop, Ortsteil von Altenholz, bei Kiel, Schlesw.-Holst.; das Herrenhaus des Gutes K. (1792–1800) gehört zu den HW des norddt. Klassizismus. Innendekoration von denselben ital. Künstlern wie in Emkendorf.

Knorpelwerk, frühbarocke Ornamentgattung (BILD Ornament), die sich gegen 1620 in N- und Mittel-Dtl. und in den Niederlanden aus dem Beschlagwerk entwickelte und dem →Ohrmuschelstil verwandt ist. Das K. besteht aus kurvig bewegten Gebilden mit verknorpelten, wulstigen Keulenschwüngen und ohrmuschelartigen Voluten.

Knossos, Stadt des minoischen Kreta, 5 km südöstlich des heutigen Heraklion (KARTE kretisch-mykenische Kunst), nach grch. Sage die Stätte des von Daidalos erbauten →Labyrinths, Herrschersitz des Königs Minos und Schauplatz der Sage von Theseus und Ariadne. Die Anfänge reichen bis 4000 v. Chr. zurück. Um 2000 v. Chr. wurde hier der bedeutendste der minoischen Paläste errichtet. Durch ein Erdbeben um 1700 v. Chr. zerstört, wurde er bald darauf auf dem alten Grundriß wiederhergestellt, kleinere Zerstörungen um 1450 v. Chr., krieger. Zerstörung um 1375 v. Chr. Größere Teile der Anlage wurden in der Endphase der minoischen Kultur von myken. Griechen wieder benutzt. – Seit 1900 wurde der Palast von ARTHUR EVANS ausgegraben.

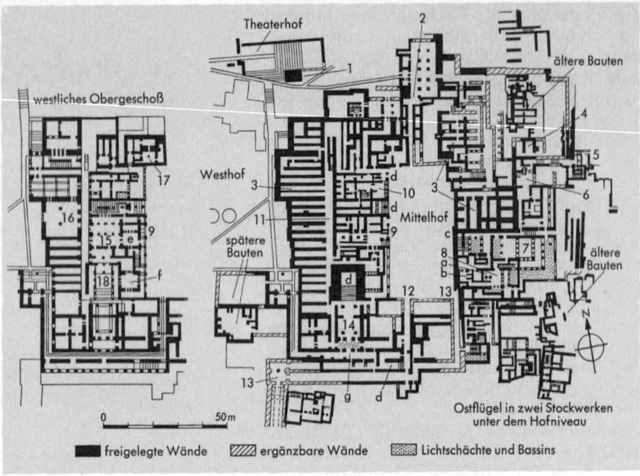

Knossos: westliches Obergeschoß, Erdgeschoß des West- und unterer Stock des Ostflügels des Palasts (Grundriß). **1** Baldachin-Plattform. **2** Nördliche Eingangsrampe (Stierfresko). **3** und **4** Magazine. **5** Treppenweg zum Kairatos-Tal. **6** Werkstätten. **7** und **8** sog. Gemächer des Königs (7) und der Königin (8). **9** Dreiteiliges Heiligtum. **10** Vorraum des sog. Thronsaals. **11** Korridor der Magazine. **12** Südzugang (Fresko: Prinz mit Federkrone). **13** Rampenabstieg zur Bachbrücke. **14** Süd-Treppenhaus. **15** und **16** Haupthallen des Oberstocks. **17** Raum der Miniaturfresken. **18** Überbaut durch Rhea-Tempel; a Bad, b Toilette, c großes Treppenhaus (unter Hofniveau), d Treppen zum Oberstock, e und f Loggien zum Mittelhof, g abgestürzter Korridor

Um einen rechteckigen, 55 m langen Mittelhof waren zwei- bis fünfstöckige Gebäudeflügel angeordnet, deren Raumaufteilung außerordentlich unübersichtlich und verwirrend war. Die Hauptzugänge (Korridore, Rampen) lagen im S und N, ein Treppenweg führte vom O-Flügel ins Kairatosbachtal; im W, außerhalb des Palastes, lag ein gepflasterter Hof (Westhof). Vom Westflügel des Palastes ist das Erdgeschoß erh., dessen größten Teil Magazine einnahmen; einziger repräsentativer Raum war der Thronsaal (→Greifenfresko). Im südl. Teil dieses Flügels führte ein monumentales Treppenhaus zum Obergeschoß, in dem Repräsentationsräume lagen. Der O-Flügel enthielt im N-Teil Werkstätten und Großmagazine, im S-Teil Wohnräume; die wichtigsten der häufig miteinander verbundenen Räume dieses Traktes waren das Treppenhaus, die ›Gemächer des Königs‹ mit der ›Halle der Doppeläxte‹ und die ›Gemächer der Königin‹ mit einem Baderaum und Klosett mit Wasserspülung. Vom Wand- und Deckenschmuck (Fresken und Stuckreliefs) sind bed. Reste erh. (Heraklion, Archäolog. Mus.) Um den Herrensitz gruppierten sich Villen. Verteidigungsanlagen gab es in K. nicht.

Über den Resten des Palastes stand in geschichtl. Zeit ein Tempel der Rhea, vielleicht auch ein Teil der Stadt, die Dorer aus Argos hier um 1000 v. Chr. gründeten.

Knossos: Palast, Nordflügel (Rekonstruktion)

A. EVANS: The palace of Minos at K., 4 Bde., Index-Band von JOAN EVANS (London Neuaufl. 1964); W. SCHIERING: Funde auf Kreta (1976).

Knotensäule, roman. Säulenform, bei der sich die Schäfte gekuppelter Säulen in halber Höhe zu einem Knoten verschlingen (Würzburg, Dom; Lucca, San Michele).

Knüpfer, Nicolaus, holländ. Maler sächs. Herkunft, *Leipzig oder im Vogtland um 1603, begraben Utrecht 15. 10. 1655, seit 1630 ebd. ansässig, Schüler von A. BLOEMAERT, wurde von REMBRANDT und den Utrechter Caravaggisten nachhaltig geprägt; schuf bibl., mytholog. und Historienbilder in warmen braunen Farbtönen.

Koạmi, japan. Familie von Lackmeistern (v. a. Reliefl ack, Takamaki-e). Gründer der Familie, die für den Hof des Kaisers, des Shogun und der mächtigsten Daimyos tätig war, ist K. MICHINAGA (*1408, †1478); ein Hauptmeister ist K. NAGASHIGE (*1599, †1651).

Kọbaltfarben. Kobaltblau, -gelb, -grün, -violett sind Verbindungen des Kobaltoxids mit anderen Metalloxiden. K., seit dem frühen 19. Jh. in Gebrauch, sind hochwertige Pigmente, die in allen künstler. Techniken, wegen ihrer hohen Hitzebeständigkeit auch in der Porzellanmalerei, eingesetzt werden. – **Smalte** (Kobaltsilikat) ist eine kobaltgefärbte Frittenfarbe; sie wurde in Europa frühestens auf Bildern des 15. Jh. festgestellt. Außer in der Malerei wurde Smalte bis zu Beginn dieses Jh. bei Fassungen verwendet und dient noch heute als Keramikfarbe.

Kọbaltsikkativ, Maltechnik: →Sikkativ.

Kobell, 1) Ferdinand, Maler, Radierer, Vater von 3), Bruder von 2), *Mannheim 7. 6. 1740, †München 1.

2. 1799, Schüler von P. A. VERSCHAFFELT in Mannheim (1762), studierte 1768–70 in Paris bei J. G. WILLE Radiertechnik. 1793 floh K. vor den Franzosen aus Mannheim nach München und wurde dort Galeriedirektor. K. schloß sich in seinen Landschaften zunächst niederländ. Meistern und CLAUDE LORRAIN an und wurde nach 1780, bes. in seinen Aschaffenburger Veduten (1786; München, Neue Pinakothek, und Aschaffenburg, Staatsgal.), zum Wegbereiter des Realismus.

M. BIEDERMANN: F. K. 1740–1799 (1973).

2) Franz, Landschaftsmaler, Radierer, Bruder von 1), *Mannheim 23. 11. 1749, †München 14. 1. 1822 als Hofmaler, lebte ebd. nach Studien in Italien (v. a. in Rom) seit 1785, malte in Anlehnung an die niederländ. Malerei Landschaften in tonigem Kolorit.

S. WICKMANN: F. K. 1749–1822 (1974).

3) Wilhelm von (1817), Maler, Radierer, Sohn und Schüler von 1), *Mannheim 6. 4. 1766, †München 15. 7. 1855, ebd. seit 1792 Hofmaler, seit 1814 Prof. an der Akad. – Von seiner durch niederländ. Vorbilder (N. BERCHEM, P. WOUWERMAN) bestimmten Frühzeit fand K. unter dem Einfluß von J. G. v. DILLIS zu einem eigenen Stil realist. Landschafts- und Tierdarstellung: Sorgfältig behandelte Vordergründe mit fein beleuchteter, formklar modellierter Staffage stehen vor atmosphär., weiträumigen Landschaften. Auch bei den 1808–15 für den bayer. Kronprinzen (nach Studien der Schlachtfelder) gemalten Bildern aus den napoleon. Kriegen (Schlacht bei Bar-sur-Aube, 1814; München, Neue Pinakothek) interessierten ihn bes. die Lichtwirkungen. Sehr reizvoll sind auch seine Radierungen.

WW: Die Furt (1798; Kassel, Gemäldegal.); Selbstporträt (zw. 1800 u. 1805; Berlin-West, Staatl. Museen); Belagerung von Kosel (1808; München, Neue Pinakothek); Pferderennen (1811; München Stadtmus.); Drei Jäger zu Pferd (1822; Weimar, Mus.); Reiter am Te-

Wilhelm von Kobell: Die Schlacht bei Bar-sur-Aube; 1814 (München, Neue Pinakothek)

gernsee (1832; Berlin-West, Staatl. Museen); Blick auf den Tegernsee (1833; München, Neue Pinakothek).

S. WICHMANN: W. v. K. (1970); W. GOEDL-ROTH: W. v. K. Druckgraphik. Krit. Verzeichnis (1974).

Kobern-Gondorf, Gem. an der Mosel bei Koblenz, Rheinl.-Pf., 3100 Ew. Das weitläufige Schloß (Oberburg) in Gondorf (14.–16. Jh.) ist Stammsitz der Fürsten von der Leyen. In Kobern die neuroman. Lubentiuskirche (1826–29 von J. C. v. LASSAULX), die spätgot. Friedhofskapelle mit Ausmalung um 1420/30 und v. a. die Oberburg mit der Matthiaskapelle, einem Höhepunkt rhein. Spätromanik, nach 1221 als sechseckiger Zentralbau mit einzigartiger Innenraumwirkung errichtet.

Købke, Christen Schjellerup, dän. Maler, *Kopenhagen 26. 5. 1810, †ebd. 7. 2. 1848, Schüler von C. W. ECKERSBERG, malte stimmungsvoll realist. Landschaften, bes. aus der Umgebung Kopenhagens, und lebendig erfaßte Porträts, die manchmal den Impressionismus vorwegzunehmen scheinen.

Koblenz, Stadt in Rheinl.-Pf., an der Mündung der Mosel in den Rhein (›Dt. Eck‹), 115 700 Ew., die ihren Ursprung im Römerkastell ›apud confluentes‹ hat; seit 1018 Besitz der Trierer Erzbischöfe; im 2. Weltkrieg zu 85 % zerstört. Alle großen Kirchen zeichnen sich durch monumentale Doppelturmfassaden aus: St. Kastor (Gründungsbau 836 gew., heutige hochroman. Kirche 1208 gew., spätgot. Einwölbung 1496–99, hervorragende Grabmäler); St. Florin (roman. Pfeilerbasilika um 1100, got. Chor um 1350); Liebfrauenkirche (spätroman. Emporenbasilika des 12./13. Jh., Chor und Einwölbung in der Spätgotik 1404 ff.). Von der Jesuitenkirche (1613–17) nur die originelle Giebelfassade erh., das ehem. Kolleg (16./17. Jh.) dient heute als Rathaus. Ehem. kurfürstl. Burg (1277 beg., im 16./17. Jh. erweitert) mit charakterist. Ecktürmen. Das Schloß (1777–91 von M. D'IXNARD und A. F. PEYRE) ist der erste bed. frühklassizist. Bau im Rheinland; Theater 1786/87. In 4 zusammenhängenden histor. Gebäuden das Mittelrhein-Mus. (ma. Plastik, Gemälde von JANUARIUS ZICK, Koblenzer Romantiker). Gegenüber der Moselmündung die **Feste Ehrenbreitstein** (Anfänge um 1100, barocker Ausbau durch B. NEUMANN, 1815–28 als preuß. Festung mächtiger denn je aufgebaut; darin Landes-Mus./Staatl. Samml. techn. Kulturdenkmäler/Rhein-Mus.); unterhalb der Festung das Dikasterialgebäude (1738–48 von B. Neumann und J. SEIZ) in vollendeten Spätbarockformen. Im Vorort **Güls** die stattl. Servatiuskirche (Anf. 13. Jh.) mit lebhafter, originaler Farbgebung; im Stadtteil **Moselweiss** eine spätroman. Gewölbebasilika (1201 beg.) mit spätgot. Steinkanzel (1470). Südlich von K. →Stolzenfels.

Koch, Joseph Anton, Maler, Radierer, *Obergiblen (Tirol) 27. 7. 1768, †Rom 12. 1. 1839, war seit 1785 Zögling der Karlsschule in Stuttgart und entfloh von ihr 1791 nach Straßburg, dann in die Schweiz. Seit 1795 lebte K. meist in Italien. In Rom schloß er sich B. THORVALDSEN, v. a. aber A. J. CARSTENS an, den er bei seinen gezeichneten Figurenkompositionen zum Vorbild nahm (Illustrationen u. a. zu Homer, Dante, Ossian).

Angeregt durch den Maler G. SCHICK wandte sich K. seit 1803 der Ölmalerei zu und entwickelte (nach N. POUSSIN und CLAUDE LORRAIN) eine klassisch-heroische Landschaft, die er mit architekton. Strenge aus klar geschiedenen Gründen aufbaute und mit bedeutungsgebender Staffage versah. Er bevorzugte Motive aus den Alpen, der Campagna sowie aus den Albaner und Sabiner Bergen. Nach einem Aufenthalt in Wien (1812–15) wurde K. zum Mittelpunkt der dt. Künstler in Rom. 1824–29 schuf er im Casino Massimo in Rom Dante-Fresken.

HW: Heroische Landschaft mit Regenbogen (1805; Karlsruhe, Kunsthalle. 2. Fassung 1815; München, Neue Pinakothek. 3. Fassung 1824; Berlin-Ost, Märk. Mus., BILD Landschaftsmalerei); Schmadribachfall (1805–11; Leipzig, Mus. der bildenden Künste. 2. Fassung 1821/22; München, Neue Pinakothek); Tiberlandschaft bei Acqua Acetosa (1812; Berlin-West, Staatl. Museen); Subiaco (1813; ebd.); Lauterbrunner Tal (1813; Dessau, Staatl. Gal.); Berner Oberland (1815; Wien, Österreich. Gal.); Tiberlandschaft mit fröhl. Landleuten (1818; Basel, Kunstmus.); Der Tiroler Landsturm im Jahre 1809 (1819; Innsbruck, Tiroler Landesmus. Ferdinandeum); Macbeth und die Hexen (1829; Basel, Kunstmus.); Landschaft bei Olevano (1830; München, Neue Pinakothek); Landschaft nach einem Gewitter (1830; Stuttgart, Staatsgal.).

Klassizismus und Romantik, Ausst.-Kat., Nürnberg (1966).

Kochi [-tʃi], Stadt in Japan, an der S-Küste von Shikoku, 300800 Ew. K. ist eine ehem. Burgstadt; die Burganlage, 1603 erbaut (der 5geschossige Turmbau 1748 wiederaufgebaut), gehört zu den wenigen japan. Burgbauten mit histor. Substanz. Der Godaisan-Park mit dem Tempel Chikurin-ji wurde 724 gegr.; im Tempel befinden sich 19 hölzerne Bosatsu-Statuen.

Kodrosmaler, attischer Vasenmaler des Rotfigurigen Stils, um 445–420 v. Chr. Zu seinen HW zählen die Schalen ›Themis und Aigeus‹ (Berlin-West, Staatl. Museen) und ›Dionysos und Ariadne‹ (Würzburg, Martin von Wagner-Mus.).

Koekkoek [k'u:ku:k], holländ. Malerfamilie. Johannes Hermanus (*Veere 17. 8. 1778, †Amsterdam 12. 1. 1851) war Marinemaler; sein Sohn Barend Cornelis (*Middelburg 11. 10. 1803, †Kleve 5. 4. 1862) malte Landschaften, bes. Winterbilder, im Geschmack holländ. Meister des 17. Jh.

Koenig, Fritz, Bildhauer, *Würzburg 20. 6. 1924, von der Münchner Schule (H. KIRCHNER) herkommend, faßt er in seinen freiplast. Arbeiten figurale Elemente durch rhythm. Wiederholung zu Gruppen, Reihen, Mengen zus. (Rinderherden, Reiter u. a.). Seit den 1960er Jahren kombiniert er Elementarformen zu anthropomorphen ›Karyatiden‹.

Koerbecke, Johann, Maler, *Münster(?) um 1415, †ebd. 13. 7. 1491, ebd. seit 1432 nachweisbar. Seine aus heim. Überlieferung (CONRAD VON SOEST u. a.) und niederländ. Anregungen erwachsene Kunst zeigt scharf gezeichnete Figuren und anschaul. Bildräume von kraftvollem Realismus.

HW: Langenhorster Altar (1440–50; Münster, Landesmus.); Marienfelder Altar (1457; urspr. Kloster Marienfelde/Kr. Warendorf, heute Münster, Berlin, Chicago, Avignon, Krakau, Lugano); Vision des Hl. Bernhard (München, Alte Pinakothek).

Ko|etsu, eigtl. **K. Honami,** japan. Maler, Kalligraph, Töpfer, Designer für Lackarbeiten, Keramik und Gärten, *Kioto 1558, †Takagamine bei Kioto 1637. Auf seinem Lehen Takagamine gründete K. 1615 eine Kolonie von Künstlern und Handwerkern, die er nach seinen Entwürfen und Anregungen arbeiten ließ. Er schuf die Grundlagen eines neuen dekorativen Stils, ausgehend von den Motiven des Yamato-e, die er meisterhaft mit der →Kalligraphie in Einklang brachte, indem er Gedichte auf Pflanzen- und Landschaftsdarstellungen schrieb, die mit Gold- und Silberbrei gemalt waren und meist →Sotatsu zugeschrieben werden. Im gleichen Stil dekorierte er Lacke und fertigte Teekeramik an. Nach seinen Schriftzügen wurden bewegl. Holzlettern für den Buchdruck angefertigt (Saga-Drucke, 1605–1616).

Køge, Stadt an der Ostküste der dän. Insel Seeland, 34900 Ew.; Kirche (Ende 14. Jh. unter Verwendung älterer Teile) mit qualitätvollen Holzschnitzereien (u.a. Kanzel, 1624); Fachwerkhäuser (16./17. Jh.).

Koh Ker, Ruinenstätte in Kambodscha; vorübergehende Hauptstadt (921–944) des Khmer-Reiches, nordöstlich von Angkor im Kulen-Gebirge und danach benannter Stil in der Khmer-Kunst. In der Architektur zeichnet sich der Stil durch gigant. Proportionen und riesige sakrale Torbauten wie beim Haupttempel der Stadt Prasat Thom (921) aus. Er erhebt sich über einem Sockel als fünfstufige Pyramide aus Laterit, auf deren oberster Terrasse das Sanktuarium das Linga (nicht erh.) enthielt, das hier erstmals mit dem Herrn des Universums, dem König, identifiziert wurde.

Kohlezeichnung, mit Holzkohle ausgeführte Zeichnung. Von Kohlebrennern hatten die Künstler das Verfahren gelernt, handliche, stiftartige und den richtigen Härtegrad aufweisende Stengelkohle herzustellen. Seit dem 14. Jh. nahm man Weidenstäbe, später anderes Holz. Seit der Renaissance wurde die K. als Kompositions- und Detailstudie benutzt; ebenso bei →Kartons. Höhepunkte erlebte die K. im 16. Jh. in den Porträtdarstellungen A. DÜRERS und den Aktstudien TINTORETTOS, der eingeölte Kohle verwendete, die einen weichen Strich von saftig-schwarzer Farbe ergibt. Um die K. vor dem Verwischen zu bewahren, wird sie mit Fixiermitteln haltbar gemacht.

Kohlschwarz, Maltechnik: Pigment aus verkohltem Holz.

Kohunlich [kounl'itʃ], archäolog. Fundstätte der Maya-Kultur im Bundesstaat Quintana Roo, Mexiko; große, seit 1968 freigelegte Anlage mit mehreren Gebäuden und einem Ballspielplatz. Die Treppe der Hauptpyramide ist mit Stuckmasken des Sonnengottes (je etwa 1,50 m hoch) aus frühklass. Zeit flankiert.

Kokoschka, Oskar, Maler, Graphiker, Dichter, *Pöchlarn a.d. Donau 1. 3. 1886, †Montreux 22. 2. 1980, studierte an der Kunstgewerbeschule in Wien, wo er mit Porträts und mit noch vom Jugendstil beeinflußten Illustrationen, z.T. zu eigenen Dichtungen, hervortrat. Seit 1910 zeichnete er in Berlin für H. Waldens ›Sturm‹. Nach Kriegsverwundung wurde er 1920 Akademie-Prof. in Dresden. Seit 1923 malte er auf Reisen in

Oskar Kokoschka: Stilleben mit totem Hammel; 1909 (Wien, Österr. Galerie)

Europa und N-Afrika v.a. Städte und Landschaften, emigrierte 1938 nach London, von 1953 bis zu seinem Tod lebte er am Genfer See, im Sommer auch bis 1963 in Salzburg, wo er die ›Schule des Sehens‹ gründete. K., in dessen von leidenschaftl. Unruhe bewegter Kunst der österr. Barock fortwirkt, schuf eine individuelle Form des Expressionismus. Seine Porträts legen mit intensiver Einfühlung das Seelische bloß, seine Landschaften und Städtebilder sind von suggestiv gesteigertem Ausdruck. Während der Emigration herrschte in seinem Werk die Anklage gegen die zerstörenden Kräfte der Zeit vor. Sein Spätwerk wird durch mytholog. Themen bestimmt (Prometheus-Sage, Triptychon, 1950, London, Princes Gate Coll.; Thermopylae, Triptychon, 1954, Hamburg, Philosoph. Fakultät der Univ.); viele hervorragende Zeichnungen. – K. schrieb mehrere expressionist. Dramen. Sein Geburtshaus in Pöchlarn ist Sitz der O. K.-Dokumentation. (BILD Porträt)

Schriften: Mein Leben (1971, Autobiogr.); O. K. Das schriftl. Werk, hg. v. H. SPIELMANN, 4 Bde. (1973–76).

F. SCHMALENBACH: O. K. (1968); G. J. LISCHKA: O. K. Maler und Dichter (1972); H. M. WINGLER u. F. WELZ: O. K. Das druckgraph. Werk (1975).

Kokoschnik, Kokošnik [russ.], halbkreis- oder kielbogenförmige Verzierung des Dachabschlusses in der russ. Sakralbaukunst des 16. und 17. Jh.

Kokura, ehem. Burgstadt in Japan, heute Stadtteil von Kita Kyushu: bis zu ihrer Zerstörung 1866 bed. für die Beherrschung von N-Kyushu. Turmgebäude, Mauern und ein Turm der Befestigung wurden 1959 rekonstruiert.

Kolář [k'ɔla:rʃ], Jiří, tschech. Schriftst. und bildender Künstler, *Protivín (Südböhmen) 24. 9. 1914, schildert in surrealist. Gedichten die Großstadt und die Ehe; daneben Kinderbücher; übersetzte die Fabeln ÄSOPS sowie Werke von W. WHITMAN, C. SANDBURG u. a.; seit 1960 Collagen aus Bildreproduktionen (oft streifenförmig zu poet. Bildgeschichten kombiniert).

Kolbatz, poln. **Kołbacz** [-tʃ], Ort bei Stargard in Pommern, Wwschaft Szczecin (Stettin), Polen, mit ehem., 1173 gegr. Zisterzienserkloster. Die Kirche, eine spätroman. Backsteinbasilika, 1210–30 gotisch voll., wurde im 18. Jh. z. T. niedergelegt, ebenso die Klostergebäude des 13. Jh.

Kolbe, 1) Carl Wilhelm d. Ä., Zeichner, Radierer, Schriftsteller, *Berlin 20. 11. 1757, †Dessau 13. 1. 1835, Schüler D. CHODOWIECKIS. In Zürich (1805–07) radierte K. Gemälde S. GESSNERS, der ihn neben P. POTTER und A. WATERLOO beeinflußt hat. Seine Radierungen sind Zeugnisse des Sturm und Drang. Er zeichnete Landschaften mit antiker oder bäuerl. Staffage und Tierstükke. Seine Darstellungen kleiner Figuren zw. überdimensionalen Blätterpflanzen wirken fast surrealistisch.

U. MARTENS: C. W. K. d. Ä. (Diss. Hamburg 1968).

2) Georg, Bildhauer, *Waldheim i. Sachsen 13. 4. 1877, †Berlin 15. 11. 1947, bildete sich in Leipzig, Dresden und München zum Maler, ging 1897 nach Paris, wo ihn bes. A. RODIN beeindruckte, fand in Rom (1898 bis 1901) unter dem Einfluß von L. TUAILLON den Weg zur Bildhauerei (BILD Bildhauerzeichnung). Seit 1903 lebte K. meist in Berlin, wo er v. a. weibl., später auch männl. Akte, Gruppen und Porträts, meist in Bronzeguß, schuf (Tänzerin, 1912; Berlin-Ost, Nat. Gal.).

Georg Kolbe: Tänzerin; 1912 (Berlin-Ost, Nationalgalerie)

Kolberg, poln. **Kołobrzeg** [kɔł'ɔbʒɛk], Stadt in der Wwschaft Koszalin (Köslin), an der pommerschen Ostseeküste, Polen, 36 000 Ew., 1945 zu 90 % zerstört. Teilweise rekonstruiert wurde die ehem. Kollegiatskirche, ein mächtiger got. Backsteinbau der 1. H. des 14. Jh., der im späten 14. und im 15. Jh. stark erweitert wurde; darin Reste von got. Wandmalereien und einzelne ma. Ausstattungsstücke. Das neugot. Rathaus wurde 1830 von K. F. SCHINKEL unter Verwendung spätgot. Bauteile des Vorgängerbaus errichtet.

Kölderer, Jörg, Maler, Baumeister, *im Weiler Hof bei Inzig/Oberinntal, †Innsbruck 1540, seit 1500 Hofmaler, seit 1518 auch Hofbaumeister Kaiser MAXIMILIANS I. K. schuf Fassadenmalereien in Innsbruck (Goldenes Dachl), Tafelbilder und Buchmalereien (›Tiroler Fischereibuch‹, 1504; Wien, Österr. Nat.-Bibl.).

Maximilian I., Ausst.-Kat., Innsbruck (1969).

Koldeweygesellschaft, Fachverband der dt., österr. und schweizer. Bauforscher, gegr. 1926, dem auch Archäologen und Kunsthistoriker angehören.

Kolding [k'ɔleŋ], Stadt an der Ostküste Jütlands, Dänemark, 54 600 Ew. Burg **Koldinghus,** um 1250 beg., unregelmäßige Vierflügelanlage, mehrfach umgebaut und erweitert, durch Brand 1808 Ruine. Wiederaufgebaut (1933/34) der ›Riesenturm‹ (von den 4 großen Sandsteinskulpturen am Turm ist die Herkulesfigur erh.) und ein Teil des got. Palas (kultur- und kunsthistor. Mus.).

Kolin, tschech. **Kolín** [k'ɔli: n], Stadt im Mittelböhm. Kr., ČSSR, an der Elbe, 30500 Ew., mit rechtwinklig angelegtem Straßennetz und großem Marktplatz. Bedeutendstes Baudenkmal ist die St. Bartholomäus-Kirche, ein frühgot., 1261 beg. Bau mit hohem Umgangschor von P. PARLER (1360–78). Barocke Bürgerhäuser; reich verziertes Rathaus im Neurenaissance-Stil (1887).

Kollegiatskirche, →Stiftskirche eines Kapitels.

Koller, Galerie K. A. G., Kunstversteigerungshaus in Zürich, gegr. 1959, bietet neben dem Galerieverkauf in jährlich stattfindenden Frühjahrs- und Herbstauktionen v. a. Asiatica, frz. Möbel (17.–19. Jh.), Malerei (17. bis 20. Jh.), Graphik und Plastiken (19. und 20. Jh.), Teppiche an. Tochtergesellschaften u. a. in Tiefenbrunnen bei Zürich, St. Gallen, Genf, Düsseldorf, New York, Tokio.

Koller, Rudolf, schweizer. Maler, *Zürich 21. 5. 1828, †ebd. 5. 1. 1905, Freund von A. BÖCKLIN, malte neben Landschaften und Porträts v. a. realist. farbige Tierbilder, die den Einfluß der Schule von Barbizon, später auch des Impressionismus, zeigen.

Kollerkreide, Maltechnik: weißer Ton (Pfeifenton), der zu Grundierungen verwendet wird.

Kollwitz, Käthe, geb. Schmidt, Graphikerin, Malerin, *Königsberg (Preußen) 8. 7. 1867, †Moritzburg bei Dresden 22. 4. 1945, bildete sich u. a. bei K. STAUFFER-BERN, lebte von 1891–1943 in Berlin, wo sie Mitgl. (1919–33 Prof.) der Akad. war. In Zeichnungen und graph. Folgen erarbeitete sie sich einen eigenen ausdrucksstarken Stil, der ihren von warmem menschl. Mitgefühl erfüllten Darstellungen aus dem Leben des Proletariats künstler. Größe und polit. Aktualität verlieh. Sie war auch als Bildhauerin tätig.

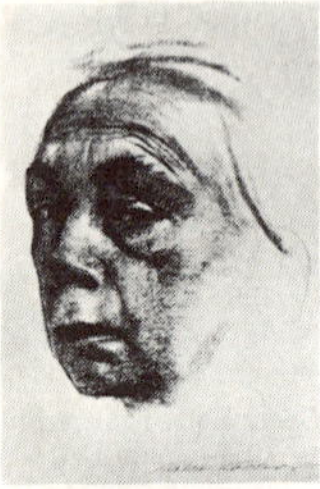

Käthe Kollwitz: Selbstporträt; Lithographie, 1924

Käthe Kollwitz: Weberauszug, Radierung aus der Folge ›Der Weberaufstand‹, 1897–98

HW: Radierungen: Der Weberaufstand (6 Blätter, 1897–98); Carmagnole (1901); Totes Kind (1903); Bauernkrieg (7 Blätter, 1903 bis 1908). – Holzschnitte: Krieg (1920–24). – Lithographien: Das Warten (1914); Hungernde Kinder (1920); Selbstbildnis (1924). Gefallenenmal (Granitfiguren des Vaters und der Mutter) auf dem belg. Soldatenfriedhof Eesen bei Diksmuide.

Schrift: Ich will wirken in dieser Zeit, Auswahl aus den Tagebüchern u. Briefen, ..., hg. v. HANS K. ([5]1981).

A. HEILBORN: K. K. ([4]1949); K. K. Die Handzeichnungen, hg. v. O. NAGEL ([2]1980); K. K. Druckgraphik, Plakate, Zeichnungen, hg. v. RENATE HINZ (1980); U. M. SCHNEEDE: K. K. (1981).

Kolmar, Stadt im Elsaß, →Colmar.

Köln, drittgrößte Stadt der Bundesrep. Dtl., beiderseits des Rheins, NRW, 980 000 Ew.; das röm. **Colonia Agrippinensis;** seit um 800 Erzbistum; im MA. größte dt. Stadt mit 12 Toren und über 80 Türmen; im 2. Weltkrieg zu 90% zerstört. Aus röm. Zeit blieben u. a. der Römerturm (Mitte 1. Jh.) und der zugängl. Ausgrabungsbereich unter dem Rathaus mit Praetorium und Regia erh. Wahrzeichen ist der Dom: 1248 beg., Chor 1322 voll., 1842–80 endgültig fertiggestellt; fünfschiffige Basilika mit Umgangschor und Kapellenkranz, Vorbilder sind u. a. St. Denis, Beauvais, Amiens, Reims und Straßburg. Monumentale Westfassade mit zwei 156 m hohen Türmen. Hervorragende Innenausstattung: Glasgemäldezyklus des 14. Jh. im Hochchor; größtes ma. Chorgestühl Dtl.s (104 Sitze, um 1320); →Gerokruzifixus; Mailänder Madonna (um 1320); Dreikönigsschrein (1181–1230), zu einem großen Teil von NIKOLAUS V. VERDUN; Rubens-Teppiche (1640); ›Dombild‹ von S. LOCHNER (um 1440); Grabmale und

Köln: Dom; 1248 beg., Chor 1322 voll.

Skulpturen. Im Dom eine der reichsten Schatzkammern Europas (Mus.). Ebenfalls gotisch sind Minoritenkirche (1245 – um 1350, der Kreuzgang ins Wallraf-Richartz-Mus. einbezogen), Antoniterkirche (14. Jh., darin E. BARLACHS ›Todesengel‹, 1938), Kartäuserkirche (1393 gew., mit Skulpturenzyklus des Schönen Stils) und Peterskirche (um 1515–30, spätgot. Emporenbasilika mit Altargemälde von P. P. RUBENS 1637). K. besitzt eine Fülle wertvoller roman. Kirchen: St. Andreas (Pfeilerbasilika mit Vierungsturm 13. Jh., Westvorhalle, reicher plast. Schmuck, got. Chor 1414 beg., Makkabäerschrein 1527 voll.); St. Aposteln (1192– um 1230 mit reich gegliedertem Dreikonchenchor); St. Cäcilien (2. H. 12. Jh., jetzt Schnütgen-Mus.: sakrale ma. Kunst); St. Georg (11.–12. Jh., einzige Säulenbasilika des Rheinlandes, fünfschiffige Krypta, gute Kapitellplastik im Westchor 1180 ff., ausdrucksstarkes Gabelkreuz 1380/90); St. Gereon (im Kern spätrömisch 4. Jh., Hallenkrypta 1067/69, Chor mit Doppelturmapsis um 1150, das viergeschossige Dekagon 1219–27 ausgebaut); St. Kunibert (spätstauf. Gewölbebasilika 1215–47 mit vorzügl. Glasgemäldezyklus um 1230, gute Plastik, Doppelturmapsis); St. Maria im Kapitol (1065 gew., flachgedeckte Basilika mit Dreikonchenchor und türmeflankiertem Westbau, im W Arkadenwand und flandrischer Renaissance-Lettner 1523, Pestkreuz 1304, Grabplatte der Plektrudis um 1160, einzigartige geschnitzte Holztüren Mitte 11. Jh., ausgedehnte Hallenkrypta; BILD Konche); St. Maria Lyskirchen (Emporenbasilika um 1210/20 mit bed. spätroman. Fresken); Groß-St. Martin (Gewölbebasilika mit Kleeblattchor, um 1150–1250, mächtiger 84 m hoher Vierungsturm); von Klein-St. Martin nur der Turm (1460 bis 1486) erh.; St. Pantaleon (966–80 mit otton. dreitürmigem Westwerk und Krypta, roman. Seitenschiffe um 1150, Chor 1619–22 von C. WAMSER, Lettner 1503 und Barockorgel 1652, Hochaltar 1749, wertvoller Kirchenschatz); St. Ursula (um 1135, erste roman. Emporenbasilika am Niederrhein, Westbau, got. Chor 1287 gew., in der ›Goldenen Kammer‹ 1643 der Kirchenschatz); St. Severin (Hallenkrypta 1043 gew., Chor mit Doppelturmapsis 1237, Chorgestühl Ende 13. Jh., Westturm 1393–1411, Langhaus 1479 ff.; das darunterliegende röm. Gräberfeld ist zugänglich). Die ehem. Jesuitenkirche St. Mariä Himmelfahrt ist eine nachgot. Emporenbasilika (1618–29 von Wamser) mit prunkvollem Inneren (farbiger Spätrenaissance-Stuck, figurierte Gewölbe, Barockkanzel und -hochaltar). Aus der Barockzeit stammen Maria im Frieden (1643–1716), Maria in der Kupfergasse (1705–15), Elendskirche (1765–71), Schloß Weißhaus in **Sülz** (Sommersitz der Äbte von St. Pantaleon) und Haus Arff in **Worringen** (1750–55). Trinitatiskirche (1857–60 von A. STÜLER im Stil des Berliner Spätklassizismus). Wichtige Profanbauten sind: das spätroman. Overstolzenhaus (um 1225/30, darin das Kunstgewerbemus.); got. Rathaus (um 1360, Turm 1407–14, Renaissance-Vorhalle 1569–73); das ehem. Fest- und Tanzhaus Gürzenich 1441–47 (daneben Alt-St. Alban 1668–72 als Ruinen-Mahnmal); das ehem. Zeughaus (1594–1606, darin das Stadtmus.). Von der

Stadtbefestigung (1180 ff.) mehrere Torburgen erh. Für die moderne Architektur K.s ist W. RIPHAHN wesentlich (Städt. Bühnen, Bastei, Siedlungen Bickendorf und Kalkerfeld), ebenso D. BÖHM (Kirchenbauten in Lindenthal, Marienburg, Riehl) und G. BÖHM (Einbau ›Madonna in den Trümmern‹ 1950 in der 1945 zerstörten spätgot. Kolumbakirche). Zahlreiche Museen: →Wallraf-Richartz-Museum; Römisch-German. Mus. (u.a. Dionysos-Mosaik 3. Jh.); Erzbischöfl. Diözesanmus.; Mus. für Ostasiat. Kunst; Rautenstrauch-Joest-Mus. für Völkerkunde; Mus. Ludwig (Peter →Ludwig). Im Kirchenschatz von Neu-St. Heribert (1892–96) im Vorort **Deutz,** dem röm. **Divitia,** der kostbare Heribertschrein (um 1170). Roman. Kirchen in **Dünnwald** (1118 beg.), **Niehl** (12./14. Jh.) und **Rheinkassel** (1220–40).

Rhein u. Maas, Kunst u. Kultur 800–1400, Ausst.-Kat., Köln (1972/73); P. CLEMEN u. a.: Der Dom zu K. (Nachdr. 1980); Die kirchl. Denkmäler der Stadt K., bearb. v. W. EWALD u. H. RATGENS, 4 Bde. (Nachdr. 1980); Die profanen Denkmäler der Stadt K., bearb. v. H. VOGTS (Nachdr. 1980, bisher 1 Bd.); W. P. ECKERT: K. Stadt zw. Tradition u. Fortschritt (1986).

Kölner Borten, schmale Gewebestreifen mit roman. oder got. Motiven. →Textilkunst.

Kölner Buchmalereischule, hochotton. Skriptorium, von dem 19 illuminierte Codices erh. sind. Wichtig für die K. B. ist die Bindung an spätkaroling. Vorlagen und ein starker Einfluß der mittelbyzantin. Kunst. Der sehr malerische, der Fläche verhaftete Stil der K. B. konnte sich fast ein ganzes Jh. halten, verhärtete sich jedoch in der 2. H. des 11. Jh. zu einem eindrucksvollen linearen Parallelismus. Charakteristisch für die K. B. ist das Evangeliar der Äbtissin HITDA von Meschede (Darmstadt, Hess. Landesbibl.), um 1020 entstanden, mit seinen Kanontafeln, Zierseiten, Evangelistenbildern und Szenen aus dem Leben Christi.

WW: Perikopenbuch für Erzbischof Gero (gegen 970; Darmstadt, Hess. Landesbibl.); Lektionar des Erzbischofs Everger v. Köln (985 bis 999; Köln, Dombibl.); Gundolf-Evangeliar (um 1020–1040; Stuttgart, Württemberg. Landesbibl.); Abdinghofer Evangeliar (um 1080; Berlin-West, Preuß. Kulturbesitz).

P. BLOCH: Der Darmstädter Hitdakodex (1968); ders. u. H. SCHNITZLER: Die otton. Kölner Malerschule, Bild- u. Textband (1967/70).

Kölner Erde, Maltechnik: dunkelbraunes Pigment aus pulverisierter Braunkohle, ähnlich dem Kasseler Braun.

Kölner Leim, Maltechnik: →Warmleim.

Kölner Malerschule, im Umkreis von Köln seit 1300 bis in das 16. Jh. feststellbare, im Stil einheitl. Malweise. Die K. M. läßt sich in 3 Epochen gliedern. Die 1. beginnt um 1300 mit Buchmalereien und kleinen Altären und endet mit dem Clarenaltar (um 1360; Köln, Dom). Eine 2. Epoche (1400–50) bedeutet den Höhepunkt der K. M. (Werke des Meisters der Hl. Veronika, BILD; S. LOCHNER, BILD). Sie wird abgeschlossen mit der von der niederländ. Kunst beeinflußten 3. Epoche (Meister der Georgslegende, der Verherrlichung Mariä, des Marienlebens, des Bartholomäusaltars, der Hl. Sippe, der Kölner Ursulalegende, BILD Meister der Kölner Ursulalegende).

Kölner Malerschule:
Die Muttergottes mit der Nuß, Gemälde vom Meister des Bartholomäusaltars, um 1480 (Köln, Wallraf-Richartz-Museum)

H. FÖRSTER: Die Meisterwerke der alten K. M. im Wallraf-Richartz-Mus. (1964); Die Kölner Maler 1300–1430, Ausst.-Kat., Köln (1974).

Kolokolnik, Kolokolnja [russ.], der Glockenturm in Rußland, meist neben der Kirche erbaut.

Kolomenskoje, heute zu Moskau gehörende ehem. Sommerresidenz der Zaren, UdSSR. Der prächtige, unter Zar ALEKSEJ MICHAJLOWITSCH 1668 errichtete Holzpalast wurde 1768 abgebrochen. Vom Zarenhof erh. sind der Kanzlei-Palast (heute Mus.), Tor- und Uhrturm sowie ein mächtiger Wasserturm (alle 17. Jh.). Die Himmelfahrtskathedrale (1532) ist die früheste Zeltdachkirche (BILD), deren Typus die ältere Kreuzkuppelkirche ablöste. K. bildet heute einen Museumskomplex mit z. T. hierher versetzten histor. Gebäuden.

Kolomna, Stadt im Gebiet Moskau, Russ. SFSR, an der Mündung der Moskwa in die Oka, UdSSR, 148 000 Ew. Die hölzerne Festung des frühen 14. Jh. wurde 1525–31 durch einen steinernen Kreml ersetzt, von dessen Mauern und 17 Türmen noch bed. Reste erhalten sind. Die Kathedrale Mariae Himmelfahrt des 14. Jh. wurde 1672 umgestaltet; ebenfalls dem 14. Jh. entstammt die Kirche der Auferstehung Christi.

Kolonettenkrater, →Stangenhenkelkrater.

Kolonialstil, i. w. S. Architekturstil, wie er von einer europ. Kolonialmacht in den von ihr kolonialisierten überseeischen Gebieten für Herrschafts- und Verwaltungsbauten bevorzugt wurde, in enger Anlehnung an die im betreffenden Mutterland gültige Stilrichtung; i. e. S. die englisch beeinflußte Architektur Nordamerikas seit dem mittleren 17. Jh. bis zu den Freiheitskriegen 1775–83. Hier entwickelte sich nach dem Vorbild des engl. →Palladianismus eine klassizist. Stilform für die Landsitze der aristokrat. Oberschicht v. a. der Ostküste, für die klare, in Ziegelstein ausgeführte Baukuben mit Werksteingliederung und Säulenportikus charakteristisch sind. 1699 wurde im Staat Virginia die Stadt →Williamsburg angelegt, deren öffentl. Gebäude nach Zerstörung 1781 durch brit. Truppen um 1930 als histor. Denkmal rekonstruiert wurden. Die Landhäuser und Kirchenbauten der 1. H. des 18. Jh. folgten im wesentlichen dieser eingeschlagenen, auf C. WREN zurückgehenden Richtung, wie sie die Landhäuser Stratford (1725) und Westover (1729), beide im Staat Virginia, zeigen.

Seit der Mitte des 18. Jh. folgte die Architektur der amerikan. Kolonien dem europ. Klassizismus. In Newport arbeitete der Autodidakt P. HARRISON (*1716, †1775), dessen King's Chapel in Boston im Innenraum durch gekuppelte korinth. Säulen gestaltet ist. Mit T. JEFFERSON (*1743, †1826) kam die klassizist. Stilrichtung vollends zum Tragen, die er während eines Europaaufenthaltes studierte und für seine Bauten nach der Unabhängigkeitserklärung weiterentwickelte. Sein HW, das neue Virginia State Capitol in Richmond, zeigt, wie die Bauten von S. MCINTYRE (*1757, †1811) und C. BULFINCH, wie sich die Architektur des K. zwanglos in die in ihrer Gesellschaftsstruktur nicht veränderte Frühzeit der nach 1776 neugebildeten Vereinigten Staaten von Amerika fortsetzte und auch den Bau des unter der Präsidentschaft des Architekten Jefferson vollendeten →Kapitols 2) in Washington (D.C.) bestimmte.

Die klassizist. Richtung der engl. Architektur findet sich in vielen Teilen des British Empire v. a. in Indien, auch in Australien und Neuseeland, in Südafrika u. a. Der niederländ. K. hat sich anschaulich im Kapland (kapholländ. Stil) erh.

Den Portugiesen und Spaniern bot sich mit der von ihnen eroberten ›Neuen Welt‹ ein Einflußgebiet von bisher unbekannten Ausmaßen (→lateinamerikanische Kunst).

Kolonnade [frz.], Gang, dessen auf geradem Gebälk ruhende Decke von Säulen getragen wird, im Unterschied zur →Arkade (Rom, St. Peter, G. L. BERNINI, 1656–67; Paris, Louvre-Ostfassade, C. PERRAULT, 1667 bis 1674; Potsdam, Sanssouci, F. v. KNOBELSDORFF, 1747).

Kolophon, antike Stadt mit dem Hafen Notion, Kleinasien, rd. 40 km südlich von Izmir; Blütezeit im 7. Jh. v. Chr. Ausgrabungen legten die Akropolis, Theater, Tempel u. a. frei. Südlich von K. lag das Orakelheiligtum des Apollon von Klaros (Ausgrabungen des Haupttempels mit unterird. gewölbten Orakelkammern aus dem späten 4. Jh. v. Chr.).

Kolophonium [n. der Stadt Kolophon], Maltechnik: Harz, das als Rückstand bei der Destillation von Terpentinöl aus Balsamterpentin gewonnen wird. Wegen seiner geringen Beständigkeit ist K. nur für die Herstellung von Lacken ohne höhere Anforderungen an die Haltbarkeit verwendbar.

Kolorieren [lat. color ›Farbe‹], mit Farben ausmalen (z. B. graph. Vorlagen, Photos u. ä.). **Kolorist,** Maler, in dessen Bildern die Farbe vor anderen Ausdrucksmitteln Priorität hat.

In der Druckgraphik war das Kolorieren von Hand neben dem Farbholzschnitt (seit dem 16. Jh.), dem Farbstich (seit dem 18. Jh.) und der farbigen Lithographie (seit dem 19. Jh.) lange die verbreitetste Methode, farbige Graphiken zu erhalten. Im Kunsthandel unterscheidet man Graphiken, die in älterer Zeit koloriert wurden **(Altkolorit),** von solchen die nachträglich in neuerer Zeit koloriert wurden **(Neukolorit).** Das Kolorieren wurde für Buchillustrationen bereits im 15. Jh. sowie von den Briefmalern im 16. Jh. verwendet und verbreitete sich als manufakturmäßige Kunst.

Kolorismus, Malweise, bei der die Farbgebung Vorrang vor der gegenstandsbestimmenden Zeichnung hat (→Kontur). Dabei treten auch Beleuchtungseffekte und starke Körpermodellierungen zurück zugunsten einer Eigenwertigkeit der Farbwirkung als opt. und ästhet. Gestaltungsmittel. Bereits M. Grünewald, P. Veronese, P. P. Rubens u. a. verwendeten die Farbe in dieser Weise. Im 19. Jh. gehörte v. a. E. Delacroix zu den Künstlern, die die emotionale Aussagekraft der Farbe erkannten. Weitere Möglichkeiten des K. sahen die Maler des Impressionismus und Neoimpressionismus, bevor er schließlich im 20. Jh. in der abstrakten Malerei die letzte konsequente Anwendung seiner Eigenwertigkeit erhielt.

Kolorit, die spezifische Farbgebung eines Bildes, wobei durch Wahl der Farben und Differenzierung der einzelnen Tonwerte die einheitl. Gesamtwirkung bestimmt wird.

Kolossal|ordnung, Säulenordnung, bei der die Stützen oder Pilaster mit Sockel 2 oder mehrere Geschosse übergreifen. Entwickelt im Manierismus (A. Palladio, Michelangelo), wurde die K. im Barock zur häufigsten Gliederungsart von Kirchen- und Palastfassaden.

Kolossalstatu|e, Standbild von meist mehrfacher Lebensgröße; dargestellt werden v. a. der stehende und sitzende Mensch, aber auch Tiere. K. gibt es in allen Kulturen, in denen gegenständl. Plastik geschaffen wurde. Sie entsprechen, wenn auch infolge des Maßstabs Vergröberungen auftreten, dem jeweiligen Charakter eines territorialen Stils. In der Neuzeit ist zw. künstler. Entwurf und ingenieurtechn. Ausführung zu unterscheiden. Oft wurden K. wegen ihres ideolog. Gehalts in polit. Kämpfen vernichtet.

In Ägypten wurden seit dem Alten Reich K. des Königs geschaffen, im Mittleren Reich wurden sie zum Schutz der Reichsgrenzen aufgestellt. V. a. Könige des Neuen Reiches bevorzugten diese Statuen: die Memnonskolosse Amenophis' III. und einige K. Ramses' II. sind fast 20 m hoch. Bevorzugter Platz für die Aufstellung war die Tempelfassade (Pylon). Nichtkönigl. K. sind von einem Gaufürsten des Mittleren Reiches und

Wörter, die man unter K vermißt, suche man unter C, Ch oder Q

von der Königin TEJE (Gemahlin Amenophis' III.) bekannt. (BILD ägyptische Kunst)

Aus der griechisch-röm. Antike nur literarisch überliefert ist der um 300 v. Chr. entstandene ›Koloß von Rhodos‹, eine über 30 m hohe Bronzestatue des Helios, Hauptgott der Insel, der an der Einfahrt zum Hafen der Stadt Rhodos aufgestellt war; 227/226 v. Chr. durch Erdbeben umgestürzt. Von der urspr. etwa 10 m hohen Sitzstatue des Kaisers KONSTANTIN (um 315 n. Chr.) in der Maxentius-Basilika (Rom) blieb der 2,60 m hohe Kolossalkopf erh. (Rom, Konservatorenpalast). In Barletta steht die K. eines oström. Kaisers (5. Jh.; 3,55 m, urspr. etwa 5 m hoch; BILD römische Kunst).

Im MA. sind v. a. die Rolandsäulen (→Roland) zu nennen. – Renaissance: ›David‹ von MICHELANGELO (1501–04; Höhe 4,34 m; Florenz, Akad.); Reiterstatuen von DONATELLO (→Gattamelata) und VERROCCHIO (→Colleoni); sie sind (wie die antike Reiterstatue des Kaisers Mark Aurel in Rom) maßgebl. Vorbilder für eine Reihe von Großplastiken bis ins 20. Jh. geworden. – Eine Nachbildung des farnes. Herkules von Lysipp ist die Herkules-K. (1713–17; von J. J. ANTHONI; Höhe 9,20 m) auf dem ›Riesenschloß‹ Kassel – Wilhelmshöhe. – Im Historismus entstanden zahlreiche K.: Bavaria, München (1840–50; von L. v. SCHWANTHALER; Höhe 18 m); Hermannsdenkmal (BILD) im Teutoburger Wald (1838–75; von E. v. BANDEL; Höhe 26 m); Niederwalddenkmal oberhalb von Rüdesheim (1877 bis 1883; von J. SCHILLING; Höhe 10,5 m); Freiheitsstatue New York (1886; von F.-A. BARTHOLDI; Höhe 46 m). – Im 20. Jh. wurden v. a. in den sozialist. Ländern K. errichtet: Arbeiter und Kolchosbäuerin von WERA MUCHINA (1936/37 auf der Weltausstellung in Paris, heute Moskau; BILD Sozialistischer Realismus); J. WUTSCHETITSCH (Berlin-Treptow, Ehrenmal 1946/49); Freiheitsdenkmal Budapest-Gellértberg (Z. KISFALUDY-STRÓBL).

Kolosseum, Colosseum [lat. von Koloß] *das,* ital. **Colosseo, Coliseo,** das größte Amphitheater Roms und der antiken Welt. Das K. wurde von VESPASIAN begonnen und von TITUS durch Hinzufügung eines 4. Geschosses voll. Es wurde 80 n. Chr. eingeweiht. Der ellipt. Bau ist in den unteren 3 Geschossen in Arkaden in dorischem, ionischem und korinth. Stil ausgeführt. Auf 7 konzentr. Pfeilerringen baute man um die Arena mit ihren unterird. Gängen und Kammern den Zuschauerraum auf Gewölben auf. Die Sitz- und Stehplätze (48 000 Sitzplätze und 4000–5000 Stehplätze) waren durch Marmortreppen zugänglich, das Gußmauerwerk war mit Travertin und Marmor verkleidet, bes. hervorgehoben war das Podium der Kaiserloge. Bis 405 fanden im K. Gladiatorenkämpfe, bis 523 Tierhetzen statt. Noch im 8. Jh. stand das K. fast unversehrt. Es galt im MA. als Stätte des frühchristl. Märtyrertums. In die Burg der röm. Familie FRANGIPANI einbezogen (12. Jh.), gewährte es Papst ALEXANDER III. Zuflucht vor den Anhängern BARBAROSSAS. Kurz nachdem es im 14. Jh. unter die Gewalt des Senats von Rom kam, wurde ein Teil für eine Kirche abgetreten. Erdbeben, Entfernung der die Travertinblöcke zusammenhaltenden Metalldübel

Kolosseum: Amphitheater in Rom; 80 n. Chr. eingeweiht

und Wiederverwendung der Steine für andere Bauten führten zum Verfall, dem erst 1744 die Weihe zur Märtyrerstätte Einhalt gebot. Seit dem 17. Jh. fanden im K. Freilegungen statt und seit dem 19. Jh. Sicherungs- und Restaurierungsarbeiten.

Kolotes, grch. Bildhauer aus Herakleia (in Elis?), wird als Mitarbeiter des PHIDIAS an dem Goldelfenbeinbild des Zeus von Olympia (um 450 v. Chr.) genannt.

Kom, Bekom, Bikom, eines der Kunstzentren des →Kameruner Graslandes, Westafrika, im Gebiet der Tikar; Häuptlingsstühle, entweder in Form von Ahnenfiguren (Mus. für Völkerkunde, Berlin) oder als Hocker zu Füßen von sehr statuarischen Häuptlingsfiguren, mit Perlen überzogene, z. T. schalentragende Figuren, Gesichtsmasken und Tanzaufsätze in Form von Vögeln.

Koma, japan. Familie von Lackmeistern; vom 17. bis 19. Jh. in Edo (Tokio) tätig, schufen v. a. Inro.

Komárno [k'ɔma:rnɔ], Stadt in der ČSSR, →Komorn.

Komburg, ehem. Benediktinerabtei **(Groß-K.)** bei Schwäbisch Hall, Bad.-Württ., 1079 gegr., 1216–1802 zum Fürsterzbistum Würzburg gehörig. Bes. die Außenansicht ist für den Typus der befestigten Klosterburg (mit Ringmauern, Wehrgängen, Zwinger, Toren und Türmen) in Dtl. ohne Vergleich. Die umfangreiche Anlage besteht aus 20 einzelnen Gebäudeteilen, von denen der sechseckigen Erhardkapelle (zw. 1220 und

1240) besonderes Interesse gebührt. 1706–14 barocker Neubau der Klosterkirche von J. Greising; bed. roman. Ausstattungsstücke (Radleuchter) erh. Gegenüber von Groß-K. entstand 1108 die Propstei **Klein-K.** mit 1113 gew. Kirche, einer flachgedeckten Säulenbasilika, das letzte Stützenpaar nach Hirsauer Schema als Pfeiler ausgebildet (›chorus minor‹).

Kommode [frz. commode ›bequem‹] *die,* mit Schubladen ausgestattetes Schrankmöbel. Es ist unsicher, ob die K. aus der Truhe oder dem Kabinettschrank entwickelt wurde. Das in den Augen der Zeitgenossen bequeme (kommode) Möbelstück ist seit etwa 1700 in Gebrauch; es wurde der Vertäfelung der Wand angepaßt oder mit anderen Möbelstücken kombiniert.

Kommos, minoische Stadt (Hafen von Phaistos?) auf Kreta, am Westende der Messara. K. war durchgehend von der Älteren Palastzeit bis in die Nachpalastzeit besiedelt. Gute Beispiele minoischer Hausarchitektur und ein stattl. öffentl. Gebäude (für den Handel?).

Komnenen, Dynastie des byzantin. Kaisertums, die mit Isaak I. Komnenos (1057–59) einsetzt und nach der Herrschaft der Dynastie Dukas in 5 unmittelbaren Thronfolgen von Alexios I. Komnenos (1081–1118) bis Andronikos I. Komnenos (1183–85) das Amt des byzantin. Kaisers innehat. In ihrer Zeit blühte die mittelbyzantin. Kunst (→byzantinische Kunst).

Kom Ombo, Stadt in Oberägypten, nördlich von Assuan (Karte ägyptische Kunst), 27 200 Ew. Das altägypt. **Ombos** war Kultort des krokodilköpfigen Gottes Sobek und des falkenköpfigen Haroëris, denen auch der aus ptolemäischer Zeit stammende Tempel geweiht war, eine ungewöhnl. Anlage als Doppeltempel (Zweiteilung der Tempelräume in der Längsachse) für 2 Hauptgötter; reicher Reliefschmuck an Wänden und Säulenschäften.

Kom Ombo: Säulenhalle des Doppeltempels

Komorn, slowakisch **Komárno** [k'ɔma:rnɔ], Stadt im Westslowak. Kr., ČSSR, am Zusammenfluß von Waag, Neutra und Donau, 30 000 Ew. Auf dem Gebiet einer röm. Siedlung entstand im 13. Jh. eine ungar. Burg. In der Zeit der Türkenkriege (15.–17. Jh.) wurde das starke unterird. Festungssystem angelegt (im 19. Jh.

erneuert). Barocke orthodoxe (1754–70; mit wertvoller Innenausstattung) und kath. Kirchen (1756).

Komotau, tschechisch **Chomutov** [x'ɔmutɔf], Stadt im Nordböhm. Kr., ČSSR, 46 800 Ew.; im 13. Jh. gegr.; Befestigungsanlagen mit 4 Toren (15. Jh.; 1841 geschleift). Rathaus (ehem. Deutschordenskommende), gegr. 1252, v. a. im 16. und 17. Jh. umgebaut; ehem. Konventskirche St. Katharina, frühgotisch (2. H. 13. Jh.), im 17. und 18. Jh. Ratskapelle; spätgot. Kirche Mariae Himmelfahrt, dreischiffige Hallenkirche (1516–85); ehem. Jesuitenkolleg mit Kirche St. Ignatius, 1663–71 von C. LURAGO erbaut; Stadtturm 1598 bis 1625. Am Marktplatz Bürgerhäuser des 16.–19. Jh.

Komplementärfarben, Gegenfarben im Farbkreis oder Farbdreieck z. B. Rot-Grün, Gelb-Violett oder Blau-Orange.

Kompong Svay, Ruinenstätte in Kambodscha; Provinzhauptstadt des Khmer-Reiches vom 10. bis 12. Jh., etwa 100 km östlich von Angkor (KARTE Khmer-Kunst), deren wichtigste Gebäude aus dem 12. Jh. stammen und vermutlich König JAYAVARMAN VII. als Zuflucht dienten, bis er 1177, als Angkor durch die Cham vernichtet wurde, die Feinde aus dem Land vertrieb. Seine Porträtbüste (Ende 12. Jh.) aus dem Heiligtum Prah Khan, heute im Nat.-Mus. Phnom-Penh, zählt zu den ausdrucksvollsten Skulpturen der Khmer-Kunst.

Komposition [lat.], Bez. für Aufbau und Struktur eines Kunstwerks. Die K. setzt sich zusammen aus einem Bezugssystem von Linien, Körpern, Räumlichkeiten, Farben u. a., wobei die Beziehung der Einzelteile zum Ganzen und umgekehrt festgelegt ist. Neben der in dieser Weise vollzogenen Anordnung der einzelnen Bildmotive, der Farbgebung und der Verteilung von Licht und Schatten innerhalb des Bildgefüges wird die K. bestimmt durch →Perspektive, →Symmetrie, →Hintergrund, →Isokephalie. Das Maß der Anwendung dieser Faktoren kennzeichnet sowohl den individuellen Stil des Künstlers als auch die Prinzipien einer Stilepoche.

In der Architektur ergibt sich die K. aus Grund- und Aufriß. Von Gesamt-K. spricht man, wenn mehrere Bauten durch Beziehung aufeinander, durch Straßenzüge oder Plätze in einen Wirkungszusammenhang gebracht sind.

Kompositionsgold, Maltechnik: →Schlagmetall.

Kompositkapitell, eine Variante des korinth. Kapitells, →Säulenordnung.

Konarak, Konarka, Tempelruine im ind. Staat Orissa, im 13. Jh. als eines der größten hinduist. Kultgebäude nahe der Meeresküste erbaut. Wegen des sandigen Grundes stürzte der einst mächtige Turm ein; die Haupthalle mit einem figurenbesetzten Aufbau in mehreren Terrassen blieb erhalten. Beide Bauteile erheben sich auf einer reich dekorierten Plinthe, an deren Seiten große Räder reliefiert sind. Steinerne Pferde am Eingang unterstreichen die Deutung des dem Surya geweihten Tempels als Sonnenwagen. (BILD S. 231)

Konarak: Surya-Tempel, 1238–64

Konche [grch.-lat. ›Muschel‹], halbrunde Apsis, die von einer Halbkuppel überwölbt ist, oft auch nur dieses, einer Muschel vergleichbare Gewölbe selbst.

Kondo [jap. ›Goldene Halle‹], Hauptkultgebäude japanisch-buddhist. →Tempel, in dem sich das Heiligtum befindet und Gottesdienste stattfinden.

Kongju, korean. Stadt, Prov. Süd-Ch'ungch'ŏng. Von 475–538 war K. die Hauptstadt des Königreichs Paekche unter dem Namen Ungch'ŏn. Überreste der Stadtbefestigungsanlage mit mehreren Toren erh. Das Nat.-Mus. von K. birgt Kunstwerke der Paekche-Dynastie (→koreanische Kunst).

Kongo, Bakongo, Sammelbegriff für Stämme im Mündungsgebiet des K., in Zaire, Rep. Kongo und angrenzenden Teilen von Cabinda im N und Angola im S, etwa 5 Mio. Menschen; umfaßt neben den eigtl. K. v. a. die →Yombe, Sundi und Sorongo. Wegen des regen kulturellen und wirtschaftl. Austauschs dieser Volksgruppen untereinander über Jh. hinweg sind Stilunterschiede nur schwer zu definieren und Zuschreibungen oft willkürlich. Die Figuren der K.-Kunst, bes. die Zauberfiguren (Nagel- und Spiegelfetische), aber auch die sorgfältiger ausgearbeiteten Ahnenfiguren (oft Mutter-Kind-Motiv) sowie alte Steinfiguren (›Mintadi‹) weichen häufig von der sonst fast überall in Afrika eingehaltenen stat. und symmetr. Darstellungsweise ab und zeigen Bewegung in Ausdruck und Haltung. Die Masken der K. sind oft schwarz, weiß und rot bemalt und lassen die Zunge aus dem leicht geöffneten Mund hervortreten. (BILD Nagelfetisch)

Kongsberg [k'ɔŋsbær], Stadt in der norweg. Prov. Buskerud, 19900 Ew., war dank der Silberfunde (Bergwerksmus. in der ehem. Schmelzhütte) im 18. Jh. nach Bergen die zweitgrößte Stadt des Landes; große barokke Holzkirche (1740–61) mit üppiger Ausstattung erh.

König, 1) Johann, Maler, getauft Nürnberg 21. 10. 1586, †ebd. 4. 3. 1642, gehörte in Rom (1610–13) zum Kreis um A. ELSHEIMER, ahmte später dessen Stil und Thematik in kleinen buntfarbigen Bildern auf Kupfer nach. Z. T. wird in seinen Bildern auch der Einfluß von J. ROTTENHAMMER spürbar, den K. in Augsburg (1614 bis 1630) kennenlernte.

2) Leo Freiherr von, Maler, *Braunschweig 28. 2. 1871, †Tutzing 19. 4. 1944, bildete sich in Berlin und Pa-

Konche: Grundriß von St. Maria im Kapitol in Köln mit Dreikonchenanlage des Ostbaus

ris unter dem Einfluß der Impressionisten. Er malte v. a. Porträts.

HW: Porträts: Eugen d'Albert (1927; Nürnberg, Städt. Kunstsamml.); R. Schneider (1936; Freiburg i. Br., Augustinermus.); E. Barlach (1937; Feldafing, Samml. Buchheim); E. Nolde (1937; Essen, Samml. Bohlen und Halbach); Käthe Kollwitz (1941; Dresden, Schloß Pillnitz) u. a.

Königgrätz, tschech. **Hradec Králové** [hr'adɛts kr'a:lɔvɛ:], Hauptstadt des Ostböhm. Kr., ČSSR, 93 200 Ew.; am ma. Handelsweg Donau–Ostsee gelegen; seit 1664 kath. Bischofssitz. Zentrum der Altstadt ist der Marktplatz mit der got. Kathedrale aus rotem Ziegelmauerwerk (als Stadtpfarrkirche 1307 gegr., später im Innern barockisiert), der ehem. Jesuitenkirche (1654–66, Bau von C. LURAGO), dem alten Rathaus (Renaissancebau des 16. Jh., um 1850 erneuert), dem ehem. Bischofspalais (1709–10; heute Bezirks-Mus.) sowie Bürgerhäusern, z. T. mit Laubengängen. In der Neustadt bed. Bauten des strengen Jugendstils von J. KOTĚRA (Städt. Mus. 1908–12, Friedensplatz, 1923–26).

Königsaal, tschech. **Zbraslav** [zbr'aslaf], Ort südlich von Prag, ČSSR, an der Moldau, etwa 6000 Ew., 1268 als königl. Jagdhof gegr. Für das 1292 gestiftete ehem. Zisterzienserkloster wurden die Klostergebäude um 1709 nach Plänen von G. SANTINI neu errichtet (heute Mus. mit Werken moderner tschech. Bildhauer); die Prälatur ist im Kern noch gotisch, ebenso die Klosterkirche. Die Kirche St. Jakob (Frühbarock, 1650–54) enthält erstrangige Kunstwerke (G. B. PIAZZETTA, P. J. BRANDL u. a.).

Königsberg (Pr.), russ. **Kaliningrad,** Hauptstadt des Gebiets Kaliningrad der Russ. SFSR, UdSSR, am Pregel 7 km oberhalb dessen Mündung, 361 000 Ew.; bis 1945 Hauptstadt Ostpreußens, 1944 nahezu völlig zerstört. Die Reste wurden großenteils abgetragen, z. B. die Ruinen des Schlosses (beg. 1287–92) und der Steindammer Kirche St. Nikolaus (13.–14. Jh.). Die Ruine des Doms (1325–1572) wurde gesichert, ebenso die der Altstädter Pfarrkirche (erbaut 1838–45 nach Entwurf von K. F. SCHINKEL) und angeblich auch der Burgkirche (1687–90). Unzerstört blieben die Pfarrkirche Juditten (14. Jh.) und Teile des Speicherviertels. In den urspr. Formen wiederaufgebaut wurde die 1844–62 im Neurenaissancestil nach Entwurf von A. STÜLER errichtete Neue Univ.

Königsblau, Phantasiebez. für versch. Farben, z. B. Kobaltblau oder einen Mischton aus Ultramarinblau und Weiß.

Königsfelden, ehem. Franziskaner-Doppelkloster (1309–1528) bei Brugg im schweizer. Kt. Aargau. Die Kirche (beg. 1310, Langhaus gew. 1320, Chor gew. 1330) ist eine dreischiffige flachgedeckte Basilika. Die 11 Maßwerkfenster des Chors (1325–30) enthalten einen Gemäldezyklus, der zu den hervorragenden Leistungen der europ. Glasmalerei im 14. Jh. gehört.

Königsgalerie, Galerie mit den Statuen der Könige an den Fassaden frz. Kathedralen (W-Fassade von Notre-Dame, Paris, um 1200–45; Chartres, S-Vorhalle;

Wörter, die man unter K vermißt, suche man unter C, Ch oder Q

Reims, W-Fassade). Die K. wurde auch von Spanien (Burgos, Kathedrale, zerstört) und England (Kathedralen von Wells, Lincoln) übernommen.

J. G. PRINZ V. HOHENZOLLERN: Die K. der frz. Kathedrale (1965).

Königsgelb, ungebräuchl. Bez. für →Massicot.

Königsgräber, →Fürstengräber.

Königshalle, Fürstenhalle, german. Gebäudetyp einer Versammlungshalle. Nach den wenigen erhaltenen Beispielen (S. María de Naranco bei Oviedo, vor 848) liegt die Halle im Obergeschoß eines langgestreckten, an beiden Längsseiten durch zweiläufige Treppen erschlossenen zweigeschossigen Gebäudes. Die Stirnseiten öffnen sich in Loggien. Die K. bildet die Vorstufe für den Palas ma. Kaiserpfalzen.

Königslutter am Elm, Stadt im Kr. Helmstedt, Ndsachs., 16400 Ew.; die ehem. Benediktinerabteikirche (1135 beg.; BILD Atlant), Grabkirche Kaiser LOTHARS III., mit mächtigem Westbau hat erstklassige, von oberital. Steinmetzen geschaffene Bauplastik. Zweischiffiger Kreuzgang mit prächtig ornamentierten Säulen und roman. Kapitellen.

Königstein im Taunus, Stadt in Hessen, 16300 Ew. Die Burg (1215 gen.) wurde im 16. Jh. mit riesigen Bastionen zur Festung ausgebaut (1796 gesprengt, Modell im Alten Rathaus). In der Pfarrkirche (1744–46) vorzügl. Rokoko-Hochaltar (1758) und Kanzel (1752).

Königs Wusterhausen, Stadt südöstlich von Berlin, Dt. Dem. Rep., 12000 Ew., mit dem Jagdschloß FRIEDRICH WILHELMS I., einem zweigeschossigen Renaissancegebäude (urspr. 16. Jh., 1717/18 umgebaut).

Koninck, Koning, Coningh, 1) Philips, holländ. Maler, *Amsterdam 15. 11. 1619, begraben ebd. 4. oder 6. 10. 1688, stark von REMBRANDT beeinflußt, malte bes. große Flachlandschaften mit Fernblick in wirkungsvoller Beleuchtung. Als Zeichner bibl. Motive verband er rembrandtsche und fläm. Stilelemente.

2) Salomon, holländ. Maler, *Amsterdam 1609, begraben ebd. 8. 8. 1656, Schüler von C. MOEYAERT, wurde 1630 Meister in Amsterdam, malte bibl. und histor. Darstellungen in der Art des frühen REMBRANDT.

Konkrete Kunst, frz. **Art Concret** [a:rkɔ̃kr'ɛ], 1930 von T. VAN DOESBURG vorgeschlagener Name für die bis dahin →abstrakte Kunst genannte Malerei und Plastik. Die Bez. soll hervorheben, daß die Gestaltung hier nicht von einem Abstraktionsvorgang ausgeht, sondern Linie, Farbe, Fläche, Raum ohne jede Assoziation als autonome künstler. Mittel eingesetzt werden. Besondere Bedeutung für die K. K. gewannen der Pariser Zusammenschluß →Abstraction-Création. zahlreicher versch. Künstler und die Züricher Konkreten (M. BILL, R. LOHSE).

K. K., Ausst.-Kat., Zürich (1960); Anmerkungen zur K. K., Gesammelte Manifeste, hg. v. M. STABER.

Kono, Volksgruppe im N von Sierra Leone und in Guinea, Westafrika. Im K.-Gebiet werden →Nomoli sowie große Häuptlingsköpfe (›Mahen Yafe‹) aus

Speckstein gefunden, die etwa in das 13. Jh. datiert werden; sie tragen meist Ohrringe (wie es die Portugiesen von den Adligen dieses Gebietes im 15. Jh. berichteten).

Konopiště [k'ɔnɔpiʃtjɛ], dt. **Konopischt,** Schloß südöstlich von Prag, ČSSR, eine in der 1. H. des 16. Jh. umgebaute Burg (13. Jh.), die im frühen 18. Jh. erweitert wurde (u. a. Portal mit Figuren von M. B. BRAUN, 1725) und 1894 die heutige prunkvolle Form erhielt. Im Innern Zellengewölbe des 16. Jh., von F. J. LUX ausgemalter Lobkowitz-Saal. Zeughaus mit reichen histor. Sammlungen.

Konrad von Einbeck, →Conrad von Einbeck.

Konrad von Soest [-zo:st], →Conrad von Soest.

Konservator [lat.], Beamter, dem in der →Denkmalpflege oder im Museumsdienst die Erhaltung und Pflege von Kunstwerken und naturwissenschaftl. Samml. unterstehen; auch Restauratoren, Faßmaler und Bildhauer bezeichnen sich gelegentlich als K.

Konservierung, Maßnahme zur Erhaltung von Kunstwerken im Rahmen der →Restaurierung.

Konservierungsmittel, Maltechnik: Zusätze zu organ., vornehmlich eiweißhaltigen Bindemitteln, um diese vor Fäulnis und Pilzbefall zu schützen.

Konsole [frz.], **1)** aus der Wand vorkragendes Auflager aus Holz, Stein **(Kragstein)** oder Eisen zur Unterstützung von Bauteilen wie Unterzügen, Gesimsen, Bögen, Diensten, Balkonen und Erkern und als Standort für Figuren (**Tragstein**). Als hervorstehendes Bauglied ist die K. immer Gegenstand künstler. Gestaltung. **2)** Wandtisch mit oder ohne Spiegelaufsatz.

Konstantin I., der Große, römisch-byzantin. Kaiser, *Naissus (Niš) 27. 2. um 280, †bei Nikomedia 22. 5. 337, Sohn des Kaisers CONSTANTIUS I. CHLORUS und der HELENA, verlegte den Schwerpunkt seiner Regierung durch Gründung von →Konstantinopel in den Osten. Geschichtlich bedeutsam war eine Konstitution, die die christl. Religion den anderen Glaubensgemeinschaften gleichstellte. Er förderte kaiserl. christl. Kirchenstiftungen (in Rom, Konstantinopel, Antiochia, Jerusalem, Bethlehem). Erst kurz vor seinem Tod ließ sich K. taufen; er wurde im Mausoleum der Apostelkirche in Konstantinopel inmitten von Gedenk-Monumenten der 12 Apostel beigesetzt.

Konstantinopel, das 324 von KONSTANTIN I. in K. umbenannte →Byzanz, 395–1204 und 1261–1453 Hauptstadt des Oström., Byzantin. Reiches. Schnell bevölkert, mußte die Stadt bereits ein Jh. nach ihrer Gründung erweitert werden (Landmauer THEODOSIOS II.). JUSTINIAN I. ließ den beim Nika-Aufstand (532) weitgehend zerstörten Mittelpunkt der Stadt gründlich und anspruchsvoll erneuern. – Im frühen MA. drohten Gefahren von außen (Belagerungen) und innen (→Bilderstreit), die sich auch auf das Aussehen von Kirchen und Klöstern auswirkten. Die Expansionsbestrebungen der ital. Seemächte, bes. Venedigs, lenkten den 4. Kreuzzug gegen das christl. K.: 1204 wurde die Stadt erobert und ausgeplündert; ihre Bauten und Bildwerke wurden unter den Kaisern der Lateinerherrschaft (1204–61), zum großen Teil aus Finanznot, verkauft, bis zum weitgehenden Verfall der Stadt. Nach Vertreibung der Lateiner wurden unter den Kaisern der palaiolog. Dynastie v. a. Reparatur-Arbeiten unternommen, aber auch noch neue Bauten (bes. Klosterstiftungen) aufgeführt. Städtisch besiedelt waren nur noch die Uferzonen des Goldenen Horns; weite Bereiche der Stadt glichen Dörfern. Nach fast 100jähriger Bedrohung fiel K. 1453, als das Gebiet des Byzantin. Reiches auf den Bezirk der Stadt beschränkt war, in die Hand der türk. Truppen MEHMETS II. FATIH (→Istanbul).

Von der reichen Baugeschichte von K., die sich aus Stadtbeschreibungen byzantin. Zeit und Ergebnissen der Grabungen rekonstruieren läßt, zeugen nur noch wenige Monumente, bes. christl. Sakralbauten, die durch Nutzung als Moscheen in den Grundzügen ihrer Baugestalt bewahrt geblieben sind. Aus der Zeit KONSTANTINS I. sind keine Kirchenbauten erh.; Quellen bezeugen u. a. die Apostelkirche mit Mausoleum Konstantins I., eine 1. Irenenkirche und eine 1. Hagia Sophia. Eindrucksvolle Reste blieben vom Aquädukt (364–78); von den riesigen Forumsplätzen von THEODOSIOS I. (379–95) und ARKADIOS (395–408) sind u. a. Reste eines dreitorigen Bogens und Triumphalreliefs erh. geblieben. Die neue Landmauer von THEODOSIOS II. (408–50), etwa zw. 412 und 422 erbaut, ist noch immer die größte bis heute erh. Befestigungsanlage der Antike. Die älteste (in anschaul. Resten erhaltene) Kirche ist die Johannes-Kirche des Patriziers STUDIOS (463 gew.). Von den justinian. Kirchen sind erh. geblieben die Irenenkirche (in Teilen; nach 740 Wiederaufbau), die Sergios-und-Bakchos-Kirche und – als Hauptdenkmal nicht nur dieser Epoche, sondern der byzantin. Kunst überhaupt – die →Hagia Sophia. Aus der Makedon. Blütezeit (867–1056) stammen der Nordbau der Fenarii Isa Camii und die Bodrum Camii (Myrelaion; zweigeschossige Kirche als Grabbau), beide vom Anfang des 10. Jh. Der Kirchenkomplex des ehem. Pantokratorklosters (Zeyrek Camii) zeigt eine bed. Baugruppe der komnen. Sakralarchitektur (→Komnenen). Von der palaiolog. Architektur (→Palaiologen) zeugen v. a. die zu Beginn des 14. Jh. gründlich erneuerte, erweiterte und prachtvoll ausgestattete Kirche des Choraklosters (Kariye Camii) und der Tekfur Sarayi als ein kaiserl. Palastbau der Spätzeit.

Konstantinsbasilika, →Maxentiusbasilika.

Konstantinsbogen, dreitoriger Triumphbogen für Kaiser KONSTANTIN D. GR. am Anfang der antiken Via Triumphalis (zw. Kolosseum und Forum) in Rom, der 315 anläßlich des Sieges Konstantins über Maxentius (312 an der Milvischen Brücke) fertiggestellt wurde. Aus konstantin. Zeit stammen v. a. die schmalen Friese, die Kampf, Sieg und Triumph des Kaisers verherrlichen. Dabei wurden Spolien von älteren Statuen und Reliefs wiederverwendet: ein monumentales Schlachtenrelief trajan. Zeit, Tondi eines hadrian. Denkmals mit Jagd- und Opferszenen, Reliefs über Kriegstaten Marc Aurels. Die Köpfe der früheren Kaiser wurden dabei mit den Zügen Konstantins und seines Mitkaisers

LICINIUS versehen, die Reliefs unter Aufgabe des urspr. Zusammenhangs so angeordnet, daß sie auf Konstantin bezogen werden konnten. Der Bogen ist eines der besterhaltenen Monumente des antiken Rom. (BILD römische Kunst)

Konstanz, ehem. Reichsstadt am Bodensee (Bad.-Württ.), 70000 Ew.; urspr. ein röm. Kastell (Constantia), 590–1526 Bischofssitz, 1192–1548 Reichsstadt. An die Blütezeit der Stadt im MA. erinnern: das Münster (1089 gew.), in der Gotik (W-Fassade) und im Klassizismus umgestaltet, reiche Ausstattung (Mauritiusrotunde mit Hl. Grab, um 1280; BILD Heiliges Grab; der ›Schnegg‹, eine Treppenspindel, 1438), auch in den zahlreichen Seiten- und Nebenkapellen viele Kunstwerke; ehem. Dominikanerkloster (1236 beg.) mit frühgot. Kreuzgang; Augustinerkirche (barockisierte Pfeilerbasilika des 13. Jh. mit Freskenfries von 1417); Stefanskirche (15. Jh., im Chor barockisiert); Kaufhaus am Hafen (1388; Konzilgebäude) und Renaissance-Rathaus (1589–94). Zahlreiche Domherrenhöfe, Patrizier- und Zunfthäuser (Zunfthaus zur Katz 1424, Haus zur Kunkel mit profanen Wandmalereien um 1300, Mus.). Ehem. Jesuitenkirche (beg. 1604); Rosgarten-Mus. (im ehem. Metzger-Zunfthaus, 1454).

Konstruktivismus, um 1913/14 in Rußland entstandene Richtung der modernen Kunst, die auf dem Bekenntnis zur modernen Technik und der Beschränkung auf einfache geometr. Formen beruht. Formale Voraussetzungen lagen im Kubismus (PICASSOS ›Gitarrenreliefs‹, 1912), Futurismus und Kubofuturismus. Initiatoren waren W. TATLIN (›Kontrareliefs‹, seit 1913), A. RODSCHENKO, EL LISSITZKY, seit 1917 auch die Brüder N. GABO und A. PEVSNER. Durch die Oktoberrevolution verstärkte sich ein Gegensatz, der von Anfang an im K. enthalten war: Während Tatlin u. a. die Kunst

Konstruktivismus: El Lissitzky, ›Proun G 7‹; 1923 (Düsseldorf, Kunstsammlung Nordrhein-Westfalen)

als Utilitarismus für Architektur, Design, Typographie, Bühnenbilder und Mode nutzten und zur Revolution der Gesellschaft einsetzen wollten, entzog K. MALEWITSCH sich mit seinem →Suprematismus der gesellschaftl. Funktionalisierung von Kunst zugunsten ihrer reinen Formbestimmung (›Schwarzes Viereck auf weißem Grund‹, 1913). Mit beiden Richtungen war der K. 1917–22 die offizielle Kunst der russ. Revolution, doch seit 1922 emigrierten die meisten führenden Konstruktivisten unter dem Druck der polit. Verhältnisse und trugen ihre Ideen in den Westen.

Hier hatte der Holländer P. MONDRIAN schon 1917, aus der Überwindung des Kubismus, seinen Neoplastizismus begründet. – Dessen Sprachrohr war die von T. VAN DOESBURG herausgegebene Ztschr. ›De Stijl‹. Sie vertrat eine westeurop. Parallele zum Suprematismus, mit universalistischen, ja mystischen Neigungen. DOESBURG, G. VANTONGERLOO und der Architekt G. RIETVELD wendeten sich auch der prakt. Reform durch Architektur- und Möbelentwürfe und Raumgestaltungen zu.

Ein weiterer Schwerpunkt des westeurop. K. lag bei dem 1919 gegr. Bauhaus und der ungar. Gruppe ›Ma‹ (Heute) um L. MOHOLY-NAGY, wo bes. die praktische, dem Leben zugewandte Komponente des K. Bedeutung gewann und mit vielen anderen Impulsen verschmolz. – Auf dieser Fähigkeit, weiterführende Verbindungen einzugehen, neue Ideen auszukristallisieren, beruht die Bedeutung des K. als einem Grundpfeiler der Kunst im 20. Jh. Durch Tatlins ›Monument für die III. Internationale‹ (ein drehbares Kongreßgebäude) und N. Gabos 1. bewegl. Plastik von 1920 führte der K. zur Kinetischen Kunst. In der Pariser Gruppe Abstraction-Création verfestigten sich die Tendenzen zur Konkreten Kunst; auch inspirierte er die Op Art. Aus einer künstler. Revolution, die die Aufhebung der Kunst im Leben und eine utop. Veränderung der Gesellschaft anstrebte, wurde ein künstler. Prinzip, das wirksam ist, wenn eine gefestigte Bildordnung sich gegen die psychograph. Dynamik des Expressionismus durchsetzt.

W. ROTZLER: Konstruktive Konzepte; Gesch. der Konstruktiven Kunst vom Kubismus bis heute (1977); H. GASSNER u. E. GILLEN: Zw. Revolutionskunst u. Sozialist. Realismus (1979); R. G. GRÜBEL: Russ. K., Künstler, Konzeptionen, literar. Theorie u. kultureller Kontext (1981).

Konterfei [frz. contrefait ›nachgemacht‹] *das,* Abbildung, Porträt. **Konterfetter (Kontrafetter)** nannte man früher Künstler, die Porträts – bes. auf Medaillen (Konterfektmedaillen) – anfertigten.

Kontinuierende Darstellung, die Wiedergabe mehrerer zeitlich aufeinanderfolgender Szenen innerhalb einer Bildeinheit; bes. geeignet zur Textillustration sowie zur Schilderung histor. Vorgänge relig. und profanen Inhalts. Seit dem 2. Jh. n. Chr. findet sich die K. D. in röm. Reliefs (Trajanssäule in Rom) und wurde über die frühchristl. der ma. Kunst vermittelt, in der sie einen breiten Raum einnimmt. Im Früh- und Hoch-MA. wurden die versch. Szenen additiv nebeneinander auf einer gemeinsamen Fläche angeordnet, seit dem 15. Jh. innerhalb eines gemeinsamen Bildraumes auf

Kontrapost: Rekonstruktion des Speerträgers von Polyklet (München, Universität)

versch. Raumzonen verteilt. Seit der Renaissance verlor sich die K. D. bis auf seltene Ausnahmen.

Kontrapost [ital. contrapposto ›Gegensatz‹], Ausgleich der tragenden und lastenden, der ruhenden und treibenden Kräfte in einer Figur, am sinnfälligsten i. Ggs. von Stand- und Spielbein wiedergegeben; eine Erfindung der Griechen; beste Beispiele sind die Bildwerke aus hochklass. Zeit. Im MA. bemühten sich die Künstler nur vorübergehend um den K. Erst die Renaissance nahm das antike Erbe wieder auf.

Kontschalowskij, Končalovskij, Pjotr Petrowitsch, russ. Maler, *Slawjansk (Geb. Donezk) 21. 2. 1876, †Moskau 2. 2. 1956, war anfänglich von den Fauves und P. Cézanne beeinflußt, Mitbegründer der Künstlervereinigung Karobube, malte Landschaften, Porträts, Stilleben in kräftigen Farben.

Kontur [frz.] *die,* fachsprachlich *der,* Umrißlinie von Bildgegenständen. Die Verwendung der K. in Malerei und Graphik ist den Stilwandlungen entsprechend verschiedenartig. Sie kann eine deutlich begrenzende, ganz in der Fläche bleibende Linie sein (MA.), plastisch formend im Bildraum vor- und zurücktreten (Barock, Rokoko), im Helldunkel verschwimmen (Leonardo da Vinci, Rembrandt) oder in einer Farb-Licht-Atmosphäre aufgelöst sein (Impressionismus).

Konvent [lat. ›Zusammenkunft‹], Bez. für die Gemeinschaft der Mönche, die in der →Klausur zusammenleben. Oft wird das Gebäude, in dem der Kapitelsaal liegt, als K.-Haus bezeichnet.

Konversationsstück, älterer Name für das →Gesellschaftsstück.

Konya, Hauptstadt der türk. Prov. K. im südl. Inneranatolien, 246400 Ew.; als **Ikonion (Iconium)** Hauptstadt des antiken Lykaoniens, unter den Seldschuken (seit 1080) Hauptstadt des Sultanats Rum, seit 1397 (endgültig seit 1466/67) osmanisch. Von der den antiken Stadthügel umgebenden (durch Spolien und Reliefs einst reich geschmückten) Stadtmauer des 13. Jh. sind nur noch wenige Skulpturen im Mus. (İnce Minare Medresesi) erhalten, vom Palast der Sultane der Rest eines Köşk am Fuß des Hügels. Das Stadtbild beherrscht die Ala-ed-Din-Moschee, begonnen unter Masud I. (Michrab von 1155/56, Mittelkuppel), 1219–21 stark erweitert (breiter Gebetssaal mit Spoliensäulen als Dachstützen), von Damaszener Architekten mit einer monumentalen Hoffassade versehen. Den Hügel umgeben mehrere Medresen (mit überkuppeltem Hof und reichem Portal- und Fliesenschmuck); Büyük Karatay Medrese (1251; klass. Marmorportal; heute Fayence-Mus.), İnce Minare Medrese (1258–79, urspr. mit 2 Minaretten; Skulpturen-Mus.), Sircali Medrese (1242/43) und Sahip Ata Medrese (zw. 1258 und 1283). Im Kloster Mewlana findet sich das Mausoleum des islam. Mystikers Djelal od-Din Rumi (›Mewlana‹, †1273; Türbe in die spätere Bausubstanz des 16. Jh. – Vorraum, Semahane = Tanzsaal, Moschee – einbezogen); reiche Samml. seldschuk. Kunst (Hss., Gewänder, Teppiche, Musikinstrumente u. a.). – Aus osman. Zeit stammt die

Wörter, die man unter K vermißt, suche man unter C, Ch oder Q

für die Rekonstruktion der Mehmediye in Istanbul wichtige Selimiye Camii (SELIM II., 1566–74).

Konzept-Kunst, konzeptuelle Kunst, →Concept Art.

Koolhaas, Rem, niederländ. Architekt, *Rotterdam 17. 11. 1944, arbeitet seit 1972 zeitweilig mit O. M. UNGERS zus. und gründete 1975 mit M. VRIESENDORP, E. und Z. ZENGHELIS das ›Office for Metropolitan Architecture‹ (OMA) in New York, London, Berlin. In seinen Schriften und Projekten setzt sich K. für einen neuen ›Metropolitanismus‹ ein, der die Großstadt als Höhepunkt unserer Industriekultur beschreibt. Formenvokabular und Infrastruktur seiner gigant. Stadtbauprojekte werden deshalb von der Wolkenkratzerarchitektur New Yorks abgeleitet und variiert.

HW: Projekte und Wettbewerbe in Zusammenarbeit mit OMA: Exodus, städtebaul. Neuordnung Londons (1972); Delirious New York, versch. Projekte zur Umgestaltung Manhattans (1972–78); Uhren-Mus. Amsterdam (1975).

Schrift: Delirious New York – A retroactive manifesto for Manhattan (1978).

Kooning, Willem de, amerikan. Maler niederländ. Abstammung, *Rotterdam 24. 4. 1904, seit 1926 in den USA, einer der führenden Vertreter des →Abstrakten Expressionismus. Auf figuralen Anfängen entwickelt er abstrakte Bildstrukturen, in denen sich leidenschaftl. Bewegungen unlösbar verflechten. In manchen neueren Werken kehrt er zu einem gegenständl. Expressionismus zurück (Frauenporträts). K. schuf auch lebensgroße, figürl. Skulpturen.

Kopal [indian.] *der, Mz.* **Kopale,** halb versteinertes (rezent fossiles) Harz, ähnlich dem Bernstein und wie dieser zu hochwertigen Malölen und Lacken verwendet. Man unterscheidet nach Herkunft z. B. Sansibarkopal, Kongokopal, Manilakopal u. a.; die Eigenschaften dieser K. sind verschieden.

Kopalfirnis, Kopal|lack, Maltechnik: Lack aus Kopal in Leinöl verkocht, war als Bindemittel für Malfarben, für Anstrichlacke aber auch als klarer Firnis (Kutschenlack) geschätzt. Wegen der geringeren Kosten und der leichteren Zubereitung löst er seit dem 17. Jh. zunehmend den Bernsteinfirnis ab. K. verleiht der Farbe hohen Glanz und Transparenz, verläuft gut, trocknet schnell und sehr hart auf. Heute werden versch. Kunstharzemaillacke unter der Bez. ›Kopallack‹ geführt.

Kopenhagen, dän. **København** [-h'aun], Hauptstadt Dänemarks an der Ostküste Seelands und auf Amager, 689 300 Ew.; 1043 als Hafen erwähnt, seit 1416 königl. Residenz, bes. starke Bautätigkeit unter König CHRISTIAN IV. (1588–1648). In der Altstadt nordwestlich der vor dem ma. Strand liegenden Schloßinsel ist der Straßenverlauf des 12. Jh. weitgehend erh. Hier liegt die urspr. älteste Kirche der Stadt, die Frauenkirche (Vor Frue Kirke), nach Bränden mehrfach erneuert, zuletzt 1811–29 als klassizist. Bau von C. F. HANSEN. Neben der Kirche die Univ., für deren Vorhalle C. HANSEN Fresken schuf (1844–53). Nördlich der Univ. Trinitatiskirche (1656) und ›Runder Turm‹ (1642), früher mit Observatorium, ein Gebäudekomplex, der Religion und exakte Wissenschaft verbinden sollte; im Turm führt eine stufenlose Wendelauffahrt nach oben. Am Ny Torv im Zentrum der Altstadt das klassizist. Gerichtsgebäude, ein HW von C. F. Hansen. Auf der von Kanälen umgebenen Schloßinsel Schloß Christiansborg, 1731–40 auf Resten der ma. Burg des Bischofs ABSALON errichtet, mehrmals abgebrannt, zuletzt 1907 bis 1920 erneuert, enthält königl. Repräsentationsräume, Parlament und Obersten Gerichtshof; auf der Insel liegen ferner Schloßkirche (1826), Hoftheater (1766, Mus.), Zeughaus (1598–1604), Börse im niederländ. Renaissancestil (1619/20) und Thorvaldsen-Mus. (1839–47 nach Plänen von G. BINDESBØLL) mit dem Gesamtwerk des Bildhauers. Gegenüber der Schloßinsel der Stadtteil Christianshavn auf der N-Spitze der Insel Amager mit Erlöserkirche (Vor Frelsers Kirke, 1682 bis 1696), Turm mit Spiralenrampe (1747–52); Hochaltar von N. TESSIN D. J. (1695). Nördlich des Kanals um die Schloßinsel die Holmenskirche (1619 unter Verwendung des Prachtgiebels einer Ankerschmiede von 1562/63) und die Nationalbank (1965–76 von A. JACOBSEN). Am Kongens Nytorv liegen das Königl. Theater (1872–74), Schloß Charlottenborg (1672–83, Kunstakad.) und das ehem. Wohnhaus des Hofbaumeisters K. F. HARSDORFF (1779/80), der damit ein lange Zeit in Dänemark vorbildl. Bürgerhaus schuf. Nördlich davon liegen die planmäßig angelegten Stadtteile Neu-K. (17. Jh.) mit Schloß Rosenborg (1610–26 als Lustschloß errichtet, heute Mus. mit den privaten Samml. der Könige 16.–19. Jh.), Staatl. Mus. für Kunst (bed. Samml. europ. Malerei seit 13. Jh., dän. Malerei 18./19. Jh.), Hirschsprungsche Samml. (dän. Malerei 19. Jh.) und Frederiksstad (18. Jh.) mit Königl. Residenz Amalienborg, urspr. 4 Paläste um achteckigen Platz (1749–60 von N. EIGTVED), den im S die Kolonnade (1794) von Harsdorff abschließt (BILD Klassizismus). Als W-Abschluß der Achse durch den Amalienborg-Platz wurde 1770 der Bau der Marmorkirche beg. (nach langer Einstellung der Bautätigkeit 1894 im Stil des röm. Barock voll.). An den geraden Straßenzügen der Frederiksstad zahlreiche Adelspalais. – Im neuen Zentrum südlich der Altstadt das Rathaus (1892–1905), das als nationale Architektur gegen den vorherrschenden dt. Einfluß auf die Baukunst verstanden wurde. Unweit davon das Nationalmus. (Vor-, Kulturgeschichte, Volkskunde) und die Ny-Carlsberg-Glyptothek (frz. und dän. Skulpturen des 19. Jh., Antikensamml., bed. Gemäldegal.). Gegenüber vom Hauptbahnhof das SAS-Gebäude von A. JACOBSEN (1956–60), der auch sämtl. Details der Innenausstattung entwarf. – In **Frederiksberg** (ganz von K. umgeben, aber eigenes Stadtrecht) Schloß (1699–1703 als Lustschloß gebaut, einige Räume in der urspr. Einrichtung), Schloßkirche (1710 gew.). Bed. moderne Kirchen sind die Bethlehemskirche (1935–37) von K. KLINT und die Grundtvigskirche (1921–1940) von P. V. JENSEN-KLINT.

Kopenhagener Porzellan, das in Kopenhagen seit 1773 hergestellte Hartporzellan. 1760 wurde eine Porzellanmanufaktur gegr., die 1779 als ›Den Kongelige Porcelainsfabrik‹ in staatl. Besitz überging. In der Blütezeit (1780–1800) der unter dem Einfluß dt. und frz. Porzellanproduktionen stehenden Manufaktur waren der Fürstenberger Modelleur A. C. LUPLAU und der Nürnberger Blumenmaler J. C. BAYER tätig. Eine der wenigen eigenständigen Leistungen stellt das Service ›Flora Danica‹ (1790–1802) für die Kaiserin KATHARINA II. von Rußland dar. Im 19. Jh. ging die Manufaktur unter der bis heute beibehaltenen Bez. ›Königlich‹ wieder in Privatbesitz über. Nach einer Zeit des Niederganges seit 1800 erlangte sie gegen Ende des 19. Jh. unter der künstler. Leitung von A. KROG (seit 1885) neue Bedeutung. Sie pflegt seitdem einen gemäßigten Naturalismus, hat im Dekor wie in der Glasurbehandlung einen charakterist. Stil und wandte zeitweise auch dem Steinzeug und der Fayence besondere Aufmerksamkeit zu.

Neben der Königl. Manufaktur arbeitet in Kopenhagen seit 1853 die Manufaktur Bing & Grøndahl. (BILD Porzellan)

Koper, ital. **Capodistria,** Stadt am Golf von Triest, an der NW-Küste der Halbinsel Istrien, Rep. Slowenien, Jugoslawien, etwa 10000 Ew. Die Stadt ist stark venezianisch geprägt, bes. der dreischiffige, im Übergangsstil Gotik-Renaissance im 15./16. Jh. erbaute Dom (im 17. Jh. barockisiert); got. Prätorenpalast (1386–1452; jetzt Gerichtshof); spätgot. Loggia (1462 bis 1464). Der ehem. Belgramoni-Tacco-Palast (16. Jh.) beherbergt heute ein Mus.

Kopfbank, →Nackenstütze.

Kopfschmuck wird in vielen Kulturen als Teil des →Körperschmucks, als Statussymbol oder aus rituellen Gründen getragen.

In Nordamerika sind die Adlerfederhauben mit langen Rückenschleppen als K. der Indianer, v. a. in den Plains, bekannt geworden. Daß K. schon bei den Indianern der vorkolumb. Zeit eine große Rolle gespielt hat, zeigen viele künstler. Darstellungen; so waren in Mesoamerika die Federn des Quetzalvogels als K. (Federkronen) sehr beliebt (Darstellung auf vielen Maya-Reliefs, in Bilder-Hss., auf den Wandgemälden von Bonampak u. a.). Vielfältigen K. zeigen auch die Figurengefäße der Zapoteken.

In Ozeanien bilden z. B. im Hochland von Neuguinea Perücken aus menschl. Haar die Basis für Arrangements aus Federn, Muschelscheiben, Vogelbälgen, Haarnetzen, Blättern, Blüten u. a.; im Maprik-Gebiet (z. B. →Abelam) dienen als K. blattförmige, am Hinterkopf befestigte, geflochtene oder geschnitzte und bemalte Platten, die mit Federn bereichert wurden. Federhelme galten als Statussymbol auf Hawaii und Tahiti, während von den Marquesas ›Kronen‹, ebenfalls mit Federn geschmückt, aus Zähnen oder aus Muschelscheiben und Schildpatt bekannt sind, die z. T. als Stirnbänder getragen wurden. Form und Präsentation des Schmucks waren z. T. festgelegt, konnten aber auch variiert werden.

Über den K. in den Alten Kulturen →Krone, →Geierhaube.

Kopie [mlat. ›Vervielfältigung‹], **1)** spätere Nachbildung eines Kunstwerks von fremder Hand, im Unterschied zur Replik, einer Wiederholung des Künstlers selbst, häufig zu Studienzwecken; von fremder Hand auch in betrüger. Absicht (→Fälschung).

2) Denkmalpflege: Ersatz eines Kulturdenkmals durch eine identische oder freie Nachbildung, um ein verlorengegangenes Original zu ersetzen oder ein gefährdetes rechtzeitig zu schützen. Die K. ist v. a. dort angezeigt, wo Bau- und Gartenplastik unter den Umwelteinflüssen so stark leiden, daß Totalverlust zu befürchten ist. Rechtzeitiger Ersatz des Originals durch eine K., wiewohl gegen den denkmalpfleger. Grundsatz der geschichtl. Unwiederholbarkeit gerichtet, kann im musealen Rahmen unwiederbringbare Kunstwerke erhalten. Z. B. sind die Standbilder ›Ecclesia und Synagoge‹ vom Straßburger Münster bereits seit Generationen im Mus. konserviert.

Kopriwschtiza, Koprivštica, Kurort in Bulgarien, im Sredna-Gebirge (südlich des Balkangebirges), etwa 3500 Ew.; im wesentl. seit dem Ende des 18. Jh. errichtet, ist bed. als geschlossen erhaltenes Ensemble bulgar. Volksarchitektur mit starkfarbig bemalten, z. T. mit reichem Dekor aus Holzschnitzereien versehenen Häusern und der Marienkirche von 1817.

Koprzywnica [kɔpʒivn'itsa], ehem., 1185 gegr. Zisterzienserkloster in der Wwschaft Tarnobrzeg, Polen. Die spätroman. Kirche (Steinbasilika, 1207–40) besitzt spätgot. Giebel und Anbauten des späten 17. und des 18. Jh. Im Innern got. Wandmalereien (14.–15. Jh.), Hochaltarblatt von B. STROBEL. Vom Kloster ist nur der Ostflügel mit spätroman. Kapitelsaal erh.

Kopten, christl. Ägypter, i. e. S. Anhänger der koptisch-monophysit. Kirche Ägyptens (→koptische Kunst).

koptische Kunst, im einzelnen sehr unterschiedlich definierte Bez. für die spätantike und frühchristl. Kunst

Haus in **Kopriwschtiza**

koptische Kunst: LINKS Kopf einer Tänzerin; Gewebe, 5. Jh. (Paris, Louvre): RECHTS Leopard; Gewebe (Basel, Gewerbemuseum)

Ägyptens sowie für die Kunsttätigkeit der Kopten unter islam. Herrschaft. – Als k. K. wird v. a. die ausgedehnte und umfangreiche Kunstproduktion der Spätantike und des frühen MA. in Mittel- und Oberägypten mit ihren eigenen Werkstoffen, Typen, Themen und Formulierungen bezeichnet i. Ggs. zur Kunst Alexandrias – etwa Abu Mena –, die stärker in den oström. Kulturraum eingebunden war.

Hauptdenkmäler der Architektur des 5. Jh. in Mittelägypten sind das Deir al-Abyad und die Querschiff-

koptische Kunst: Christus; Ausschnitt aus einer Apsismalerei, Bawit, 7. Jh. (Kairo, Koptisches Museum)

koptische Kunst: Abendmahl; Holzrelief in der Kirche des Hl. Sergius, Kairo, etwa 10. Jh.

Basilika in Hermopolis magna (Asmunain); die Bautätigkeit großer Klöster (Jeremiaskloster in Sakkara bei Kairo, Apollokloster in Bawit u. a.) und Eremitensiedlungen (v. a. Kellia) dauerte bis weit über die arab. Eroberung des Landes (641) hinaus an. Bes. charakteristisch sind architekton. Skulpturen des 4.–7. Jh. (v. a. Grabreliefs, dekorierte Giebel und Friese, Schmuckglieder von Säulen- und Pilasterordnungen), die größtenteils aus Grabbauten und kirchl. Gebäuden stammen, ferner Wand- und Nischenmalereien mit z. T. sehr anspruchsvollen christl. Themen (5.–9. Jh.) sowie in großen Mengen erhaltene, reich dekorierte Gewebe. – Die bedeutendsten Samml. k. K. befinden sich im Kopt. Mus. in Alt-Kairo, im Griechisch-Röm. Mus. in Alexandria, im Louvre und in der Frühchristlich-Byzantin. Samml. der Staatl. Museen in Berlin (Ost).

A. EFFENBERGER: K. K. (1975/76).

Korạllen, →Edelkorallen.

Korbach, Stadt in Nordhessen, 23 300 Ew.; ehem. Hansestadt, mit vielen got. Bauwerken: Kilianskirche (1335–1450) mit figurenreichem Südportal (15. Jh.) und Sakramentshaus (1525); Nikolaikirche (1450–67) mit prachtvollem barockem Marmor-Wandgrab; Rathaus (1377) mit durchbrochenem Treppengiebel, ähnlich auch die ›Steinkammern‹ (Speicherhäuser). Stadtbefestigung größtenteils erh.; viele Fachwerkhäuser.

Korb|bogen, gedrückte Form des flachen →Bogens.

Korbinian, Corbinianus, einer der christl. Missionare vor BONIFATIUS in Germanien, *bei Melun um 675, †Freising um 725; dargestellt in Pontifikalkleidung mit Buch (Sacramentarium Gregorianum, Bamberg, 1052/78; Fresko von M. PACHER, Innichen, S. Candido, Ende 15. Jh.), mit Bär, der nach der Legende das

Packtier von K. fraß und dann die Last selbst tragen mußte (Altar-Flügel der ehem. Stiftskirche St. Andreas bei Freising, um 1450; Holzskulptur von I. GÜNTHER, Rott am Inn, 1760/62); auch mit Maria und dem Patron des Bistums Freising, Sigismund (H. BURGKMAIR, kolorierter Holzschnitt, 1502); Zyklen: v.a. von C. D. ASAM (Freising, Dom, 1723/24).

Korčula [k'ɔːrtʃula], ital. **Curzola,** Hauptort der Insel K. in Mitteldalmatien, Rep. Kroatien, Jugoslawien, etwa 3000 Ew.; wird beherrscht von der spät-ma. Burg, mit Mauern und Bastionen des 14.–16. Jh. befestigt. K. besitzt im Dom St. Markus (13.–16. Jh.) ein bed. Baudenkmal mit reichem Skulpturenschmuck. Die got. Allerheiligenkirche (14. Jh.; mit bemalter Kassettendecke von 1713) bewahrt eine Ikonensamml. Erh. sind Patrizierhäuser der Spätgotik und Frührenaissance, darunter der Gabrieli-Palast (Anf. 16. Jh.).

Kore [grch.], bekleidete Mädchenstatue der archaischen grch. Kunst (BILD griechische Kunst), als Grabstatue, Weihgeschenk, auch als Karyatide (Erechtheion) vorkommend. (→Kuros)

koreanische Kunst, die Kunst der Halbinsel Korea. Diese Halbinsel hat durch ihre enge Nachbarschaft zu China in ihrer wechselvollen Gesch. als Empfänger und Vermittler kontinentaler Kunst nach Japan in der Kulturgeschichte Ostasiens eine wichtige Rolle gespielt. Bes. haben korean. Künstler auf die Entwicklung der buddhist. Kunst der Asuka- und Hakuho-Periode (552–710) Japans einen beträchtl. Einfluß ausgeübt. Trotz der deutl. kulturellen Abhängigkeit von China zeigt die k. K. einen eigenen Charakter in ihrer schlichten Formensprache und in ihrem ausgeprägten Gefühl für die Linie.

PRÄHISTORISCHE PERIODE

Die früheste steinzeitl. Kultur geht in das Jahr 3000 v. Chr. zurück. Neolith. Erzeugnisse waren behauene oder geschliffene Steingeräte wie Äxte, Keile, Pfeilspitzen und große flache Steine zum Mahlen von Getreide sowie Fischhaken, Nadeln, Kämme und spitzbodige Tongefäße mit Kamm-Muster (2000–300 v. Chr.). Die v. a. in westl. Küstengebieten gefundene Kamm-Keramik (Jŭlmun-togi) hat einen spitzen oder runden Bogen und ist aus Tonstreifen ringförmig aufgewulstet. Die Oberfläche des Gefäßes ist mit eingeritzten Gerätemustern in horizontalen Bändern am Hals verziert. Die Technik dieser Kamm-Keramik übernahmen die Koreaner von Einwanderern aus Sibirien. Um das 7. Jh. v. Chr. gab es eine neue Einwanderungswelle vom SW der Mandschurei südwärts in die unbesiedelten Gebiete des Landesinneren. Die typ. Gefäße dieses Volksstammes sind V-förmig mit einer runden Laibung und schmalem flachem Boden. Diese grobkörnige Keramik wurde wegen ihrer Dekorlosigkeit ›Mumun-togi‹ (dekorlose Keramik) genannt. Sie gelangte über die Tsushima-Straße nach N-Kyushu und entwickelte sich dort zum Keramiktyp der Yayoi-Kultur Japans. Neben der dekorlosen Keramik gab es die v. a. in der Prov. Hamkyŏng gefundene Rote Keramik (Hong-do) mit einem polierten Überzug aus rotem Ocker.

Die vom 3. Jh. v. bis zum 3. Jh. n. Chr. andauernde Bronzezeit Koreas wurde durch Einwanderer des tungusischen Volksstammes Wei-mo aus dem SW der Mandschurei und durch Chinesen in Korea eingeführt. Zu den frühen Bronzegegenständen gehören Dolche und Lanzen, Schulterschutz, mehrteilige Rasseln mit Stab und bes. Spiegel mit feinem oder grobem geometr. Muster. Sie unterscheiden sich durch zwei Ösen von den einösigen chines. Spiegeln. Die Dolche zeigen charakterist. Merkmale wie einen hohen Mittelrücken, eine schmale Klinge und einen gesondert gegossenen, ab-

Karte zur **koreanischen Kunst**

koreanische Kunst
Punhwangsa-Pagode, 9,3 m hoch, Kyŏngju, Alt-Silla, 7. Jh.

nehmbaren Griff. Bei Gürtelschnallen oder Stabaufsätzen wurden Tiermotive bevorzugt, die den Ordosbronzen ähneln. Die Hersteller der dekorlosen Keramik waren auch die Erbauer von Dolmengräbern. Im 2. Jh. n. Chr. haben die Koreaner im SO eine graue Keramik mit bläul. Schimmer gebrannt (Kimhae-Keramik). Sie wurde aus feinerem Ton auf der Drehscheibe hergestellt und bei Temperaturen von über 1000° C in tunnelförmigen (?) Brennöfen gebrannt. Aus dieser grauen, hart gebrannten Ware entwickelte sich die spätere Silla-Keramik.

DREI KÖNIGREICHE

Etwa in der Mitte des letzten Jh. v. Chr. war Korea in 3 kleine Königreiche eingeteilt: Koguryo, im Tal des Yalu-Flusses, Paekche, südlich des Han-Flusses, und Silla, im südöstl. Teil der Halbinsel.

Das militärisch stärkste Königreich **Koguryo** (37 v. Chr. – 668 n. Chr.) eroberte 313 die letzten chines. Kolonien wie Lo-lang bei Pyŏngyang. Wegen der geograph. und polit. Lage hatte dieses Königreich enge kulturelle Verbindung mit China. Nach der Einführung des Buddhismus (372) wurden Tempelbauten errichtet, die jedoch nicht erh. sind. Die wenigen erh. buddhist. Plastiken. v. a. aus Bronze oder Ton, sind stark beeinflußt von gleichzeitiger chines. Skulptur, bes. die Bearbeitung der Faltenwürfe. Charakteristisch für die buddhist. Plastik Koguryos ist eine mollige Gesichtsform von Buddhas und Bodhisattvas. Für Könige oder Heerführer wurden gewaltige Hügelgräber (Kobun) angelegt. Ihre Grabkammern zeigen Wandmalereien (4. bis 7. Jh.), die in größerer Zahl erh. sind. Sie wurden v. a. in der Nähe der beiden Hauptstädte T'ung-kou bei Tsi-an am Mittellauf des Yalu-Flusses und bei Pyŏngyang errichtet. Die Details von Frauengewändern wie Faltenrock, Pluderhosen, weißes Kopftuch und aufgedrehte Schuhspitzen gestatten eine Rekonstruktion der Kleidung jener Zeit. In den Gräbern aus dem 6. Jh. hat man Alltagsszenen wie Kochen, Empfang der Gäste und Tanz-, Ringkampf- und Jagdszenen dargestellt (z. B. im Grab der Tänzer bei T'ung-kou). Wichtige Motive wa-

koreanische Kunst: Jagdszene; Wandmalerei aus dem ›Grab der Tänzer‹ in T'ung-kou, 5.–6. Jh.

ren weiterhin die Symboltiere der 4 Himmelsrichtungen wie roter Phönix, schwarze Schildkröte, blauer Drache, weißer Tiger (z. B. Gräber in Uhyŏnri). Charakteristisch für die spätere Wandmalerei sind die bewegten Wellenlinien zur Darstellung der Berge. Alle Szenen der Wandmalerei beziehen sich sowohl auf das Diesseits als auch auf das Jenseits.

Das Königreich **Paekche** (18 v. Chr. – 660 n. Chr.) suchte wegen seiner geograph. Lage im SW Koreas

koreanische Kunst: Goldkrone mit Anhängern aus dem ›Goldkronengrab‹ in Kyŏngju, 5.–6. Jh. (Seoul, Korean. Nationalmuseum)

durch Seeverbindung Kontakte zu den Dynastien S-Chinas. Der aus dem Staat O-Chin eingeführte Buddhismus spielte eine große Rolle in der Kultur von Paekche wie seiner Nachbarländer. Außer einigen Skulpturen und Steinpagoden haben spätere Zerstörungen von der blühenden buddhist. Kultur, die auf die buddhist. Kunst der Asuka- und Hakuho-Zeit Japans beträchtlich eingewirkt hatte, fast nichts übriggelassen. Grundrisse lassen erkennen, daß bei der Anlage von Tempelbauten Hauptportal, Pagode, Haupthalle und Predigthalle auf einer Achse ausgerichtet wurden. Diese Anordnung wurde von den Japanern übernommen, z. B. im Shi-Tenno-ji in Osaka. Die Qualität der wenigen erh. reliefierten Ziegel mit Landschaftsszenen offenbart die Größe der Baukunst von Paekche. Die unter der Regierungszeit des Königs MU (641) errichtete siebenstöckige Steinpagode des Tempels Miruksa in Iksan, Prov. N-Cholla, ist die älteste Steinpagode Asiens. Sie ist ein Turmbau mit Steinpfeilern in der Mitte und leicht nach innen geneigten Pfosten. Die buddhist. Skulpturen unterscheiden sich von denen Koguryos oder Sillas durch ihre sanft lächelnden Gesichtszüge. Seit der 1. H. des 7. Jh. gibt es auch die aus den geglätteten Felswänden gehauenen buddhist. Figuren wie die Sŏsan-Trias. Die typ. Paekche-Keramik ist eine hellgraue Tonware, z. T. mit grünl. Glasur. Die flachen Tonschalen mit 3 Beinen zeigen eine interessante Gefäßform. Etwa 3000 Grabbeigaben aus dem Grab des Königs MUNYŎNG (501 bis 523) dokumentieren die hoch entwickelte Goldschmiedekunst (goldener Haarpfeil mit Lotosdekor, vergoldete Bronze-Schuhe mit Vogeldekor, Ohrringe, Armbänder, Halsketten u. a.).

Das Königreich **Silla** (Alt-Silla-Zeit, 57 v. Chr. bis 668 n. Chr.) ist durch reiche Beigaben aus Gold in den vielen gewaltigen Hügelgräbern, die sich in der Umgebung von Kyŏngju befinden, bekannt. Der Glaube an ein Weiterleben nach dem Tod bewirkte die Luxusausstattung der bestatteten Fürsten mit Goldkronen, goldenen Gürteln mit Schmuckgehängen, Ohrringen, Halsketten, Zeremonialschuhen und Schwert. Weitere Grabbeigaben waren Tonfiguren, Ton- und Glasgefäße, auch Pferdegeschirr. Die Trinkgefäße, die als Grabbeigaben dienten, haben Haus-, Schiff- und Radform oder die Gestalt eines Reiters. In der buddhist. Plastik

koreanische Kunst: Gepanzerter Reiter; Keramik, 5./6. Jh. (Seoul, Korean. Nationalmuseum)

sind der Bronze-Kopf eines Bodhisattvas aus dem Tempel Hwangryongsa und die beiden im Nat. Mus. von Seoul befindl. Bronze-Maitreya in nachdenkl. Haltung die bedeutendsten Werke. Die Steinreliefs mit 12 Tierkreiszeichen vom Grab des Generals KIM YUSIN zeigen kosmolog. Vorstellungen. Eine besondere Leistung der alten Silla-Zeit ist die 647 in Kyŏngju errichtete Sternwarte (Ch'ŏmsŏngdae). Ihre mit genau 365 Steinen gebaute Terrasse hat einen kreisförmigen Grundriß (Durchmesser 5 m).

VEREINIGTES KÖNIGREICH SILLA (668–935)

Der 527 offiziell anerkannte Buddhismus hatte für die folgenden 3 Jh. eine rege Bautätigkeit zur Folge. Die bedeutendsten buddhist. Tempel dieser Zeit sind der Pulguksa (Tempel des Buddhareiches) und der Höhlentempel →Sokkulam, beide in der Nähe von Kyŏngju. Der sitzende Buddha aus weißem Granit und die mehr als 30 Reliefs von Sokkulam zählen zu den schönsten Werken buddhist. Bildhauerkunst Ostasiens. Für die →Bronzekunst der Zeit wurden große Bronzeglokken charakteristisch. Die die Wände oder den Boden eines Tempels schmückenden glasierten Tonreliefs wurden in ihrer Themenwahl bereichert. Neben den typ. Lotos- oder Phönixdekor tritt die Darstellung eines Weltenwächters (Lokapala, um 679, z. B. aus dem Tempel Sach'ŏnwangsa, Kyŏngju, jetzt im Nat. Mus., Seoul). Eine typ. Keramikform ist die Urne mit Deckel, der durch eine Schnur mit der Schulter des Gefäßes verbunden ist. Solche Urnen aus gelbbraun glasiertem Ton haben als eingestempelten Dekor Wolken, Blüten, Perlenschnur, die die ganze Oberfläche des Gefäßes bedekken.

KORYO-DYNASTIE (918–1392)

936 wurde das Königreich Koryo errichtet. Unter der Herrschaft seines ersten Königs WANG KŎN wurden im ganzen Land buddhist. Tempel gebaut, allein 300 in der Hauptstadt Kaesŏng, die etwa 130000 Ew. hatte. Die repräsentativsten Bauten sind Muryangsu-jŏn und Chosadang des →Pusŏksa-Tempels, Kuknak-jŏn des Pongjongsa-Tempels, Taeung-jŏn des Sudŏksa-Tempels, Kŭknak-jŏn des Songbulsa-Tempels und Songkwangsa. Die mehrstöckigen Steinpagoden (Tap) der Koryo-Periode haben mehr dekorativen Charakter als Monumentalität (z. B. die zehnstöckige Steinpagode des Wŏljŏngsa). In der buddhist. Plastik zeigt sich eine Tendenz zur Abstraktion, u. a. nehmen die Augen eines Buddhas die Form von bes. langgezogenen Schlitzen an (z. B. die sitzenden Shakyamuni-Buddhas aus Eisen wie im Korean. Nat.-Mus. in Seoul und im Tempel Taewŏnsa in Ch'ungju). Während die buddhist. Wandmalerei fast vollständig zerstört ist, haben sich Miniaturen in Sutra-Rollen mit feiner Goldmalerei auf dunkelblauem Papier erhalten. Für die Aufbewahrung der Sutra-Rolle wurden Lacktruhen mit Blumendekor in Perlmutteinlegetechnik hergestellt (Najŏn ch'ilgi). Bronzene Räuchergefäße zeigen aufwendige Motive als Silbertauschierungen. Für die profane Kunst sind die lebendig geschnitzten Tanzmasken mit bewegl. Kinnpartie er-

wähnenswert. Das bekannteste Erzeugnis des Kunsthandwerks der Periode ist das →Seladon.

YI-DYNASTIE (1392–1910)

Der erste Herrscher der Yi-Dynastie YI SÖNGGYE führte den Konfuzianismus als Staatsphilosophie ein. Residenz und Hauptstadt wurde Hanyang, das heutige Seoul. Die Gebäude des dortigen Palastes sind auf einer Mittelachse hintereinander aufgereiht wie bei den chines. Vorbildern. Einige Palastbauten, die meist nach den japan. Invasionen von HIDEYOSHI (1592–98) nach dem alten Vorbild wieder aufgebaut worden sind, unterscheiden sich von der Holzarchitektur der Koryo-Dynastie durch ihr prachtvolles Gebälk mit mehrstufigen Dächern und zunehmender Schwingung der First- und Traufkanten (z. B. die Palastbauten Tŏksukung, Kyŏngbokkung und Ch'angkyŏngwŏn in Seoul). Außer Palästen baute man zahlreiche konfuzian. Schreine, konfuzian. Schulgebäude (Sŏwŏn) und Stadtbefestigungsanlagen. Unter den buddhist. Holzbauten sind die Tempelhallen von Kŭmsansa und Hwaŏmsa mit mehrfach übereinanderliegenden Dächern am bemerkenswertesten. Das Kunsthandwerk zeigt deutlich den Geschmack der auf den Konfuzianismus orientierten Yi-Gesellschaft. Unter den Yi-Keramiken waren die →Punch'ŏng-Keramik und weißes Porzellan vorherrschend. Dieses Yi-Porzellan wird in 2 Arten eingeteilt: monochrome weiße Keramik und weiße Keramik mit blauer Unterglasurbemalung. Letztere zeigt eine flotte Pinselführung des Dekors (v. a. Drachen und Landschaftsszenen). Die eigentüml. Schönheit der Yi-Keramik wurde schon sehr früh von den Japanern entdeckt und gepriesen, bes. von den Tee-Meistern. So haben auch korean. Töpfer nach dem Krieg mit Hideyoshi wesentlich zur Herstellung der japan. Keramik beigetragen.

Auf Grund seines ästhet. Interesses förderte der Adel die Tuschmalerei mehr als die buddhist. Malerei. Die Tuschmalerei der Yi-Dynastie wird in eine frühe (15. und 16. Jh.) und eine späte (17.–18. Jh.) Phase eingeteilt. In der frühen Phase stand die korean. Malerei unter Einfluß der chines. Stile wie des KUO HSI und LI CH'ENG, des MA YÜAN und der Akad. des Ming-Hofes. Die bedeutendsten Hofmaler des 15. Jh. an der Akad. waren AN KYŎN und YI SANGJWA. Weiterhin

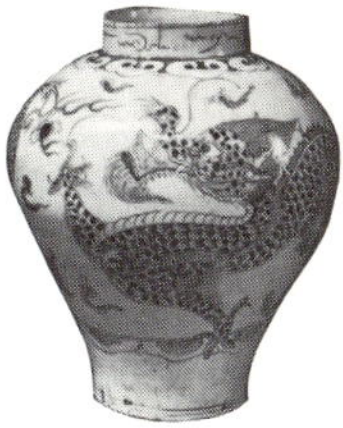

koreanische Kunst: Großer Vorratskrug, Blauweißporzellan, Yi-Dynastie, 18. Jh. (Köln, Museum für Ostasiatische Kunst)

koreanische Kunst: Schale; Einlege-Dekor unter Seladon-Glasur, Mitte des 12. Jh. (Seoul, Korean. Nationalmuseum)

koreanische Kunst: Kang Hui'an: Weiser auf einem Felsen ruhend; Tusche auf Papier (Seoul, Korean. Nationalmuseum)

sind die Literatenmaler wie KANG HU'IAN (*1419, †1474), YANG PAENGSON (*1488, †1545) und SHIN SAIMDANG (*1504, †1551) zu nennen. Die Malerin Shin Saimdang zeigte ihre Begabung bes. in der Pflanzen- und Insektenmalerei. YI SUMUN, der in Japan tätig war, und YI CHŎNG (541–1622) waren die hervorragenden Bambusmaler Koreas. Im Lauf der Zeit wurde ein besonderer korean. Stil der Landschaftsmalerei entwickelt, der im groberen Pinselduktus des 16. Jh. im Unterschied zu dem des 15. Jh. und im zunehmenden Interesse an einem breiten Raumgefühl im Bild zu erkennen ist. Charakterist. Künstler des 17. Jh. waren in der Figurenmalerei KIM MYONGGUK, YI MYONG'UK und YUN DUSŎ. Die korean. Malerei entwickelte im 18. Jh. einen eigenständigen Stil durch die Maler CHŎNG SŎN, KIM HONGDO und die ihnen nachfolgenden Hofmaler. Chŏng Sŏn wurde ein epocheweisender Vertreter der neuen Stilrichtung in der korean. Landschaftsmalerei, die als ›Chinkyŏng-sansu‹ (Landschaftsskizze vor der Natur) bezeichnet wird. Seine Landschaftsmalerei ist meist von vitaler Pinselführung und individueller Tuschtechnik durchdrungen. Der bekannteste Maler Koreas, Kim Hongdo, der unter seinem Künstlernamen TANWŎN besser bekannt ist, war in fast allen Gattungen der Malerei versiert, bes. in der Genremalerei.

Seine Genrebilder zeigen Szenen mit Bauern oder Handwerkern bei der Arbeit und vermitteln eine spezifisch korean. Atmosphäre. Seine kräftige Modellierung und die lebhafte Bewegung der einzelnen Figur wurden von den nachfolgenden Malern wie KIM DŬKSHIN übernommen. Ein anderer wichtiger Genre-Maler ist SHIN YUNBOK, der sich auf stimmungsvolle Frauen-Darstellungen in zarten Farben spezialisierte. Im 18. Jh. gab es auch Landschaftsmaler, die den traditionellen chines. Stil weiter pflegten, wie SHIM SAJŎNG. Als Vertreter des Literatenstils der 4 großen Yüan-Meister kann man den besten Kalligraphen Koreas, KIM CHŎNGHŬI (*1786, †1856), erwähnen. Kims Malerei im Stil der beiden chines. Literatenkünstler der Yüan-Dynastie, HUANG KUNG-WANG und NI TSAN, beeinflußte einige korean. Maler wie CHŎN KI (*1825, †1854) und HŎ YU (*1809, †1892), auch in diesem Stil zu malen. Eine Vielzahl von Orchideenbildern des Kim Chŏnghŭi im Kansong-Mus., Seoul, verkörpert die vollkommene Entfaltung kalligraph. Virtuosität. Der Prinzregent TAEWŎNGUN YI HAŬNG (*1820, †1898) und der Politiker der späten Yi-Dynastie MIN YONG'IK (*1860, †1914) waren ebenfalls hervorragende Orchideen-Maler. Der größte Maler des 19. Jh. war CHANG SŬNG'ŎP, dessen Vogel- oder Figurenmalerei einen freien kräftigen Pinselduktus zeigen.

Die k. K. des 20. Jh. zeigt eine Synthese von traditionellen Elementen und westl. Stilrichtungen. Viele korean. Künstler haben in Japan, Paris und Amerika studiert oder leben im Ausland (N. J. PAIK). Unter den rein europäisch beeinflußten Künstlern gibt es viele, deren Werke den direkten Einfluß der europ. Moderne zeigen. Andere Maler benutzen zwar abendländ. Techniken, lassen sich aber von Mythen der korean. Geschichte und anderen korean. Themen inspirieren.

J. FONTEIN u. ROSE HEMPEL: China · Korea · Japan (25. Tsd. 1968); Selected Treasures of the Nat.-Mus. of Korea (Seoul 1973); CHEWŎN KIM u. a.: Arts of Korea (New York 1974); YI DONGJU: Studies in Korean Painting (Seoul 1975); A. B. GRISWOLD u. a.: Burma, Korea, Tibet (²1976).

Korewori, südl. Nebenfluß des Sepik in Papua-Neuguinea, bes. bekannt durch in Felsabris aufgefundene, meist durchbrochen und im Profil gearbeitete, oft einbeinige Figuren mit versch. Spiral-, Rippen- und Hakenmotiven (BILD Sepik). Hersteller waren die Ewa; abweichende, in Haken aufgelöste Formen stammen von den Yimar und den benachbarten Bahinemo (Hakenstil-Provinz, →Sepik). Im K.-Gebiet finden sich ferner die formal verwandten, bis 7 m langen Kultkrokodile der Yimas-Leute.

E. HABERLAND: Caves of Karawari (New York 1968); ders. u. SEYFARTH: Die Yimar am oberen K. (1974); C. KAUFMANN: Ethnograph. Notizen zur Basler K.-Sammlung (1974).

Korfu, grch. **Kerkyra,** die nördlichste der Ionischen Inseln, 87300 Ew. mit gleichnamiger Hauptstadt, 31500 Ew.; älteste Siedlungsspuren im NW auf Kap Kephali, auf der Analipsis Höhe Baureste des 7. Jh., Fundament eines dorischen Tempels (um 590 v. Chr.); am S-Rand der Stadt (Archäolog. Mus.) die Nekropole der antiken Stadt (Grablöwe vom Grabbau des MENEKRATES, um 600 v. Chr.; dorisches Kapitell vom Grabmal des Xenares, frühes 6. Jh. – im Mus.), die weiter südlich auf der Halbinsel Palaiopolis (jetzt Villa Monrepos) lag; südlich davon Reste eines Artemis-Tempels des frühen 6. Jh. (v. a. Platten des W-Giebels, um 585 v. Chr., mit monumentalen Reliefs der Gorgo mit ihren Söhnen Chrysaor und Pegasos sowie Szenen aus der Gigantomachie – im Mus.); gegenüber dem Eingang zur Villa Monrepos die 550 n. Chr. aus einem späthellenist. Gebäude hervorgegangene byzantin. Kirche Hagia Kerkyra (Quadern aus der antiken Stadt; mehrfach umgebaut), in der Nähe die byzantin. Kirche ›Hagios Iasonos kai Sosipatra‹ (ein Kreuzkuppelbau des 12. Jh.). Die beiden Kuppen im NO der antiken Stadt tragen byzantin. und venezian. Festungen.

Korin, japan. Maler, Kunsthandwerker, *Kioto 1658, †ebd. 1716, stammt aus der reichen Seidenhändlerfamilie Ogata; Bruder des →Kenzan; wurde inspiriert von →Koetsu, dessen Schule schließlich seinen Namen annahm (K.- oder Rimpa-Schule). K. schuf die größten Meisterwerke der japan. dekorativen Malerei auf Stellschirmen, Fächern, Rollbildern, Verpackungen für Räucherwerk, Kimonos und Lackkästen. Ohne viel Bewegung oder Tiefe, aber stark dekorativ, in reichen Farben, oft mit Gold und Silber kombiniert, stellte er dar: Landschaften, Pflanzen, Tiere, Figuren, auch die beliebtesten Gestalten des Zen-Buddhismus. Seine Werke wurden schon zu seinen Lebzeiten hoch geschätzt und gesammelt.

Korinth, grch. **Korinthos,** Stadt im NO der Peloponnes, am Golf und Isthmus von K. (Griechenland), 20 800 Ew. Die Ausgrabungsstätte des antiken K. liegt südwestlich der heutigen Stadt. Zu den wenigen Resten der einst bed. grch. Stadt vor der Zerstörung durch die Römer (146 v. Chr.) gehört v. a. die Ruine des Apollontempels (um 540 v. Chr.) mit noch 7 stehenden dorischen Säulen. Die meisten freigelegten Bauten stammen aus röm. Zeit (z. T. auf grch. Vorgängerbauten errichtet): Agora mit Hallen und Marktgebäuden, mehrere Tempel, Brunnenhaus der Glauke, Bauten an der zum Hafen Lechaion führenden Prachtstraße, u. a. das häufig erneuerte Brunnenhaus der Peirene, ferner ein Theater, Odeion, Thermen, Asklepios-Heiligtum und

Korin: Welle (New York, Metropolitan Museum of Art)

Korinth: Apollontempel um 540 v. Chr., im Hintergrund Akrokorinth

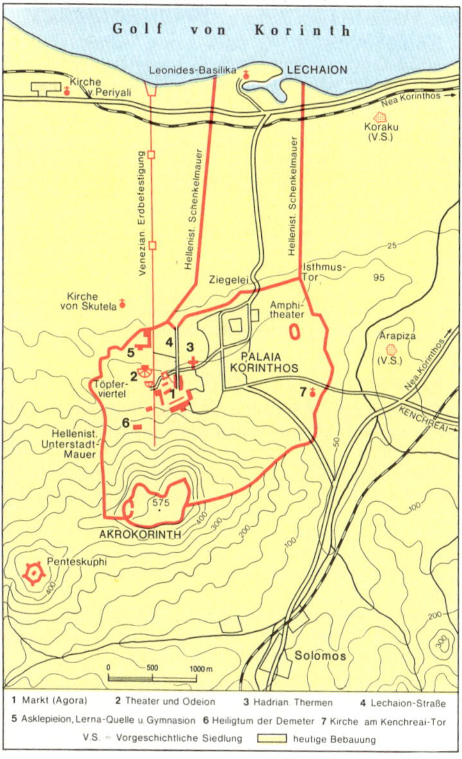

Korinth: Lageplan

Brunnenhaus der Lerna-Quelle. Im S von K. lag auf einem Kalkfelsklotz die Burg **Akrokorinth:** außer Bauten des MA. sind aus der Antike nur Teile der Befestigung, ein Brunnenhaus und geringe Tempelreste der Kultstätte der Aphrodite erhalten. – Im Mus. am Ausgrabungsgelände Funde von prähistor. bis in die fränk. Zeit.

korinthisches Kapitell, →Säulenordnung.

Korinthische Vasen, schwarzfigurige, meist kleinere Vasen mit kleinfigürl. Friesbemalung und einer Fülle von Ornamentformen, in Korinth hergestellt, das im 7. Jh. v. Chr. zum führenden Zentrum der grch. Vasenproduktion wurde. In der Blütezeit (die Jahrzehnte um 600 v. Chr.) zeigt der orientalisch beeinflußte Silhouettenstil (→Vasen) Präzision und ausgewogene Farbigkeit; die Malerei wurde später flüchtiger und flächenfüllend. In der Mitte des 6. Jh. mußte Korinth die führende Stellung an Athen abtreten.

Koriyama, Korijama, Stadt in Japan, NO-Honshu, etwa 25 km südwestlich von Nara, 286 500 Ew. Die ehem. Burgstadt mit Burganlage hat sehr gut erhaltene Bürgerviertel. Viele der zur Straße hin orientierten, eingeschossigen und traufständigen Handwerker- und Kaufmannshäuser aus dem 18./19. Jh. sind erhalten.

Kornelimünster, Stadtteil von Aachen, NRW, Wallfahrtsort mit ehem. Benediktiner-Reichsabtei (814 gegr.); in der Kirche (got. fünfschiffige Halle, 14. bis 16. Jh.) reiche spätgot. Gewölbeausmalung, über den Chören offene Holzgalerien zum Zeigen der Heiligtümer, hinter dem Chor achteckige Wallfahrtskapelle (1706). Klostergebäude des 18. Jh. Spätgot. Stephanskirche (15. Jh.) mit karoling. Westbau.

Kornfeld, Galerie K., Kunstversteigerungshaus in Bern (Schweiz), gegr. 1864 in Stuttgart durch H. G. GUTEKUNST, seit 1918 Sitz in Bern, ab 1954 Namensänderung in ›K. und Klipstein‹, später Galerie K. Bei den jährl. Auktionen (Mai/Juni) werden Graphik und Handzeichnungen (15.–18. Jh.), Bilder, Zeichnungen, Skulpturen und illustrierte Bücher (19./20. Jh.) versteigert.

Kórnik [k'urnik], poln. Name für →Kurnik.

Koro, japan. Räuchergefäß zum Verbrennen von Räucherwerk; oft ein wertvolles Kunstwerk aus Ton oder Metall.

Korowin, Konstantin Aleksejewitsch, russ. Maler, *Moskau 5. 12. 1861, †Paris 11. 9. 1939, war Bühnenbildner des staatl. Moskauer Theaters; Mitgl. des Mir Iskusstwa, malte Landschaften und Stilleben. Vom frz. Impressionismus beeinflußt, schuf er durch tonigere Farben und Thematik die russ. Variante des Impressionismus.

Körperfarben, Maltechnik: Farbe eines nicht selbst leuchtenden Körpers, die auf Grund spektraler Beeinflussung des reflektierten Lichts entsteht.

Körperschmuck: tatauierter Maori-Häuptling, aus einem Gemälde von G. Lindauer (Hamburg, Museum für Völkerkunde)

Körperschmuck. Bei vielen Völkern dienen bestimmte Veränderungen des Körpers als Schmuck, zu rituellen Zwecken oder zur Kennzeichnung von Klan- oder Stammeszugehörigkeit. Beim **Tatauieren** werden

Muster in die Haut eingestochen, wobei gleichzeitig Farbstoff eingebracht wird. Höchste kunstvolle Entfaltung dieser Technik erreichten die hellhäutigen Mikronesier und Polynesier (v.a. die Maori). Die **Narbentatauierung** (Anbringen von Narben in bestimmten Mustern) war v.a. bei dunkelhäutigen Völkern Ozeaniens (→Iatmül) und Afrikas (→Kuba, Kongo, Tiv, Yoruba u.a.) verbreitet; dabei lassen sich von den Stammesnarben (v.a. Stirn, Schläfen, Wangen) ausgesprochen künstlerisch gestaltete Schmucknarben (Gesicht und ganzer Körper) unterscheiden.

Die **Körperbemalung,** ein bei vielen ›Naturvölkern‹ anzutreffender Brauch, erreichte großen künstler. Rang u.a. in Australien sowie bei Indianern in Nord-, v.a. in Südamerika. Körper und/oder Gesicht wurden mit mineral. oder pflanzl. Farbstoffen flächig oder mit bestimmten Mustern bemalt (in manchen Gebieten auch mit Stempeln aufgetragen), die oft symbol. Bedeutung haben oder Zeichen für Status oder Gruppenzugehörigkeit sind und sich häufig auch in der Bemalung von Keramik finden.

In Afrika dient die Körperbemalung, bei zahlreichen Stämmen monochrom oder polychrom vorgenommen, fast ausschließlich kult. Zwecken. Bes. künstlerisch ist sie bei den Nuba in Sudan (flächige Gestaltung) und den Mangbetu in NO-Zaire (netzartige Gestaltung). Wichtigste Farben sind Weiß (Ton, Staub) als Farbe des Todes oder einer abgeschlossenen Lebensperiode, Rot (Ocker, Rotholzmehl) als Farbe des Lebens und des Kriegers sowie Schwarz (zerstoßene Holzkohle, Wurzelsaft) als Farbe des jenseitigen Lebens, des Regens u.a.

K. ist wichtigstes künstler. Ausdrucksmittel im Hochland von Neuguinea, wo für Feste und rituelle Anlässe nicht nur das Gesicht z.T. geschwärzt (Männer), z.T. in leuchtenden Farben bemalt (v.a. Frauen) und der Körper gefettet, sondern auch der Kopf durch Perücken hervorgehoben und durch eine Vielzahl von Federn, Gräsern und Blüten geschmückt wurde.

Verbreitete Formen des K. waren auch künstl. Deformierungen z.B. des Schädels, spitzes Zufeilen der Zähne, Durchbohren von Nasenscheidewand oder -flügeln sowie von Lippen und Ohrläppchen zum Anbringen von Anhängern, Pflöcken, Federstäben u.a. (in Ozeanien Eberhauer).

M. Kirk u. A. Strathern: Neuguinea. Gesichter und Masken (a.d. Engl., 1981).

Kortrijk [k'ɔrtrɛjk], frz. **Courtrai** [kurtr'ɛ], Stadt in der belg. Prov. Westflandern, 43 300 Ew. Die St. Martinskirche (13. Jh. beg.) wurde im Stil der Brabanter Gotik im 15. Jh. voll.; im Innern bemerkenswertes Tabernakel (1585) und Triptychon (1587). Die doppeltürmige got. Liebfrauenkirche (13. Jh.) birgt eine Alabasterstatue der Hl. Katharina von A. Beauneveu (1374–84) und die ›Kreuzaufrichtung‹ von A. van Dyck (1631). Der Beginenhof (1238 gegr.) besteht aus 40 Barockhäuschen (17. Jh.), Kapelle des 18. Jh. Spätgot. Rathaus (14. Jh., 1526–28 erweitert); auf dem Marktplatz der got. Belfried (13./14. Jh.). Eindrucksvoller Rest der ma. Befestigung (14./15. Jh.) sind die Broeltürme. Städt. Mus. (u.a. Malerei 16.–20. Jh., Kunstgewerbe).

Korwar
von der Nordküste der Vogelkop-Halbinsel, NW-Neuguinea, 33 cm hoch (Leiden, Rijksmuseum voor Volkenkunde)

Korwar, *Mz.* **Korware,** Figurentyp, der von verschiedenen Stämmen an der Geelvink-Bai, N-Küste W-Neuguineas (Irian Jaya), zur Erinnerung an Verstorbene, v.a. als – zumindest vorübergehender – Sitz ihrer Seele hergestellt wird. Je nach Stilgebiet ist der Körper massiv aus Holz gearbeitet mit nur angedeuteten Armen und Beinen und häufig von geometr. Mustern bedeckt, oder er fehlt fast ganz, während Arme und Beine – oft gekreuzt oder in Hockstellung – wichtige Gestaltungsmerkmale sind. Betont ist immer der Kopf, der aus dem tatsächl. Schädel des Verstorbenen, einem hölzernen Schädelbehälter oder ganz aus Holz bestehen kann. Merkmal der angeschnitzten Köpfe sind gerade Brauen, eine geradlinig weit nach unten gezogene Nase, während Mund und Kinn ineinander übergehen (d.h. der Unterkiefer scheint zu fehlen); vor den Figuren oder in ihren Händen eine Art ›Schild‹, durchbrochen gearbeitet. K.-Darstellungen finden sich – außer als Schmuck und Amulette – auch auf vielen alltäglich genutzten Gegenständen, während die eigentl. K. immer an besonderen Stellen in den Hütten (in Stoff oder Bast eingewickelt) aufbewahrt werden. Nach den K. wird der Kunststil dieses Gebiets **K.-Stil** genannt.

T. P. van Baaren: K. and K. style (Den Haag 1968).

Korykos, Ruinenstätte in der S-Türkei, westlich von Adana zw. Silifke und Mersin mit Resten aus antiker, frühchristl. und byzantin. Zeit. Von der Landburg des antiken K. sind erh.: Doppelmauer mit Türmen; am östl. Tor der äußeren Burgmauer als Türpfosten Reste von 2 Altären; weiterhin die Mole zu der auf einer kleinen Felsinsel gelegenen Seeburg (Kızkale) mit Mauer und starken Ecktürmen – im MA. bed. Korsarenburg.

Koryo, Kgr., in dem ganz Korea 936–1392 vereinigt war. Über die Kunst von K. →koreanische Kunst.

Kos [ko:s], Insel des Dodekanes (Griechenland) vor der SW-Küste der Türkei, 16700 Ew. Auf K., seit prähistor. Zeit besiedelt, war im Altertum das Asklepiosheiligtum und eine bed. Ärzteschule. Die antike Stadt K., urspr. am W-Ende der Insel gelegen, wurde im 4. Jh. v. Chr. an die NO-Küste verlegt. Ausgrabungen legten die hellenistisch-röm. Agora und Stoa, einen Tempel, Theater sowie röm. Villen frei. Südwestlich der Stadt lag das auf 3 Terrassen errichtete Asklepiosheiligtum (4. Jh. v. Chr.–2. Jh. n. Chr.). Auf der mittleren Terrasse befand sich der Altar des Asklepios sowie ein ionischer Antentempel des 4. Jh. v. Chr. mit einem Gemälde des Apelles und ein korinth. Tempel des 2. Jh. n. Chr. Auf der oberen Terrasse stand der korinth. Haupttempel des 2. Jh. v. Chr.; die untere Terrasse war von Säulenhallen mit versch. Räumen umgeben.

Kosárek [k'ɔsa:rɛk], Adolf, tschech. Maler, *Herálec 6. 1. 1830, †Prag 30. 10. 1859, nahm die Anregungen der spätromant. Landschaftsmalerei in seine dem Naturgefühl aufgeschlossene Kunst auf: ›Böhm. Landschaft‹ (um 1858), ›Herbstlandschaft‹ (1858/59), ›Landschaft mit Wagen mit weißer Plane‹ (um 1859).

Kösen, Bad K., Stadt an der Saale oberhalb von Naumburg, Dt. Dem. Rep., 6300 Ew. Das Roman. Haus (Mus.) ist das älteste Wohnhaus in Mitteldtl.

(1. H. 11. Jh.). Über K. die Ruinen **Rudelsburg** (1171 erwähnt, 14./15. Jh. ausgebaut) und **Saaleck** (1140 erwähnt, Kernburg 1. H. 12. Jh.); nahebei →Schulpforta.

Košice [k'ɔʃitsɛ], Stadt in der ČSSR, →Kaschau.

Köşk [kœʃk], türk. für →Kiosk.

Köslin, poln. **Koszalin** [kɔʃ'alin], Woiwodschaftshauptstadt in Polen, 13 km von der pommerschen Ostseeküste entfernt, 86000 Ew.; 1945 zu 40 % zerstört. Erhalten sind Reste der Stadtumwallung (1292–1310), die Pfarrkirche St. Maria, eine got. Backsteinbasilika (1300–33; erneuert 1842 und später) und die oktogonale St.-Gertrud-Kapelle des späten 14. Jh. Einige got. Bürgerhäuser wurden rekonstruiert.

Kosmas Indikopleustes [grch. ›Kosmas Indienfahrer‹], grch. Geograph des 6. Jh. n. Chr. aus Alexandria, der als Kaufmann das Schwarze Meer, Arabien, Ostafrika und Ceylon bereiste und später in seiner ›Christl. Ortskunde‹ in 12 Büchern dem System des PTOLEMAIOS eine christl. Weltbeschreibung gegenüberstellte. Das älteste erhaltene Exemplar einer illuminierten Hs. seines Werkes stammt aus dem 9. Jh. (Vatikan. Bibl.) und gehört zu den frühen Hauptwerken der Buchmalerei der makedon. Dynastie in Byzanz.

Kosmas und Damianus, Märtyrer der Christenverfolgung unter DIOKLETIAN (303 ff.) mit schon im 5. Jh. bezeugtem Kult, nach der Legende Brüder und wunderbegabte Ärzte; dargestellt mit Arzttasche, Pinzette, Salbgefäß und Harnglas (um 395, Thessalonike, Hagios Georgios; 526/30, Rom, SS. Cosma e Damiano, Apsis-Mosaik; um 705, Rom, S. Maria Anticua, Fresko); als Zeichen der Verehrung auf byzantin. Elfenbein-Diptychen des 10./11. Jh.; im Spät-MA. Kosmas als akadem. Arzt, Damianus als Wundarzt (ROGIER VAN DER WEYDEN, um 1450); Zyklen: Glasfenster der Marktkirche in Goslar (13. Jh.).

Kossak, 1) Juljusz, poln. Maler, Vater von 2), *Wiśnicz (bei Bochnia) 15. 12. 1824, †Krakau 3. 2. 1899, geschult in den Ateliers von H. VERNET (in Paris, 1856–62) und A. ADAM (in München), malte in zarten Aquarellfarben v. a. Genreszenen aus dem poln. Adelsleben, Schlachten- und Pferdebilder.

2) Wojciech Ritter von, poln. Maler, Sohn von 1), *Paris 1. 1. 1857, †Krakau 29. 7. 1942, tätig u. a. in Berlin (1897–1900 im Auftrag Kaiser WILHELMS II.); malte Porträts und Schlachtenbilder.

K'o-ssu [chines.], Seidenweberei, →Textilkunst.

Kostanjevica [-tsa], Ort in der Rep. Slowenien, Jugoslawien. Die frühgot. Kirche des 1234 gegr. Zisterzienserklosters folgt burgund. Vorbildern. Die den ausgedehnten Klosterhof umgebenden Arkadengänge in drei Geschossen bewirken den Eindruck von Monumentalität.

Kostroma, Gebietshauptstadt in der Russ. SFSR, an der oberen Wolga, 255000 Ew. Die um 1150 gegr. Stadt war im 16./17. Jh. eine der größten Städte Rußlands. Ältester erhaltener Steinbau ist die Kirche des Erscheinens Christi (1559–65). Das befestigte Ipatjew-Kloster des 16. Jh. mit Dreieinigkeits-Kathedrale (erneuert um 1650) besitzt weitere Gebäude des 16./17. Jh.; in der Nähe die Christi-Auferstehungskirche im Walde (1652), eine der reichsten Bauten des 17. Jh. im Wolgagebiet. Mehrere Kirchen aus und in Dörfern der Umgebung gehören den Museen für Holzbaukunst und für altruss. Baukunst. Die Stadt ist auch reich an bed. Bauten des Klassizismus.

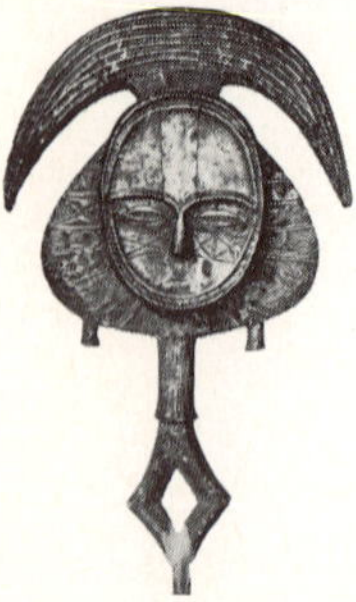

Kota: Reliquiarfigur; Messing über Holz (Privatsammlung)

Kostrzyn [k'ɔstʃin], poln. Name von →Küstrin.

Kosuth [k'ɔsuθ], Joseph, amerikan. Maler, *Toledo (Ohio) 31. 1. 1945, führender amerikan. Vertreter der →Concept Art, der v. a. das Verhältnis Begriff–Wirklichkeit und das Problem Kunst–Kunstkritik untersucht; seit 1969 Hg. v. ›Art & Language Press‹.

J. K., Ausst.-Kat., Bremen (1976).

Koszalin [kɔʃ'alin], poln. Name von →Köslin.

Kőszeg [k'ø:sɛg], Stadt in Ungarn, →Güns.

Kota, Bakota, Bantu-Volk in O-Gabun und der Rep. Kongo. Bedeutendste Kunstform der K. sind die Reliquiarfiguren (Sinnbilder des Urahns eines Klans), i. Ggs. zu denen der Tsogho, Fang u. a. meist flächig konzipiert und reich mit Buntmetall dekoriert. Sie bestehen aus einem mit Kupferfolie (›südl. Typ‹) oder -lamellen (›Naja-Typ‹) beschlagenen Holzkern, aus dem ein ovales, leicht konkaves Gesicht, oft ohne Mund, skulptiert wurde; über dem Gesicht befindet sich ein meist halbmondförmiger Aufsatz, der ›Hals‹ ruht auf einem hochkant gestellten Rechteck.

Bei den großen Helmmasken (›Emboli‹), die v. a. von den Nord-K. (Chamai und →Hungwe) anläßlich der Beschneidungsfeste verwendet werden, unterscheidet man 2 Typen: den ›Emboli‹ von Makokou mit einem riesigen Kamm, einem grob geschnittenen Gesicht und großen, tiefliegenden Augen, und den ›Mbawe‹ der Hungwe von Mékambo, der einen Eulenkopf mit gespreizten Flügeln wiedergibt. Bei Sammlern sehr begehrt sind ferner die fein geschmiedeten Wurfmesser der K. mit der Kopfform des Hornraben.

Kota, Kotah, Stadt in Rajasthan, Indien, 346 900 Ew.; ehem., 1625 von Bundi abgespaltener Fürstenstaat; weite Palast- und Festungsanlage mit Wandmalereien des 18./19. Jh. Die Malschule von K. (etwa 1660 bis 1880) ist stilistisch von den Malereien Bundis kaum unterscheidbar; Prozessions- und Jagdszenen waren sehr beliebt.

Kotěra [k'ɔtjɛra], Jan, tschech. Architekt, *Brno (Brünn) 18. 12. 1871, †Prag 17. 4. 1923, Schüler von O. WAGNER, war Hg. der Architekturztschr. ›Styl‹ und gilt als Begründer der modernen Architektur in der Tschechoslowakei. Formal und inhaltlich am →Bauhaus orientiert, bemühte sich K. um eine Zusammenfassung der Künste unter herausragender Stellung der Architektur.

Köthe, Fritz, Zeichner, Maler, *Berlin 29.9.1916, studierte an der Akad. für angewandte Kunst in Leipzig. Nach Anfängen in der Nachfolge der Neuen Sachlichkeit war er Werbezeichner und Illustrator. Seit den 1960er Jahren entwickelt K. parallel zur Pop Art und zum Fotorealismus einen plakativen Collagestil mit Fragmenten von Illustriertenphotos.

F. K., hg. v. H. OHFF (1976).

Köthen/Anhalt, Stadt südwestlich von Dessau, Dt. Dem. Rep., 34700 Ew. Das Schloß (Residenz der Fürsten von Anhalt-Köthen) ist eine Dreiflügelanlage der Renaissance (1597–1604, 17.–19. Jh. umgebaut und um Nebengebäude ergänzt); klassizist. ehem. Schloßkirche St. Marien (1826–32). Spätgot. Stadtkirche St. Jakob (1400–1514), eine dreischiffige Hallenkirche mit Fürstengruft (barocke Prunksärge); barocke Agnuskirche (1694–99).

Kothgasser, Anton, Porzellan- und Glasmaler, *Wien 9. 1. 1769, †ebd. 3. 6. 1851; seit 1784 an der Wiener Porzellanmanufaktur tätig, begann er 1811 unter dem Einfluß von G. S. MOHN mit der Dekoration von Hohlglas.

Kotohira, Tempelstadt auf Shikoku, Japan, etwa 45 km südwestlich von Takamatsu; ein Bergheiligtum mit vorgelagerter Monzenmachi (›Stadt vor dem Tempel‹). Die urspr. buddhist. Tempelanlage wurde in der Meiji-Zeit zu einem shintoist. Heiligtum. Bed. Bau (1659) im Shoin-Stil mit Malereien von OKYO MARUYAMA (*1733, †1795). Die Holzschnitzereien in der ›Halle der aufgehenden Sonne‹ gehören zu den besten Arbeiten aus der 1. H. des 19. Jh. Die Schreingebäude erstrekken sich über mehrere Kilometer bergan, das letzte Gebäude auf dem 520 m hohen Berg ist der Endpunkt einer langen Treppenanlage von mehreren hundert Steinstufen, die im Ort mit einer Laden- und Gasthausstraße beginnt; sehr schöne Häuser aus der Meiji-Zeit.

Kọtor, ital. **Cạttaro,** Stadt im Innern der Bucht von K., Rep. Montenegro, Jugoslawien, etwa 6000 Ew. K. liegt am Abhang des Lovćen-Massivs, von einer Festung (im wesentlichen aus dem 16. Jh.) überragt. Die kath. Tryphon-Kathedrale (12. Jh., mit Doppelturmfront von 1681) besitzt eine bed. ma. Ausstattung. Die Altstadt mit Palästen, Patrizierhäusern, Kirchen und einem Uhrturm von 1602 erlitt beim Erdbeben von 1979 schwerste Schäden.

Kotosh [-ʃ], archäolog. Fundort in Zentralperu nahe der Stadt Huánuco. Gefunden wurden ein Gebäudekomplex mit einem 13 m und einem 9 m hohen Hügel sowie mehrere Steinkonstruktionen und Grabüberreste. Der älteste und besterhaltene Tempel ist der der ›gekreuzten Arme‹, so benannt nach den 2 gekreuzten Armen, die reliefartig aus dem auf eine Steinwand aufgetragenen Ton herausragen. Es handelt sich hierbei um das früheste Beispiel plast. Verzierung an Baudenkmälern in Peru (zu datieren in die Zeit vor dem Chavín-Horizont: 1. Jahrtsd. v. Chr.).

S. IZUMI u. K. TERADA: Excavations at K., Peru, 1963 and 1966 (Tokio 1972).

Kötschach-Mauthen, Gem. im oberen Gailtal, Kärnten, Österreich; die Pfarrkirche in Kötschach ist eine dreischiffige spätgot. Hallenkirche (1518–27) an

Stelle einer 1478 z. T. zerstörten Kirche (Chor erh.), bemerkenswert v. a. die phantasievoll ausgeführten Netzrippengewölbe.

Kounellis [ku-], Iannis, ital. Künstler grch. Abstammung, *Piräus 1936, übersiedelte 1956 nach Rom. Um 1960 malte K. großformatige Buchstaben- und Zahlenbilder, deren Entstehung er z. T. mit einer Gesangsperformance verband. Seit 1966 inszeniert er poetisch-irrationale ›tableaux vivants‹, in denen er Bildformeln aus der abendländ. Kulturgesch. (z. B. die Maske Apolls) und Verfremdungseffekte (Pferde in der Galerie) zur Auseinandersetzung mit der eigenen Zeit verwendet.

I. K., Ausst.-Kat., Eindhoven/Baden-Baden (1982).

Kowalski, Piotr, poln. Künstler, *Lemberg 2. 3. 1927, seit den 1950er Jahren einer der experimentierfreudigsten Grenzgänger zw. Kunst und Technologie. 1961 entwickelte er Strukturen aus Kunststoff. 1965 entstanden Metallskulpturen mit Hilfe von Unterwasserexplosionen. Seit 1969 entwarf K. mehrere lichtkinet. Environments, meist in Paris.

Kowno, russ. Name von →Kaunas.

Kowsch, Kovš, in der russ. Volkskunst flaches hölzernes Trinkgefäß in Form eines Wasservogels, das seit dem 16. Jh. auch als Zarengeschenk in Gold und Edelsteinen hergestellt wurde.

Koyasan, Berg in Japan, auf der Halbinsel Kii (Honshu) etwa 100 km südlich von Osaka. Auf seiner 900 m hohen Gipfelschulter die Klosterstadt K., 816 von Kobo Daishi (*774, †835) gegr., dem Begründer der buddhist. Shingon-Sekte; heute über 120 Tempelgebäude. Der Haupttempel Kongobu-ji wurde 1861 nach einem Brand wieder aufgebaut. In der Halle des Gründers Miei-do befindet sich ein Bild (1086), das den in das Nirvana eingehenden Buddha darstellt. Als ältestes Gebäude ist der Fudo-do von 1198 erh. Zweigeschossiges Torgebäude von 1705 mit schönen, geschnitzten Wächterfiguren. Schatzhaus mit mehr als 5000 Objekten (buddhist. Gemälde, Kalligraphien, Skulpturen, Lackarbeiten). Das Mausoleum von Kobo Daishi liegt in einem großen Zedernwald und ist umgeben von einer riesigen Friedhofsanlage mit Gräbern bed. Persönlichkeiten.

KPM, Abk. für Königliche Porzellan-Manufaktur, →Berliner Porzellan.

Krabbe [zu Krebs], Baukunst: got. →Kriechblume.

Kracker, Kraker, Johann Lucas, Maler, *Wien 13. 3. 1717, †Eger (Erlau)/Ungarn 1. 12. 1779, malte zahlreiche Fresken für Kirchen in Graz (1742), Prag (1760/61; St. Nikolaus, Kleinseite) und Jasov (1762 bis 1765) sowie Altarbilder in Mähren und der W-Slowakei.

Kraemer, Friedrich Wilhelm, Architekt, *Halberstadt 10. 5. 1907, 1946–74 Prof. an der TH Braunschweig, schuf Verwaltungs- und Industriebauten in klaren Formen und von perfekter techn. Ausführung.

HW: Jahrhunderthalle der Farbwerke Hoechst, Frankfurt a. M. (1960–63); DKV Hauptverwaltung, Köln (1966); Dt. Bank, Düsseldorf (1976).
K., SIEVERTS und Partner: Großraumbüros (1975).

Krafft, 1) auch **Kraft,** Adam, Bildhauer, *Nürnberg um 1460, †Schwabach 1508/09, wirkte ebd. nach Lehrjahren am Oberrhein und in Straßburg. Kennzeichnend für seinen in der Spätgotik wurzelnden Stil ist, daß er seine Werke mit der sie umgebenden Architektur formal in Einklang zu bringen wußte. Seine Werke, anfangs eher in maler. Stil, zeigen später eine Klarheit in Komposition und plast. Gestaltung, die der Renaissancegesinnung entspricht.

HW (alle in Nürnberg): Epitaph des Sebaldus Schreyer (1490–92; Choraußenwand der Sebalduskirche, mit Passions-Relief); Sakramentshaus (1493–96; Lorenzkirche, etwa 20 m hoher Aufbau mit heilsgeschichtl. Figuren und Reliefs sowie den freiplast. Tragfiguren des Künstlers und seiner beiden Obergesellen); 7 Einzelreliefs von Kreuzwegstationen (1506–08; Originale im German. Nat.-Mus.); Grablegung Christi: 16 Einzelfiguren (1508; Holzschuherkapelle des Johanniskirchhofs). – Relief der Stadtwaage (1497).
W. SCHWEMMER: A. K. (1958).

Adam Krafft: Selbstporträt am Sockel des Sakramentshauses in der Lorenzkirche (1493–96), Nürnberg

2) David von, dt.-schwed. Maler, *Hamburg 1655, †Stockholm 20. 9. 1724, Neffe und Schüler von D. KLÖCKER VON EHRENSTRAHL, dessen Nachfolger als Hofmaler er 1698 wurde. Von seinen Porträts des schwed. Adels wurden bes. die König Karls XII. bekannt.

3) Johann Peter, Maler, *Hanau 15. 9. 1780, †Wien 28. 10. 1856, Schüler von H. FÜGER in Wien, von J. L. DAVID in Paris, malte in Wien Genrebilder und Porträts, in denen sich klassizist. Formklarheit mit biedermeierl. Ausdrucksmotiven verband, später auch Schlachtenszenen und Staatsereignisse.

4) Per d. Ä., schwed. Maler, Vater von 5), *Arboga 16. 1. 1724, †Vadstena 7. 11. 1793, studierte bei C. G. PILO in Kopenhagen und A. ROSLIN in Paris, fand unter dem Einfluß der frz. Malerei in seinen Porträts zu einer natürl. Menschendarstellung in hellen Farben.

5) Per d. J., schwed. Maler, Sohn von 4), *Stockholm 11. 2. 1777, †ebd. 11. 12. 1863, malte anfangs im Stil C. F. v. BREDAS, lernte in Paris J. L. DAVID kennen, der starken Einfluß auf seine Porträts ausübte. K. malte auch Schlachtenbilder.

Kraft, Adam, Bildhauer, →Krafft 1).

Krag|gewölbe, Baukunst: →Gewölbe.

Kragstein, Baukunst: →Konsole 1).

Krainburg, Stadt in Jugoslawien, →Kranj.

Krakau, poln. **Kraków** [-kuf], Woiwodschaftshauptstadt an der oberen Weichsel, zw. Poln. Jura und dem Karpatenvorland, 693 000 Ew.; neben Warschau wissenschaftl. und kulturelles Zentrum Polens sowie Erzbischofssitz. Ab 1320 Krönungsort der poln. Könige, war K. eine reiche Handelsstadt und durch die 1364 gegr. Jagiellonische Univ. ein Zentrum der Renaissancekultur; K. ist eine der bedeutendsten Kunststädte Europas.

Auf dem Burgberg (Wawel), der bis 1609 Residenz der poln. Könige war, liegt der in seinen wesentl. Teilen der Renaissance entstammende Schloßkomplex mit Arkadenhof (1507–36), errichtet auf älteren Resten, später verändert und erweitert. Im Dom, der Krönungs- und Grabstätte der poln. Könige (1320–64 erbaut, erweitert bes. im 16./17. Jh.) zahlreiche Anbauten bed. Kapellen, darunter die Sigismund-Kapelle (1517–33) und Grabmäler von Königen, Dichtern und Nationalhelden, darunter das von Kazimierz IV. Jagiełło von V. Stoss. Der älteste Baurest auf dem Wawel sind die Grundmauern der Marienrotunde aus dem 10. Jh. – In den Gebäuden der Burg heute eines der bedeutendsten Museen Polens mit bed. Samml. fläm. Tapisserien.

Krakau: Marienkirche; begonnen 1221, im Vordergrund Tuchhallen (14., 16. und 19. Jh.)

Mittelpunkt der Altstadt ist der weite Platz des alten Marktes mit ma. Rathausturm (um 1380, mit barocker Haube) sowie ausgedehnten Tuchhallen (14., 16. und 19. Jh.). Zur Ausstattung der got. Marienkirche (1221 bis ins 15. Jh.) gehört der Marienaltar von V. Stoß (1477–89), eines der bedeutendsten Schnitzwerke der Spätgotik (Bild V. Stoß). Von der Jagiellon. Univ. ist ein got. Ziegelbau mit Arkadenhof (Collegium Maius, um 1500) erh., heute Universitätsmus. Franziskanerkloster mit frühgot. Kirche (Mitte 13. Jh.), später stark verändert; Dominikanerkloster mit Dreifaltigkeitskirche (Mitte 13. Jh.) mit Kapellen der Spätrenaissance und barocker Ausstattung; Jesuitenkolleg (1604–34) und -kirche (1596–1633) mit einheitl. barocker Ausstattung; Kollegiatskirche St. Anna, ein Barockbau mit Zweiturmfassade, 1689–1703 von T. van Gameren; Paläste des 16.–19. Jh. In dem Gal.-Gebäude des 19. Jh. die Samml. Czartoryski (›Dame mit Hermelin‹ von Leonardo da Vinci u. a.). Als einziger (rekonstruierter) Rest der Stadtumwallung ist eine Barbakane (1498/99) erhalten.

In der Vorstadt **Stradom:** Barockes ehem. Bernhardinerkloster (1670–80), Kirche mit Zweiturmfassade und

Rokoko-Ausstattung; Missionarskloster mit Kirche Pauli Bekehrung, Spätbarock (1719–28).

In der Vorstadt **Kazimierz:** Spätgot. Pfarrkirche Corpus Christi (1385 beg.) und Konventsgebäude regulierter Kanoniker (15. Jh.). Augustinerkloster mit Kirche St. Katharina (Chor 1345–78), spätgot. Gewölbe, Klosterbauten gotisch, später verändert und erweitert. In der alten Synagoge, einem zweischiffigen Bau des 15. Jh., im 16. Jh. umgebaut und 1956 erneuert, heute Mus. des Judentums.

Im eingemeindeten Vorort **Mogiła:** Ehem., 1225 gegr. Zisterzienserabtei mit um 1250 begonnener frühgot. Kirche, die im 18. Jh. umgebaut und mit spätbarokker Fassade (1779/80) versehen wurde; Klostergebäude mit frühgot. Kapitelsaal und Bibliothek aus Spätgotik und Renaissance (um 1533).

Im eingemeindeten Vorort **Wola Justowska:** Spätrenaissance-Schloß, in der 1. H. des 17. Jh. auf älteren Teilen errichtet und im 19. Jh. erneuert oder verändert.

Die Sammlungen des Königsschlosses auf dem Wawel, hg. v. J. SZABLOWSKI (a. d. Poln., [2]1975).

Krak des Chevaliers [-deʃvalj'e], arab. **Kal'at el-Hosn,** Kreuzritterburg in W-Syrien, etwa 80 km westlich von Homs, auf einem 700 m hohen, an 3 Seiten schwer zugängl. Hügel, geschützt von 2 Mauerringen mit Türmen. Vom Haupteingang an der O-Seite führt ein gedeckter Gang in Windungen zum inneren Zwinger mit Kapelle, Loggia, Refektorium und Turm des Großmeisters. – K. d. C. ist ein bed. Beispiel der Festungsarchitektur des 12./13. Jh. Die Burg war seit 1109 im Besitz der Kreuzfahrer, wurde 1142 an den Johanniterorden abgetreten und nach Erdbeben (1157) intensiv ausgebaut. Nach Einnahme durch Truppen des Mamelucken-Sultans BAYBARS (1271) wiederhergestellt, war die Burg bis in die Neuzeit in Gebrauch (im 20. Jh. stark restauriert).

Krakelụ̈re, Craquelure [krakl'y:r, frz.], Alterssprünge in Gemälden, i. Ggs. zum →Craquelée 1) bei Glasuren.

Kramskọj, Iwan Nikolajewitsch, russ. Maler, *Ostrogoschsk (Gouv. Woronesch) 8. 6. 1837, †St. Petersburg 5. 4. 1887, einer der Begründer der →Peredwischniki; porträtierte Menschen aus dem Volk und aus dem Geistesleben (L. N. Tolstoj, 1873, N. A. Nekrassow, 1877; Moskau, Tretjakow-Gal.); auch relig. Themen (›Christus in der Wüste‹; 1872, ebd.).

Kran, Volksgruppe in Westafrika, in O-Liberia etwa 20 000 Menschen; im angrenzenden Gebiet der Elfenbeinküste nennen sie sich →Ngere. Sie gehören künstlerisch zum Dan-Kran-Komplex (→Dan). Die eigene Kunst der K. zeigt sich im wesentlichen in den Masken, bei denen streng konzipierte, aggressive Formen dominieren.

Kranich, ein langbeiniger und langhalsiger Vogel, in der chines. Kunst ein Symbol für Langlebigkeit. Eine der frühesten K.-Darstellungen ist ein in Ch'angsha ausgegrabener Paukenständer in Form von 2 K. (4. Jh. v. Chr.; Cleveland, Mus. of Art). In der chines. und japan. Malerei stellt der K. zus. mit der ebenfalls langes Leben symbolisierenden Kiefer ein beliebtes Motiv dar.

Kranj, dt. **Krainburg,** Stadt an der oberen Save, Rep. Slowenien, Jugoslawien, etwa 15 000 Ew. Die Kirche St. Crantianus (Chor von 1400, Schiff bis 1460 vollendet; schöne Innenausstattung) hat einen roman. Bau ersetzt. Im ehem. Schloß der Grafen von Ortenburg (16./17. Jh.) sind Renaissance-Ausstattung und Arkadenhof z. T. erhalten.

Kranzgesims, Baukunst: abschließendes Gesims unterhalb des Dachs.

Krapplack, Maltechnik: kühl roter, transparenter →Farblack aus dem Farbstoff der Krappwurzel (→Alizarin). Der nicht lichtechte K. ist seit der Antike bekannt und zu allen Zeiten in der Öl-, Tempera- und Aquarellmalerei, bes. auch für →Lasuren und →Lüster 3), gebraucht worden.

Krasiczyn [krasj'itʃin], Ort in der Wwschaft Przemyśl in SO-Polen, mit monumentalem Schloß der Familie Krasicki, einem Vierflügelbau mit Arkadenhof und zylindr. Ecktürmen, im wesentlichen 1592–1614 von G. APPIANI erbaut. Landschaftspark des 19. Jh.

Krater [grch. ›Mischkrug‹] *der,* grch. Gefäß aus Metall oder Ton mit weiter Öffnung zum Mischen von Wasser und Wein in versch. Typen und Formen (→Vasen). Es gab Miniaturgefäße und große Bronze-K., wie der in →Vix gefundene (Fassungsvermögen fast 1000 l, Höhe 1,65 m). In der röm. Kaiserzeit waren dekorative Marmor-K. mit Reliefschmuck beliebt, die seit der Renaissance oft nachgeahmt wurden.

Kratzputz, Ausschmückung der Hauswand, bes. der Felder zw. den Balken des Fachwerkhauses, durch Einkratzen von Mustern und Figuren in den feuchten Verputz mit spitzem Werkzeug oder Holzstempeln; früher weit verbreitet (Sgraffito), heute bes. in den Vierlanden und in Hessen.

Kraus, 1) August, Bildhauer, *Duisburg 9. 7. 1868, †Berlin 8. 2. 1934, arbeitete 1891–98 im Atelier von R. BEGAS und schuf hier wie A. GAUL 2 Löwen für das Nationaldenkmal Kaiser Wilhelms I. von R. Begas. Aus dem Eindruck der Antike und der ital. Frührenaissance in Rom (1900–06) entwickelte K. einen neoklassizist. Stil (›Bocciaspieler‹, 1904; Berlin-Ost, vor der Nat.-

Kratzputz: Wohnhaus mit K. in Frohnhausen, Hessen

Gal.). Sein ›Röm. Mädchen‹ (1904; Berlin-West, Skulpturengal.) zeigt Motive des Jugendstils.

Lit.: →Berliner Bildhauerschule.

2) Georg Melchior, Maler, *Frankfurt a.M. 26. 7. 1737, †Weimar 5. 11. 1806, Schüler von J. H. TISCHBEIN D. Ä., auch von J.-B. GREUZE und F. BOUCHER in Paris, war seit 1774 Zeichenlehrer in Weimar. Er malte Landschaften und Porträts (J. W. v. Goethe; 1775/76, Weimar, Goethe-Nat.-Mus.).

Kraut|strunk, gebauchter Nuppenbecher aus →Waldglas; seit der Spätgotik in Dtl. und den Niederlanden beliebt.

Krebs, Konrad, Baumeister, *Büdingen (?) 1492, †Torgau 1. 9. 1540, seit 1532 kurfürstlich-sächs. Baumeister, schuf im O-Flügel (Johann-Friedrich-Bau) des Schlosses Hartenfels in Torgau (1533–36) – mit seinem frei stehenden Wendeltreppenhaus wohl nach Studien in Blois – ein maßgebendes Vorbild für den Schloßbau der dt. Frührenaissance.

Kredenz [ital. credenza, eigtl. ›Glaube‹] *die,* urspr. kleiner, neben dem Eßtisch stehender Schrank, zum Anrichten und Vorkosten der Speisen; seit der Renaissance in Italien gebräuchlich. Später allg. ein halbhoher Schrank, der als **Anrichte** diente.

Krefeld, Stadt in der Niederrhein. Bucht, NRW, 230700 Ew., entwickelte sich seit dem 17. Jh. zum Zentrum der dt. Seiden- und Samtweberei; im 2. Weltkrieg zu 70% zerstört. K.s Kirchen stammen überwiegend aus dem 19. Jh. Klassizist. Rathaus (1791–94). Museumszentrum Burg Linn (kurköln. Wasserburg 12./15. Jh.); Textil-Mus.; Mus. Haus Lange (1928 von L. MIES VAN DER ROHE); Kaiser-Wilhelm-Mus. (sehr reichhaltige Kunstsamml.). Bei K.-**Gellep** ein römisch-fränk. Gräberfeld.

Kreide, Maltechnik: pulverisiertes Kreidegestein (z. B. Champagner K., Rügener K.). Neben Gips ist K. der häufigste Füllstoff für Grundierungen, in N-Europa vorherrschend. Als Pigment ist K. nur in wäßrigen Techniken verwendbar und wird z. B. für Leimfarbanstriche gebraucht. Weiterhin werden aber auch pulverisierter Dolomit (Steinkreide), Kalkspat (Pariser Weiß), Kiesel (Neuburger K.) und Gips (→Bologneser Kreide) als K. bezeichnet.

Kreideglas, Bez. für ein Glas, das durch Zusatz von Kalk in Form von Kreide zur Glasmasse mehr Durchsichtigkeit und Glanz erhält.

Kreide-Manier, Crayonmanier [krɛj'ɔ̃-, frz.], der →Radierung verwandte graph. Technik des Tiefdrucks, von J. C. FRANÇOIS (*1717, †1769) seit etwa 1740 mit der Absicht entwickelt, die Wirkung der feinkörnigen Strichführung von Kreidezeichnungen auch im Druckverfahren zu erreichen. Der Ätzgrund der Platte wird dabei mit speziellen Werkzeugen bearbeitet: dem →Mattoir, der →Roulette und der Échoppe (einer breiten Radiernadel). Die damit auf der Platte freigelegten Punkte erzeugen im Druck die Wirkung eines Kreidestrichs, oft gesteigert durch eine ergänzende Bearbeitung der Platte in →Punktier-Manier. In der 2. H.

des 18. Jh. war die K.-M. zur Reproduktion von Zeichnungen weit verbreitet, v. a. in mehrfarbigen Drucken.

Kreiden, Maltechnik: Abmehlen oder Abpudern von Pigmenten, verursacht durch zu schwache oder verlorengegangene Bindung, bes. bei Anstrichen mit Leim- und Kalkfarben.

Kreis, Wilhelm Heinrich, Architekt, *Eltville 17. 3. 1873, †Bad Honnef 13. 8. 1955, war seit 1908 Prof. in Düsseldorf, seit 1926 Prof. an der TH und an der Kunst-Akad. in Dresden. Anfangs ausgesprochen historisierend, vereinfachte sich seine monumentale Bauauffassung nach dem 1. Weltkrieg.

HW: Augustusbrücke Dresden (1906); Warenhaus Tietz, Köln (1913); Wilhelm-Marx-Haus, Düsseldorf (1922–24); Hygiene-Mus., Dresden (1927–30); Kommunalbank, Bochum (1928/29).

Kreml [russ.] *der,* meist auf einer Anhöhe gelegener, befestigter Kern russ. Städte im MA., Sitz der weltl. und geistl. Verwaltung. In vielen Städten (z. B. Gorkij, Kasan, Astrachan, Kolomna, Pskow) sind die Befestigungsanlagen und Kirchen aus dem 16. und 17. Jh. noch erhalten, am besten der K. in →Moskau.

Kremlicka [kr'ɛmlitska], Rudolf, tschech. Maler, *Kolín 19. 6. 1886, †Prag 3. 6. 1932, geschult an der niederländ. Malerei und dem frz. Impressionismus (A. RENOIR, E. DEGAS), belebte seine Genrebilder mit abgestuften Lichteffekten; in seinen Porträts ist der Einfluß W. LEIBLS spürbar. Seit 1918 neigte K. dem Neoklassizismus zu (›Bilder sich waschender Frauen‹, 1919; ›Wäscherinnen‹, 1923; ebenso in seinen Landschaften: ›Slowak. Landschaft‹, 1919) und widmete sich schließlich v. a. dem Problem der Farbe (›Felsen am Meer‹, 1930).

Kremnitz, slowak. **Kremnica** [kr'ɛmnjitsa], Stadt im Mittelslowak. Kreis, ČSSR, 6000 Ew.; ehem. bedeutende Bergwerksstadt (Gold und Silber), terrassenförmig angelegt. In der unter Denkmalschutz stehenden Altstadt sind erhalten die Stadtburg mit der got. zweischiffigen Katharinenkirche (13.–15. Jh.), dem Karner und der roman. Andreasrotunde, got. Bürgerhäuser (die am besten erhaltenen der Slowakei), eines mit originellen versetzten Zellengewölben (15. Jh.), die Münzstätte des 14. Jh., Reste der Stadtbefestigung mit Toren und Wehrtürmen (frühes 15. Jh.) und das alte Rathaus des frühen 15. Jh. (im 19. Jh. verändert).

Krems an der Donau, Stadt in der Wachau, NÖ, 23 300 Ew. Das maler. Stadtbild wird v. a. von zahlreichen Bürgerhäusern seit der Gotik mit Erkern und Sgraffitofassaden bestimmt; von der Befestigung ist das Steinerne Tor (um 1480) erh. Die spätgot. Piaristenkirche (1508 gew.) beherrscht durch ihre hohe Lage die Stadt; östlich anstoßend das Piaristenkloster (1636 bis 1641). Die frühbarocke Pfarrkirche St. Veit (1616–30) wurde im 18. Jh. von M. ALTOMONTE, F. A. MAULBERTSCH, M. J. SCHMIDT (gen. KREMSER-SCHMIDT) u. a. ausgestattet. Die ehem. Dominikanerkirche (13. Jh.) mit schönen Kreuzrippengewölben im Mittelschiff ist Städt. Mus. Die Gozzoburg, 1260–70 von Bürgermeister Gozzo erbaut, wurde im 16. Jh. in mehrere Privathäuser geteilt. Rathaus mit fünfseitigem Erker (1548).

Im Stadtteil **Stein an der Donau** spätroman. ehem. Minoritenkirche (1264 gew.) mit bed. Fresken (14. Jh.), heute Ausstellungsraum; got. Frauenbergkirche (2. H. 14. Jh.) und got. Pfarrkirche St. Nikolaus (15. Jh.).

Kremser-Schmidt, aus Krems an der Donau stammender Maler, Martin Johann →Schmidt.

Kremser Weiß, Maltechnik: besondere Qualität von →Bleiweiß.

Kremsier, tschech. **Kroměříž** [kr'ɔmjɛrʒi:ʃ], Stadt im Südmähr. Kreis, ČSSR, an der March, 25 200 Ew.; wohl im 11. Jh. entstanden, seit dem 13. Jh. Residenz der Olmützer Bischöfe, heute unter Denkmalschutz. Das monumentale frühbarocke Schloß vom Ende des 17. Jh. anstelle einer frühgot. Burganlage enthält u. a. Wandgemälde von F. A. MAULBERTSCH (1758–60) und eine bed. staatl. Gemäldegalerie mit Werken von A. VAN DYCK, P. P. RUBENS, TIZIAN, P. VERONESE u. a. Schöner Schloßpark (nach Vorbild von Versailles) mit klassizist. Architekturen (u. a. 230 m lange Kolonnade). Die got. Propstei-Kirche St. Mauritius, 1260 vollendet, wurde später mehrmals umgestaltet. Die zum ehem. Piaristen-Kolleg (1687), später Franziskanerkloster, gehörende Kirche St. Johannes Baptist (1737–68) hat einen ovalen Grundriß und reiche Ausstattung. Barocke Pfarrkirche (1725–36); Domherrenpalais.

Kremsmünster, Gem. an der Krems, OÖ, 5800 Ew., mit einem 777 durch Herzog TASSILO III. v. BAYERN gegr. Benediktinerstift. Die im Kern romanisch-got. Stiftskirche (Gunther-Grab mit liegender vollplast. Figur, 1304) wurde seit dem 17. Jh. barockisiert, die Klosteranlage seit Mitte des 17. Jh. barock umgebaut, zuletzt durch C. A. CARLONE und J. PRANDTAUER. Die achtstöckige Sternwarte 1748–59), auch ›Mathemat. Turm‹, ist das älteste erhaltene Hochhaus Europas. In der Schatzkammer u. a. der →Tassilo-Kelch.

Krepieren [aus frz.], Restaurationstechnik: →Regenerieren.

Krepis [grch. ›Sohlenbau‹, ›Sohle‹] *die,* **Krepidoma** *das,* der Stufenunterbau des antiken Tempels.

Kresilas von Kydonia, grch. Bildhauer der 2. H. des 5. Jh. v. Chr. Zu den bedeutendsten ihm zugeschriebenen Werken gehören eine verwundete Amazone und eine Periklesstatue (Kopf in röm. Kopien erh.).

Kress Collection [kres kɔl'ekʃn], Washington D. C., USA; Anfang des 20. Jh. von dem New Yorker Geschäftsmann S. H. KRESS angelegte Samml. ital. Malerei und Plastik, bes. der Florentiner Renaissance. Entgegen der urspr. Konzeption wurde die Samml. 1939 der Nat. Gal. in Washington übergeben und um bed. Gemälde ergänzt; Teile der K. C. sind auf versch. Mus. in den USA verteilt.

kretisch-mykenische Kunst, die Kunst Kretas von etwa 2900–1600 v. Chr. (minoische Kunst) und die mykenische Kunst Kretas und des grch. Festlandes von etwa 1600–1100 v. Chr., auf Kreta nur bis 1200 v. Chr.

kretisch-mykenische Kunst: Stierkopfrhyton; Gold und Steatit, 35,6 cm hoch, Knossos um 1500 v. Chr. (Heraklion, Archäolog. Museum)

kretisch-mykenische Kunst: Kunststätten auf Kreta

Da die Kunst der frühgrch. Kultur, die man nach ihrem bedeutendsten Zentrum Mykene als ›mykenisch‹ bezeichnet, von der kret. abhängig war, kann man vom 16. Jh. v. Chr. an von einer k.-m. K. sprechen. Bis dahin gehörte das grch. Festland zur hellad. Kultur (→helladische Kunst). Kreta entwickelte die minoische Kultur.

Die kretische Kunst, von A. EVANS, dem Ausgräber von Knossos, nach dem sagenhaften König Minos minoisch genannt, wird nach Vorstufen im Neolithikum zunächst in 3 Phasen der Frühen Bronzezeit faßbar: frühminoisch I–III = Vorpalastzeit (etwa 2900 bis etwa 2000). Sie erreichte einen 1. Höhepunkt in der

kretisch-mykenische Kunst: Löwentor; 13. Jh. v. Chr., Mykene

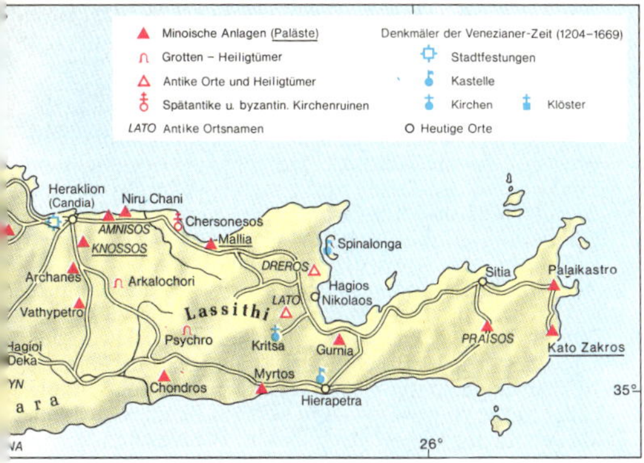

Mittleren Bronzezeit: mittelminoisch I–II = Ältere Palastzeit (etwa 2000–etwa 1650) und ihre größte Verbreitung am Anfang der Späten Bronzezeit: mittelminoisch III/spätminoisch I–II = Jüngere Palastzeit (etwa 1650–etwa 1375). Die letzte Stufe, spätminoisch III, wird als Nachpalastzeit (etwa 1375–etwa 1200) bezeichnet.

Zu den von Anfang an bes. reichen und vielfältigen keram. Zeugnissen kommen in der Vorpalastzeit Stein- und Metallgefäße, Siegel, Bronzefunde, Goldschmuck und Kleinplastik, in der Älteren und Jüngeren Palastzeit mit der Palastarchitektur auch Wandmalereien und Stuckreliefs. Neben den Plätzen, an denen Paläste ausgegraben worden sind (Knossos, Phaistos, Hagia Triada, Mallia, Zakros), gibt es auf Kreta viele andere Fundorte (Amnisos, Archanes, Chania, Gortyn, Gurnia, Kommos, Messara, Mochlos, Myrtos, Palaikastro,

kretisch-mykenische Kunst: LINKS ›La Petite Parisienne‹; Freskofragment aus dem Palast in Knossos; um 1500/1450 v. Chr. (Heraklion, Archäolog. Museum). RECHTS Frauenkopf (Stuck) von der Akropolis in Mykene; um 1300 v. Chr. (Athen, Nationalmuseum)

kretisch-mykenische Kunst: Kultkanne in Schnabelform aus einem Grab von Katsamba bei Heraklion; nach 1400 v. Chr. (Heraklion, Archäolog. Museum)

Psira, Pyrgos, Tylissos). Die Vorstellung, Westkreta sei kulturell hinter Mittel- und Ostkreta zurückgeblieben, ist durch neuere Ausgrabungen revidiert worden (→ Chania). Träger der minoischen Kultur war eine altägäische Bev. mit Verbindungen nach Kleinasien. Da schriftl. Quellen fehlen, stützt sich die Chronologie ganz auf die archäolog. Überlieferung. Entscheidend für die absoluten Daten sind v. a. datierbare ägypt. Funde auf Kreta und kret. Importe in Ägypten. Die zeitl. Gliederung gründet sich auf die keram. Funde in den Schichten von Knossos u. a. Fundorten. Wichtig im stratigraph. Befund sind Zerstörungsschichten, die in der Mehrzahl wahrscheinlich auf Erdbeben zurückzuführen sind. Die künstler. Entwicklung wurde von diesen Zerstörungen nicht beeinträchtigt. Verheerende Auswirkungen der um 1500 v. Chr. datierbaren Vulkankatastrophe von Thera lassen sich auf Kreta weder geologisch noch archäologisch fassen. Weitreichende Zerstörungen um 1450 v. Chr. gehen entweder auf Erdbeben, krieger. Ereignisse oder beides zurück. Der →Palaststil liefert kein Argument dafür, daß stilist. Veränderungen in der 2. H. des 15. Jh. v. Chr. auf eine kulturelle Vorherrschaft des myken. Festlandes zurückgehen. Sicher läßt sich diese jedoch nach 1375 v. Chr. (Zerstörung des Palastes von Knossos) nachweisen.

Die Erforschung der myken. Kunst (ausgelöst durch H. SCHLIEMANNS Schachtgräberfunde in Mykene) lag vor der der kretischen Kunst. Von der vorausgegangenen mittelhellad. Kultur setzt sich die myken. Kunst durch den dominierenden minoischen Einfluß deutlich ab. Chronologisch werden in der myken. oder späthellad. Periode 3 Stufen (I, II, III, etwa 1600–1100 v. Chr.) unterschieden. – Die von den Griechen getragene myken. Kultur war nicht nur auf die Peloponnes (Mykene, Tiryns, Argos, Asine, Dendra, Pylos) beschränkt, auch im nördl. Griechenland (Athen, Theben, Orchomenos, Iolkos u. a.) liegen wichtige Fundplätze. – In frühmy-

kretisch-mykenische Kunst: Thronsaal mit Greifenfresko aus dem Palast von Knossos; 1550–1400 v. Chr.

Wörter, die man unter K vermißt, suche man unter C, Ch oder Q

ken. Zeit (späthelladisch I) stellen die →Schachtgräber von Mykene mit ihren reichen Beigaben die bedeutendste Fundgruppe dar. In der folgenden mittelmyken. Periode (späthelladisch II) wurden diese Grabanlagen durch die →Kuppelgräber abgelöst; in derselben Epoche setzte dann auch die Befestigung der Burgen durch →Kyklopische Mauern ein, die in spätmyken. Zeit (späthelladisch III) erneuert wurden (Mykene, Tiryns). Neben diesen Burgmauern ist für die myken. Architektur der Gebäudetyp des →Megaron, Zentrum der myken. Paläste, bestimmend. – Die engen Beziehungen zum minoischen Kreta drücken sich am deutlichsten im Kunsthandwerk aus; oft sind myken. Nachahmungen von minoischen Vorbildern schwer zu unterscheiden, weil kret. Arbeiten nicht nur importiert, sondern auch von kret. Künstlern auf dem Festland hergestellt worden sind. Unkretisch sind die teils figürlich verzierten Steinstelen der Schachtgräber sowie die →Gesichtsmasken u.a. Goldarbeiten. In der spätmyken. Vasenmalerei spielen – im Unterschied zur minoischen – figürl. Darstellungen eine größere Rolle (→Kriegervase). – Nach dem Fall von Knossos wurde seit etwa 1400 v. Chr. der minoische Einfluß in der Ägäis vom myken. abgelöst; Mykene erlebte seine Blütezeit und größte Ausdehnung im 14. und 13. Jh. v. Chr. Erste Zerstörungen (Wirkung der Ägäischen Wanderung) sind im myken. Raum im 13. Jh. v. Chr. zu beobachten, der endgültige Untergang der myken. Kultur, die das Ende der Bronzezeit in der Ägäis bedeutete, trat dann durch die einwandernden Dorer um die Mitte des 12. Jh. v. Chr. ein (Fall der Burg von Mykene).

Von den versch. Kunstgattungen ist die **Keramik** der k.-m. K. am besten überliefert:

Auf Kreta haben Technik, Formen und Dekorationen spätneolith. Vasen Anteil an der Entstehung der vorpalastzeitl., nach Fundorten (wie Pyrgos, Kumasa, Vasiliki) benannten Vasengattungen. Leitformen der noch ohne die schnell rotierende Drehscheibe geformten Gefäße sind doppelkonische Becher, Schnabelkannen und Teekannen. Neben einpolierten oder in →Mattmalerei aufgetragenen geometr. Ornamenten gibt es auch ›geflammte‹ Dekorationen (Vasiliki-Ware). Weiße Muster auf dunklem Grund leiten um

kretisch-mykenische Kunst: Terrakottamodell eines minoischen Wohnhauses aus der Phourni-Nekropole von Archanes; etwa 15 cm hoch, um 1400 v. Chr. (Heraklion, Archäolog. Museum)

2000 v. Chr. zur ersten Blütezeit der minoischen Keramik über. Die reife Stufe dieser mehrfarbigen →Kamares-Vasen gehört mit einem reichen Repertoire an scheibengedrehten Formen in die jüngere Phase der Älteren Palastzeit (19./18. Jh. v. Chr.). Eine Leitform der Ornamentik ist die Spirale. Charakteristisch sind Motive, die auf Blüten, Tintenfische u. ä. der Vasenmalerei der Jüngeren Palastzeit hindeuten. Mit Beginn dieser Periode wurden die Dekorationen (neue Spiralformen, sakrale Motive usw.) – wie vorher nur die schlichtere Keramik – schwarz(braun) auf eine helle Oberfläche gemalt. Eine besondere Gruppe bildet während der zweiten Blütezeit der →Meeresstil. Die großen Amphoren u. a. Gefäße des →Palaststils zeigen in der 2. H. des 15. Jh. eine Verhärtung des Stils. Auch in der Nachpalastzeit gab es auf Kreta formschöne Gefäße und abstrakte Dekora-

kretisch-mykenische Kunst: Schlangengöttin, Fayence-Statuette aus dem Palastheiligtum von Knossos; um 1500 v. Chr. (Heraklion, Archäolog. Museum)

tionen von besonderer Feinheit. – Aus der 1. myken. Periode sind Gefäße in mittelhellad. Tradition (Mattmalerei) überliefert sowie Importe und Imitationen minoischer Vasen und einheim. Gefäßtypen mit Dekorationen in kret. Geschmack. Während der Periode späthelladisch II dominierten die mehr oder weniger selbständig verarbeiteten minoischen Einflüsse. In den 3 Phasen von späthelladisch III sind minoische Motive zunehmend abstrahiert worden. Eigene Ornamente finden sich in strenger, klarer Anordnung auf Amphoren, Krateren, Kannen (auch Bügelkannen), Kylikes, Skyphoi usw. Große Gefäße dieser Zeit (v. a. Kratere) zeigen die erwähnten Darstellungen von Tieren und Menschen – darunter Wagenfahrten und Krieger. Themen – in eigenwilligen, oft abstrakten Stilisierungen (reiche Funde auf Zypern).

kretisch-mykenische Kunst: Detail eines Tonidols der ›Mohngöttin aus Gazi‹; 77,5 cm hoch, Nachpalastzeit (Heraklion, Archäolog. Museum)

Steingefäße und **-geräte** wurden auf Kreta, von ägypt. Vorbildern angeregt, seit der Vorpalastzeit gefertigt. Hervorragende Arbeiten aus versch., mit Bedacht ausgewählten einfarbigen, gemaserten oder gesprenkelten, teils importierten Steinen (auch Kristall) stammen schon aus Gräbern der Frühzeit (Mochlos). Zu den immer reicher werdenden, manchmal mit Reliefornamenten verzierten Formen unterschiedl. Formats gehören auch nachgebildete große Tritonschnecken sowie annähernd lebensgroße Stier- und Löwenkopfvasen (Rhyta). Zahlreich sind auch hohe und niedrige Steinlampen. Eine eigene minoische Gruppe bilden – urspr. mit Blattgold überzogene – Reliefgefäße aus Steatit (→Schnittervase). – Steingefäße und -lampen von festländisch-myken. Fundplätzen sind in der Mehrzahl kret. Importe oder von Kretern gefertigt.

Bronzegefäße, nur gelegentlich mit getriebenem Dekor (Kannen, Becken), meist für den Haushalt bestimmt und von großem Format (Becken, Dreifüße, Pfannen), sind auf Kreta und auf dem myken. Festland in der späten Bronzezeit (16.–13. Jh.) gefunden worden. Kleinere und kleine Metallgefäße (auch aus Gold und Silber) gab es seit der Vorpalastzeit. – Zum **Bronzegerät** gehören auch Waffen, v. a. Dolche und Schwerter, sowie Rüstungen.

kretisch-mykenische Kunst; Kamaresstil: LINKS Krater mit Blumenrelief; um 1800 v. Chr. RECHTS Fruchtständer mit spitzenartiger Umrandung (beide aus Phaistos; Heraklion, Archäolog. Museum)

kretisch-mykenische Kunst; Jüngerer Palaststil: LINKS Kanne mit Vögeln. RECHTS Dreihenklige Amphora mit Helmen (beides Heraklion, Archäolog. Museum)

Die Mehrzahl der kretisch-myken. **Siegel** wurde in Gräbern gefunden. Aus Elfenbein und versch. Steinen gearbeitete Siegel unterschiedl., auch figürl. Gestalt setzten auf Kreta in der Vorpalastzeit ein (Messara) und erreichten mit vorwiegend ornamentalen (und hieroglyph.), aber auch figürl. Motiven (Menschen, Tiere) eine erste Blüte in der Älteren Palastzeit. Viele, auch auf Siegeln und goldenen Siegelringen des myken. Festlandes wiederkehrende figürl. Siegelbilder oft kult. Inhalts sind neben abstrakten Motiven aus der Jüngeren Palastzeit und aus der folgenden Periode überliefert, in der kret. und myken. Siegel eine stilist. Einheit zu bilden scheinen.

Der **Schmuck** aus versch. Material (Gold, Bergkristall, Lapislazuli, Elfenbein, Fayence, Glas) begegnet ebenfalls schon in kret. Gräbern der Vorpalastzeit (Mochlos). Hervorragende Goldarbeiten, wie das Bienenpaar aus der Nekropole von Mallia, sind in der Älteren Palastzeit entstanden. Die Goldbecher von →Vaphio hat im 15. Jh. sicher auch ein kret. Goldschmied getrieben. Zum Schmuck kret. und myken. Damen gehörten Ketten mit Teilen aus kostbarem Material. – Ungewöhnlich reich sind die myken. Schmuckfunde aus den Schachtgräbern von Mykene. Gold- und Silbergefäße (→Nestor) kamen auch in anderen Gräbern der Argolis zutage. Arbeiten (eingewanderter) kret. und einheim. Goldschmiede lassen sich auf Grund der Formen und Ornamente recht gut unterscheiden. Zum Schmuck der Männer sind die mit Edelmetalleinlagen nach kret. Geschmack verzierten Dolchklingen und kostbare Griffe von Schwertern und Dolchen zu zählen. Goldringe sind als Siegel benutzt worden.

Lebensgroße **Plastik** aus Stein oder Ton hat die minoische Kunst nicht hinterlassen; vielleicht gab es große Figuren aus vergängl. Material, zu denen gefundene Teile aus anderem Material (Bronze, Ton) gehören könnten. Überliefert ist eine Fülle kleinplast. Werke: **Statuetten** gab es auf Kreta wie auf dem grch. Festland und den Kykladen bereits im Neolithikum. Aus der Vorpalastzeit stammen u. a. Importe und Nachahmungen von Kykladenidolen sowie ansprechende Tierfiguren (auch als Siegel). Naturnahe Darstellungen des Menschen entstanden – wie eindrucksvolle Porträtköpfe in der Siegelkunst zeigen – in der Älteren Palastzeit. An den Anfang der folgenden Periode werden bekannte Fayencestatuetten aus Knossos (→Schlangengöttin), etwas später der →Stierspringer aus Elfenbein datiert. Neben Ton, Fayence und Elfenbein diente Bronze als Material für Einzelfiguren und Gruppen. Zur Plastik der Jüngeren Palastzeit kann man auch die zu den Steinvasen gerechneten großartigen Rhyta aus Steatit, Marmor oder Ton in Form von Stier- und Löwenköpfen rechnen. Stark stilisierte, auf der Töpferscheibe geformte Tonidole aus der Nachpalastzeit ähneln gleichzeitigen myken. Idolen. Eine Sonderstellung nehmen unterlebensgroße weibl. Tonfiguren von Keos ein. Auf dem Festland überwiegen seit dem 14. Jh. kleine Idole. Herausragend sind Elfenbeinfiguren von Mykene. – Neben lebensgroßen Stuckreliefs hat die kretisch-myken. Kunst figürl. Reliefs auch in kleinem Format aus Elfenbein, Gold, Steatit, Fayence und Ton gestaltet.

Minoische **Paläste** und **Villen** haben untereinander verwandte Grundrisse; Stockwerkbauten bis zu 4 Geschossen sind wohldurchdacht, Einzelteile wie Fassaden, Treppen, auch Treppenhäuser, Lichthöfe und besondere Räume (Thronsaal) sind kunstvoll gestaltet. Außer Holzsäulen, Treppen-, Tür- und Fenstergestaltung haben Farben (Wandmalerei), Stuckrelief, Ornamente und Symbole (→Kulthörner, →Doppelaxt) den Eindruck bestimmt.

Trotz der grundsätzlich anderen Gesamtanlage mit einem zentralen Megaron waren die Paläste der myken. **Burgen** in den architekton. Details (Säulen, Proportionen, Farben, Ornamente) den minoischen ähnlich; auch kret. Sakralformen wie Altar (Löwentor) und →Kultfassade kommen vor. In myken. Räumen gab es Wand-, Boden- und Deckenmalereien kret. Art.

Wandmalerei mit ornamentalen, pflanzl. und figürl. Motiven war in kret. Palästen und Villen anscheinend unterschiedlich beliebt. Auf Thera (Akrotiri) wurden Fresken minoischer Art auch in einfacheren Wohnhäusern gefunden. Aus Kreta (Knossos, Hagia Triada, Amnisos) sind – v. a. aus der Jüngeren Palastzeit – neben kleinformatigen Darstellungen (→Miniaturfresken, →Krokuspflücker) auch lebensgroße Malereien (→Greifenfresko) und Stuckreliefs überliefert. – Themen und Stil myken. Wandbilder (Mykene, Tiryns, Pylos, Theben) gleichen z. T. minoischen Vorbildern (Greifen, Stierspringen, Prozession). Andere Motive (Wagenfahrt, Jagd) scheinen neu zu sein.

Die kret. **Grabarchitektur,** an deren Anfang die großen →Tholosgräber der Messara und Grabhäuser (Mallia, Mochlos) stehen, hat erst mit dem →Tempelgrab bei Knossos eine künstler. Gestaltung erfahren. – Auf dem myken. Festland können die großen, wahrscheinlich von kret. Vorstufen abhängigen Kuppelgräber als die ältesten gut erhaltenen Zeugnisse der abend-

kretisch-mykenische Kunst: Kalksteinsarkophag aus Hagia Triada, Kreta, mit Darstellungen von Opferszenen in Freskotechnik; um 1400 v. Chr. (Heraklion, Archäolog. Museum)

länd. Architektur angesprochen werden (Schatzhaus des →Atreus).

Tönerne **Sarkophage** in Truhenform (Larnakes) wurden in der Spätzeit auf Kreta und dem myken. Festland mit ähnlich stilisierten Darstellungen bemalt. Auf Kreta gab es auch bemalte Wannensarkophage, während der Kalksteinsarkophag von Hagia Triada mit seinen Totenkultbildern vorläufig einmalig ist. (BILDER Doppelaxt, Goldschmiedekunst, Kamares-Vasen, Knossos, Kulthörner, Mykene, Sauciere, Schnabelkanne, Thera, Tiryns, Vaphio)

Über die der minoischen Kultur nahestehende spätbronzezeitl. Siedlung auf der Kykladeninsel Thera beim heutigen Dorf Akrotiri (→Thera).

F. MATZ: Kreta, Mykene, Troja (⁵1965); Corpus der minoischen u. myken. Siegel, hg. v. dems., 13 Bde. (1964–79); G. E. MYLONAS: Mycenae and the Mycenaean age (Princeton, New Jersey, 1966); L. v. MATT: Das antike Kreta (1967); W. SCHIERING: Funde auf Kreta (1976); S. HILLER: Das minoische Kreta nach den Ausgrabungen des letzten Jahrzehnts (1977); S. MARINATOS u. M. HIRMER: Kreta, Thera und das myken. Hellas (³1977); R. SPEICH: Kreta (³1977, Reiseführer); S. HOOD: The arts in prehistoric Greece (Harmondsworth 1978); H. MATTHÄUS: Die Bronzegefäße der kretisch-myken. Kultur (1980); F. SCHACHERMEYR; Die minoische Kultur des alten Kreta (²1980); R. HIGGINS: Minoan and Mycenaean art (London ²1981); MARIE-LUISE SCHMIDT DI SIMONI: Kreta (²1981, Reiseführer); HANNI GUANELLA: Kreta (⁶1982, Reiseführer);

Kreuz, lat. **crux,** zwei sich rechtwinklig, seltener schräg schneidende Balken mit vielen Formen und Namen. Diese leiten sich u. a. ab von der Form, Zahl oder Stellung der K.-Arme, den Namen von Heiligen (etwa das Gabel- oder Andreas-K., →Andreas), den Ländern, geistlichen Rängen, Konfessionen und religiösen Einrichtungen. Das Johanniter-K. wurde zum Vorbild der meisten Ordenszeichen christlicher Staaten.

Über den (legendären) Ort der Auffindung des K. Christi in Jerusalem →Helena. – Schon bald nach der Auffindung wurden **K.-Reliquien** in alle Welt verbreitet. Die bedeutendsten kamen nach Konstantinopel, Rom, Poitiers, Paris und Trier (→Staurothek, jetzt in Limburg/Lahn).

Über die bildl. Darstellung des gekreuzigten Christus →Kreuzigung, →Kruzifix. – Das K. allein findet sich in der frühchristl. Kunst zunächst nur in angedeuteter Gestalt (→Christusmonogramm, →christliche Symbole). Ein an der Ostwand des Privat- oder Kultraums angebrachtes Holz-K. war zunächst nur in Syrien bekannt. Von hier aus scheint sich der Brauch der K.-Darstellung in den Apsiden der Basiliken (hier sicher eschatologisch gemeint – ältestes Beispiel: bald nach 400, Rom, S. Pudenziana) und der Brauch des Altar-K. entwickelt zu haben (ältestes Zeugnis Mitte des 5. Jh. in Syrien). Im späteren →Bilderstreit ersetzt das K. das Christusbild (Konstantinopel, Irenenkirche, nach 740). Seit der karoling. Zeit, v. a. aber in der roman. Kathedralplastik, steht das K. im Mittelpunkt von Darstellungen des Weltgerichts (→Jüngstes Gericht). Kostbar verziert begegnet es auf Buchdeckeln liturg. Bücher; auch findet es Eingang in die Symbolik des Kirchenbaus (Grundriß u. a.).

Kreuz|abnahme Christi, die in der bildenden Kunst häufige Darstellung der Abnahme des Leichnams Christi vom Kreuz durch Joseph von Arimathia und Nikodemus. Meistens ist die rechte Hand Christi schon vom Kreuz gelöst; Joseph hält den Körper, Nikodemus entfernt mit einer Zange die Nägel (um 980: Egbert-Codex, Trier). Oft stehen wie bei der →Kreuzigung Maria und Johannes unter dem Kreuz. Maria legt die rechte Hand Christi an ihre Wange oder küßt sie; in späteren Darstellungen (v. a. im Hoch-MA.) hält sie oft das Haupt ihres Sohnes, Johannes steht trauernd – oft einen Hammer haltend – auf der anderen Seite oder hilft bei der K. C. Hinzu kommen Sonne und Mond, unter dem Kreuz das Grab Adams (um 1100; Steinrelief im Kreuzgang von Santo Domingo de Silos, Burgos).

Früher als in der abendländ. Kunst finden sich Darstellungen der K. C. in der byzantin. Kunst (9. Jh., Homilien des Gregor von Nazianz, u. a.), im W begegnen sie bes. in Italien, Spanien, Frankreich und dem Einflußbereich der byzantin. Kunst, in Dtl. seit dem 11. Jh. Die monumentalste Gruppe ist das Relief der →Externsteine. In der Spätromanik und Gotik wird diese mehr symbol. Fassung durch Figuren und andere Szenen der Passion erzählerisch erweitert, wobei Leid und Mitleiden stark in den Vordergrund treten (B. ANTELAMI, 1178; Steinrelief des ehem. Lettners vom Dom zu Parma – N. PISANO, um 1250; Tympanon-Relief des linken Portals am Dom zu Lucca – DUCCIO, Anfang des 14. Jh.; Tafelbild – ROGIER VAN DER WEYDEN, etwa 1440–60; Tafelbild – H. HOLBEIN D. Ä., 1502;

Kreuz

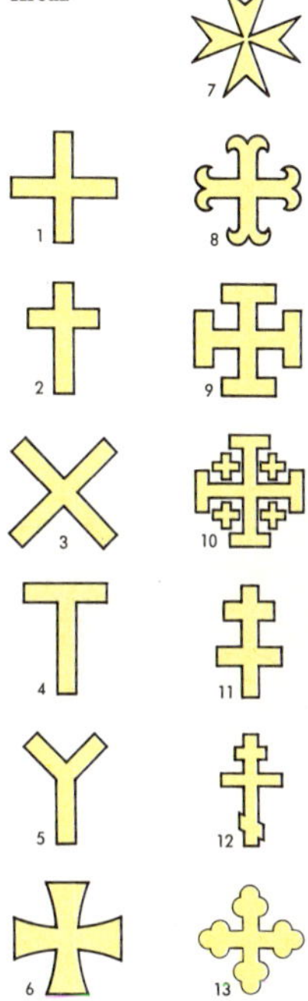

Kreuz 1 Griechisches K. **2** Lateinisches, Hoch- oder Passions-K. **3** Andreas-, Schräg-K. **4** Antonius-K. **5** Schächer-K. **6** Tatzen-K. **7** Achtspitziges Malteser-, Johanniter-K. **8** Anker-K. **9** Krücken-K. **10** Jerusalem-K. **11** Doppel.-K., Patriarchen-K., lothring. K. **12** russ. K., orthodoxes K. **13** Brabanter K., Kleeblatt-, Lazarus-K.

Tafelbild). Im Bildaufbau übernimmt die K. C. Elemente der →Beweinung Christi und der →Grablegung Christi. Aus ihr entstand das v. a. in Dtl. verbreitete Andachtsbild der Pietà (→Andachtsbild 2). Die K. C. kann auch zum Teil von Passions-Zyklen werden (A. DÜRER, Kleine Holzschnitt-Passion). Seit der Barockzeit erfährt die Szene eine weitere dramat. Steigerung (P. P. RUBENS, 1612/14; Antwerpen, Kathedrale, Tafelbild – REMBRANDT, 1634; Tafelbild; später: M. BECKMANN, 1917; Tafelbild – G. MANZÙ, 1951; Bronzerelief, u. a.; BILDER B. Antelami, R. van der Weyden).

Kreuzblume

Kreuzblume, Baukunst: knaufartige, aus kreuzförmig angeordneten Knospen oder Blättern bestehende Bekrönung an der Spitze von Türmen, Fialen, Giebeln, Wimpergen, aus Holz gebildet auch am Chorgestühl, im Gesprenge von Altären usw.

Kreuzenstein, Burg bei Korneuburg, NÖ, im 12. Jh. erbaut, 1645 von den Schweden zerstört, 1874–1906 von Graf H. v. WILCZEK unter Verwendung originaler Bauteile aus ganz Europa wiederaufgebaut; Samml. v. a. ma. Einrichtungsgegenstände.

Kreuzgang, der im Untergeschoß meist von Bogengängen umgebene rechteckige oder quadrat. Hof, der sich i. d. R. an eine Längsseite der Kloster- oder Domkirche anlehnt und an den 3 anderen Seiten von Gebäuden begrenzt wird, die dem gemeinsamen Leben der Mönche oder Domherren dienen (→Kloster). Der Ursprung dieser Bauform ist in dem Atrium oder den Peristylanlagen der antiken Wohnbauten zu suchen. Der Name stammt von den Kreuzprozessionen, die in seinen Gängen stattfanden. An der Chorseite befindet sich meist der Kapitelsaal, der sich oft mit Arkadenstellungen zum anschließenden Bogengang öffnet, über ihm das Dormitorium; das Refektorium liegt gewöhnlich an der Gegenseite der Kirche, wo sich auch eine Brunnenanlage in Form eines kleinen Zentralbaus im Hof befindet. Zweigeschossige Bogengänge sind selten, finden sich aber z. B. in den K. der Deutschordensburgen.

Kreuzgang: K. des Klosters S. Marco in Florenz, von Michelozzo

Der K. war Grabstätte der Domherren und Mönche. (BILD Heiligenkreuz)

Kreuzgewölbe, Form des →Gewölbes, die durch die Durchdringung zweier Tonnengewölbe mit gleicher Scheitelhöhe entsteht.

Kreuzigung, der Höhepunkt der Passion Christi. Die frühchristl. Kunst kennt ihre Darstellung wegen fehlender Vorbilder aus der Antike oder der in der frühen Kirche allg. Ablehnung des Bildes nicht. Erst im 4. Jh. werden Passionsszenen häufiger; als Symbol des siegreich überstandenen Todes steht in ihrem Mittelpunkt statt der K. das Triumphkreuz mit dem von einem Siegeskranz umgebenen →Christusmonogramm und den beiden Wächtern. Darstellungen der K. selbst erscheinen im 5. Jh. (Relief an der Tür von S. Sabina, Rom – Elfenbein-Relief, London). Erst der syr. Rabula-Codex (586) zeigt jedoch die für die K. verbindl. Darstellungsweise: Christus am Kreuz, bekleidet mit dem ärmellosen Gewand (colobium), wird rechts flankiert von Maria mit Johannes und Longinus, links von Stephaton, der Christus den Schwamm reicht, und einer Gruppe von Frauen. Unter dem Kreuz würfeln Soldaten um den Leibrock Christi. Von großem Einfluß auf die Wiedergabe der K. waren wohl die aus Jerusalem stammenden ›Pilgerampullen‹ (um 600; Monza, Dom). In der byzantin. Kunst blieb die syr. Tradition, Christus mit dem colobium zu bekleiden – neben der Wiedergabe mit dem Lendentuch – noch länger erhalten. Doch wurde dort bereits im 8./9. Jh. der tote Christus dargestellt (Chludow-Psalter, Moskau). Im 11. Jh. hängt Christus in sich zusammengesunken mit zur Seite geneigtem Haupt am Kreuz (Hosios Lukas). Auf byzantin. Vorbilder gehen der Schädel Adams unter dem Kreuz wie auch die schwebenden Engel über dem Kreuz zurück. – Seit der karoling. Zeit wurden die Bildelemente der K. v. a. auch als theologisch-symbol. Allegorie gestaltet. Rechts vom Kreuz steht mit Maria und Longinus die Kirche (Ecclesia), die mit dem Kelch das Blut Christi auffängt, links mit Johannes und Stephaton die Synagoge, von deren Haupt die Krone fällt. Die Personifikationen von Sonne und Mond, die verschiedentlich mit einem Tuch ihr Gesicht verdecken, stellen mit Terra (Erde) und Oceanus (Meer) die kosm. Herrschaft Christi dar. Sein Blut tropft auf das Grab Adams am Fuß des Kreuzes; dort windet sich die Schlange des Bösen (um 870, Liuthard-Gruppe, Elfenbein; 9./10. Jh., Elfenbein-Tafeln der Metzer Schule). – Große Bildwerke der K. entstanden in Dtl. in otton. Zeit (→Kruzifix), die roman. Wandmalerei (um 1170; Schwarzrheindorf, Unterkirche, u. a.) betont das Bild der trauernden Maria am Kreuz. K.-Gruppen wurden auch auf einen Balken über den Chorabschluß gestellt (um 1220; Halberstadt, Dom u. a.), finden sich im Relief an Kirchentüren (um 1015, Hildesheim, Dom; vor 1140, Verona, S. Zeno). Christus selbst wird triumphierend mit einer Krone auf dem Haupt wiedergegeben, gegen Ende der roman. Kunst dann als Leidender. Der geschundene Körper mit den Wundmalen hängt in der Spätgotik am Gabelkreuz (→Kreuz). Von GIOTTO wird die Szene der K. um trauernde Frauen, röm. Soldaten, spottende Juden, Magdalena am Kreuzfuß u. a. erweitert (um 1305; Padua, Arenakapelle); seit Anfang des 15. Jh. wird sie oft in einer bühnenartig gegliederten Landschaft wiedergegeben (FRA ANGELICO; um 1450; Tafelbild) – im Hintergrund oft Jerusalem. In Ausdruck und allegor. Bild führt M. GRÜNEWALD (1513–15; Isenheimer Altar, BILD) diese Darstellung der K. zu einem Höhepunkt. Die Renaissance stellte dann eher den vollendeten göttl. Menschen Christus am Kreuz dar (RAFFAEL; um 1502/03). Die K. wurde nun zunehmend zur Darstellung eines großen histor. Schauspiels (P. P. RUBENS, A. VAN DYCK, REMBRANDT). Die barocke Plastik beschränkte sich hingegen auf eine Gruppe von 3 oder 4 Personen um das Kreuz (Maria, Johannes, Magdalena – G. PETEL, um 1631; Regensburg, Niedermünster). Für G. B. TIEPOLO wurde die K. (1745–50) zum maler. Genrebild. – Nach Darstellungen des 19. Jh. (P. CORNELIUS) haben auch Künstler des Impressionismus und Expressionismus im 20. Jh. das Thema der K. gestaltet (M. SLEVOGT, L. CORINTH, E. NOLDE, M. BECKMANN, G. ROUAULT, O. DIX).

Kreuzkuppelkirche, Bautypus byzantin. Kirchen in 2 versch. Grundtypen: 1) die Kirche ist über dem Grundriß des grch. Kreuzes, das im Außenbau hervortritt, errichtet, mit Zentralkuppel und weiteren Kuppeln über den Kreuzarmen; 2) das gleichschenklige Kreuz mit Tonnengewölben in den Achsen der Kreuzarme und mit einer Zentralkuppel ist einem längsrechteckigen Außenbau eingeschrieben; die Zentralkuppel wird a) begleitet von weiteren Kuppeln über den Kreuzarmen oder b) umstellt von 4 kleineren Kuppeln über den Ecknebenräumen zw. den Kreuzarmen. Dieser 2. Grundtypus herrschte bes. in der mittelbyzantin. Baukunst vor, differenziert als komplexer Viersäulen- oder einfacherer Zweisäulen-Typus. (BILD byzantinische Kunst)

Kreuznach, Bad K., Stadt an der Nahe, Rheinl.-Pf., 42000 Ew.; das röm. **Cruciniącum,** 1437–1815 zur Kurpfalz gehörig. Wahrzeichen der Stadt sind die maler. Brückenhäuser auf der Nahebrücke (15.–17. Jh.). Im Karl-Geib-Mus. befindet sich einer der schönsten röm. Mosaikböden (3. Jh. n. Chr.) nördlich der Alpen.

Kreuzrippengewölbe, an den Graten mit Rippen versehene Form des Kreuzgewölbes (→Gewölbe).

Kreuzstab, in Anlehnung an das kaiserl. Zepter und das Feldzeichen KONSTANTINS I. in die christl. Kunst und den christl. Kult übernommenes Herrschaftszeichen; seit der 1. H. des 5. Jh. als Attribut Christi, (v. a. bei Auferstehung und Himmelfahrt) auch als Zeichen des Guten Hirten und seines Sieges. Ebenso können die in Allegorie auf Christus weisenden Tiere (Lamm, Löwe) den K. tragen. Wohl aus dem byzantin. Hofzeremoniell übernommen ist der K. in der Hand der Erzengel, bes. von Gabriel bei der Verkündigung. Mit ihm kann der Engel die Verdammten in die Hölle stürzen (Utrecht-Psalter) und die verschlossene Tür des Hades öffnen (Stuttgart-Psalter).

Kreuzweg, die in der Kath. Kirche volkstüml. Betrachtung des Leidensweges Christi an 14 Stationen;

auch die von der K.-Andacht inspirierte bildl. Darstellung des K. seit dem 15. Jh. (Jerusalemsberg, 1468, Lübeck; 7 Plastiken von A. KRAFFT, 1490 oder 1505, Nürnberg, vom Neutor zum Johannis-Friedhof), die später zum →Kalvarienberg ausgestaltet wurde. K. in Kirchen finden sich v. a. seit dem 18. Jh. (D. TIEPOLO, 1749, Venedig, Frarikirche; J. P. WAGNER, 1767, Würzburg, Käppele u. a.) und in der Romantik des 19. Jh. (M. v. SCHWIND, 1862; Reichenhall, Pfarrkirche, u. a.).

Kricke, Norbert, Bildhauer, *Düsseldorf 30. 11. 1922, †ebd. 28. 6. 1984, studierte 1946/47 an der Berliner Akad. und entwickelte seit 1949 sein Konzept der ›Raumplastik‹ aus gebogenen, gebündelten oder verknoteten Metallstäben, die als Bewegungsablauf in den Raum greifen. Neben rechtwinklig gebogenen Arbeiten treten seit den 1950er Jahren vielfach ausfingernde, techn. Dynamik suggerierende Linienbündel, die dem Abstrakten Expressionismus nahestehen. Eine andere Gruppe von Plastiken bevorzugt einen langsam schwingenden, eher organ. Rhythmus. Durch seine Entmaterialisierung der Plastik zum reinen Bewegungsablauf, die eine neue Stufe der konstruktivist. Plastik erreicht, gehört K. zu den wichtigsten Bildhauern der Nachkriegszeit. Außerdem bauplast. Arbeiten (›Wasserwald‹, 1965, Girozentrale Düsseldorf).

J. MORSCHEL: N. K. (1977).

Kriechblume

Kriechblume, Krabbe, Baukunst: das an Helmen, Wimpergen, Strebebögen der Gotik wie emporkriechend erscheinende Blattgebilde.

Krieg, Dieter, *Lindau 21. 5. 1937, Maler, Zeichner, seit 1978 Prof. an der Düsseldorfer Akad. K. begann mit scheinbar illusionist. Darstellungen isolierter Alltagsgegenstände, deren Verwischung die Wahrnehmung irritiert. Aus den Verwischungen entwickelte sich in den 1970er Jahren eine großflächig-gestische Malerei, die aber stets in Spannung zu illusionist. Hinweisen bleibt.

D. K., Ausst.-Kat., Biennale Venedig (1980).

Kriegervase, bemaltes Tongefäß (Krater) spätmyken. Zeit (um 1200 v. Chr.) aus Mykene, ein frühes Beispiel figürl. Bemalung (Athen, Nat.-Mus.).

Krier, 1) Leon, luxemburg. Architekt, Bruder von 2), *Luxemburg 7. 4. 1946, arbeitete 1964–73 bei den Architekten J. STIRLING, seinem Bruder R. K. und J. P. KLEIHUES. Er gilt als Vertreter einer Rationalen Architektur, die das formale Instrumentarium schafft, um die ehem. Struktur unserer Städte zu rekonstruieren. K. gelangt in seinen Planungen zu Gebäudeformen von oft gewagter, dem (Neo-)Klassizismus entlehnter Monumentalität.

HW: Projekte, Wettbewerbe: Hochschule, Echternach (1970); Sprengel-Mus., Hannover (1972); Quartier La Villette, Paris (1976); Europaviertel, Luxemburg (1978); Roma interrotta, Rom (1978).

Schriften: L. K.: Projet pour la reconstruction de Luxembourg (1978); Rational architecture Rationelle, hg. v. L. K. (1978); L. K., drawings 1967–80 (1981).

2) Rob, luxemburg. Architekt, Bruder von 1), *Grevenmacher (Luxemburg) 10. 6. 1938, arbeitete bei den Architekten O. M. UNGERS und F. OTTO. Seit 1979 Dekan für Raumplanung und Architektur an der TU Wien, zählt K. zu den Vertretern der Rationalen Architektur, die ihre Grundlage in der Baugeschichte sucht. Streng geometr. Formen, Achsensysteme und Zitate histor. Bauformen bestimmen die Planungen. Um sein Ziel, die vorindustrielle Stadtstruktur wiederherzustellen, zu benennen, führte K. 1975 den Begriff des ›Stadtraums‹ ein.

HW: Haus Siemer, Warmbronn (1968); Stadtzentrum Leinfelden, Projekt (1971); Haus Dickes, Luxemburg (1974); Sozialer Wohnungsbau in Berlin-Kreuzberg und in Berlin-Spandau (1979 ff.).
Schriften: Stadtraum in Theorie und Praxis (1975); Urban Projects 1968–82 (New York 1982).

Krippe, Gestell aus Holz (oder Ton) zur Fütterung der Tiere im Stall; in der bildenden Kunst v. a. die K., in die nach der Geburt das Jesuskind gelegt wurde. Sie findet sich immer bei Darstellungen der →Geburt Christi, davon unabhängig auf den Weihnachtsbildern einiger Evangeliare (Bernwards-Evangeliar im Hildesheimer Domschatz, um 1015), als Andachtsbild seit Ende des 15. Jh.

Im besonderen bezeichnet K. (als **Weihnachts-K.**) die figürl. Darstellung der Hl. Familie im Stall zu Bethlehem mit dem Jesuskind in der K. mit Ochs und Esel, dazu meist die Anbetung der Hirten und der Weisen aus dem Morgenland. Als eigenständiger Typus ist die K. seit der Mitte des 16. Jh. zuerst in ital. und span., bald danach in süddt. Kirchen und an Fürstenhöfen nachzuweisen. Durch genrehaftes Beiwerk an Figuren und Baulichkeiten weitete sich die Darstellung aus, häufig auf einem dreistufigen Krippenberg. Ihren Höhepunkt erreichte die Krippenkunst in den Monumental-K. Neapels (2. H. 18. Jh.). – Bed. Samml. in München (Bayer. Nat.-Mus.), Brixen und Neapel. – Auch andere

Krippe: Anbetung der Hirten; neapolitan. Hauskrippe von Giuseppe Sammartino; 1720 (München, Bayer. Nationalmuseum)

bibl. Darstellungen wurden K. genannt, so bes. die der Hochzeit zu Kana.

Kris [malaiisch], indones. Stichwaffe mit einer doppelschneidigen, meist schlangenförmig gebogenen Klinge mit bis zu 31 Wellen. Die älteste bekannte K.-Form ist der Majapahit-K. (7. Jh.). Hierbei wurden Knauf und Klinge aus einem Stück geschmiedet. Der Knauf besteht aus einer hockenden menschl. Figur, deren Arme entweder vor der Brust gekreuzt sind oder auf den Oberschenkeln liegen. Seit dem 14. Jh. entstanden K. mit getrennt gearbeitetem Griff, die Götter in Tier- und Menschenform aus der hinduist. Religion darstellen.

Kris; Java (München, Staatl. Museum für Völkerkunde)

Krishna [-ʃ-, Skt. ›der Dunkle, Schwarze‹], der populäre Hindugott, dessen Kinderstreiche und Heldentaten zu den beliebtesten Themen der ind. Plastik und Malerei zählen. Theologisch verschmolzen K., der Heldengott Vasudeva und die vedischen Götter Vishnu und Narayana zur einerseits volkstüml. Legendengestalt und andererseits kosmolog. Hochgottheit, als die sich K. im Epos Mahabharata offenbarte (→Vishvarupa). Als Sieger über den Usurpator Kamsa von Mathura gilt K. als Manifestation Vishnus und nimmt in Avatara-Darstellungen bisweilen die Stelle seines Bruders Balarama ein. Seine myth. Taten in der Umgebung von Mathura, die noch heute eines der Hauptzentren des K.-Kultes ist, wurden seit dem 2. – 3. Jh. in Stein- und Terrakottareliefs sowie in Bronzeplastiken (Balakrishna, Kaliyadamana, Govardhanadhara u. a.) und v. a. seit dem 16. Jh. in der Miniaturmalerei dargestellt, wo er stets mit dunkelblauer Hautfarbe und mit Pfauenfedern geschmückt auftritt. Häufige Themen der Malereien sind seine Liebesspiele mit den Hirtenfrauen (Gopis) und v. a. mit Radha, die er flötespielend (Venugopala) betörte. Regionale Sonderformen der K.-Darstellung und -Verehrung sind Shrinatha in Nathadvara (als Pichvai) und Jagannatha in Puri.

P. Banerjee: The life of K. in Indian art (1978).

Kristallglas, Weißglas mit hohem Glanz und Lichtbrechungsvermögen für meist geschliffene Glaswaren. **Bleikristall** enthält 18–33 % Bleioxid, **Halbbleikristall** 5–18 %. **Böhm. Kristall** ist ein bleifreies Kalisilikatglas. Die Bez. K. hat im Laufe der Zeit einen Bedeutungswandel erfahren. Das venezian. Glas des 16. Jh. wurde i. Ggs. zum grünen →Waldglas als ›cristallo‹ bezeichnet; dieser Name ging dann im 17. Jh. auf böhm. Kreidegläser über. In England wurde →Flintglas zu K. weiterentwickelt. Heute gilt der Begriff allg. für geschliffene Gläser.

Kristiansand [-s'an], Hafenstadt in S-Norwegen, 59 500 Ew., 1641 gegr., mit rechtwinklig sich kreuzenden Straßen gebaut (›Kvadraturen‹). Aus der Gründungszeit ist nur die kleine Festung Christiansholm erh. Neugot. Domkirche (1882–85) mit Altarbild von E. Peterssen; am nordöstl. Stadtrand Steinkirche von Oddernes (11. Jh.).

Kritios, athen. Bildhauer der 1. H. des 5. Jh. v. Chr., schuf zus. mit Nesiotes die →Tyrannenmördergruppe.

Ein originales Marmorwerk seiner Hand ist wohl der ›Kritiosknabe‹ aus dem →Perserschutt der Akropolis (um 480 v. Chr., Athen, Akropolis-Mus.).

Kritischer Realismus, nicht genau festgelegte Ausprägung des Realismus/Naturalismus, die meist mit einer Gruppe Berliner Künstler seit den späten 1960er Jahren identifiziert wird. Ausgangspunkt dieses Berliner K. R. waren der Verismus (O. DIX, G. GROSZ) und die Photomontage (J. HEARTFIELD) der 1920er Jahre, während der Sozialist. Realismus als negatives Gegenbild dient. Elemente der Neuen Sachlichkeit, Pop Art und des Hyperrealismus verbinden sich zu einer satirisch-provokativen Tendenzkunst, die von der aggressiven sozialkrit. Karikatur (K. VOGELGESANG, W. PETRICK) bis zur gemalten Photomontage aus Ztschr. reicht, die im Zusammenstoß versch. Bildwelten gesellschaftl. Manipulationen sichtbar macht (P. SORGE, H. J. DIEHL). Aber auch italien. Künstler (R. GUTTUSO) oder jüngere Entwicklungen in der Dt. Dem. Rep. tendieren zu einem K. R., ohne daß es hierbei zu einer festen Begriffsbildung kam.

Berliner Realisten, Ausst.-Kat., Karlsruhe (1970); Prinzip Realismus, Ausst.-Kat., Berlin-West (1973).

Kritsa, Dorf auf Kreta, südwestlich von Hagios Nikolaos (KARTE kretisch-myken. Kunst); unterhalb des Ortes die Kirche Panagia Kera, ein dreischiffiger Bau mit 3 Apsiden aus dem 12. Jh. Das Innere ist reich mit Fresken aus dem 14. und 15. Jh. geschmückt, die zu den qualitätvollsten Wandmalereien der Insel gehören.

Křivoklát [krʃ'ivɔkla:t], Stadt in der ČSSR, →Pürglitz.

Krnov, Stadt in der ČSSR, →Jägerndorf.

Krohg [kro:g], Christian, norweg. Maler, Schriftsteller, *Oslo 13. 8. 1852, †ebd. 16. 10. 1925. K. studierte in Karlsruhe und Berlin, war mehrmals in Paris und wurde 1909 Direktor der Osloer Akad. Er wirkte in Norwegen als Vorkämpfer des Impressionismus. K. malte eindringl. Porträts, Szenen mit Fischern und Seeleuten und v. a. Gemälde, wie seine Schriften mit sozialkrit. Themen. Sein Sohn Per (*1889, †1965) trat ebenfalls als Maler hervor; studierte bei H. MATISSE in Paris, wandte sich später einer mehr realist. Formgebung zu.

Krohne, Gottfried Heinrich, Baumeister, *Dresden um 1700, †1756, trat 1726 in den Dienst von Herzog WILHELM ERNST von Weimar (Bau des Turmaufsatzes von Schloß Weimar), wurde 1741 Landbaumeister von Eisenach (Bau des Neuen Stadtschlosses Eisenach, 1741–48) und 1744 zugleich Landesoberbaudirektor von Weimar. Der Einfluß seines dekorativen Barockstils reichte bis nach Franken.

Krokuspflücker, Bez. für eine Wandmalerei aus dem Palast von Knossos (Kreta). Auf dem nur knapp 30 cm hohen Ausschnitt ist (statt des zunächst irrtümlich ergänzten Knaben) ein Affe in einem Garten mit Krokus und Blumentöpfen zu sehen (16. Jh. v. Chr.).

Kroll, Lucien, belg. Architekt, *Brüssel 17. 3. 1927, Prof. an der Unité Pédagogique d'Architecture in Grenoble. K. wurde international bes. durch die Gestaltung von Univ.-Gebäuden in Belgien bekannt. Die Einbeziehung der Gebäudenutzer in den Planungsprozeß führt zu kleinteiligen Gebäuden von eigentüml. Vielfalt.

HW: Haus Martens, Waterloo (1962–65); Ökumen. Zentrum, Abbaye de Chevetogne, Belgien (1963–65); Mädchenschule, La Louvière (1967–70); Schule ›Iproma‹, Namur (1969); Univ.-Stadt Louvain-la-Neuve, Löwen (1975 ff.); Studentenhaus, ebd. (1976).

Kröller-Müller-Museum, Otterloo (Niederlande), Samml. moderner Malerei und Plastik, die das Ehepaar Kröller-Müller seit 1907, beraten von H. P. Bremmer, angelegt und 1928 dem niederländ. Staat geschenkt hatte; 1938 als Rijksmus. Kröller-Müller im Nationalpark ›De Hoge Veluwe‹ eröffnet; 1961–66 wurde der Skulpturenpark ›Otterloo‹ eingerichtet.

Kroměříž [kr'ɔmjɛrʒi: ʃ], Stadt in der ČSSR, →Kremsier.

Kronach, Kreisstadt in Oberfranken, 12 400 Ew. Die Stadtbefestigung (14.–17. Jh.) größtenteils erh.; der got. Pfarrkirche (14.–16. Jh.) gegenüber die Annakapelle (1512/13); Renaissance-Rathaus (1583). Über K. die Festung **Rosenberg** (Ausbau der ma. Burg v. a. 1549–95 und 2. H. 17. Jh. durch A. Petrini, B. Neumann u. a.).

Kronberg [kr'u: nbærj], Julius, schwed. Maler, *Karlskrona 11. 12. 1850, †Stockholm 17. 10. 1921, studierte in München und Italien. Seine Deckenbilder, u. a. im Königl. Schloß und im Dramat. Theater in Stockholm sind bes. von G. B. Tiepolo beeinflußt, im Effekt mit Arbeiten von H. Makart verwandt.

Kronberger Malerkolonie, um 1860 in Kronberg im Taunus von J. F. Dielmann und K. A. Burger gegr. Gemeinschaft von Malern, zu denen u. a. auch K. P. Burnitz gehörte. Die K. M. stand unter dem Einfluß der Schule von →Barbizon und von G. Courbet.

A. Wiederspahn u. H. Bock: Die K. M. (³1982).

Kronberg im Taunus, Stadt in Hessen, 17 500 Ew.; im Kern stauf. Burg (um 1220, Kapelle 1342 gew., Renaissancebauten 15.–17. Jh.; Mus. für ma. Wohnkultur); Pfarrkirche (15. Jh.) mit tönernem Marientod-Altar (um 1440) und Epitaph von H. Backofen (um 1517). Schloß Friedrichshof (1889–93) ist ein historisierender Prachtbau im Tudor Style.

Kronborg [-bɔr], Schloß bei →Helsingør.

Krone [lat. corona ›Kranz‹], Kopfschmuck, meist aus Gold, ein Sinnbild der Macht und Würde des Herrschers. Die im Alten Orient von Göttern und von Herrschern getragene K. variiert in ihrer Erscheinung stark. Die Götter kennzeichnet allg. seit Ende des 4. Jahrtsd. v. Chr. eine Hörner-K., d. h. eine mit einem Paar oder mehreren Paaren von Hörnern besetzte Mütze, die auch helmartig sein kann. Der Fürst ist meist durch ein Diademband mit langen Enden, z. T. mit Rosetten u. ä. verziert, gekennzeichnet, die Fürstin (zuweilen auch die Göttin, z. B. Gula) durch den Polos, der auch mit Federn verziert sein kann. Im 1. Jahrtsd. v. Chr. wurden babylon. Könige mit kegelförmiger Kappe und langem Band, assyr. Könige mit einer Spitzmütze, darüber eine

Krone: Eiserne K.; 2. Hälfte des 9. Jh. (Monza, Domschatz)

Art Fez, dargestellt. Die Mauer-K. ist erstmals bei der Gattin Assurbanipals (668–631 v. Chr.) nachweisbar. Ägypt. Könige trugen v. a. die Rote K. (nach der Farbe der Papyrusdolde) als Könige von Unterägypten (eine Kappe mit hohem Rückenteil und Spirale) und die Weiße K. (nach der Farbe der Lotosblüte) als Könige von Oberägypten (hohe birnenartige Form) oder die kombinierte Doppel-K. mit Geier und Uräusschlange an der Stirnseite; daneben ist eine Vielzahl weiterer Königs-K. in Darstellungen überliefert. Auch ägypt. Götterdarstellungen zeigen oft K. (u. a. Feder-K.), die von den Königs-K. abgeleitet sind. Da den K. starke magische Kräfte zugeschrieben wurden, bevorzugte man in der Spätzeit kombinierte K. (z. B. weiße und Feder-K. = Atef-K.), um die Wirkung zu steigern. In der Antike entwickelte sich aus dem Sieges- und Ehrenkranz aus Blüten und Blättern (bei den Römern ›Corona‹), die in Metall nachgebildet wurden, die spätere K.

Vielfältige Arten von K. entstanden bei Parthern und Sassaniden mit eigenen Formen für jeden Herrscher, oft kombiniert mit Diadem und Bändern.

Im europ. MA. ist die K. ein mit Edelsteinen besetzter und oben mit Blattornamenten verzierter Goldreif, seit dem 16. Jh. (zuerst in Spanien) meist als Zeichen der Herrscherwürde, mit Bügeln geschlossen, auf deren Scheitelpunkt in christl. Monarchien ein Reichsapfel ruht. Viele K. tragen innerhalb der Bügel eine purpurne Mütze, deren Höhe den Rang des Trägers kennzeichnen kann. Von dieser Schemakrone weichen eine Reihe von K. ab (Stephanskrone von Ungarn, Wenzelskrone von Böhmen, Edwardskrone von England).

Ein frühes Beispiel ist die **Eiserne K.** (2. H. des 9. Jh.), urspr. eine Frauen-K., wohl für die Mutter des Kaisers BERENGAR I. (†ermordet 924), die im Domschatz von Monza aufbewahrt wird. Der eiserne innere Reif ist nach einer Legende des 16. Jh. aus einem Nagel vom Kreuz Christi gefertigt.

Kronos, grch. Mythos: ein Titan, Sohn des Uranos und der Gaia (oder des Okeanos und der Thetis), der auf Drängen der Mutter mit einer Sichel den Vater entmannte und Weltherrscher des ›Goldenen Zeitalters‹ wurde. Mit seiner Schwester Rhea zeugte er Hestia, Demeter, Hera, Hades, Poseidon und Zeus, die er bis auf Zeus, der ihn dann entthronte und in den Tartaros warf, verschlang und später wieder ausspie. Die Römer setzten ihn Saturn und Baal gleich. Wegen der Namensähn-

Wörter, die man unter K vermißt, suche man unter C, Ch oder Q

lichkeit und auf Grund von Spekulationen wurde K. schon in der Antike mit Chronos, dem Gott der Zeit, identifiziert. Darstellungen als Herrscher sind selten (Westgiebel des Artemistempels auf Korfu, um 590 v. Chr., Korfu, Mus.; nicht ganz gesichert). Die Verschlingung seiner Kinder wurde in der Neuzeit oft dargestellt, wobei den alten Attributen wie der Sichel Zeitsymbole (Flügel, Stundenglas u. a.) hinzugefügt wurden (G. Vasari, P. P. Rubens, F. Goya).

Kronstadt, rumän. **Braşov** [braʃ'ov], Hauptstadt des Kr. Braşov, im südöstl. Siebenbürgen, Rumänien, 262 000 Ew. K. entstand um eine Gründung des Dt. Ordens (1211). Ältestes Baudenkmal ist die ma. St.-Bartholomäus-Kirche mit spätroman. Chor (um 1260). Die mächtige spätgot. Kirche mit dreischiffigem Hallenchor (1385–1477), die nach dem großen Stadtbrand von 1689 ›Schwarze Kirche‹ genannt wird, wurde im 18. Jh. verändert. In der Kirche ausgestellt ist eine reiche Samml. von Orientteppichen des 15.–18. Jh. Die grch.-orth. Kirche St. Nikolaus aus dem 15. und 16. Jh. wurde im 18. Jh. erweitert. Das 1420 und 1515–18 (Turm) erbaute, später barockisierte Rathaus dient heute als Mus. – Das Hirscher-Haus von 1545 war urspr. ein Zunfthaus. Von der Stadtumwallung des 15. Jh. sind Reste erhalten; die Zitadelle wurde um die Mitte des 15. Jh. erbaut, 1553 erneuert und 1773 wiederhergestellt.

Krönung Mariä, das Bildmotiv der Verherrlichung Mariä nach ihrer Himmelfahrt (→Himmelfahrt Mariä), oft in der mittelalterl. Kathedralplastik dargestellt: Maria sitzt neben Christus (um 1185; Senlis, Dom, Tympanon des mittleren Portals) und wird von ihm gekrönt, hinzu tritt die Schilderung des Todes und der Auferwekkung (um 1210; Chartres, Dom, Tympanon des mittleren N-Portals). Vermutlich frz. Einfluß zeigt die Darstellung von J. Torriti (1290; Rom, S. Maria Maggiore, Apsis-Mosaik). Seit dem 14. Jh. kann Maria auch vor Christus knien und empfängt die Krone (Vitale da Bologna, 1353; Bologna, S. Salvatore). Seit dem 15. Jh. treten die 3 göttl. Personen als Krönende auf (M. Pacher, 1471–75; Gries, und 1471/81; St. Wolfgang im Salzkammergut). Oft sind K. M. und Himmelfahrt Mariä zu einer Darstellung vereinigt.

Kröpfen, Baukunst: →Verkröpfung.

Krosno, Woiwodschaftshauptstadt in SO-Polen, am Wisłok im Karpatenvorland, 37 000 Ew. Spätgot. Pfarrkirche (voll. vor 1512) mit frühbarocken, überkuppelten Kapellen (1638–46). Ende des 14. Jh. gegr. Franziskanerkloster mit spätgot. Kirche (Hallenkirche aus Backstein), Ausstattung aus Renaissance und Frühbarock. Kapuzinerkloster und -kirche, ein spätbarock-klassizist. Komplex (1771–1811). Um den Marktplatz Laubenganghäuser des 15.–18. Jh.

Krotoschin, poln. **Krotoszyn** [-ʃin], Stadt in der Wwschaft Kalisz (Kalisch), Polen, 24 000 Ew. Bed. sind v. a. die nachgot. Kirche der Böhm. Brüder (1592–97) mit barocker Ausstattung sowie das ehem. Trinitarierkloster (1733), dessen Kirche ein Zentralbau (1766–72) ist. Barocke Holzkirche und Holzhäuser des 18. Jh.

Krøyer [kr'ɔɪər], Peter Severin, dän. Maler, *Stavanger (Norwegen) 24. 6. 1851, †Skagen 20. 11. 1909, studierte in Kopenhagen, bei L. BONNAT in Paris und auf Reisen in Spanien und Italien, bildete seit 1882 den Mittelpunkt der Künstlerkolonie Skagen; malte mit impressionist. Mitteln Porträts und figürl. Darstellungen.

Krstić [k'rstitsj], Djordje, serb. Maler, *St. Kanjiza 19. 4. 1851, †Belgrad 18. 10. 1907, malte nach Studien in München in feinem Kolorit und realist. Stil Altarbilder, histor. Kompositionen, Ikonen, Landschaften und Porträts.

Kru, Volksgruppe in SO-Nigeria, gehört künstlerisch zum ›Dan-Kran-Komplex‹; →Dan.

Krubsacius, Friedrich August, Baumeister, Architekturtheoretiker, *Dresden 2. 3. 1718, †ebd. 28. 11. 1789, Schüler von Z. LONGUELUNES, wurde 1764 Prof. an der Kunstakad. in Dresden, 1776 sächs. Oberhof- und Landbaumeister. In seinem Lehramt wie in seinen Schriften begründete K. einen kühlen, doch noch immer barock bewegten Frühklassizismus.

HW: Neues Schloß Neschwitz bei Bautzen (1766–75, zerstört); Landhaus in Dresden (1770–76, 1944 ausgebrannt, 1967 wiederaufgebaut).

Franz Krüger: Ausritt des Prinzen Wilhelm mit dem Künstler; 1836 (Berlin-West, Staatl. Museen)

Krüger, Franz, Maler, *Großbadegast bei Köthen 10. 9. 1797, †Berlin 21. 1. 1857, ebd. Prof. an der Akad., seit 1825 preuß. Hofmaler, seit 1836 als Maler des Zaren NIKOLAUS I. wiederholt in Rußland. K. malte Pferde- und Kavalleriebilder (›Pferde-Krüger‹), Porträts der preuß. Königsfamilie, der Hofgesellschaft, des gehobenen Bürgertums, des russ. Hofes und Adels sowie große Paradebilder mit vielen Porträtfiguren. Sein biedermeierl. Realismus schildert die Einzelheiten des Bildes in stimmungsvollem Kolorit.

HW: Parade auf dem Opernplatz (1824–29; Berlin-Ost, Staatl. Museen; Wiederholung 1839; Potsdam, Neues Palais); Prinz August von Preußen (um 1835; Berlin-West, Staatl. Museen); Ausritt des Prinzen Wilhelm mit dem Künstler (1836; ebd.); Huldigung der Stände an Friedrich Wilhelm IV. v. Preußen im Berliner Lustgarten (1844; Potsdam, Neues Palais); Übergabe des 4. Brandenburg. Kürassierregiments an Großfürst Nikolaus im Jahre 1819 (1849; Berlin-Ost, Staatl. Museen).

Krumau, tschech. **Český Krumlov** [tʃ'ɛski: kr'umlɔf], Stadt im Südböhm. Kreis, ČSSR, 12800 Ew. Das maler. Stadtbild wird v.a. von Bauwerken der Renaissance beherrscht. Zur (älteren) Stadtbefestigung gehört das Budweiser Tor (1596–98). Das ausgedehnte Schloß (14., 16. und 18. Jh.) mit charakterist. Turm überragt die Stadt. Der Maskensaal ist unter Beteiligung von M. ALTOMONTE ausgemalt. Im Park das Sommerschlößchen Bellaria und das Schloßtheater (1766 bis 1767). Der bedeutendste Sakralbau der an Kunstschätzen reichen Stadt ist die Kirche St. Veit, ein 1309 begonnener got. Hallenraum mit eingezogenem Chor und reicher Ausstattung. Im städt. Mus. v.a. spätma. Holzskulpturen.

Krummstab, als Form des Hirtenstabes in vielen Kulturen zu finden, im Alten Orient u. a. als Symbol des Gottes Amurru. Bes. in der hethit. Königstracht ist der nach unten und hinten weisende K. (hethitisch kalmusch) Attribut des Königs. Von hier aus kam der ebenfalls krummstabförmige ›lituus‹ als Emblem der Auguren wohl zu den Römern. – Im Christentum (v. a. in der Kath. Kirche) volkstüml. Bez. für →Bischofsstab.

Krumpper, Krumper, Hans, Bildhauer, Baumeister, *Weilheim um 1570, †München 12. 5. 1634, ebd. Schüler von H. GERHARD, um 1590 in Italien, seit 1592 im Dienst des bayer. Hofes. Seine Bildwerke (z.T. nach Entwürfen von F. SUSTRIS und P. CANDID) nehmen die spätgot. Tradition auf und leiten zum Frühbarock über. Als Baumeister schuf K. v. a. die Ausgestaltung des Maximilianeischen Traktes der Münchner Residenz (1611 ff.).

HW: Paulanerkirche St. Karl Borromäus in der Au bei München (1621–23; 1902 abgebrochen); Kirchen in Polling (1621–31), Dachau (1624/25). – Bronzebildwerke: Grabmal des Herzogs Ferdinand von Bayern (um 1608; München, Hl.-Geist-Kirche); Figuren der Kardinaltugenden und der Patrona Boiariae (1614–16; München, Residenz). – Vollendung des von H. GERHARD begonnenen Kaiser-Ludwig-Grabmals (1619–22; München, Frauenkirche).

Krupe, Ort in der Wwschaft Chełm in O-Polen, mit Ruine eines Renaissanceschlosses, erbaut im späten 16. Jh., 1604–08 erweitert zu einem mächtigen Rechteckbau mit Vorwerk.

Kruse, Max, Bildhauer, *Berlin 14. 4. 1854, †Bad Kösen 26. 10. 1942, verheiratet mit KÄTHE KRUSE, wurde nach Studium in Berlin (A. WOLFF, F. SCHAPER) 1881 mit der Statue ›Der Siegesbote von Marathon‹ (1884 in Bronze; Berlin-Ost, vor der Nat.-Gal.) bekannt (seit 1908 Prof.). Seine Werke (auch Plastiken in Holz, Porträtbüsten) zeigen anfangs den neubarocken Stil, später die Tradition des Neoklassizismus in der Nachfolge A.

v. HILDEBRANDS. Als Bühnenbildner erneuerte K. das Bühnenbild durch plast. Versatzstücke und erfand den ›Rundhorizont‹.

Schrift: Ein Weg zur neuen Form (1925).
Lit.: →Berliner Bildhauerschule.

Kruseman [kr'y:səman], Jan Adam, niederländ. Maler, *Haarlem 12. 2. 1804, †ebd. 17. 3. 1862, malte Porträts, zuerst unter dem Einfluß von J. L. DAVID und J. A. D. INGRES, später in der mehr maler. Haltung von T. LAWRENCE.

Kruzifix *das,* **Kruzifixus** [lat. ›der an das Kreuz Geheftete‹] *der,* die Darstellung des Gekreuzigten ohne Begleitfiguren, meist Skulpturen aus Holz, seltener aus Stein, auch Kleinplastiken aus Bronze, Elfenbein u. a. (Altar-K. seit dem 11. Jh.). Christi Körper ist mit dem Lendentuch (lat. ›cingulum‹) bekleidet, selten mit der Tunika. Hände und Füße waren zunächst mit je einem Nagel durchbohrt, bis um 1220 durch Verschränkung der Beine die starre Haltung des Körpers aufgegeben wurde und beide Füße durch einen Nagel befestigt wurden **(Dreinagelkruzifixus).** Die symbol. Bedeutung kann durch die Gestaltung des Kreuzes erhöht werden (Astkreuz, lebendes Kreuz). Eine Besonderheit der ital. Kunst ist seit dem 12. Jh. das gemalte Kreuz (als Triumphkreuz oder Altarkreuz). BILDER Cimabue, Gerokruzifixus.

Krypta [von grch. kryptos ›verborgen‹] *die,* unterird. Kammer, bes. Grabanlage. In frühchristl. Zeit lag das Grab der Märtyrer in den ihnen geweihten Kirchen unter dem Altar, der unten kleine Öffnungen hatte, um das Grab sichtbar zu machen. Spätestens im 8. Jh. wurde um den Altar ein unterird. Gang geführt, der, durch Treppen zugänglich, die Apsis umzog und in seiner Mitte einen Zugang zur →Confessio mit dem Heiligengrab unter dem Altar hatte. Dieser Umgang nahm bald Gräber von Bischöfen, Äbten u. a. auf, für die auch ein besonderer Anraum, die ›Außenkrypta‹, mit Altären

Kruzifix: Majestad Batlló, K. aus der Gegend von Olot (Prov. Gerona); 12. Jh. ehem. Samml. Batlló (Barcelona, Museo de Arte de Cataluña)

geschaffen wurde. Die eigtl. Grabkammer wurde z. T. auch so angelegt, daß ein durch Stützen gesonderter Umgang das Grab umgab. Hieraus entwickelte sich bei zunehmender Verehrung der Heiligen die mehrschiffige Hallenkrypta, die in roman. Zeit in den Dom- und Klosterkirchen den gesamten Raum unter dem erhöht über ihr liegenden Chor einnahm. In got. Bauten trat die K. seltener auf, nachdem schon die Hirsauer Bauschule darauf verzichtet hatte. Später wurden in barokken Kirchen gelegentlich K. als Fürstengruft angelegt.

Kryptoportikus, in der antiken Baukunst ein unterird., überwölbter Gang unter einer Säulenhalle oder einer künstlich angelegten Terrasse.

Krzeszów [kʃ'ɛʃuf], poln. Name für →Grüssau.

Ksar, *Mz.* **Ksur,** mauerbewehrter Siedlungstyp der Berber, von rechteckiger Form mit mehr oder weniger rechtwinkligem Straßensystem und großem, oft verziertem Eingangstor mit flankierenden Ecktürmen. Die Form ist bedingt durch die ›Stammesdemokratie‹ der Zenata-Berber: nur die ›freien Männer‹ (Imazighen) besitzen 2–3stöckige, ornamentierte Wohnhäuser, manchmal mit Ecktürmen. I. Ggs. zur →Kasba (Feudalsitz einer Großfamilie) ist das K. Wohnsitz für 20 bis 100 Familien und liegt oft innerhalb des Kulturlandes; große K. haben im Innern Vorratsspeicher und bewässerte Blockfelder. Verbreitung: gesamte nördl. Sahara, bes. in den Tafilalet-Oasen, im Todgha-Tal und Ziz-Tal (SO-Marokko); im Djebel Nefusa-Gebiet (NW-Libyen) auch ›Gasru‹ oder ›Kasru‹ genannt. Im weiteren Sinn wird der Begriff K., meist in Ortsnamen, auch in der Bedeutung ›(befestigte) Stadt, Ort‹ gebraucht.

Ksar el-Kebir [›die große Festung‹], span. **Alcazarquivir** [alkaθarkiβ'ir], Stadt in N-Marokko, 48 300 Ew. Im frühen 11. Jh. gegr., im 12. Jh. von den Almohaden mit Mauern umgeben, Blütezeit unter den Meriniden (13.–14. Jh.). In der maler. maur. Medina (mit Ziegelsteinbauten) die Große Moschee (12. Jh., Minarett mit Zwillingsfenstern), Moschee Sidi Mohammed esch-Scherif (Achteck-Minarett), Moschee Sidi el-Hadj Zmiri (Monumentalportal aus dem 15. Jh.), Moschee Sidi Bel Arbi (Sechseck-Minarett), Meriniden-Medrese (14. Jh.) sowie Heiligtum der Lalla Fatma el-Andalusia (16. Jh.); viele weitere Moscheen, Zawijas und Marabuts. K.-el-K. ist bed. Kunstgewerbezentrum.

Ksar Lemsa, Ort in Tunesien, etwa 65 km nordwestlich von Kairouan. Auf dem Ruinenfeld des antiken **Limisa** völlig erhaltene byzantin. Burg (31 × 29 m) mit quadrat. Türmen und 10 m hohen gezinnten Mauern.

Kshatrapa [kʃ-], skyth. Eroberer, die zur →Saka-Dynastie in N- und W-Indien gehörten.

Książ [ksjɔ̃ʒ], poln. Name für →Fürstenstein.

Książ Wielki [ksjɔ̃ʒ vj'ɛlki], Ort in der Wwschaft Kielce in S-Polen, mit dem 1585–95 von S. Gucci erbauten Palast Mirów, den F. A. Stüler 1841–46 neugotisch umgestaltete. Die Pfarrkirche des 15. Jh. wurde im 17. Jh. erweitert; sie hat eine überkuppelte Spätrenaissance-Kapelle. Die Kirche des 1381 gegr. Augustinerklosters hat einen got. Chor und ein spätbarockes Schiff (um 1740).

Ktesiphon, die im 2. Jh. v. Chr. von Parthern gegr. Hauptstadt des Perserreiches, südlich von Bagdad am O-Ufer des Tigris gelegen (KARTE Alter Orient), anschließend von den Sassaniden übernommen. K. bildete mit dem auf der anderen Tigrisseite gelegenen, von SELEUKOS I. (312–280 v. Chr.) gegr. Seleukia eine Doppelstadt, daher der arab. Name **al-Madain** (›die beiden Städte‹). Ausgrabungen legten K., eine Stadt mit rundem Grundriß, frei. Außerhalb lag der Königspalast Taq-e Kisra, von dem ein Teil der W-Fassade erh. blieb; sie wird beherrscht von einem gewaltigen Iwan, dessen Tonnengewölbe (30 m Höhe, 25 m Breite, 43 m Tiefe) das größte des Altertums darstellt. Die Datierung ist umstritten (3. oder 6. Jh. n. Chr.), da die Gliederung der Fassade (Blendarkaden in 4 Horizontalzonen) parth. Tradition folgt, die Überlieferung aber den sassanid. König CHOSRAU II. (um 600) nennt. Der Palastteil lag an der W-Seite eines großen Hofes; Reste eines ähnl. Baus fand man an der O-Seite. Bei den Ausgrabungen wurden weitere Palastanlagen und reich mit Stuckplatten dekorierte Villen des Hofstaates freigelegt.

Kuala Lumpur, Hauptstadt von Malaysia, SO-Asien, 750 000 Ew.; 1857 gegr. In der Architektur der Stadt spiegeln sich die vielfältige ethn. Zusammensetzung und die unterschiedl. kulturellen Einflüsse des Landes wider; viktorian. Bauten, moderne Gebäude im malaiisch-islam. Stil, chines. Buddha-Tempel, islam. Minarette, hinduist. Tempel.

Kuangchou, Stadt in China, →Kanton.

Kuan Hsiu, chines. Ch'an-Mönch, Dichter, Maler, *Lanch'i (Prov. Chekiang) 832, †Ch'engtu 912, führte ein Wanderleben und malte in versch. Tempeln Serien von grotesk übersteigerten Lohan. Erh. sind stark retuschierte Beispiele seiner Lohan im Nat.-Mus. Tokio sowie Steinabreibungen von der 1764 auf Befehl Kaiser CH'IEN-LUNGS in Stein gravierten Lohan-Serie des Tempels Sheng Yin Ssu, Hangchou.

Kuan-yin, chines. Bez. des Bodhisattva →Avalokiteshvara; im Japanischen entspricht K.-y. →Kannon. Etwa im 10. Jh. vollzog sich in China die Umwandlung des K.-y. in eine weibl. Gottheit, was auf eine Identifizierung mit einer volkstüml. Göttin zurückgeführt werden muß und durch einige erhaltene, farbig gefaßte Holzplastiken der Sung-Zeit bezeugt wird. Sie galt nun auch als ›Kinderbringende K.-y.‹. In späteren Bronzen sowie seit dem 17. Jh. in dem Blanc-de-Chine-Porzellan ist sie daher häufig mit Kind dargestellt und erinnert an eine christl. Madonna. (BILD Blanc de Chine)

Kuba, Bakuba, bed. kunstschaffendes Bantu-Volk (etwa 75 000 Menschen) in Zaire, zw. Kasai-Lulua und Sankuru. Eine Vielzahl kleinerer Nachbarstämme stand unter dem künstler. Einfluß der K.-Reiche (16. Jh. bis 1904); die Kutshu mit den Yaelima und →Ndengese im N, die Songo-Meno im O und NO, die

Kuba: Orakelgerät in Tierform; Zaire (Stuttgart, Linden-Museum)

Lele mit den Wongo im W, die →Lulua und die Mbagani mit den Kete und Biombo im S. Manche dieser Stämme haben dem K.-Stil eine eigene Note aufgeprägt, andere sich mit Varianten begnügt.

Berühmt wurde die K.-Kunst v. a. durch Königsporträts aus Holz, von denen es eine relativ große Zahl bis ins 16. Jh. zurückdatierbarer Stücke gibt – Vergleichbares gibt es im Bereich der schwarzafrikan. Kunst nur noch in Benin. Seit etwa 1600 war es Brauch, von jedem lebenden Souverän ein Ebenbild aus Holz zu schaffen. Von etwa einem Viertel der 122 namentlich bekannten K.-Könige sind Statuen erh. (alle im ›Schneidersitz‹) und konnten z. T. anhand der dargestellten Symbole ihren Vorbildern zugeordnet werden.

Die Masken der K. sind von starker Ausdruckskraft. Die ›Mboom‹-Maske, meist mit Blech beschlagen, mit Perlen und Kaurischnecken verziert, hat oft eine ›Schädeldecke‹ aus Wildkatzen- oder Affenfell. Die strengeren ›Bombo‹- und ›Shene Melula‹-Masken sind in Streifen- oder Dreiecksmustern ornamentiert. Die ›Mashamboy‹-Masken aus Rohr, Fell und Raphiastoff, reichlich mit Perlen und Kaurischnecken besetzt, mit Mündern, Nasen und Ohren aus Holz, sind der Herrscherschicht der K., den **Bushongo,** vorbehalten und sollen Krankheitsgeister darstellen.

Weitere künstler. Ausdrucksformen der K. sind Palmwein-Zeremonialbecher aus Holz, meist in Gestalt eines Menschen- oder Tierkopfes geschnitzt (gehörnt, wenn für Könige bestimmt). Im Bereich des Kunstgewerbes gibt es oft in Flechtmustern ornamentierte Schachteln sowie in geometr. Mustern gewebte Stoffe und Teppiche (›Kasai-Plüsch‹) aus →Raphia; die Motive dieser Arbeiten entsprechen dem aus Narbentatauierungen bestehenden Körperschmuck der K. (BILD Trommel)

Kubatscha-Ware, zuerst aus dem Ort Kubatscha (Aserbeidschan) bekannt gewordene Gefäß- und Fliesenkeramik des 15.–17. Jh. mit Stilmischung aus safawid. und osman. Elementen; charakteristisch für das Dekor sind Halbfiguren.

Kubba, Qubba [arab.] *die,* im islam. Bereich Kuppel, Kuppelbau, Kuppelgrab von Fürsten, Vornehmen und Heiligen. Erste K. ist der Felsendom in Jerusalem, erstes datiertes Grab die K. al-Sulaibija in Samarra, in dem wohl der Kalif MUNTASIR (†862) bestattet ist.

Kubera, Kuvera [Skt.], ind. Mythologie: König der Yakshas, als dickbäuchiger Gott des Reichtums mit einer Geldbörse aus Mungofell dargestellt. Als Dikpala ist K. der Welthüter des N, seine Frau ist Vasudhara.

Kubin, Alfred, Zeichner, Schriftst., *Leitmeritz (Böhmen) 10. 4. 1877, †Zwickledt bei Wernstein am Inn (Österreich) 20. 8. 1959. K. stand zunächst dem Münchner Expressionismus nahe, doch zeigen bereits seine frühen, sorgsam akadem. Zeichnungen einen Hang zum Monströsen, der phantast. Kreaturen hervorbringt. In Tausenden von Federzeichnungen, die seit 1905 zunehmend feinliniger, zu Strichgeflechten

Alfred Kubin: Hengst und Schlange; Lithographie, 1924

verdichtet werden, in vielen Mappenwerken und Buchillustrationen, meist Radierungen oder Lithographien, schuf er makabre Visionen des Untergangs und einer phantast. Welt, die ihn zu einem der großen Zeichner des 20. Jh. machen. K. blieb ein Einzelgänger, der allerdings – über einen Blick durch das Mikroskop – Jahre vor W. KANDINSKY zur abstrakten Kunst vorstieß und Motive des Surrealismus vorwegnahm.

A. MARCKS: Der Illustrator A. K. (1977); H. BISANZ: A. K. – Zeichner, Schriftst. und Philosoph (1977); MARIANNE L. TEUBER: A. K., Ausst.-Kat., Köln (1982).

Kubismus [lat. cubus ›Würfel‹], Richtung der →modernen Kunst. Die Kubisten bezogen sich auf Äußerungen P. CÉZANNES (Reduzierbarkeit der sichtbaren Wirklichkeit auf Kubus, Kegel und Kugel); in der Malerei entwickelten den K. 1908 unmittelbar nebeneinander in Paris der Franzose G. →Braque und der Spanier P. →Picasso. Darstellerisch ging es um die gleichzeitige Mehransichtigkeit des Bildgegenstandes. Unter folgerichtiger Aufgabe der Zentralperspektive wurden die Formen aufgesplittert und in der Komposition nach Gesetzmäßigkeiten neu geordnet, die aus dem Bildsinn abgeleitet sind. Stereometr. Formen kennzeichnen den **analytischen K.** seit 1908, seit 1912 kam es zum Über-

Kubismus: Pablo Picasso, ›Die Violine‹; 1912 (Stuttgart, Staatsgalerie)

gang zu den rein flächigen Kompositionen des **synthetischen K.,** zu dem der Weg über die Verwendung von vorgefundenen Materialien (Holzstücke, Zeitungspapier u. a.) und über die Collage führte. In enger künstler. Verbindung zum K. stand (bei deutlich unterschiedener Thematik) der →Orphismus, aber auch bei anderen Künstlern sind richtungweisende Impulse spürbar und selbständig weitergeführt: J. GRIS, F. LÉGER, A. GLEIZES, A. LHOTE, A. OZENFANT. Von den Plastikern nahmen H. LAURENS und A. ARCHIPENKO Anregungen auf. (WEITERES BILD S. 298)

D.-H. KAHNWEILER: Der Weg zum K. (1958); K., Ausst.-Kat., Köln (1982); P. DAIX: Der K. in Wort u. Bild (a. d. Frz., 1982).

Kubo-Futurismus, Kunstrichtung, die in Rußland aus dem Futurismus entstand. Diese russ. Entwicklung erhielt die Bez. K.-F. (CAMILLA GRAY u. a.), da der Futurismus in Rußland eine weitgehend eigenständige, dem ital. Vorbild oft konträre, teils archaisierend-folklorist. Ausprägung erfuhr. Teils tendierte er auch zum technizist. Maschinenkult und zum Konstruktivismus.

Kucha, Kutscha, amtlich chines. **Kucha** [-tʃa], in der chines. autonomen Region Sinkiang. K. war vom 5. bis 7. Jh. wichtigstes westl. Kulturzentrum O-Turkestans an der nördl. Seidenstraße mit den Hauptorten → Kizil und →Kumtura. K. bildete einen eigenen Kunstkreis in der →zentralasiatischen Kunst. – Zw. 1902 und 1914 arbeiteten hauptsächlich dt. Archäologen (E. WALDSCHMIDT) in den Höhlentempeln, die die unterschiedlichsten Wandmalereien und Skulpturen enthielten.

Lit.: →zentralasiatische Kunst.

Küchel, Michael, Baumeister, *Bamberg 19. 8. 1703, †ebd. 2. 6. 1769, arbeitete seit 1735 ebd. unter B.

Kubismus: Georges Braque, ›Frau mit Mandoline‹; 1910 (München, Staatsgalerie moderner Kunst)

NEUMANN (u.a. eigenwillige Ausführung des 1. Entwurfs Neumanns zu Vierzehnheiligen, die Neumann dann erst zur endgültigen Konzeption des Baus führte).

WW: Rathaus in Bamberg, Regnitzinsel (1749).

Küchenstück, Malerei: Sondergattung des →Stillebens und des →Genre. Das K. zeigt Motive aus Küchenräumen mit Arrangements von Geräten und Eßwaren sowie damit beschäftigte Personen. Bei den Niederländern Mitte des 16. Jh. aufgekommen (P. AERTSEN), von den Spaniern übernommen (→Bodegón), von den Italienern als kunstunwürdig abgelehnt (Ausnah-

Küchenstück von Pieter Aertsen (Kopenhagen, Staatsmuseum)

me B. STROZZI), wurde das K. im 18. Jh. in Frankreich u. a. von J. B. S. CHARDIN verwendet.

Kudu [Skt.], hufeisenförmiges Fenster ind. Bauten, urspr. Giebel von strohgedeckten hölzernen Dachkonstruktionen mit Tonnengewölbe. In der Höhlenarchitektur findet er sich an den Fassaden der Chaityahallen, an Freibautempeln als Blindfenster und Nischenrahmung für Reliefskulpturen, v. a. in horizontaler Reihung an Gesimsen im Dravida-Stil S-Indiens und sich verjüngend in vertikaler Staffelung an den Shikharas der Nagara-Tempel in N-Indien.

Kudurru [babylon. ›Grenzsteinurkunde‹], eine in Mesopotamien seit etwa der Mitte des 3. Jahrtsd. v. Chr. vorkommende Denkmalsgattung, bes. verbreitet im 15.–10. Jh. v. Chr. (→kassitische Kunst): Ein stelenähnl. Stein trägt gewöhnlich den Text einer Urkunde, die die Belehnung oder Überschreibung von Liegenschaften beschreibt. Die als Zeugen des Rechtsaktes oder als Garanten angerufenen Götter wurden dann meist auch figürlich mit ihren Symbolzeichen in flachem Relief auf dem Stein wiedergegeben, wobei bald ein fester Kanon gebräuchlich wurde. Gekrönt ist der meist konische Stein üblicherweise von eine Schlange.

Kuehl, Gotthardt Johann, Maler, *Lübeck 28. 11. 1850, †Dresden 10. 1. 1915, seit 1895 ebd. Prof. an der Akad.; lebte 1878–89 in Paris. K. malte – beeinflußt von É. MANET, J. ISRAELS, M. LIEBERMANN, aber auch von niederländ. Meistern des 17. Jh. (J. VERMEER u. a.) – Stadtansichten (bes. von Dresden), Innenraumbilder und Porträts in frühimpressionist. Stil.

Kuei, chines. Zeremonialjade (→Jade) des Altertums, an den Ecken abgerundete, rechteckige Täfelchen, die Rang und Status des Trägers bezeichneten.

Kueilin, Stadt in China, →Kweilin.

Kufa, Stadt in Irak, an einem Arm des Euphrat in der Nähe von Nedjef, etwa 1000 Ew.; 638 als arab. Militärlager gegr., entwickelte sich zu einer bed. Stadt und Pflegestätte der Wiss. (›kufische Schrift‹). Von der Großen Moschee und dem Palast des Kalifen ist wenig erhalten; K. wird bereits 1184 als Ruinenstadt beschrieben.

Kufi, eine arab. Schrift, die in frühislam. Zeit in der

Kufi: geometrisches K. (›Segen Mohammeds‹) am Minarett von Moulay Idris, Marokko; vermutlich 16. Jh.

Stadt Kufa im Irak entwickelt wurde. Sie zeichnet sich durch breite eckige Buchstaben aus und eignete sich bes. für monumentale Steininschriften (Lapidarinschriften). Bereits im MA. wurde sie aber von versch. kursiven Schriftarten zunehmend verdrängt. Nur in Koranhandschriften findet sie bis in die Neuzeit Verwendung, zumeist in einer besonderen ornamentalen Variante, dem ›östl. K.‹. Eine auf dem K. basierende Sonderform ist das Maghrebinische (Maghrebi-Duktus), die Schrift des westl. Islam.

Kugelbohrer, Gerät, das bes. in der Glyptik (Siegel) Mesopotamiens, aber auch vom Bildhauer benutzt wurde. Es war ein Stab, in dessen unteres Ende ein kugeliger harter Stein eingesetzt war; in die Sehne eines Bogens eingespannt, wurde der Stab in rasche Drehung versetzt, so daß der Stein halbkugelige Vertiefungen und Löcher ausbohrte.

Kügelgen, 1) Carl von, Maler, Zwillingsbruder von 2), *Bacharach 6. 2. 1772, †Gut Friedheim bei Reval 9. 1. 1832, seit 1799 russ. Hofmaler in St. Petersburg, malte v. a. stimmungsvolle Krimlandschaften.

2) Gerhard von, Maler, Zwillingsbruder von 1) und Vater von 3), *Bacharach 6. 2. 1772, †(ermordet) Loschwitz bei Dresden 27. 3. 1820, Schüler von Januarius Zick, 1791–95 in Rom, dann in Riga, Reval, St. Petersburg (1799–1805), seit 1805 in Dresden. K. malte klassizist. Bilder mytholog. und relig. Inhalts sowie in Weimar (1808/09) bed. Porträts (J. W. v. Goethe, F. Schiller, J. G. v. Herder, C. M. Wieland, C. D. Friedrich u. a.).

3) Wilhelm von, Maler, Schriftsteller, Sohn von 2), *St. Petersburg 20. 11. 1802, †Ballenstedt 25. 5. 1867, war nach Aufenthalt in Rom (1827–29), Rußland und Dresden seit 1833 Hofmaler des Herzogs von Sachsen-Anhalt in Ballenstedt. Bekannter als seine Porträts (Goethe, Wieland u. a.) und relig. Bilder machten ihn seine ›Jugenderinnerungen eines alten Mannes‹ (1870, Neuaufl. 1967), als Ausdruck des früheren höf. und bürgerl. Lebens in Dtl.

Kugelstab, Motiv der mesopotam. Glyptik in der altbabylon. Periode (1. H. des 2. Jahrtsd. v. Chr.): ein von 6–8 Kugeln flankierter Stock in der Hand des Sonnengottes Schamasch. In der Kerkuk-Glyptik erscheint er verändert als Kugelbaum, einer Variante des Lebensbaums.

Kuh-e Chodje, Berg in der Prov. Seistan im östl. Iran nahe der afghan. Grenze mit den Ruinen eines Palastes aus parth. und sassanid. Zeit. Die Anlage bestand aus 4 Iwanbauten, die um einen Hof gruppiert waren. In einem Wandelgang des Palastes wurden Reste von Wandmalereien gefunden (Darstellung von Göttern, einem König und einer Königin). Aus dem Hof führte eine Freitreppe zu einem höher gelegenen Feuertempel mit steinernem Altar.

Kujundjik [-dʒik], Ruinenstätte von →Ninive.

Ku K'ai-chih [-dʒi], chines. Maler, *Wuhsi (Prov. Kiangsu) um 344, †um 405, bekanntester unter den ältesten namentlich genannten Malern, der am Hof in Nanking diente und bes. für seine profane Figurenmalerei (→Porträt) gepriesen wurde. Sein Werk ›Nymphe vom Lo Fluß‹ ist in Kopien aus der Sung-Zeit in der Freer Gal. of Art, Washington, D. C., und im Palastmus. Peking erh. Seine Illustrationen zu CHANG HUAS (3. Jh.) Gedichten ›Ermahnungen an die Hofdamen‹ ist in einer Kopie aus der T'ang-Zeit im British Mus. London erh.

Kuks, dt. **Kukus,** Ort im Ostböhm. Kreis, ČSSR. F. A. GRAF SPORCK ließ hier ab 1702 in der Nähe der Elbquellen ein Bad und sein Schloß (1901 abgerissen) errichten, auf dem gegenüberliegenden Elbeufer ein Hospital (1707–13) mit Kirche, allegor. Gartenskulpturen von M. B. BRAUN, der auch die aus dem Fels gehauenen Statuen und Reliefs (Heilige, Büßer) im nahen Wald von Betlem schuf (1726–32).

Kukulkạn, Kukulcạ́n [›Federschlange‹], Maya-Name für den Gott →Quetzalcoatl.

Kulisiewicz [-sjˈɛvitʃ], Tadeusz, poln. Graphiker, *Kalisch 13. 11. 1899, wurde 1946 Prof. für Graphik an der Akad. der Schönen Künste in Warschau. In expressiven Holzschnitten gab K. das Leben der Goralen in den Karpaten wieder und v. a. in Zeichnungen mit Tusche und Sepia den Eindruck seiner Auslandsreisen. Wechsel in Strichführung von Pinsel und Feder führten zu einem bewegten Bild der durchreisten Länder (Mappen: ›Frankreich und Holland‹, 1949; ›Ind. Tagebuch‹, 1956; ›Italien‹, 1958 u. a.). Daneben steht die Folge von Zeichnungen zum ›Kaukas. Kreidekreis‹ von B. BRECHT (1956/57).

Kụlit [javan.], durchbrochen gearbeitete Lederfigur des indonesischen Schattenspieltheaters (→Wayang).

Küllịye, Kullịjja, in der osman. Baukunst die Gesamtheit der zu einer Stiftung gehörigen relig., schul., karitativen und sonstigen öffentl. Einrichtungen und deren Gebäude, die um eine Moschee zu einem Baukomplex zusammengeschlossen waren.

Kulm, Stadt in Polen, →Culm.

Kulmbach, Kreisstadt in Oberfranken, 28900 Ew., am Main; 1397–1603 Residenz der Markgrafen von Ansbach-K. Spätgot. Petrikirche (1439 beg.); ehem. Langheimer Klosterhof (1691–94 von J. L. DIENTZENHOFER); reizvolles Rokoko-Rathaus (1752). Über K. die **Plassenburg** (1559–85), eines der großartigsten Renaissancebauwerke in Dtl., mit großem Turnier-Arkadenhof (›Schöner Hof‹); in der Burg Zinnfigurenmus. und Staatsgal. (Schlachtenbilder 17./18. Jh.).

Kulmbach, Hans von K., eigtl. Hans **Süß,** Maler, Zeichner, Entwerfer für Glasgemälde, *Kulmbach um 1480, †Nürnberg 1522, ebd. seit 1505 nachweisbar, anfänglich bei JACOPO DE' BARBARI in Nürnberg, dann in der Dürerwerkstatt, 1514–16 in Krakau tätig. Seine Bilder zeichnet eine warme, tiefe Farbigkeit aus. Sein HW, der Tucheraltar (1513; Nürnberg, St. Sebald), ist ganz von ital. Formvorstellungen geprägt. Seine Zeichnungen zeigen Einflüsse der Donauschule.

Hans von Kulmbach: Markgraf Kasimir zu Brandenburg-Kulmbach; 1511 (München, Alte Pinakothek)

WW: Anbetung der Könige (1511; Berlin-West, Staatl. Museen); Katharinenaltar (1514; Krakau, Nat.-Mus.); Johannesaltar (1516; ebd.); Leben der Hl. Petrus und Paulus (um 1520; Florenz, Uffizien). – Porträts. – Glasgemälde (um 1514; Nürnberg, St. Sebald, Maximilian- und Markgrafenfenster); Kabinettscheiben.

F. WINKLER: H. v. K., Leben und Werk... (1959); Meister um Dürer, Ausst.-Kat., Nürnberg (1961).

Kul-Oba, skyth. Kurgan westlich von Kertsch, eines der reichhaltigsten Fürstengräber des 4. Jh. v. Chr., in dem v. a. ein goldener Halsreif mit Reiterfiguren an beiden Enden, ein Diadem u. a. Schmuck, eine goldene Schale und eine Elektronvase mit Skythendarstellungen gefunden wurden. Der im Bereich von Grabhügeln bosporan. Herrscher gelegene Kurgan zeugt für eine enge gesellschaftl. und wirtschaftl. Verflechtung der griechisch-pont. und der skyth. Kultur.

Kültepe, Ruinenstätte von →Kanisch.

Kultfassade, sakraler Bautypus der kret. Architektur: säulengeschmückte, dreigliedrige Fassade mit überhöhtem Mittelteil und bekrönenden →Kulthörnern. Die hinter der K. gelegenen Räume können – wie im Westtrakt des Palastes von Knossos – nur geringe Tiefe gehabt haben. Darstellungen von K. sind auf einem Steatitrhyton aus Zakros, einem der knossischen Miniaturfresken und auf myken. Goldplättchen überliefert.

Kulthaus, zentraler Ort für Zeremonien, Opfer u. a. sowie Aufbewahrungsort für sakrale Gegenstände. In vielen Teilen Ozeaniens sind K. die besten Leistungen der Architektur. In Melanesien werden sie z. T. auch als →Männerhaus genutzt. Sie gelten in ihrer Gesamtheit als Ausdruck des überlieferten Weltbildes und des anerkannten Ethos einer Gruppe, dessen einzelne Aspekte durch figürlich gestaltete Pfosten, beschnitzte Firste und Giebelaufsätze, Hausmasken, Malereien und Matten symbolisiert sind. Die K. der Abelam in N-Neuguinea gehören zu den imposantesten Bauwerken Ozeaniens. Der Grundriß ist dreieckig, das Dach reicht bis zur Erde und überragt seitlich den leicht nach vorn geneigten, bis 25 m hohen Giebel. Die dreieckige Giebelwand ist mit traditionellen Motiven in Rot, Gelb, Weiß und Schwarz bemalt; den unteren Abschluß bildet ein beschnitzter und bemalter Balken. Im Innern werden für Initiationsriten große, aus Holz geschnitzte und bemalte Figuren der Klan- und Dorfahnen aufgebaut und z. T. auch aufbewahrt. (BILD Palau-Inseln)

Kulthörner, rinderhornähnl. Gebilde aus Stein, Ton oder Metall der kretisch-myken. Kultur; in großem Format zur Bekrönung von Mauern und Kultfassaden, kleine K. als Weihegaben oder Schmuck. Ihre symbol. Bedeutung steht im Zusammenhang mit dem bes. auf Kreta verbreiteten Stierkult. Sie gelangten mit dem minoischen Formenschatz auch in die myken. Kunst des Festlandes.

Kulthörner; auf der Südterrasse des Palastes von Knossos; 1550–1400 v. Chr.

Kultsockel, Symbolsockel, im Alten Orient eine altarähnl. Basis für ein Kultobjekt, aus Steinen gemauert oder aus Holz gezimmert; auch als Monolith gearbeitet. Der in Assur gefundene K. des assyr. Königs TUKULTI-NINURTA I. (1244–1208 v. Chr.) bildet auf der Vorderseite selbst einen K. mit dem Symbol des Gottes Nusku ab (BILD assyrische Kunst).

Kulturdenkmäler, Bauwerke, Bodendenkmäler, Werke der Kunst, des Kunsthandwerks, des Handwerks, der Technik, Gegenstände des relig. oder weltl. Brauchtums, Handschriften, Urkunden u. ä., deren Erhaltung angestrebt wird.

Kultwagen, zwei- und vierrädrige Fahrzeuge versch. Bauart und Größe für relig. Zeremonien. In vor- und frühgeschichtl. Zeit standen sie meist mit dem Totenkult in Verbindung. Die ältesten gehören dem 4. und 3. Jahrtsd. in Mesopotamien an (Ur). In Europa und N-Asien sind K. oder ihre Bestandteile bes. aus Fürstengräbern (Vix, Pazyryk) und durch Moorfunde (Dejbjerg) bekannt. In der Urnenfelder- und Hallstattzeit kommen Miniatur-K. aus Bronze (Kesselwagen) häufig als Grabbeigaben vor (Acholshausen, Peckatel). Auch Bronzewagen mit Tierfiguren und Figurengruppen (Trundholm, Strettweg) gehören zur Gruppe der Miniatur-K.

Kultwagen: Kesselwagen von Peckatel

Kulu, Malschule der →Rajput-Malerei, nach dem ehem. Kleinstaat in Himachal Pradesh, Indien; existierte etwa 1690–1800 und brachte farbintensive Miniaturen im volkstümlich wirkenden Stil hervor.

Kum, Ghom, Ghoum, Qum, Oasenstadt in Iran, 975 m ü. M. südwestlich von Teheran, 170 000 Ew. K. ist der nach Meschhed bedeutendste schiit. Wallfahrtsort mit der als Heiligtum verehrten, um 1600 vollendeten Grabmoschee (goldene Kuppel Anf. 19. Jh.) für Fatima (Tochter des 7. schiit. Imams; †816). Die Freitagsmoschee mit Michrab und Kuppel stammt aus der Seldschukenzeit (Iwane des 19. Jh.). In K. sind 10 Könige und mehr als 400 islam. Heilige begraben.

Kumamoto, Stadt auf Kyushu, Japan, etwa 120 km

südlich von Fukuoka, 525 600 Ew.; gehörte in der Feudalzeit neben Osaka und Nagoya zu den 3 größten Burgstädten Japans. Die gewaltige ›schwarze Burg‹, 1607 erbaut, 1877 zerstört, sollte die Macht der Tokugawa in Kyushu demonstrieren; Mauer- und Wallanlagen sowie Turmgebäude sind rekonstruiert. Der Garten Suizen-ji (1632) gehört zu den bemerkenswerten Landschaftsgärten; ungewöhnlich großer Maßstab, modellhafte Darstellung des Fuji-San, des Biwa-Sees und anderer Landschaften Japans; Teehaus im ›Bauernhausstil‹.

Kumạra [Skt. ›Jüngling‹], der hinduist. Gott →Skanda.

Kumạsi, Hauptstadt der Ashanti-Region, S-Ghana, 260 000 Ew.; Nat. Kulturzentrum (trad. und zeitgenöss. Ashanti-Kunst) mit Freilichtmus. und Werkstätten (z. B. Stoff-Handdruck, Weberei). Palast des Ashanti-Königs in traditionellem lokalem Stil.

Kumbakọnam, Ort im ind. Staat Tamil Nadu, mit hinduist. Tempelgruppen der Chola-Dynastie. Der älteste Bau ist das Sanktuarium des Nageshvarasvami-Tempels (9. Jh.); seine Halle sowie weitere bed. Tempel (Kumbeshvara-Tempel mit Teich und Tortürmen) wurden im 12. Jh. zugefügt.

Kumbha [Skt.], ind. Gefäß, als Symbol der Fruchtbarkeit (Mutterschoß), als Basis oder Kapitellglied der ind. Säule und in Reliefform als Dekor an Tempelbauten verwendet (→Purna ghata, auch Kalasha).

Kumịdi, →Tell Kamid el-Loz.

Kumkum, Qumqum [arab.], Spritzflasche aus Glas oder Metall zum Spenden von Rosenwasser bei profanen oder relig. Festlichkeiten im islam. Orient; die etwa seit dem 10. Jh. vorkommenden Gefäße waren in allen mögl. Techniken verziert, in Syrien vom 12.–15. Jh. mit Emailmalerei.

Kumlien, Akke, schwed. Buchkünstler, Maler, *Stockholm 3. 4. 1884, †ebd. 4. 6. 1949, tätig an der Kunstakad. und am Nat.-Mus. in Stockholm; wirkte für eine Erneuerung der Typographie **(K.-Antiqua)** und des Einbandentwurfs in einer graziös-klassizist. Richtung. K. gab Hb. über Maltechnik und Schriftkunst heraus.

Kümmernis, Hl. Hilfe, St. Hulpe, Wilgefọrtis, legendäre, seit etwa 1350 in Dtl., den Niederlanden und Böhmen volkstüml. Heilige ohne kirchl. Kult, dargestellt als gekreuzigte Jungfrau mit Krone und Bart und nur einem goldenen Schuh (Holzschnitt von H. BURGKMAIR, 1507; auch ohne Bart: H. MEMLING, 1480; Altarflügel, Brügge, Johannesspital); als Gestalt aus mißverstandenen Kruzifix-Darstellungen von der Art des →Volto Santo in Lucca entstanden.

Kụmrahar, Ort in Indien, nahe →Patna, mit Resten einer großen Pfeilerhalle aus der Zeit der Maurya-Dynastie.

Kumrạn, →Qumran.

Kŭmsansa, korean. Tempel, 30 km entfernt von der

Stadt Chŏnju (KARTE koreanische Kunst). Diese buddhist. Anlage wurde 599 errichtet, 766 erweitert, 1592 verbrannt und 1626 neu errichtet (fünf- und sechsstökkige Steinpagoden erh.). Die dreistöckige Maitreya-Halle (11,8 m hoch) wurde als Hauptgebäude des Nat.-Mus. im Kyongbok-Palast, Seoul, nachgebaut.

Kumtura, amtlich chines. **Qumtura** [tʃ-], in der chines. autonomen Region Sinkiang. K. liegt in der Kucha-Oase und war eine Kultstätte des 5.–7. Jh. mit zahlreichen Höhlenklöstern; einzige westl. Anlage des Kunstkreises von Kucha, die neben Wandmalereien der frühen indo-iran. Stilarten auch chines. der T'ang-Zeit enthielt (→zentralasiatische Kunst).

Kunckel (Kunkel) von Löwenstern, Johann, Alchimist, *Hütten bei Rendsburg 1630 oder 1638, †Stockholm 20. 3. 1703, erfand um 1685 das Rubinglas, das nach ihm auch **Kunckelglas** genannt wird.

Kunda [Skt.], ind. Tempelteich, häufig das kult. Zentrum des Gemeinwesens, ausgestattet mit Treppenanlagen (Ghat), Pavillons und Reliefschmuck. Bes. Formen von K. sind die →Stufenbrunnen (Vava).

Kundu, Bakundu, Volksstamm im Küstengebiet Kameruns, etwa 50 000 Menschen; gute Holzschnitzer. Die wenigen erh. Skulpturen werden im Mus. für Völkerkunde in Berlin-West aufbewahrt: eine große, männl. Figur, weiß und braun vertikal bemalt und mit sternförmiger Gesichtseinrahmung versehen, sowie versch. Kleinskulpturen sehr expressiver Gestaltung.

Kung Hsien, chines. Maler, Kalligraph, *K'ungshan (Prov. Kiangsu) 1617/20, †1681, Hauptmeister der ›Acht Großen Maler von Nanking‹, malte im Stil der ›Südschule‹. Seine Uferlandschaften und Gebirgspanoramen sind durch kräftige Hell-Dunkel-Kontraste, welche der Landschaft ein dämon. Aussehen verleihen, gekennzeichnet. Die Modellierungen der Berge erreichte er durch in dichten Lagen übereinandergesetzte kurze Pinselstriche. Sein signiertes HW ist: ›Tausend Gipfel und Zehntausend Täler‹ (Zürich, Samml. Drenowatz). Ein Skizzenbuch von K. H. und ein Traktat zur Landschaftsmalerei dienten seinem Schüler WANG KAI als Quelle bei der Abfassung des ›Senfkorngartens‹.

H. KUNTZE: K. H. (1965).

Kunibert, Heiliger, *zw. 590 und 600, †12. 11. 663 (?) als Bischof von Köln (seit 623); zuerst dargestellt am Reliquiar in Xanten (Ende 12. Jh.); Attribute: bischöfl. Ornat (B. BRUYN, um 1520), Stab, Buch, Kirchenmodell (1312/27, Predella, Köln, St. Kunibert); Zyklus: Anfang 13. Jh. (Köln, St. Kunibert, Glasfenster).

Kunigundenpassionale, Zusammenfassung der lat. mystischen Hss. des Dominikaners KOLDA VON KOLDIC, geschrieben 1312–21 für die böhm. Prinzessin KUNIGUNDE, Äbtissin des Prager Georgsklosters. Das Werk wurde von einem unbekannten Buchmaler mit Federzeichnungen und farbigen Bildern von beeindruckender Gefühlstiefe und Vergeistigung ausgestattet.

EMMA URBÁNKOVÁ; Passionale Abbatissae Cunegundis (Prag 1975).

Kunisada: Geisha bei der Toilette; Farbholzschnitt (Köln, Museum für Ostasiat. Kunst)

Kunisada, japan. Maler, Zeichner für den Holzschnitt, *1786, †Edo 1864; Schüler von UTAGAWA TOYOKUNI, dessen Namen er 1844 als TOYOKUNI III annahm, schuf Ukiyo-e-Farbholzschnitte und Landschaften.

Kuniyoshi [-jɔʃi], Utagawa, japan. Maler, Holzschnittkünstler, *1798, †Edo 1861; Schüler des →Toyokuni III, dessen Stil er in seinen Schauspielerporträts fortsetzt. In vortreffl. Landschaftsbildern vereinte er perspektiv. Mittel europ. Vorbilder mit japan. Tradition. Seine schwungvollen Illustrationen zu japan. Heldengeschichten, seine Gespensterbilder oder die Folge aus dem Leben des buddhist. Sektengründers Nichiren zeigen große Eigenständigkeit. (BILD S. 307)

B. W. ROBINSON: K., ein Meister des japan. Farbholzschnitts (a. d. Engl., 1965).

K'unming, Kunming, Hauptstadt der chines. Prov. Yünnan, 1900 m ü. M. am Tiench'ih-See mit subtrop. Vegetation, etwa 900 000 Ew. Von dem Baubestand der ehem. ummauerten Stadt mit verwinkelten Straßen sind die Pagoden des Ost- und des Westtempels erh. (Ende 19. Jh. wiederaufgebaut). Im N von K. auf dem Yüant'ung-Hügel Prov.-Mus.

Kunst am Bau, Begriff zum Verhältnis von Kunst und Architektur, der seit den 1950er Jahren im öffentl. Recht verwendet wird und (bei unterschiedl. Regelungen in den einzelnen Bundesländern der Bundesrep. Dtl.) einen prozentualen Anteil (meist 2%) der Bausummen für öffentl. Gebäude bindend zur Anschaffung von Kunstobjekten für diese Gebäude vorschreibt. Die Auslegung der Verwaltungsvorschriften und damit die Integration von Kunst und öffentl. Raum geraten zunehmend in die öffentl. Diskussion.

Kunst|akademi|en, Hochschulen mit Unterricht und Kursen in Freier und Angewandter Kunst, Architektur, Raumgestaltung und Kunstpädagogik; hervorgegangen aus den →Akademien.

Kunst|auktion, Kunstversteigerung, →Kunsthandel.

Kunst|ausstellung, Darbietung von Kunstgegenständen, die nach bestimmten Gesichtspunkten ausgewählt und zu besonderen Zwecken oder aus gegebenem Anlaß gezeigt werden. Eine der Keimzellen war der Verkaufsstand mit künstler. Gebrauchsgegenständen im Alten Orient, in Griechenland und Rom. Die grch. und röm. Antike kannte Schaustellungen von Kunstwerken im Rahmen sakraler Feste (Athen, Olympia, Delphi) und öffentl. Handlungen (Rom). Kult. Schaustellungen waren auch im MA. üblich. Seit sich die Künstler in den Städten des Spät-MA. aus der Bindung an den Auftraggeber lösten, entwickelten sich neue Verbindungsmöglichkeiten zw. Kunstwerk und Gesellschaft: die Verkaufsausstellungen des 15.–17. Jh. für den Werkstatt-, Laden- und Markthandel, v. a. in Dtl. und den Niederlanden. Eigenständige Formen der K. entstanden im 15.–17. Jh. in Italien: Die K. wurde zum Organ des künstler. Wettbewerbs und der Wiedergabe von Bildungsvorstellungen. Nach dem 17. Jh. herrschte in Europa die in Paris zuerst eingeführte Akademieausstellung (→Salon). Diese bestimmte die künstler. Produktion und das Verhältnis der Gesellschaft zur Kunst. Mit dem ersten ›Salon des Refusés‹ (›der Zurückgewiesenen‹) 1863 (u. a. É. MANET, P. CÉZANNE) wurde ihre

Utagawa Kuniyoshi: ›Der Zauberer Inuyama Dôsetsu‹; Farbholzschnitt aus der Serie ›Erzählungen über die acht getreuen Hunde‹, Edo-Zeit, 1847–48 (Köln, Museum für Ostasiatische Kunst)

Monopolstellung gebrochen. Obwohl auf diesen Emanzipationsakt weitere folgten, blieb die moderne Kunst Ausstellungskunst, ihr Publikum Ausstellungspublikum. Erst neuere Strömungen, wie die Pop Art, die Environment- und die Happening-Bewegungen, die räuml. Zusammenhänge oder zeitl. Abläufe zum künstler. Gegenstand erheben, und v.a. die Land Art, versuchen sich über die Institution der K. hinwegzusetzen. Die Kataloge der K. sind ein wesentl. Bestandteil der kunstwissenschaftl. Literatur. – Ausstellungen histor. Kunst gibt es seit dem 19. Jh.

G. F. KOCH: Die K. (1967); D. E. GORDON: Modern art exhibitions 1900–1916, 2 Bde. (New York 1974).

Kunstdenkmäler, Gesamtheit der Dinge, die von Menschenhand geschaffen wurden und an deren Erhaltung aus künstler. und geschichtl. Gründen ein öffentl. Interesse besteht. Es kann sich dabei um ein einzelnes Objekt (Gemälde oder Plastik), ein einzelnes Gebäude, eine Gebäudegruppe oder einen Altstadtkomplex handeln (Venedig, Bamberg). I. w. S. gehören die K. zu den Kulturdenkmälern.

Kunstfälschung, →Fälschung.

Kunstgeographie, Teil der Kunstwissenschaft, der die örtl. Ausbreitung bestimmter Stilformen, Typen und Materialien der bildenden Kunst in Städten, Provinzen, Landschaften, Nationen und Kulturkreisen und mögl. Einflüsse von geograph. und klimat. Voraussetzungen auf diese untersucht. Wichtig ist die Erforschung von Künstlerwanderungen und Kunstexport, von der Begründung der künstler. Kontinuität an einem Ort, in einer Landschaft, in einer best. histor. Situation u. a.

Lit.: →Kunstlandschaft.

Kunstgeschichte, →Kunstwissenschaft.

Kunstgewerbemuseum, seit der Mitte des 19. Jh. von privaten bürgerl. Kreisen und Vereinigungen gegr. Einrichtungen mit dem Ziel, ›Gewerbetreibenden‹ durch Einrichtung von Muster- und Vorbildersamml., Werkstätten, Kursen, Bibliotheken gegen die ausländ. Konkurrenz sowohl ästhetisch-theoretisch wie praktisch-wirtschaftlich zu unterstützen. Als die Institution um die Jahrhundertwende ihre Aufgaben an Handwerkskammer und Gewerbeämter verlor, mußten sich die K. als kunstgewerbl. Samml. für ein breiteres Publikum von Kunstliebhabern neu definieren.

Als erstes K. wurde im Anschluß an die 1. Weltausstellung (1851) in London das South Kensington Mus. gegr. (1852; heute →Victoria and Albert Museum). Es folgten Wien (1864; Mus. für Kunst und Industrie), Berlin (1867; Dt. Gewerbe-Mus.), Nürnberg (1872, Bayer. Gewerbe-Mus.), Leipzig (1874), Hamburg (1877) und viele andere.

BARBARA MUNDT: Die dt. K. im 19. Jh. (1974).

Kunsthalle, Einrichtung zur Förderung der zeitgenöss. Kunst, der Bildungsarbeit, wie sie seit 1886 in Hamburg von A. LICHTWARK ins Leben gerufen wurde, und des Ausstellungswesens, das die großen K. noch heute auszeichnet. K. entstanden im 19. Jh. i. d. R. durch die Initiative privater bürgerl. Vereinigungen.

Die Bremer K., 1823 vom Kunstverein gegr., erhielt als Grundstock das Vermächtnis des Senators KLUGKIST mit Arbeiten von A. DÜRER und den dt. Kleinmeistern und die Privat-Samml. Albers mit Niederländern des 17. Jh., weitere Stiftungen und Vermächtnisse erweiterten den Bestand an Handzeichnungen, japan. Farbholzschnitten und dt. und frz. Bildwerken des 19. und 20. Jh. Die K. Mannheim, 1907 gegr., mit Gemälden und Plastiken des 19. und 20. Jh., einer graph. Samml. vom 15.–20. Jh. und modernen Bildwerken, erhielt ein wegweisendes Ausstellungsgebäude von H. BILLING. Die Hamburger K., 1869 als Gemälde-Gal. eröffnet, verfügt durch Stiftungen und Schenkungen über bed. Werke alter hamburg. Meister und niederländ. Malerei, Kunstverein und ›Kunstfreunde‹ konzentrierten sich auf den Ankauf moderner Kunst. A. Lichtwark begründete die Samml. von Bildern aus Hamburg.

Kunsthandel, die gewerbsmäßige Vermittlung zw. Künstler (Produzent) und Käufer (Sammler) des Kunstwerks. Sie wurde erst notwendig, als die direkte Verbindung zw. Künstler und Auftraggeber (Mäzen), der gleichzeitig Käufer war, abbrach, weil der Künstler anfing, ohne festen Auftrag zu arbeiten. Das scheint mit dem Aufkommen der Druckgraphik (Kupferstich, Holzschnitt) im 15. Jh. der Fall gewesen zu sein. Anfänge des K. in dieser Zeit sind u. a. in den Messen von Antwerpen zu erkennen. In den Verkaufsbuden derartiger Märkte in der zeitlich dichten Folge der Kirchenfeste entwickelten sich Vorformen des späteren ortsansässigen K.: die Ausstellung und der Verkauf von Kunstwerken ohne Auftraggeber.

Das Entstehen der Kunstkabinette und der Kunst- und Wunderkammern des späteren 15. und des 16. Jh. ist kaum denkbar ohne einen K. Wie vieles auch durch persönl. Beziehungen von Hof zu Hof gewandert ist, so muß doch der K. dem fürstl. Sammler, v. a. beim Kauf von Werken der Antike, zur Hand gegangen sein. Schon im 15. Jh. sind in Italien sachkundige Kunsthändler nachweisbar. Der im 16. Jh. bekannteste ›Antiquarius‹, wie man den Kunsthändler damals nannte, war J. DE STRADA (*1507, †1588), tätig für die Habsburger und Wittelsbacher.

Im 17. Jh. wurde der niederländ. K. der bedeutendste in Europa. Er entwickelte die Formen des ortsansässigen K., zu denen die **Versteigerung** und die **öffentl. Verlosung** traten. Schließlich kam der Straßen- und Hausierhandel auf, den aber die Malergilden und der K. heftig bekämpften. Die großen europ. Gemäldesamml. der Zeit haben Wesentliches durch den niederländ. K. erworben (z. B. G. VAN UYLENBURG und J. DE RENIALME in Amsterdam). Oft überschnitten sich die Bereiche: Maler konnten Kunsthändler, Kunsthändler Sammler sein (REMBRANDTS K. in Amsterdam, die Maler- und Kunsthändlerfamilien DE MOMPER und GOETKIND in Antwerpen). Dieser K. beschränkte sich nicht auf zeitgenöss. Kunstwerke des Landes, sondern griff zeitlich und räumlich darüber hinaus.

Nach dem wirtschaftl. Niedergang Antwerpens wurde Paris neben Amsterdam der bevorzugte Kunsthandelsplatz, begünstigt durch die Sammeltätigkeit LUDwigs XIV. und des frz. Adels, aber auch durch den Zuzug niederländ. Kunsthändler. Bed. war unter vielen E.-F. Gersaint (*1696, †1750), ein Freund und Mäzen von A. Watteau. Gersaint verfaßte den 1. krit. Katalog der Radierungen Rembrandts und 11 Auktionskataloge, die beispielhaft sind.

Bei den fortschreitenden kunstgeschichtl. Erkenntnissen seit dem Ende des 18. Jh. erweiterten sich auch die Gebiete des K. Die noch bei Gersaint mögl. Einheit von Kunsthändler und Versteigerer spaltete sich im Laufe des 19. Jh. auf. Sofern der Kunsthändler sein eigener Experte ist, spezialisiert er sich. Die andere Möglichkeit ist die Beteiligung wissenschaftl. Sachverständiger am K. (z. B. die Zusammenarbeit zw. J. Duveen of Millbank und B. Berenson).

Der Historismus bezog das Kunsthandwerk in seiner Entwicklung seit dem MA. in die Forschung ein. Gleichzeitig entstand die Vorliebe für historisch echte Einrichtungen. Diese Umstände eröffneten dem K. ein neues Gebiet. Kennzeichnend dafür war der Pariser Kunsthändler und Sammler F. Spitzer (*1815, †1890) und dessen 1893 versteigerte Samml.

Seit dem Ende des 1. Weltkriegs lagen die Schwerpunkte des Handels mit alter Kunst in Paris, London und Berlin sowie den Filialen in New York.

Seit etwa 50 Jahren hat sich in der Nachfolge des großen K. ein weit verbreiteter **Antiquitätenhandel** entwikkelt, der nicht so sehr auf die künstler. Bedeutung der Gegenstände sieht als auf deren dekorativen Wert. Dabei kann die Nachahmung die gleiche Stellung einnehmen wie das Original, sofern nur das Ganze einen ›antik-einheitl.‹ Eindruck erweckt.

Die zeitgenöss. Kunst wird nicht allein vom Versteigerer erfaßt, sondern ebenso vom freien Kunsthändler. Er verkauft nicht nur, sondern wählt aus, setzt die Öffentlichkeit ins Bild und fördert den Künstler. Diese Mittlerstellung hat auch für die Gestaltung von Privatsamml. und Mus. Bedeutung.

Zu den überlieferten Verkaufsformen des K., dem freien Handel und der Auktion, trat die **Kunstmesse** der freien Kunsthändler (erstmals 1940 in London, dann in Brüssel, Kopenhagen, München, Paris, Florenz, Stuttgart, Hannover-Herrenhausen, Düsseldorf und Köln). Sie ist gedacht als Gegengewicht gegen die Auktionen, die den freien Handel einzuengen drohen.

S. N. Behrmann: Duveen ... Zur Soziologie des K. in Amerika (a. d. Engl., Tb. 1960); Rudolf Mayer: Kleiner Leitfaden des K. (1962); Peggy Guggenheim: Von Kunst besessen (a. d. Amerikan., 1963); C. Herchenröder: Die Kunstmärkte (1978); A. Vollard: Erinnerungen eines Kunsthändlers (a. d. Frz., Tb. 1980).

Kunsthandwerk, Sammelbegriff für Kunst- und Zweckgegenstände, gearbeitet in versch. Techniken, z. B. Schmiede-, Schnitz-, Blas-, Brenn- und Knüpfarbeiten, und aus versch. Materialien, z. B. Gold, Silber, Zinn, Bronze, Eisen, Elfenbein, Holz, Glas, Keramik, Porzellan, Stoff, Leder, Papier; bes. Mobiliar, Tischgerät, Textilien. Dem K. verwandte Begriffe sind **Kunstgewerbe, angewandte Kunst** und **dekorative Kunst.**

Geschichte. Bis zur Industrialisierung im 19. Jh. war der Künstler meist schöpfer. Entwerfer und ausführender Handwerker zugleich. Dies gilt für die ma. Meister ebenso wie für die Künstler der Renaissance und des Barock, die Entwürfe für Goldschmiede-, Glasmalerei- und Bildwirker-Arbeiten und Möbel schufen. Erst mit dem allmähl. Verlust dieser Einheit der künstler. Tätigkeit entstand das Bedürfnis nach einem eigenständigen K. innerhalb des Bereichs der bildenden Künste. Die künstler. Gegenstände, die bis Ende des 18. Jh. der Werkstatt oder dem Manufakturbetrieb des Handwerkers entstammten, waren nun in beliebiger Zahl vom Industriearbeiter herstellbar, der aber zum Gegenstand selbst keinerlei künstler. Beziehung mehr besaß. Der damit verbundenen Abwertung handwerkl. Kunstgegenstände versuchten als erste K. F. SCHINKEL und P. BEUTH in Berlin durch die Wiederbelebung des Handwerks entgegenzuwirken. Sie gaben 1821 ihre ›Vorbilder für Fabrikanten und Handwerker…‹ heraus, durch die den neuen Fertigungsweisen ästhetisch hochwertige Gegenstände abverlangt wurden. Mit diesem Ziel wurde im gleichen Jahr die Berliner Gewerbeschule gegründet. I. S. des Historismus lehnte man sich stilistisch an vorbildl. Epochen der Kunstgeschichte an (Gotik, Renaissance, Barock): Neugotik, Neurenaissance, Neubarock. Die Weltausstellung in London 1851 zeigte das K. auf internat. Ebene und erweiterte den Geschmack um exot. und oriental. Stilelemente. Sie gab auch den Anstoß zur Gründung des ersten Kunstgewerbemuseums.

Von England gingen auch Erneuerungen aus durch das Arts and Crafts Movement um W. MORRIS und seinen Freundeskreis. Erst im Jugendstil kamen in allen europ. Ländern Versuche auf, kunsthandwerkl. Einzelgegenstände einem ästhet. Gesamtzusammenhang der Innenraumgestaltung anzupassen und damit die Zweck- und Materialgerechtigkeit des Ganzen zum Grundsatz einer neuen Gestaltung zu erheben. An der Spitze dieser Bewegung, die die bürgerl. Wohnkultur revolutionierte und dabei i. S. einer neuen ›dekorativen Kunst‹ alle Bereiche des K. erfaßte, stand der belg. Architekt und Kunstgewerbler HENRY VAN DE VELDE, der v. a. im deutschsprachigen Gebiet auf die Formgestalter des Jugendstils großen Einfluß gewann (R. RIEMERSCHMID, P. BEHRENS, J.-M. OLBRICH, B. PANKOK, T. FISCHER, J. HOFFMANN, O. WAGNER. In Frankreich wirkten sich diese neuen Bestrebungen v. a. auf dem Gebiet der Glas- und Keramikkunst aus (É. GALLÉ, A. DAUM, R. LALIQUE).

Eine nochmalige Erneuerung der Kunst aus dem Handwerk unternahm das 1919 von W. GROPIUS in Weimar gegr. Bauhaus. Im Bestreben, Kunst und Technik zu vereinen, erhielten Entwerfer und Handwerker die verlorene Gleichberechtigung zurück. Dabei wurden in Versuchslaboratorien kunsthandwerkl. Formen für die industrielle Erzeugung erprobt und eingesetzt (Produktplanung und Entwicklung). Das Ziel des Bauhauses, eine Symbiose von hochwertiger Handwerksarbeit und neuestem Formensinn zu schaffen, liegt seitdem allem zeitgenöss. K. zugrunde. Die selbständige Gestaltung liegt heute vielfach wieder bei den unabhängigen Kunsthandwerkern, deren Entwürfe jedoch zugleich der Serienproduktion zugute kommen. Die Bedeutung einer öffentl. Wertung und einer Auswahl kunsthandwerkl. Erzeugung zeigen Ausstellungen des K. und Messen (Leipzig, Frankfurt am Main).

H. KOHLHAUSSEN: Europ. K., 3 Bde. (1969–72); Zeitgenöss. dt. und brit. K., Ausst.-Kat., Frankfurt (1978); BARBARA MUNDT: Kunstgewerbe zw. Biedermeier und Jugendstil (1981). – **Zeitschrift:** Kunsthandwerk in Europa (seit 1974).

Kunstharze, künstlich hergestellte harzartige Stoffe, die bei Raumtemperatur flüssig, zähflüssig-weich oder fest sein können und meist nach ihrem Ausgangsstoff benannt werden, z. B. Vinyl-, Acryl-, Styrol-, Phenolharze u. a. Von Ausnahmen abgesehen, haben die K. durch ihre vielfältigen Variationsmöglichkeiten die Naturprodukte als →Bindemittel, Kleber und →Firnis aus der Mal- und Anstrichtechnik weitgehend verdrängt.

Kunsthistorisches Institut in Florenz, Abk. **KIF,** dt. Institut, 1897 gegr. mit dem Ziel, alle Studien zur Kunstgeschichte Italiens zu fördern (Spezialbibl., Photothek). Sitz: Palazzo Capponi-Incontri und Casa Roselli.

Veröffentlichungen: Ital. Forschungen, hg. v. Dt. K. I. i. F. (seit 1906); Mitt. des K. I. i. F. (seit 1908); Jahresberichte des K. I. i. F. (seit 1908); Katalog des K. I. i. F., 15 Bde. (seit 1964).

Kunsthistorisches Museum, Wien. Die heutige Gal. beherbergt die Bildersamml. des habsburg. Herrscherhauses, das Erbe der Rudolfin. Kunstkammer in Prag, die Samml. fläm. und toskan. Gemälde aus Schloß Ambras bei Innsbruck und den Gemäldebestand des niederländ. Statthalters LEOPOLD WILHELM. Unter Kaiser JOSEPH II. (1765–90) wurden diese Sammlungen im Belvedere zusammengeführt, von C. VON MECHEL 1776–81 neu geordnet, katalogisiert und schließlich dem Publikum zugänglich gemacht. Nach den Plänen von G. SEMPER und K. VON HASENAUER entstand 1871–91 der repräsentative Neubau des K. M. im Stil der ital. Renaissance.

Kunstkammer, →Museum.

Kunstkritik, bildende Kunst: beschreibende und kritisch analysierende Betrachtung von Werken und Tendenzen der zeitgenöss. Kunst und von Erscheinungen des Kunstlebens in Zeitungen, Ztschr., Rundfunk und Fernsehen.

Vorstufen der K. gab es bereits in der Antike. – Mit der Bildung eines Kunstmarktes entwickelten sich im 15. Jh. Urteilsfindung und K., die eine ästhet. Bewertung des Kunstgegenstandes über seinen materiellen und Gebrauchswert, seinen Gerätcharakter, hinaus anstreben. Mit der Einführung öffentl. Künstlerwettbewerbe, v. a. in Italien, entstand eine empir. K. Der mit der ital. Renaissance entstehende Akademismus brachte zahlreiche kunsttheoret. Schriften hervor, die die Grundlage für die K. der gelehrten Kenner im 16. bis 18. Jh. waren. Eine regelmäßige öffentl. K. setzte erst im 18. Jh. mit dem Beginn der Akademieausstellungen in Paris ein. Der Abbé DU BOS erhob mit seiner Lehre, die Kunst wende sich allein an die Empfindung (›sentiment‹), den empfindsamen Betrachter zum zuständigen Kunstkritiker. Die subjektive K. entwickelte sich zum Gesprächsgegenstand der Gebildeten: Kennerschaft, Geschmacksbildung, Empfindsamkeit wurden zu gesellschaftl. Erfordernissen. Die Zeitungen begannen, kunstkrit. Berichte zu bringen. Die ersten →Kunstzeitschriften entstanden. Die K. bildete sich zu einer eigenen literar. Gattung aus, bes. ausgeprägt in D. DIDEROTS ›Salons‹, die seit der Mitte des 18. Jh. die K. auch in anderen europ. Ländern beeinflußte. Bed. Schriftsteller, unter ihnen GOETHE, betätigten sich als Kunstkritiker. Im 19. Jh. brachte der Historismus die hauptsächlich geschichtlich ausgerichtete →Kunstwissenschaft hervor. Sie beteiligte sich an der für die Kunst des 19. Jh. wichtigen Historismusdiskussion. – Die subjektive literar. K. erhielt bis zur Gegenwart ihre Antriebe v. a. durch Schriftsteller und Kritiker, die sich vorausschauend für neue künstler. Strömungen einsetzten, z. B. J. RUSKIN, der für die Präraffaeliten eintrat, W. MORRIS, der zur Reform des Kunstgewerbes beitrug (Jugendstil), die Brüder GONCOURT, die den Impressionisten den Weg bahnten, G. APOLLINAIRE und A. BRETON, die Kubismus, Surrealismus und Dadaismus beeinflußt haben. In neuerer Zeit war es z. B. der Engländer L. ALLOWAY, der frühzeitig die Pop Art propagierte.

A. DRESDNER: Die Entstehung der K. im Zusammenhang der Gesch. des europ. Kunstlebens ([2]1968).

Kunstlandschaft, geograph. Bereiche, in denen es zur Ausbildung von bestimmten Kunstarten kam, die der in solchen Provinzen entstandenen Kunst ein unverkennbar eigenes Gepräge gaben, das in versch. Jahrhunderten immer wieder zu erkennen ist. In der Toskana, in Venedig, Burgund, Schwaben, Bayern kam es zur Ausbildung von K., während etwa Süditalien, Hessen oder die meisten engl. Grafschaften keine für sie charakterist. Kunst ausbildeten. In Frankreich ist das reiche Eigenleben einzelner K. durch die Zentralisierung des kulturellen Lebens auf die Landeshauptstadt Paris mit dem Anfang des 16. Jh. beendet worden. Die Toskana, bes. Florenz, ist jeweils in den frühen Stilphasen führend gewesen, während die Blütezeiten der bayer. Kunst in den Spätphasen liegen (Spätgotik, Spätrenaissance, Spätbarock).

H. KELLER: Die K. Italiens (1960); ders.: Die K. Frankreichs (1963); R. HAUSSHERR: Kunstgeographie und K. Zum Stand der Diskussion, in: Kunst in Hessen und am Mittelrhein, 8 (1968).

Künstler, jeder Mensch, der bestimmte von der Gesellschaft als künstlerisch empfundene Tätigkeiten ausübt, i. e. S. der **bildende K.,** der in einer arbeitsteiligen Gesellschaft mit Vorstellungs- und Formkraft ein Werk mit ästhet. Anspruch schafft.

In den altoriental. Hochkulturen hatten die K. das Ansehen von Handwerkern. Eine höhere Einschätzung kündigte sich erst an, als man den Namen des Herstellers mit dem Kunstgegenstand zu verbinden suchte (grch. K.-Inschriften seit dem 6. Jh. v. Chr.). Neben der Heroisierung hervorragender K.-Persönlichkeiten in klass. Zeit lebte die aristokrat. Geringschätzung der Bildhauer, Maler und Töpfer als Handwerker (›Banausen‹) in philosoph. Erörterungen und in der Gesellschaft weiter. Die röm. Antike blickte zwar bewundernd auf das grch. Künstlertum zurück, zeitgenöss. K. jedoch waren Unfreie.

Auch im MA. behielten die K. den bescheidenen Rang von Handwerkern zunächst bei. Ihr Zusammenschluß in den Bauhütten (Baumeister, Steinmetze) und Zünften (Bildschnitzer, Maler, Kunsthandwerker) ließ ein Hervortreten der Individualität nicht zu. Mit dem Auftreten von →Signaturen seit dem 11. Jh. deutete sich eine Neubewertung des K. an, die zur vollen Geltung in der Renaissance kam, in der die ersten Akad. gegr. wurden und K.-Biographien der Nachwelt anschaul. Kenntnis der einzelnen Persönlichkeiten vermittelten. Den Stand des theoretisch formulierten ›artista divino‹ (göttl. K.) errangen nur wenige Auserwählte. Sie beschäftigten sich auch mit wissenschaftl. Fragen (LEONARDO DA VINCI), schrieben Abhandlungen (L. B. ALBERTI), porträtierten sich selbst (A. DÜRER), trieben herrschaftl. Aufwand (TIZIAN), erlangten Diplomatenrang (P. P. RUBENS). Der vorherrschende Künstlertyp der Niederlande des 17. Jh. war der bürgerl. Unternehmer (REMBRANDT). Der Idealtyp des K. im Zeitalter des Absolutismus wurde der des Hofmalers (F. BOUCHER). Erst der Geniekult des späten 18. Jh. führte zur programmatisch geforderten Lösung des K. aus den überkommenen sozialen Ordnungen. Die Romantik und die Philosophie des Idealismus begründeten die noch heute verbreitete Bewertung des Künstlertums. Diese hatte eine neue Wertschätzung des K. durch das Bildungsbürgertum im 19. Jh. zur Folge, führte aber auch zu wirtschaftlichem Elend und gesellschaftlicher Absonderung (Bohème).

Gegen die Reste der Bevormundung durch den Akademiebetrieb lehnten sich die →Sezessionen auf. Die wirtschaftl. Abhängigkeit der K. konnten sie nicht beseitigen. Seit dem 1. Weltkrieg trat ein soziales Engagement des K. hervor, das in vielen Bereichen der →zeitgenössischen Kunst in eine generelle Auseinandersetzung mit der gesellschaftl. Umwelt mündete.

R. u. MARGOT WITTKOWER: K. – Außenseiter der Ges. (a. d. Engl., 1965); KARLA FOHRBECK u. A. J. WIESAND: Der K.-Report (1975); K. und Gesellschaft, hg. v. A. SILBERMANN u. R. KÖNIG (1975).

Künstlerdrucke, Graphik: →Épreuves d'artiste.

Künstlergraphik, →Originalgraphik.

Künstler|inschrift, →Signatur.

Künstlerkolonie, ländl. Ort oder geographisch begrenzbare Landschaft, in der sich mehrere Künstler zeitweise oder dauernd zu künstler. Tätigkeit niedergelassen haben. Entscheidend bei den K. sind weniger die Gemeinsamkeiten künstler. Gestaltungsweise, wie bei den stilbildenden und stilvermittelnden Schulen, als vielmehr Übereinstimmungen im persönl. Verhältnis zu Natur und Landschaft spezif. Orte als Voraussetzung für die individuelle Kreativität. Viele Künstler hielten sich daher auch in mehreren K. auf.

Als Reaktion auf das Akademiewesen war während der Romantik das Bedürfnis der Künstler nach unmittelbarem Naturstudium entstanden. Im Verlauf des 19. Jh. mit fortschreitender Technisierung und Industrialisierung sahen sie in ländl. Orten eine tatsächl.

oder vermeintl. Ursprünglichkeit von Natur, Landschaft und Bewohnern als Voraussetzung für künstler. und menschl. Freiheit gegeben. Das damals Revolutionäre der K. wurde später z.T. als resignierende Flucht vor den Verhältnissen an den Akademien und den gesellschaftspolit. Gegebenheiten angesehen, und viele Künstler kehrten nach Aufenthalten in K. in den Akademiebetrieb der Städte zurück. – In Frankreich entstand nach 1835 die Schule von Barbizon; sie hat v.a. V. VAN GOGH, P. GAUGUIN, P. CÉZANNE angeregt; Ende des 19. Jh. war Pont-Aven eine bedeutende K. Namhafte dt. K. bildeten sich seit 1860 in Kronberg (A. BURGER, K. P. BURNITZ, J. F. DIELMANN), seit 1889 in Worpswede (F. MACKENSEN, O. MODERSOHN, PAULA MODERSOHN-BEKKER, H. VOGELER), seit 1897 in Neu-Dachau (L. DILL, A. HOELZEL, L. v. KÖNIG, A. LANGHAMMER, F. v. UHDE), außerdem in Grötzingen, Willingshausen u.a. Die Künstler bemühten sich um volkstüml. Techniken und eine Erneuerung des Kunsthandwerks (Webkunst in Worpswede). Von ihnen gingen v.a. Einflüsse auf den ›Blauen Reiter‹ (Aufenthalt in Murnau) und die ›Brükke‹ (Aufenthalt in Dangast) aus. Häufig schlossen sich Schriftsteller den K. an (R. M. RILKE, M. HAUSMANN). Eine Sonderstellung nimmt die 1899 von Großherzog ERNST LUDWIG gegr. →Darmstädter Künstlerkolonie ein.

Weitere K.: →Abramzewo, →Hudson River School, →Nagybánya, →Norwich School.

Dt. K. und Künstlerorte, hg. v. G. WIETEK (1976).

Künstlermonogramm, →Monogramm.

Künstlersozialversicherung, Renten- und Kranken-Pflichtversicherung für selbständige Künstler und Publizisten nach dem K.-Gesetz (KSVG) vom 27. 7. 1981, in Kraft ab 1. 1. 1983. Die Versicherten tragen die eine Hälfte der Beiträge; die andere Hälfte wird durch eine von den Verwertern der künstler. und publizist. Leistungen erhobene Umlage **(Künstlersozialabgabe),** z.T. auch durch einen Zuschuß der Bundesrep. Dtl. aufgebracht. Die Beiträge werden von der **Künstlersozialkasse** (Sitz: Wilhelmshaven) eingezogen und an die Versicherungsträger abgeführt.

Künstlervereinigungen, berufsständ. Interessenverbände von Künstlern oder Zusammenschlüsse von Vertretern bestimmter Kunstrichtungen mit dem Ziel, die Interessen der Künstler in der Gesellschaft wahrzunehmen. War die Entwicklung der K. in der Spätrenaissance von den ma. Bauhütten, Zünften und Gilden her in die Gründung relativ freier Akademien gemündet, so bildeten sich im 19. Jh. K. z.T. gegen den inzwischen erstarrten Akademismus, die →Sezessionen. Bed. K. versch. Charakters waren z.B. die aus den →Lukas-Gilden entwickelte ›Accademia di S. Luca‹ in Rom (gegr. 1577), der Lukasbund in Wien und Rom (gegr. 1809), die Allg. Dt. Künstlergenossenschaft (gegr. 1858), die →Peredwischniki in Rußland (gegr. 1870), die →Brükke in Dresden (gegr. 1905) und der →Blaue Reiter in München (gegr. 1911).

Verzeichnis heutiger K. in: International directory of arts, begr. v. W. KAUPERT, 1 (Frankfurt a. M. [14]1979).

Künstlerwappen 15. Jh. (Marburg, Universitätsmuseum)

Künstlerwappen, das von den bildenden Künstlern, einst ›schilter(er)‹ genannt, geführte Berufswappen in Renaissance und Barock, bestehend aus einem roten (auch blauen) Schild, darin drei (oben zwei, unten eins) weiße Schildchen; Helmzier: eine in einen rotweiß gespaltenen Rock gekleidete wachsende Jungfrau, die ein Hirschgeweih umfaßt. Das K. läßt sich in dieser Form bereits 1347 nachweisen; es kommt auch als ein Bestandteil des persönl. Wappens mancher ma. Maler vor.

Kunstlexika, Künstlerlexika, Bücher in alphabet. Stichwortfolge, die entweder die bildenden Künstler nach Ländern oder nach Kunstgattungen (Architekten, Maler u. a.) oder die Sachbegriffe der bildenden Kunst behandeln oder beides zusammen. Die Anfänge der K. liegen im Barock. Sie erfuhren im 19. Jh. und v. a. in jüngster Zeit große Verbreitung.

P. ORLANDI: Abecedario pittorico (Bologna 1704 u. ö.); Allg. Lex. der bildenden Künstler von der Antike bis zur Gegenwart, begründet von U. THIEME u. F. BECKER, 37 Bde. (1907–50); Dictionnaire d'archéologie chrétienne et de liturgie, hg. v. F. CABROL u. H. LECLERCQ, 15 Bde. (Paris 1924–53); Wasmuths Lex. der Baukunst, 5 Bde. (1930 bis 1937); Reallex. zur dt. Kunstgesch., 20 Bde. (1937 ff., bisher 7 Bde.); Nouvelle encyclopédie illustrée de l'art français, 8 Bde. (Paris 1947–54); Reallex. für Antike und Christentum. Sachwb. zur Auseinandersetzung des Christentums mit der antiken Welt, hg. v. T. KLAUSER u. a., 10 Bde. (1950–78); Tiotusen svenska konstnärers liv och verk. Konstnärslex. (Stockholm 1952 ff.); Allg. Lex. der bildenden Künstler des 20. Jh., hg. v. H. VOLLMER, 6 Bde. (1953–62); Enciclopedia universale dell'arte, 15 Bde. (Rom 1958–67); Künstlerlex. der Schweiz, 20. Jh., bearb. v. E. PLÜSS u. H. C. v. TAVEL, 2 Bde. (Nachdr. 1974); Dictionnaire critique et documentaire des peintres, sculpteurs, dessinateurs et graveurs de tous le temps et de tout les pays, hg. v. E. BÉNÉZIT, 8 Bde. (Paris [3]1959–62); R. DARMSTÄDTER: Künstlerlex. (1961); American Art Directory, hg. v. DOROTHY B. GILBERT (New York 1961 ff.); Who is who in American Art, hg. v. ders. (New York 1962); Kindlers Malerei Lexikon, 6 Bde. (Nachdr. 1982); Reallex. zur byzantin. Kunst, hg. v. K. WESSEL u. M. RESTLE(1966 ff.); Lexikon der Kunst in 5 Bd., hg. v. C. ALSCHER u. a. (Leipzig 1968–78, Nachdr. Berlin-West 1981); Heyne Enzyklopädie der Weltkunst (1975 ff.); Herder Lexikon Kunst, bearb. v. URSULA BÖING-HÄUSGEN, 1 ([3]1977), 2 (1978).

Kunstmarkt, →Kunsthandel.

Kunstmuseum Basel. Die Gal. ist aus 2 Basler Privatsamml. des 16. und 17. Jh. hervorgegangen: dem Amerbachschen Kabinett, einer von B. AMERBACH (*1534, †1591) systematisch angelegten Samml. altdt. Malerei des 15. und 16. Jh. (H. HOLBEIN D. J. und K. WITZ), die 1661 von der Stadt Basel erworben wurde, und der Samml. von R. FAESCH (*1595, †1670), die jedoch erst 1823 an die Univ. Basel gelangte. 1932–36 wurde nach den Entwürfen von P. BONATZ und R. CHRIST ein neues Mus.-Gebäude für die durch Stiftungen und Vermächtnisse von Basler Bürgern erweiterte städt. Gemälde- und Skulpturen-Samml. erstellt. Zeitgenöss. Kunst ist seit 1980 im **Mus. für Gegenwartskunst,** einer Außenstelle des Kunst-Mus., ausgestellt.

Kunstpreise, Auszeichnungen bildender Künstler, entweder als einmalige Anerkennung bed. Werke in Form von Geldpreisen oder als Förderung der künstler. Weiterentwicklung des Künstlers in Form eines Stipendiums. Träger sind Staaten, Städte, Verbände und Privatpersonen. Gelegentlich werden von demselben Träger sowohl Geldpreis als auch Stipendium verliehen. Zu den begehrtesten dt. K. gehören der ›Villa-Romana-Preis‹ (Düsseldorf/Florenz, seit 1905), das ›Villa-Massimo-Stipendium‹ (→Villa Massimo), das ›Stipendium Bildende Kunst der Studienstiftung des Dt. Volkes‹ (Bonn, seit 1950) und der K. ›Forum Junger Kunst‹ (Stuttgart, Baden-Baden, Bochum, Mannheim, Wolfsburg, jetzige Form seit 1977). Erwähnenswerte K., die von Verbänden verliehen werden, sind u. a.: der ›Kritikerpreis‹ (vom Verband Dt. Kunstkritik, Berlin-West, seit 1950) und der ›Preis des Dt. Kunsthandels‹ (Köln, seit 1973). Unter den Stiftungen der letzten Jahre sind bes. die ›Karl-Schmidt-Rottluff-Stipendien‹ (Bonn/Berlin, seit 1976/77) hervorzuheben. Auf internat. Ebene sind bes. begehrt: der ›Große Preis‹ der Biennale von São Paulo, der Biennale von Paris, der Biennale von San Marino und der Biennale von Ljubljana (nur für Graphik).

Zu den wichtigsten Architekturpreisen zählen: der ›Karl-Friedrich-Schinkel-Preis‹ (des Architekten- und Ingenieursvereins Berlin, seit 1855), der ›Paul-Bonatz-Preis‹ (Stuttgart, seit 1958/59), der ›Fritz-Schumacher-Preis‹ (Hamburg, seit 1960), der ›Große BDA-Preis‹ (Bonn, seit 1963).

K.-Jb. (seit 1940).

Kunstsammlung, Samml. von Kunstwerken in privatem und öffentl. Besitz. K. haben ihre Anfänge dort, wo im Kultraum oder in Grabstätten bestimmte Gegenstände nicht aus Gründen der Nützlichkeit, sondern wegen ihres mag. oder symbol. Gehalts aufbewahrt wurden. In grch. Tempeln wurden Kunstwerke, Beutewaffen u. a. Kostbarkeiten ohne besondere Unterscheidung nebeneinander aufgehoben, ebenso wie auch der ma. Kirchenschatz Reliquien, Kultgeräte, Kuriosa und Kunstwerke umfaßte; ähnlich waren auch die fürstl. Samml. des MA. zusammengestellt. Die Geschichte des modernen Kunstsammelns begann in Italien z. Z. der Frührenaissance, als das aufstrebende Bürgertum anfing, Samml. von Antiken, Münzen, Medaillen, Gemmen und Werken zeitgenöss. Kunst anzulegen. An den dt. Fürstenhöfen entstanden im 16. Jh. die Kunst- und Wunderkammern; die erste Samml. dieser Art ist die des Erzherzogs FERDINAND von Tirol auf Schloß →Ambras, ihr folgten die Kunstkammern von Kaiser RUDOLF II. in Prag, die Samml. der Herzöge ALBRECHT V. und WILHELM V. in München und das →Grüne Gewölbe der sächs. Kurfürsten in Dresden sowie die Kunstkabinette wohlhabender bürgerl. Sammler. Während die Kunst- und Wunderkammern den subjektiven Geschmack des Sammlers widerspiegeln, Ausdruck der Neugierde am Besonderen, Kuriosen und bisweilen Merkwürdigen waren und nur einen beschränkten Kreis von Vertrauten zugänglich gemacht wurden, trug das Kunstsammeln in Italien von seinen Anfängen an andere Züge. Die Antikensamml. der MEDICI waren den studierenden Künstlern zugänglich, in Rom fanden unter Papst LEO X. Kunstausstellungen statt. Wo sich das Interesse weniger auf die Eigentümlichkeit als auf die Vorbildlichkeit des Kunstwerks richtete, wurden Normen zur

Unterscheidung der hohen Kunst von den angewandten Künsten ausgebildet und die Kunstwerke nach Gattungen getrennt gesammelt und ausgestellt (Antikensamml., Münzkabinett, Gemälde-Gal.). Dem Vorbild Italiens folgend, entstanden im 17. Jh. die großen Gemälde-Gal. an den europ. Höfen, unter König PHILIPP II. von Spanien, Erzherzog LEOPOLD WILHELM, König KARL I. von England und LUDWIG XIV.; im 18. Jh. besaß auch jede kleinere Residenz eine Gemälde-Samml. Um die Mitte des 18. Jh. wurden erste Initiativen ergriffen, die großen K. einem breiteren Publikum zugänglich zu machen; 1739 gingen die Samml. der Medici in Staatsbesitz über, 1769 wurden die Vatikan. Samml. zum Besitz des Kirchenstaates erklärt und der Öffentlichkeit zugänglich gemacht, 1753 wurde mit der Übernahme der Privatsamml. von Sir H. SLOANE das Britische Mus. als erstes von Anfang an öffentl. Mus. gegr. Ihm folgten die großen Museumsgründungen des 19. Jh. in München, Wien, Berlin, Frankfurt a. M. und Köln. (→Museum)

Kunstschmiedearbeiten, →Schmiedekunst.

Kunstschrank, →Kabinettschrank.

Kunstsoziologie, Teilbereich der Soziologie, der die sozialen Aspekte der Hervorbringung, Vermittlung und Wirkung von Kunstwerken untersucht. Die K. sieht die ästhet. Formen ohne normative Voraussetzungen in Abhängigkeit von den sozialen Klassen und Schichtungen (Kunstpublikum), vom Status des Künstlers, von Mode und Geschmack, von der polit. Ideologie (Kunst als Freiraum oder gesellschaftspolit. Mittel) und den techn. und ökonom. Entstehungs- und Verbreitungsbedingungen (Massenkommunikationsmittel; öffentl. oder private Förderung, Mäzenatentum) in einer Gesellschaft.

A. HAUSER: Soziologie der Kunst (1974).

Kunst|theorie, →Kunstwissenschaft.

Kunst|topographie, Sonderform der Inventarisation, die in kurzgefaßten Texten mit Abbildungen und Lageplänen die Kulturdenkmäler charakterisiert. Die K. ist ein Hilfsmittel der Denkmalpflege.

Als K. werden Handbücher und Kunstführer, aber v. a. die Inventare der Landesämter für Denkmalpflege bezeichnet; sie erscheinen nach Ländern getrennt, u. a. für die Schweiz, Österreich, Großbritannien und die skandinav. Länder.

K. Schlesw.-Holst. (1969); Denkmaltopographie Bundesrep. Dtl.; Baudenkmäler in Ndsachs., Landkreis Lüneburg (1981); Baudenkmale in Hessen, Wetteraukreis I (1982).

Hb. und Kunstführer: Dehio Hb.; Die Kunstdenkmäler Österreichs, Topograph. Denkmälerinventar... Neue Serie: Kärnten (1976), Graz (1979), Tirol (1980), Burgenland (²1980), weitere Bde. in Bearb.; Dehio Hb. der dt. Kunstdenkmäler, Neue Folge: Bundesrep. Dtl. und Dt. Dem. Rep. (1968 ff., Bde. nach Ländern/Bezirken gegliedert); Reclams Kunstführer Dtl., hg. v. A. v. REITZENSTEIN u. H. BRUMMER, 7 Bde. (⁵⁻⁸1975–80); Kunstführer durch die Schweiz, hg. v. A. A. SCHMID, 3 Bde. (1972–1982).

Kunstverein, Zusammenschluß von (natürl. und/ oder jurist.) Personen zur Förderung der zeitgenöss. Kunst und des Kunstlebens meist auf regionaler Basis. Mit Ausstellungen, Vorträgen und Vorführungen dienen sie der Unterrichtung der Öffentlichkeit und treten damit in Konkurrenz zu Museen und Galerien. Die K. sind um die Wende vom 18. zum 19. Jh. mit dem aufsteigenden Bürgertum entstanden, das zunehmend die bisher v.a. vom Adel ausgeübte Förderung der Künste wahrnahm.

Verzeichnis der K. in: International directory of arts, begr. v. W. KAUPERT, 1 (Frankfurt a. M. [14]1979).

Kunstverlag, auf die Veröffentlichung von Kunstbüchern (Bildbänden, kunstwissenschaftl. und archäolog. Fach- und Sachbüchern) spezialisierter Verlag. Bundesrep. Dtl.: Bongers, Recklinghausen; Du Mont Schauberg, Köln; Hirmer, München; Dt. Kunstverlag, München; Langewiesche, Königstein; Gebr. Mann, Berlin; E. A. Seemann, Köln (Dt. Dem. Rep.: VEB E. A. Seemann, Leipzig) u.a.; Österreich: A. Schroll, Wien; Schweiz: Weber, Genf; A. Skira, Genf. Bei vielen Verlagen ist die Kunstbuchproduktion ein Teilbereich.

Kunstwissenschaft, alle wissenschaftl. Bemühungen zur Erforschung der bildenden Künste (Architektur, Bildhauerkunst, Malerei). Die Bez. **Kunstgeschichte** stellt den histor. Aspekt in den Vordergrund. Urspr. eine Hilfswissenschaft der Geschichte, hat sich das Universitätsfach Kunstgeschichte als die Wiss. von der histor. Entwicklung der bildenden Künste mit Hilfe von an der antiken Kunst ausgebildeten Interpretationsmethoden seit dem frühen 19. Jh. als selbständige Kulturwissenschaft etabliert, die bestrebt ist, Ergebnisse nahezu aller übrigen Wiss. in ihre Erkenntnisprozesse einzubeziehen. Die Kunstgeschichte befaßt sich v. a. mit konkreten Objekten (Kunstwerken) und Autoren (Künstlern) im Hinblick auf histor. Entwicklungen, Abhängigkeiten und Einflüsse. Die **Kunsttheorie** dagegen betrachtet die Kunst als einen allgemeinen Gegenstand menschl. Könnens, Erfahrens und Erkennens, der in Beziehung gesetzt wird zu anderen Vermögen und Produktionen menschl. Kulturtätigkeit.

In der Kunsttheorie sind folgende Spezialgebiete zu unterscheiden: 1) die Ästhetik als die Theorie des Schönen und seiner Erscheinungsformen in der Kunst; 2) die Semiotik als die Lehre von der künstler. Kommunikation und den damit verbundenen Zeichensystemen und -prozessen; 3) die Hermeneutik als die Lehre vom Sinn der Kunst und der Kunstwerke sowie von den Methoden, sie zu deuten und zu verstehen; 4) die Kunstpsychologie, die sich mit Prozessen der Wahrnehmung von Kunstwerken und auch bes. mit der Rolle des Kreativen in der künstler. Produktion beschäftigt; 5) die Kunstsoziologie als die Theorie der vielfältigen Beziehungen zw. Kunst und Gesellschaft, bes. auch der ökonom. Grundlagen der Kunst. Gewissermaßen übergreifend und fundierend zu diesen Spezialgebieten verhält sich die **Kunstphilosophie** als die Lehre von den erkenntnistheoretischen, ontolog., ethischen und metaphys. Grundlagen der Kunst.

GESCHICHTE

Die Wurzeln der K. liegen in der Antike. PLATON und ARISTOTELES haben die Kunst in ihre philosoph. Weltbilder einbezogen. Die ›Historia naturalis‹ von PLINIUS

D. Ä. behandelt u. a. die Technik der Künste, PAUSANIAS ist ein früher Vertreter kunsttopograph. Beschreibung. Das MA. überlieferte antike Vorstellungen und brachte eine Kunsttheorie im Rahmen der Theologie hervor. In der Renaissance belebte sich das auch theoret. Interesse an der Kunst neu, z. B. in den auf der römisch-kaiserzeitl. Schrift des VITRUV aufbauenden Architekturtraktaten von L. B. ALBERTI u. a. wie in den Malereitraktaten von LEONARDO DA VINCI. Die Perspektive wurde zuerst von Künstlern wissenschaftlich erarbeitet, die frühe Kunsttheorie war von Künstlern getragen, und die frühe Kunstgeschichtsschreibung ist Künstlergeschichte, zuerst in Form von Selbstbiographien, dann in Sammelbiographien, die zuerst ebenfalls von Künstlern verfaßt wurden. Die wichtigsten dieser Vitensammlungen stammen von G. VASARI (1550), C. VAN MANDER (1604) und J. VON SANDRART (1675–79). Sie wurden bis ins 18. Jh. fortgesetzt und mündeten in die zunehmend historisch-kritisch erarbeiteten Kunstlexika z. B. von J. R. FÜSSLI (³1779), J. C. NAGLER (1838 ff.) und schließlich U. THIEME, F. BECKER und H. VOLLMER (1907–61).

Seit J. J. WINCKELMANN kann von K. im modernen Sinn gesprochen werden. Er verfolgte die stilist. Entwicklung der Kunst unter den Bedingungen von Staat, Gesellschaft, Religion und ethn. Gegebenheiten, losgelöst von der Künstlergeschichte. 1813 wurde in Göttingen der erste Lehrstuhl für K. eingerichtet. Das 19. und frühe 20. Jh. kümmerten sich bes. um formale Stilfragen; die heute zum allg. Bildungsgut gehörenden Stilbegriffe (wie Romanik, Gotik, Renaissance, Barock, Manierismus, Impressionismus, Jugendstil usw.; →Stil) wurden teils präzisiert, teils neu in die Fachsprache eingeführt. Die nun verselbständigte K. begann sich zu anderen Wissenschaften in Beziehung zu setzen und ihren Forschungsgegenstand generell als Ausdruck der Geistesgeschichte zu sehen, deren Komponenten in die kunsthistor. Betrachtung einzubeziehen seien. In den letzten Jahrzehnten wurde man sich zunehmend des Charakters der Stilbegriffe als wissenschaftl. Hilfskonstruktion bewußt, die allein kein wirkl. Verständnis der Kunstwerke ermöglicht. Gegenwärtig gibt es einen Pluralismus in der kunstwissenschaftl. Methodik und eine Ausweitung des Forschungsgegenstandes über die traditionellen Kunstgattungen hinaus. Eine besondere Rolle spielen heute neben der krit. Sachforschung soziolog. und sozialphilosoph. sowie allg. kulturphilosoph. und -psycholog. Denkansätze.

Gesamtdarstellungen: Hb. der Kunstwiss., begr. v. F. BURGER, voll. v. A. E. BRINCKMANN (1914–30); The Pelican history of art, hg. v. N. PEVSNER, 40 Bde. (Harmondsworth 1953–1960); Enciclopedia universale dell'arte, 15 Bde. (Venedig 1958–67); Universum der Kunst, begr. v. A. MALRAUX (1960 ff., bisher 28 Bde.); Propyläen-Kunstgesch., 18 Bde. u. 5 Ergänzungsbde. (1966–80); PETER MEYER: Europ. Kunstgesch., 2 Bde. (1978). – **Gesch. und Methode des Fachs:** L. DITTMANN: Stil, Symbol, Struktur (1967); ders.: Kunstgesch. im interdisziplinären Zusammenhang (1975); H. LÜTZELER: Kunsterfahrung und K., 3 Bde. (1975); T. ZAUNSCHIRM: Systeme der Kunstgesch. (1975); ders.: Distanz-Dialektik in der modernen Kunst (1982); O. PÄCHT: Methodisches zur K. (1977): H. BAUER: Kunsthistorik (²1979); F. PIEL: Fragen und Aufgaben der K. (1982). – **Kunsttheorie:** A. HAUSER: Philosophie der Kunstgesch. (1958); R. INGARDEN: Erlebnis Kunstwerk und Wert (1969); Das Kunstwerk zw. Wiss.

und Weltanschauung, hg. v. M. WARNKE (1970); K. BADT: Eine Wissenschaftslehre der Kunstgeschichte (1971); U. ECO: Einführung in die Semiotik (a. d. Ital., 1972); A. SCHMOLL gen. EISENWERTH: Kunstgeschichte (1974); W. BENJAMIN: Das Kunstwerk im Zeitalter seiner techn. Reproduzierbarkeit (Neuaufl. 1975); H. G. GADAMER: Wahrheit und Methode (⁴1975); E. PANOFSKY: Sinn und Deutung der bildenden Kunst (a. d. Engl., 1975); ders.: Aufsätze zu Grundfragen der Kunst (³1980); Theorien der künstler. Produktivität, hg. v. MECHTHILD CURTIUS (1976); E. H. GOMBRICH u. a.: Kunst, Wahrnehmung, Wirklichkeit (1977); R. ARNHEIM: Kunst und Sehen (a. d. Amerikan., Neuausg. 1978); A. HAUSER: Sozialgeschichte der Kunst und Lit. (Neuaufl. 1978); H. SEDLMAYER: Kunst und Wahrheit (Neuaufl. 1978); Ästhetik, hg. v. W. HENCKMANN (1979); M. BENSE: Die Unwahrscheinlichkeit des Ästhetischen und die semiot. Konzeption der Kunst (1979); U. KULTERMANN: Gesch. der Kunstgeschichte (Tb. 1981); Theorien der Kunst, hg. v. D. HENRICH u. W. ISER (1982).

Kunstzeitschrift, eine der Darstellung und Deutung der bildenden Künste und einzelner ihrer Phänomene dienende Ztschr. Die K. hat sich aus der krit. Universalztschr. für alle Künste des 18. Jh. entwickelt. Gegenwärtig gibt es weltweit mehr als 1000 versch. K.

Zeitschriften mit Kunstmarktberichten: The Connoisseur, London (seit 1901); Apollo, London (seit 1925); The Burlington Magazine, London (seit 1903); Studio International, London (seit 1893); Minotaure, Paris (1933–39); Connaissance des Arts, Paris (seit 1952); ARTnews, New York (seit 1902). Dt. K.: Die Kunst und das schöne Heim (seit 1889); Pantheon (seit 1928); Zeitschr. für Kunstgesch. (1929); Die Weltkunst (seit 1930); Das Kunstwerk (seit 1946); Kunstchronik (seit 1948); Der Kunsthandel (1950); Kunst & Antiquitäten (seit 1976); art (seit 1979).

Verzeichnis der Ztschr.-Bestände in den kunstwiss. Spezialbibl. der Bundesrep. Dtl. und West-Berlin, bearb. v. MARIANNE PRAUSE (1973); The art press. Two centuries of art magazines, hg. v. T. FAWCETT u. C. PHILLPOT (London 1976).

K'un Ts'an, chines. Maler, →Shih ch'i.

Kuntz, Karl, Maler, Radierer, *Mannheim 29. 7. 1770, †Karlsruhe 8. 9. 1830, ebd. Hofmaler und Galeriedirektor. K. malte in niederländ. Art Landschaften und Tierstücke. – Sein Sohn Rudolf (*1797, †1848) war Hofmaler in Karlsruhe. Er malte Tierbilder und Landschaften und schuf Stiche und Lithographien.

Kuo Hsi, chines. Landschaftsmaler, *Wenhsien (Prov. Honan) um 1020, †um 1090, Schüler des LI CH'ENG, Autor des von seinem Sohn redigierten Traktats ›Die erhabene Schönheit von Wald und Strom‹, welche eine der wichtigsten Quellen zum Verständnis der frühen chines. Landschaftsmalerei darstellt. Die ihm zugeschriebenen HW sind ›Klarer Herbsthimmel über Berg und Tal‹ (Washington, Freer Gall.) sowie ›Vorfrühling‹ (1072; Taipei, Palast-Mus.), welche naß lavierte Berge und das für K. H.s Baumdarstellung typische ›Krebsscherengezweig‹ zeigen. (BILD S. 322)

Kuopio, Provinzhauptstadt im östl. Mittelfinnland, 72000 Ew.; an den regelmäßigen breiten Straßen der 1782 gegr. Stadt noch zahlreiche niedrige Holzhäuser; Domkirche (1815). Reichhaltiges orthodoxes Kirchenmus. (u. a. wertvolle Ikonen, Kirchengerät v. a. aus Karelien).

Kupecky [kup'ɛtski], **Kupezky,** Jan, Maler, *Bösing bei Preßburg 1667, †Nürnberg 16. 7. 1740, erhielt in Wien (ebd. seit 1709) Porträtaufträge vom Hof und

Kuo Hsi (zugeschrieben): Vorfrühling; Hängerolle, Tusche, leichte Farben auf Seide; 1072 (Taipei, Palast-Museum)

dem reichen Bürgertum. 1711 oder 1712 malte er PETER D. GR. in Karlsbad. Als Mitgl. der protestant. Brüdergemeine floh K. 1723 aus Wien und ließ sich in Nürnberg nieder. Seine sachl. Porträts sind in kraftvollen Hell-Dunkel-Kontrasten gehalten.

Kupelwieser, Leopold, österr. Maler, *Piesting (NÖ) 17. 10. 1796, †Wien 17. 11. 1862. Im Stil der →Nazarener schuf er viele kirchl. Gemälde; 1855–58 malte er die Altlerchenfelder Kirche in Wien aus.

R. FEUCHTMÜLLER: L. K. und die Kunst d. österr. Spätromantik (1970).

Kupferdruck, der Druck von Kupferstichen und Radierungen auf der **Kupferdruckpresse.** Zw. 2 Walzen wird unter starkem Druck der Drucktisch hindurchgezogen, auf dem die mit Kupferdruckfarbe eingefärbte Kupferplatte in Kontakt mit dem angefeuchteten Papierbogen liegt.

Kupferfarben, Maltechnik: blaue und grüne, schwefelempfindl. Pigmente, die in Ölen und Harzen zur Bildung von öl- oder harzsauren Kupfersalzen (Kupferoleat, Kupferresinat) neigen. Natürl. K. werden aus den Mineralien Azurit, Malachit und Paratacamit gewonnen, aber schon früh wurden blaue und grüne K. auch künstlich hergestellt, in der Antike z. B.

Ägyptischblau und Grünspan, seit dem späten MA. Kupferresinat, seit 1760 Bremer Blau, seit 1814 Schweinfurter Grün (auch Pariser, Münchner, Neuwieder, Braunschweiger Grün, Patentgrün u. a.).

Kupferlasur, alte Bez. für →Azurit.

Kupfer|resinat [lat. resina ›Harz‹], transparentes, durch die Bildung von Kupfersalzen mit Harzsäure grün gefärbtes →Harz. Als Farbe wurde K. in der Malerei nicht so häufig gebraucht wie bisher angenommen, wohl aber als Konservierungsmittel. In alten Bildern wurde K. bisher nur selten nachgewiesen.

Kupfer|rubinglas, →Rubinglas.

Kupferstich, die Kunst, in Metall-, bes. Kupferplatten Zeichnungen derart einzutiefen, daß sie abgedruckt werden können sowie der Abdruck selbst; die früheste Tiefdrucktechnik.

Technik. Als Druckträger dient eine glattpolierte Metallplatte, meist aus Kupfer. Die Zeichnung wird mit dem →Grabstichel oder mit anderen Werkzeugen, die zum Stechen und Gravieren in den Goldschmiedewerkstätten verwendet werden, in Form von Furchen eingegraben. Für den Abdruck wird die Druckerschwärze in die so entstandenen Vertiefungen eingerieben und, nachdem die glatten, nichtdruckenden Formoberflächenteile des Druckträgers freigewischt sind, auf das Papier übertragen (→Kupferdruck). Anfangs geschah dies durch Abreiben, später maschinell unter Zuhilfenahme einer Presse. Der K. eignet sich für einen betont linearen Zeichenstil. Da beim Ausheben der Furchen an den Rändern kleine Metallspäne mitgerissen werden, die beim Abdruck als Grat in Erscheinung treten, kann eine Nachbearbeitung mit dem →Schaber vorgenommen werden. Wird an Stelle des Stichels eine scharf geschliffene Stahlnadel (kalte Nadel) oder ein Diamantstift benutzt, entsteht beim Ritzen, entsprechend der Haltung der Nadel, ein deutl. →Grat, der für die

Kupferstich: Antonio del Pollaiuolo, ›Der Kampf der nackten Männer‹; um 1470/75

Kupferstich: Meister E. S., ›Maria Magdalena von Engeln emporgetragen‹

→Kaltnadeltechnik charakteristisch ist und der sichtbar stehenbleibt. Ornamentale Dekorationen konnten, darin den Arbeiten der Gold- und Waffenschmiede folgend, durch Einhauen von Punzen oder Stahlspitzen hergestellt werden.

An der bereits zum Druck verwendeten Platte lassen sich noch Änderungen anbringen, weshalb man verschiedene Plattenzustände (États) unterscheidet. Von ihnen abzuheben sind nach Abnützung der Platte meist von fremder Hand durchgeführte Überarbeitungen. Eine mit dem Grabstichel bearbeitete Kupferstichplatte ermöglicht etwa 200 vorzügl., 600 gute, 800 mittelmäßige und noch viele minderwertige Abzüge, eine mit der kalten Nadel bearbeitete Platte erheblich weniger, da die von der spitzen Nadel hochgedrückten Grate im Druckvorgang rasch niedergepreßt werden. Zur Erzielung höherer Auflagen verstählt man heute die Platten,

Kupferstich: Israhel von Meckenem, Selbstporträt mit seiner Frau Ida

stellt auch Galvanos (→Galvanoplastik) von ihnen her. Aus dem gleichen Grund wurde im 19. Jh. der →Stahlstich verwendet.

Die älteste Datierung eines K. (1446) findet sich auf der Geißelung der ›Berliner Passion‹. Signaturen in der Platte, meist mit den Initialen des Künstlers, oft in Begleitung einer Hausmarke, setzen 1466 mit den Spätwerken des MEISTERS E. S. ein. M. SCHONGAUER signierte als erster sein ganzes graph. Werk. Später wurde der gesamte Künstlername in das Bild aufgenommen, doch erscheint er in dieser Zeit auch schon unterhalb des Bildspiegels. Bei Stichreproduktionen nach Gemälden und Zeichnungen, denen als erster M. RAIMONDI einen großen Teil seines Schaffens widmete und die bes. von P. P. RUBENS gefördert wurden, begann man, unter dem Bild außer dem Titel und u. U. der Widmung auch die Namen des Erfinders, Stechers und Druckers (→Adresse) anzubringen. Die ersten Abzüge wurden ›avant la lettre‹ ausgegeben (→avec la lettre). Der seine eigne Erfindung stechende Künstler heißt →Peintre-graveur. Die seit dem 19. Jh. zusätzlich angebrachte handschriftl. Signatur soll eine Gewähr für die Güte vom Künstler selbst überwachter Handdrucke sein.

Als Tiefdruck blieb der K., nicht zuletzt wegen der begrenzten Zahl der mögl. untadeligen Abzüge von der empfindl. Kupferplatte, eine kostbare Technik. Im Verlauf des 16. Jh. verlor auch der K. spürbar an Bedeutung. Über weitere, mit dem K. verwandte, ihn in der

Kupferstich: Jean Duvet, ›Johannes verschlingt das Buch‹; K. zur Apokalypse, 1546/56

Folgezeit z. T. ablösende Tiefdruckverfahren →Schabkunst, →Punktier-Manier, →Radierung.

GESCHICHTE

15. Jahrhundert. Schon im Altertum wurde in Metall graviert. Seit der Mitte des 13. Jh. waren die techn. Voraussetzungen für das neue Verfahren in Europa gegeben: die Kenntnis der Papierherstellung und zum Drucken verwendbare Pressen. Die ersten von polierten Kupferplatten auf Papier abgedruckten K. entstanden seit etwa 1400 in Süd-Dtl. Bed. frühe Kupferstecher sind der →Spielkartenmeister, der oberrhein. MEISTER DER BERLINER PASSION von 1446 und der Meister →E. S., aus dessen Stichen sich die Entwicklung zu größerer Wirklichkeitsnähe ablesen läßt. M. →Schongauer verband die Ergebnisse des Naturstudiums mit Linienschönheit und rhythm. Ausgeglichenheit. Am Ober- und Mittelrhein wirkte der →Hausbuchmeister, der Kaltnadelarbeiten von großer Zartheit schuf. Der fruchtbarste Meister seiner Zeit war I. VAN MECKENEM. Italien blieb zunächst hinter Dtl. zurück. A. DEL POLLAIUOLO und A. MANTEGNA, dessen mytholog. Blätter Dürer zur Nachahmung reizten, waren die bedeutendsten Stecher.

Kupferstich: Albrecht Dürer, ›Adam und Eva‹; 1504

16. Jahrhundert. In Dtl. brachte A. DÜRER den K. zu höchster Vollendung, bes. in den drei Meisterstichen ›Ritter, Tod und Teufel‹, ›Hieronymus im Gehäus‹ (BILD Dürer) und ›Melancholia I‹. Er arbeitete auch mit der kalten Nadel und versuchte die Eisenätzung, die Technik der Waffenschmiede. An ihn schlossen sich in Nürnberg die →Kleinmeister sowie A. HIRSCHVOGEL und H. S. LAUTENSACK an. Ihnen waren in Regensburg A. ALTDORFER und in Passau W. HUBER überlegen. In Augsburg verwendete D. HOPFER schon früh die Kup-

fer- und Eisenätzung und leitete damit die Technik der Radierung ein.

In den Niederlanden ragten LUCAS VAN LEYDEN (BILD) und D. VELLERT hervor. Gegen Ende des Jh. führten C. CORT und H. GOLTZIUS den K. zu einer letzten Blüte, die von den →Rubensstechern in der 1. H. des 17. Jh. fortgeführt wurde.

In Italien verband M. RAIMONDI aus Bologna Dürers Technik mit RAFFAELS Stil. In Venedig schloß G. CAMPAGNOLA sich an die Hochrenaissancemaler an. Von Parma aus wirkte PARMIGIANINO über seinen Schüler F. PRIMATICCIO bis nach Fontainebleau. Erst jetzt nahm Frankreich die Stichtechnik auf. J. DUVET, J. COUSIN D. J., É. LAUNE und der Architekt J. DUCERCEAU waren die ersten Meister.

Seit dem 17. Jh. bevorzugten die hervorragendsten Künstler die Radierung. Der K. behielt seine Bedeutung für den →Ornamentstich, für die Illustration wissenschaftl. Traktate und Topographien und für das Titelblatt (Titelkupfer) und die Vignetten vieler literar. Werke.

O. M. LILIEN u. C. W. GERHARDT: Der Tiefdruck und die kleineren Druckverfahren, in: Gesch. der Druckverfahren, hg. v. R. W. FUCHS, Tl. 3 (1978); Druckwerkstatt im Museum. K. und Radierung von Dürer bis Picasso, Ausst.-Kat., Düsseldorf (1981).

Kupferstichkabinett, auch **Graphische Sammlung,** Aufbewahrungsort von allem auf Papier oder Pergament Gemaltem, Gezeichnetem oder Gedrucktem, wie Aquarelle, Gouachen, Handzeichnungen, künstler. Druckgraphik und Reproduktionsgraphik, die bes. geschützt aufbewahrt werden müssen. Die meisten Kunst-Mus. verfügen über eine solche Abteilung. Zu den bedeutendsten K. gehören das ›Rijksprentenkabinet‹ in Amsterdam, das K. der Museen Preuß. Kulturbesitz in Berlin, das ›Gabinetto Disegni e Stampe degli Uffizi‹ in Florenz, das ›Cabinet des Estampes‹ in Paris und die ›Albertina‹ in Wien.

Kupfertafel, glattpolierte Platte aus Kupfer als Träger für die Zeichnung des Kupferstichs und der Radierung, auch in der Malerei bei kleinen Formaten seit dem 16. Jh. als Bildträger verwendet (A. ELSHEIMER). Die Farbe des Metalls übernimmt dabei die Aufgabe einer →Farbigen Grundierung.

Kụpka, František, tschech. Maler, *Opočno 22. 9. 1871, †Puteaux bei Paris 24. 6. 1957, seit 1892 in Paris. Zuerst als Illustrator tätig und in seinen Figurenbildern dem Jugendstil nahestehend, wandte er sich schon um 1910/11 konsequent der abstrakten Kunst (BILD) zu, deren musikalisch-rhythm. Richtung er mitbegründete. 1912 wurde er von G. APOLLINAIRE mit R. DELAUNAY und F. PICABIA zur Gruppe des Orphismus gezählt. Seine ausgewogenen Kompositionen bringen die absolut gesetzten Bildmittel zu musikal. Wirkung.

F. K., Ausst.-Kat., Zürich (1976); F. K., Ausst.-Kat., Köln (1981).

Kuppel, halbkugelförmiges oder der Halbkugelform angenähertes Gewölbe aus Werkstein, Ziegel, Gußmauerwerk, Holz, neuerdings auch Stahl, Stahlbeton und Glas. Die versch. Bez. für eine K. beziehen sich auf ihre Form (Flach-K., Spitz-K., ovoide K., Zwiebel-K. u. ä.), ihre spezielle Konstruktionsform (Rippen-K., Schirm-K., Falt-K., Doppelschalen-K.) oder auf ihre versch. mögl. Stütz- und Unterbauten (Hänge-K., Tambour-K., Pendentif-K., Trompen-K.) oder auf das Verhältnis zw. der K. und dem darunterliegenden Raum (Innenkreis-K., Außenkreis-K., Vierungs-K., Zentral-K. u. a.). Bei quadrat. Grundriß bedarf sie der Überleitung zu einem mindestens achteckigen oder kreisrunden Auflager mit Hilfe der →Trompen, die schon im alten Persien genutzt wurden, oder der →Pendentifs (Hängezwickel), wie sie aus dem Erbe der spätantiken Kunst bes. in Byzanz verwendet wurden. Bei neueren Bauten seit der Renaissance, die eine Vorliebe für hohe K. hatte, erhoben diese sich vielfach über einem von Fenstern erhellten zylinderförmigen →Tambour (Rom, Jesuitenkirche Il Gesù, beg. 1568) und tragen über ihrem durchbrochenen Scheitel eine ebenfalls lichterfüllte →Laterne (Salzburg, Kollegienkirche, 1694–1707). Außen ist die K. in dieser Zeit, in der sie vielfach aus 2 Schalen, einer inneren und äußeren, konstruiert wurde, meist durch kräftig vortretende Rippen gegliedert. Aus der K. entwickelten sich die mannigfaltig geformten Hauben über den barocken Kirchtürmen. K.-Aufbauten sind auch im barocken Palastbau häufig anzutreffen. – Bei der Hänge-K. oder Stütz-K. schneiden die tragenden Gewölbegurte seitlich in das K.-Rund ein; diese Form heißt bei geringer Höhe ($\frac{1}{6}$ bis $\frac{1}{10}$ der Spannweite) auch Böhm. Kappe. – Halb-K. bedecken in allen älteren Kirchen die Apsiden (München, St. Michael).

Geschichte. Bereits in der neolith. Zeit sind kuppelartige Einwölbungen durch nach oben fortschreitendes Vorkragen der Steinschichten erzielt worden (Khirokitia auf Zypern, 6. Jahrtsd. v. Chr.). In derselben Weise sind die K.-Gräber der myken. Kultur (spätes 16. bis 13. Jh. v. Chr.) konstruiert. In der späthellenistisch-röm. Architektur wird die K. zur monumentalen Bauform entwickelt, gleichzeitig im W (Pantheon, Rom, 118 bis 125/28 n. Chr., Bauten der Villa Hadriana, Baumaterial vorwiegend Gußmauerwerk) wie im O (Asklepios-Tempel im Asklepieion von Pergamon, um 140 n. Chr., radial geordnetes Ziegelschichtmauerwerk). Die sassanid. Baukunst nahm diese Bauform auf, im 4./5. Jh. auch die christl. Architektur (doppelschalige Holzkuppel über der Anastasisrotunde in Jerusalem, Holzkuppel der Kathedrale von Antiochia und doppelschalige Holzkuppel über dem Oktogon des Hl. Symeon Stylites in Kal'at Sim'an). Den Höhepunkt monumentaler K.-Baukunst stellt die Hagia Sophia in Konstantinopel (532–537) dar. Seit dieser Zeit wurde die K., auch in kleineren Ausmaßen, Charakteristikum der byzantin. und ostchristl. Architektur bis in die Neuzeit hinein (russ. Kunst, moderner grch. Kirchenbau). Die islam. Architektur knüpfte zunächst an die Tradition der K.-Bauten in Jerusalem an (Felsendom; BILD Jerusalem), übertrug die K. aber als bevorzugte Detailform sehr bald auch auf andere Architekturtypen wie die Hofmoschee (Große Moschee in Damaskus, Anf. 8. Jh.) und – wohl wiederum byzantin. Vorbildern folgend – die Palastarchitektur (Khirbat al-Mafjar um 730/40). Seit dem Vorbild der omajjad. Architektur, das bis in den entfernten W ausstrahlte (Sidi-Okba-Moschee in Kairouan, 8./9. Jh., BILD Kairouan; Moschee von Córdoba mit 4 K. des 10. Jh.) und nach immer neuen Anregungen durch persisch-iran. und byzantin. Baukunst rückte die K. auch in der islam. Architektur zu einem den Bau auszeichnenden Element auf. In der osman. Architektur – wiederum durch das unübertroffene Vorbild der Hagia Sophia inspiriert und durch die Neuaufnahme des K.-Baus in der westl. Renaissance beflügelt – wurde die K. zum Hauptanliegen der gesamten Moscheearchitektur (Höhepunkt: Moschee Selims II. in Edirne, 1568–1574; BILD Edirne).

In der abendländ. Baukunst trat die K. seit der Antike erstmals wieder in der frz. roman. Architektur auf (u. a. St. Front in Périgueux, 12. Jh.; →Aquitanische Kuppelkirchen). In Italien wurden K. in Form von Klostergewölben konstruiert (Baptisterium in Florenz, um 1150 überwölbt). Der Ursprungsbau der neuzeitl. K. ist in der zweischaligen K. des Florentiner Doms erhalten, 1418–36 von F. BRUNELLESCHI (BILD) noch in der Tradition des Klostergewölbes, jedoch mit allen Bauteilen, die eine klass. K.-Konstruktion ausmachen, errichtet. In die Reihe der großen Renaissance-K. gehören S. Maria delle Grazie in Mailand von D. BRAMANTE und die K. von St. Peter in Rom von MICHELANGELO. Im Barock war die K. Mittelpunkt der zentralisierenden Tendenz im Kirchenbau (Karlskirche in Wien 1716–37 von J. B. FISCHER V. ERLACH, BILD; Frauenkirche in Dresden 1726–43 von G. BÄHR, Invalidendom in Paris 1679 bis 1706 von J. HARDOUIN-MANSART). Im Klassizismus behielt die K. ihre Bedeutung für den Innenraum und als Element im Städtebau bei (Berlin, Altes Mus. 1822–30 von K. F. SCHINKEL; Darmstadt, Ludwigskirche 1822 bis 1827 von G. MOLLER). Im 19. Jh. wurden K. in gußeiserner Konstruktion entwickelt (Halle au Blé, Paris, 1812). Im 20. Jh. wurde →Stahlbeton das meistgebrauchte Material im K.-Bau (Jahrhunderthalle, Breslau, 1912/13 von M. BERG). Daneben blieb auch Stahl als Konstruktionsmittel bestehen (Festhalle, Frankfurt a. M., 1908 von F. v. THIERSCH).

J. FINK: Die K. über dem Viereck (1958); F. HART: Kunst und Technik der Wölbung (1965).

Kuppelbasilika, bes. in der älteren wissenschaftl. Literatur gebräuchl. Bez. der Kombination eines mehrschiffigen Längsbaus mit einer Kuppel. Mit ihr wurde im oström. Gebiet seit dem späteren 5. Jh. experimentiert, um das Sanktuarium im Außenbau architektonisch hervorzuheben und die symbol. Bedeutung der Kuppel zu betonen. In der Zeit JUSTINIANS I. finden sich verschiedenartige Lösungen des Problems (Hagia Sophia, Irenenkirche in Konstantinopel; Basilika B in Philippi). Übergänge zum Bautypus der Kreuzkuppelkirche sind in vielen Fällen gegeben.

Kuppelgrab, monumentale Form des Fürstengrabes der myken. Kultur seit dem späten 16. Jh. v. Chr. Die unterird. Gruft hatte kreisförmigen Grundriß. Der kuppelartige Raum entstand durch ringförmig verlegte Blöcke, die übereinander vorkragten; eine Deckplatte krönte dieses ›falsche Gewölbe‹. Häufig war eine kleine rechteckige Grabkammer angeschlossen. Den Zugang bildete ein oben offener Korridor (Dromos), oft mit Quadern verkleidet und immer durch eine Tür von der Gruft getrennt. In Mykene wurden neun K. gefunden, das stattlichste ist das Schatzhaus des →Atreus; andere K. liegen bei Volos, in Orchomenos, Menidi (Attika), im Heraion bei Argos, in Tiryns, Vaphio und Pylos, in Kolophon (kleinasiat. W-Küste) und auf Kreta (bei Archanes). Der Typus hat wahrscheinlich die alten oberird. Rundgräber S-Kretas aus der 2.H. des 3.Jahrtsd. v.Chr. zum Vorbild (→Tholosgrab). Die Form des K. hat sich stellenweise bis ins 7.Jh. v.Chr. gehalten.

Die mittelmeer. K. wurden in W-Europa in der ausgehenden Stein- und frühen Bronzezeit mit primitiven Mitteln nachgeahmt. In Etrurien, auf dem Balkan und in S-Rußland kamen K. bis in hellenist. Zeit vor.

Kurangun, Felsen mit Reliefdarstellung elamischer Herkunft über dem Fluß Fahliun in Iran, nordwestlich von Persepolis (KARTE Alter Orient). Das Hauptrelief zeigt einen sitzenden Gott und eine Göttin zw. Adoranten (13./12. Jh. v. Chr.); später (8./7. Jh. v. Chr.) wurde auf einem 2. Relief eine von schräg oben herankommende Prozession von 21 Männern hinzugefügt.

Kurashiki [-ʃ-], Stadt in Japan, auf Honshu, südwestlich von Okayama, 403800 Ew.; Binnenhafen und Handelszentrum. Die Lagerhäuser prägen mit ihrer besonderen Architekturform den Charakter der Stadt. Die Stadtstruktur und große Bereiche der histor. Stadtanlage (18.Jh.) sind erhalten. Mus. für Volkskunst, Archäologie und moderne Kunst (Ohara-Gal. mit Werken von A. RODIN, P. GAUGUIN, P. PICASSO).

Kurfürstengläser, Kurfürstenhumpen, zylindr. Gefäße von oft beträchtl. Ausmaß, die v.a. in Böhmen am Ende des 16. und im 17.Jh. hergestellt wurden. Auf ihnen waren der Kaiser und die 7 Kurfürsten in Emailmalerei dargestellt.

Kurfürstenteller, Reliefzinnteller, hergestellt in Nürnberg im 17.Jh., zeigen Reiterbilder der Kurfürsten auf dem Rand, das Porträt des Kaisers in der Mitte.

Kurgan [russ. aus türk.] *der,* Name der Hügelgräber in O-Europa und W-Sibirien. Durch gewaltige Grabbauten und reichhaltige Beigaben sind bes. die K. der Skythen bekannt.

Kurilowo-Kloster, Kurilowski manastir, ehem. Kloster des Hl. Iwan Rilski, 15 km nordwestlich von Sofia, Bulgarien. Die einfache Kirche (1593) enthält Reste bed. Wandmalereien (1596). Im frühen 19.Jh. wurde sie erweitert und 1849 z.T. neu ausgemalt.

Kurion, antike Stadt an der S-Küste Zyperns, eine grch. Gründung des 7.Jh. v.Chr., von der ein Theater (wahrscheinlich aus dem 2.Jh. v.Chr., von den Römern vergrößert, heute wiederhergestellt) und Reste eines Palastes mit Mosaikfußböden des 5.Jh. n.Chr. erh. sind; westlich von K. Tempelreste des im 8.Jh. v.Chr. gegr. Heiligtums des Apollo Hylates. Im Mus. von K. Funde der Ausgrabungen.

Kurma [Skt.], zweite Manifestation (Avatara) des hinduist. Gottes Vishnu als Schildkröte. K. bildete die Unterlage des vom Berg Mandara gebildeten Quirls bei der myth. Quirlung des Milchmeeres zur Gewinnung des Unsterblichkeitstranks für Götter und Dämonen.

Kurnik, poln. **Kórnik** [k'urnik], Stadt in der poln. Wwschaft Poznań (Posen), 5800 Ew., Schloß der Familie Górka des 16. Jh., das nach Plänen von K. F. SCHINKEL (1829) und des Bauherrn für die Familie Działyński zu einer neugot., romantisierenden Burg umgestaltet wurde; heute Mus. und Bibl. der Poln. Akad. der Wiss.

Kurokawa, Kisho Noriaki, japan. Architekt, *Nagoya 8. 4. 1934, gehört zu den ersten Vertretern des →Metabolismus, der Bauvorgänge in Analogie zu biolog. Prozessen sieht. Die baul. Umsetzung solcher Vorstellungen führte zur Entwicklung von Raumzellen, die zu Großstrukturen zusammengesetzt werden; ihre Gesamtform paßt sich den jeweiligen Bedürfnissen an.

HW: H. C. Andersen Memorial Mus., Yokohama (1964); Kapsel Haus, Expo 70, Osaka (1970); Hauptsitz der Fukuoka Bank, Tokio (1975); Verwaltung des Japan. Roten Kreuzes, Tokio (1977); Laborgebäude für die Bayer AG, Monheim (1979–82, in Zusammenarbeit mit den Architekten Schuler u. Jatzlau).
Schrift: Metabolism in architecture (1977).
K. KUKUTAVE u. K.K.: Metabolism 1960 (Tokio 1960).

Kuros [grch. ›Jüngling‹], *Mz.* **Kuroi,** nackte Jünglingsgestalt der archaischen grch. Kunst (Grabstatue, Weihgeschenk). →Kore

Kursi [arab. ›Thron‹], sechseckiger Ständer für den Koran aus Metall oder Holz, tauschiert oder mit Elfenbeineinlagen, bes. in Moscheen aus mameluck. Zeit in Kairo. Seit dem 14. Jh. entstand eine Sonderform in Gestalt eines hohen Kastenstuhls für die Rezitation des Korans.

Kurumba, Stamm in N-Obervolta, etwa 75 000 Menschen; v.a. bekannt wegen ihrer eleganten ›Adone‹-Aufsatzmasken, die aus einem abstrakt gestalteten Kopf der Pferde-Antilope bestehen, bunt in geometr. Mustern bemalt und oft mit Bohnen verziert. Die K. fertigen ebenfalls reizvolle Fruchtbarkeitspuppen und Ahnenfiguren, stelenartige Masken, Hörnermasken (Mosi-Einfluß) und ganz abstrakt gestaltete, große Aufsatzmasken sowie beschnitzte Gabelpfosten und Grabstelen mit männl. und weibl. Symbolen.

ANNEMARIE SCHWEEGER-HEFEL u. W. STAUDE: Die K. von Lurum (1972).

Kurvatur [lat.], an Stufen, Mauern, seltener am Gebälk von grch. Tempeln häufig vorkommende leichte Aufkrümmung der Horizontalen zur Mitte hin.

kurz, Maltechnik: die Eigenschaft einer Farbe, auf Grund ihrer Konsistenz beim Auftragen hinter dem Pinsel abzureißen oder so stehen zu bleiben, wie sie mit Pinsel oder Spachtel aufgesetzt wurde, d.h. nicht zu verlaufen.

Kusair Amra, kleiner omajjad. Landsitz östlich von Amman (um 715 n.Chr.) mit Audienzhalle (Ausmalung von Gewölben und Kuppel mit allegor. Motiven erh.), Baderäumen, Garten und Wasserversorgung, in der Anlage eng verwandt mit dem etwas südlicher gelegenen →Hamam es-Sarakh.

Kushana-Kunst, benannt nach dem nordwestind. Herrscherhaus aus dem Geschlecht der innerasiat. Yüechi. Ihr Imperium mit der Hauptstadt Peshawar reichte im 1.–3. Jh. über das Kernland Gandhara hinaus von N-Afghanistan bis in die Gangesebene mit der südl. Hauptstadt Mathura. Unter dem Kushanakönig KANISHKA und seinen Nachfolgern, die sich auf Münzen als Verehrer hellenistisch-iran. Götter wie auch des hinduist. Shiva und des Buddha darstellen ließen, entfalteten sich seit dem Anfang des 2. Jh. die Skulpturenschulen von Gandhara und Mathura zu den für die Stilentwicklung und kanon. Ikonographie bed. Zentren der ind. Kunst. Die Spät-K.-K. des 3.–4. Jh. mündete in den NW-Regionen seit dem Eindringen der Sassaniden in einen iranisch beeinflußten Mischstil (Bamian, Fondukistan), während sie in Mathura um die Mitte des 4. Jh. in die klassisch-ind. Guptakunst überleitete.

In W-Turkestan sind bisher 3 Ruinenstätten aus der Kushana-Zeit ausgegraben worden: 1. Dalversin-Tepe als größte kushanazeitl. Stadt, 2. der im alten Termes gelegene Hügel Kara-Tepe mit zahlreichen buddhist. Höhlentempeln, die Malereien und Skulpturen relig. Inhalts zeigen, 3. der Komplex von Chaltschajan mit seinen Malereien und Figurenfriesen rein weltlichen Charakters. Obwohl die Kunst dieser Stätten in W-Turkestan im kulturellen Einflußbereich der Kushanas stand, spiegeln sich in ihr doch auch ererbte lokale Traditionen und iran. Einflüsse wider. Ob sie tatsächlich geographisch zum Kushana-Reich gehörten, ist bis heute ungeklärt. – Die in O-Turkestan erhaltene kushanazeitl. Malerei in Miran zeigt in Stil und Ikonographie Verbindungen zur Gandhara-Kunst.

J. VAN LOHUIZEN-DE LEEUW: The ›Scythian‹ Period (Leiden 1949); J. MARSHALL: Buddhist art of Gandhara (Cambridge 1960); J. ROSENFIELD: The Dynastic arts of the Kushans (Los Angeles 1967); B. STAWISKI: Kunst der Kuschan (1979); M. MASSON: Land der 1000 Städte (1982).

Kustodijew, Boris Michajlowitsch, russ. Maler, Graphiker, Bühnenbildner, Bildhauer, *Astrachan 7. 3. 1878, †Leningrad 26. 5. 1927, studierte an der Akad. in St. Petersburg, Mitgl. des Mir Iskusstwa; gestaltete Themen der russ. Provinz in vereinfachender Stilisierung und leuchtendem Kolorit; ferner Porträts.

Küstrin, poln. **Kostrzyn** [k'ɔstʃin], Stadt in der poln. Wwschaft Gorzów (Landsberg/Warthe) an der Mündung der Warthe in die Oder, 13 600 Ew. Die im 13. Jh. von den Tempelrittern gegr. Stadt wurde im 2. Weltkrieg zu 90 % zerstört, so auch das Schloß der Markgrafen von Brandenburg, ein Backsteinbau mit Ecktürmen von C. THEISS (um 1550). Erhalten sind Reste der Stadtbefestigung (nach 1537).

Kütahya [kyt'ahja], Hauptstadt der türk. Prov. K. im westl. Inneranatolien, 82 400 Ew.; über der Stadt Reste einer mittelalterl. Zitadelle, als ältester erhaltener Bau die Kuppelmedrese des Vacidiye Gözlemevi (1317/18); schlichte Formen bei der Ishak-Fakih-Stiftung (Mescit 1433/34, Medrese 1440) und der Arslan Bey Camii (1. H. 15. Jh.). Die reizvolle T-förmige Imaret Mescidi (auch Kurşunlu Imaret) ist vermutlich eine

1440/41 restaurierte Stiftung von 1411/12. Der Gedik Ahmet Pascha Bedestan (gedeckter Markt) stammt aus dem 15. Jh.

Kutaịssi, Stadt am Ufer des Rion in der Georg. SSR, UdSSR, 197000 Ew.; im 10. Jh. polit. und kulturelles Zentrum Georgiens. Ruinen der Bagrat-Kirche, einer 1003 errichteten Kreuzkuppelanlage (zerstört 1691). Historisch-ethnograph. Mus. der Georg. SSR, zu dem auch die Kloster- und Akademie-Anlage in →Gelati gehört.

Kutscha, Ort in O-Turkestan, →Kucha.

Kuttenberg, tschech. **Kutná Hora** [k'utna: h'ɔra], Stadt im Mittelböhm. Kreis, ČSSR, östlich von Prag, 20500 Ew. Die Siedlung bei einer 1142 gegr. Zisterzienserabtei gewann im Hoch-MA. durch Blei- und Zinkerzbergbau bed. Reichtum; Silbervorkommen machten K. im 14. und 15. Jh. zur wichtigsten Bergstadt Böhmens. Zahlreiche Bürgerhäuser aus Gotik, Renaissance und Barock sind erhalten. Die Stadt steht heute unter Denkmalschutz. Der ›Welsche Hof‹, ehemals Königshof und Münze (14.–15. Jh.), ist heute Mus., ebenso der Herrensitz ›Hrádek‹ (14./15. Jh.). Die Erzdekanatskirche St. Jakob (1330–1420) hat reiche Ausstattung. Das Stadtbild wird beherrscht vom ehem. Jesuitenkolleg (1667–1700) und v.a. von der spätgot. St.-Barbara-Kirche (beg. um 1380) mit ihren 3 geschweiften Zeltdächern (wiederhergestellt um 1900), deren Bauplan aus der Parler-Hütte stammt. Im Innern got. Wandmalereien, got. Chorgestühl und reich figuriertes Mittelschiffgewölbe nach Entwurf von B. Ried (ausgeführt 1540–48 von N. und I. Vlach).

Kutt(e)rolf (17. Jh.)

Kutt(e)rolf, Angster [von lat. angustus ›eng‹], bes. im 16./17. Jh. beliebtes Vexierglas mit zwiebelförmigem Bauch und einem Hals aus umeinandergeschlungenen Röhren, durch die die Flüssigkeit nur tropfenweise fließen kann.

Kuwait, Hauptstadt des Staates K., am NW-Ende des Pers. Golfs, 80400 Ew. Das 1983 hier eröffnete Nat.-Mus. (1976–81 nach dem Entwurf von M. Ecochard erbaut) zeigt in der Sammlung al-Sabah bed. Zeugnisse islam. Kunst (insgesamt 20000 Exponate; Buchmalerei, Schmuck und geschnittene Steine, Münzen, eine umfassende Teppichsammlung).

Islamic art in the K. National Museum (London 1983).

Kuyu, Kuju, Volksgruppe im Zentrum der Rep. Kongo. Die K. verwenden beim Schlangentanz ›Kebe-Kebe‹ reich dekorierte Tanzkeulen aus Holz: ein wie aufgeblasen wirkender Kopf, der bunt bemalt ist und den der Tänzer über seinen Kopf hält. Die Keule kann auch aus einer Kombination von Figur und Kopf bestehen, wobei sich die Figur über dem Kopf befindet. Nach dem Tanz wird die Keule (bis zur nächsten Zeremonie) in einer ebenso reich dekorierten Figur aufbewahrt. Eine im selben Stil geschnitzte Stülpmaske befindet sich im Städt. Mus. für Völkerkunde in Frankfurt am Main.

Kwakiutl: bemalte Matte aus Zedernrindenbast (Köln, Rautenstrauch-Joest-Museum)

Kwaart, im 17. u. 18. Jh. v. a. in Delft verwendete farblose Bleiglasur, die über der Bemalung aufgetragen wurde und dem Dekor Glanz verlieh.

Kwaigetsudo, japan. Holzschnittkünstler, →Kaigetsudo.

Kwakiutl, Stamm der →Nordwestküsten-Indianer im NO der Insel Vancouver und auf dem gegenüberliegenden Festland, British Columbia, Kanada. Ihre Holzskulpturen (darunter v. a. Masken, die z. T. beweglich waren) und Malereien sind durch ausdrucksstarke Formen und kräftige Farben gekennzeichnet.

A. HAWTHORN: K. art (London 1979).

Kweilin, Kueilin, amtlich chines. **Guilin** [gweɪ-], Stadt in China, am W-Ufer des Li-Flusses in NO-Kwangsi, über 200 000 Ew. Die Landschaft um K. mit bizarren Turmkarstfelsen, die sich in grünen Flüssen und Seen spiegeln, gilt als Ideallandschaft und soll die chines. Landschaftsmalerei inspiriert haben.

Kwele, Kuelle, Bakuele, Stamm im Länderdreieck Rep. Kongo/Kamerun/Gabun. Die Masken der K. zeichnen sich durch bes. gekonnte Linienführung und große Einfachheit aus; sie haben ein herzförmiges, oft weiß gefärbtes Gesicht mit kleinen, fast geschlossenen Augen, die sich harmonisch den Konturen der Maske einordnen. Neben den einfachen Masken gibt es solche mit Hörnern (manchmal zu einem Kreis geschlossen) und zickzackförmigen Gebilden, an denen wiederum kleine Masken angeschnitzt sind. Die in NO-Gabun lebenden K. verwenden auch, wie die Fang, die meist mehrgesichtige Helmmaske ›Ngongtang‹.

Kwidzyn [kf'idzin], poln. Name der Stadt →Marienwerder.

Kwoma, Stammesgruppe in Papua-Neuguinea, in der Nähe des mittleren Sepik, mit stark ausgeprägten Traditionen der Schnitzerei, Malerei und Töpferei.

Zentrum künstler. Bemühens sind die Männerhäuser, die mit geschnitzten Giebelspitzen und Dachpfetten sowie bemalten Palmblattscheiden ausgestaltet werden. Die darin bei Erntefesten aufgestellten und dazu bemalten Skulpturen (selten vollplastisch, häufiger ein maskenhaftes Gesicht auf einem Stab) werden, obwohl häufig nachgeschnitzt, als von den Schöpferahnen überkommen angesehen.

C. KAUFMANN: Das Töpferhandwerk der K... (1972); ders.: Zu Besuch bei den Künstlern der K., in: Unter Papuas, hg. v. H. HARRER (1978); ders.: K., Schnitzen und Bemalen eines Männerhaus-Zierbalkens (1980).

Kyathos *der,* in der grch. Antike Schöpfkelle aus Metall; auch der Schöpfbecher aus Ton mit hochgezogenem Schlaufenhenkel (v. a. in Etrurien).

Kybele, Kybebe, lat. **Cybele,** auch **Magna Mater** [lat. ›Große Mutter‹], kleinasiat. Berggöttin, auch Höhlengottheit und Herrin der Tiere, als Mutter- und Vegetationsgöttin der Demeter und Gaia angeglichen. Sie wurde mit ekstat. Kult wohl seit dem 6. Jh. v. Chr. in Griechenland, seit 204 v. Chr. als Staatsgottheit in Rom verehrt. Zahlreiche röm. Votivstatuetten und -reliefs zeigen K., meist mit ihrem Nebengott und Geliebten Attis, mit Schleiertuch, Tympanon (Handpauke), Löwe und Mauerkrone, die sie auch als Schützerin der Städte und Kultur ausweist. Die neuzeitl. Kunst stellte sie u. a. als Personifizierung der Erde (P. P. RUBENS) und im Zusammenhang mit römisch-histor. Szenen (A. MANTEGNA) dar.

Kykladenpfanne: Griffschale aus grünem Hartstein; frühkykladisch II, um 2700/2300 v. Chr. (Karlsruhe, Bad. Landesmuseum)

Kyburg [k'i:], Gem. bei Pfäffikon im schweizer. Kt. Zürich, 300 Ew. Schloß K. geht auf das 11. (Bergfried) und 12. Jh. (Palas) zurück; roman. Burgkapelle mit Fresken (14./15. Jh.); Festsaal im Grafenhaus (1685).

Kyffhäuser [k'ıf-], Bergrücken südlich des Unterharzes, Dt. Dem. Rep., mit Resten einer ausgedehnten Burganlage (11./12. Jh.) und Kaiser-Wilhelm-Nationaldenkmal von B. SCHMITZ (1891–96).

Kyhn, Vilhelm, dän. Maler, *Kopenhagen 30. 3. 1819, †ebd. 11. 5. 1903, studierte an der Kopenhagener Akad., 1850–51 in Italien und Frankreich. Mit seinen Landschaften, häufig mit jütländ. Motiven, ist er ein Hauptvertreter der dän. nationalen Romantik.

Kykladenpfanne, Gefäß der kyklad. Kunst aus gebranntem Ton oder Stein mit kreisförmigem, etwas vorkragendem Boden und kurzer zylindr. Wandung. Mit dem meist zweiteiligen Griff (Beine) und gelegentl. Andeutung der weibl. Scham auf der reich dekorierten Unterseite weisen diese besser als ›Griffschalen‹ bezeichneten Gefäße auf kult. Gebrauch.

kykladische Kunst, Kunst und Kultur der Kykladen (Inseln in der südl. Ägäis) im 3. Jahrtsd. v. Chr. Die k. K. ist von so großer Eigenständigkeit, daß man sie sowohl von der festländisch grch. (→helladische Kunst) als auch von der kret. Kunst (→kretisch-mykenische Kunst) trennen muß. Nach neuesten Forschungen reicht die älteste der nach Grabtypen, Bestattungsgewohnheiten, Gefäßformen, Motiven und Technik der Dekorationen u. a. unterscheidbaren Gruppen der ky-

kykladische Kunst: Violinidol (Karlsruhe, Bad. Landesmuseum)

kykladische Kunst: Harfenspieleridole aus Marmor; frühkykladisch, um 2700/2300 v. Chr. (Karlsruhe, Bad. Landesmuseum)

klad. Kultur in die jüngste Phase des Neolithikums zurück. Die einzelnen Kulturgruppen haben einander nicht überall gleichzeitig abgelöst. Lokale Beziehungen (Naxos-Melos, Syros-Keros) und lokale Selbständigkeit spielen neben der Zeitfolge der Kulturstufen (3 Stufen der frühen Bronzezeit zw. etwa 3000 und 2000 v. Chr.) eine wichtige Rolle.

Die Funde kommen hauptsächlich aus Gräbern (›Steinkistengräber‹, kleine →Tholosgräber und →Kammergräber), die sich in kleineren oder größeren Gräberfeldern vereinigt finden. Abgesehen von Phylakopi auf Melos und Kea sind die Siedlungen nur wenig bekannt. Ausschlaggebend für die Bedeutung der Kykladen im Neolithikum und im 3. Jahrtsd. war der Handel mit melischem Obsidian. Auch der bes. schöne Inselmarmor (Paros, Naxos) und die hohe Kunstfertigkeit in der Bearbeitung des Marmors haben zum Ausbau von Kontakten mit Attika, Euböa, Kleinasien (Troja, Karien) und Kreta geführt. Die Träger der Kykladenkultur waren Seefahrer (Schiffsdarstellungen) und Händler, die auch auswärtige Handelsniederlassungen unterhielten. Metall (eigene Kupfer-, Silber- und Bleivorkommen) wurde schon sehr früh (vor 3000 v. Chr.) verarbeitet.

Von künstler. Bedeutung sind v. a. die durchschnittlich 20–30 cm hohen Kykladenidole (→Idol). Ihre Faszination erklärt sich ebenso aus der Schönheit des fein geglätteten, teils (rot) bemalten Inselmarmors wie aus den unverwechselbaren Stilisierungen des menschl. Körpers. Neben den Marmoridolen sind die gleichzeitigen, nur aus Grabfunden bekannten und fast ausnahmslos unbemalten Marmorgefäße hervorzuheben; Hauptformen sind Kegelhalsvasen und Becher (beide mit Ösenrippen) sowie Schalen und Paletten. Wie bei den Idolen hat auch bei den Marmorgefäßen die Entwicklung von Metallwerkzeugen (im Lauf der 1. H. des 3. Jahrtsd.) zur Perfektion der Formen beigetragen. Außer Marmor wurden auch Chlorit-Schiefer und Steatit für Gefäße verwendet, im Unterschied zu den Marmorvasen oft reich mit Relief- oder Ritzmustern verziert (Spiralen und geometr. Muster); hervorzuheben sind ferner zylindr. und hüttenähnl. Pyxiden.

Die Keramik war im 3. Jahrtsd. in Form und Dekor den Steingefäßen verwandt. Am Ende dieses Zeitraums wurde gelegentlich die Töpferscheibe benutzt. Beliebt waren Zwillingsgefäße und Kernoi. Eine Leitform ist die →Sauciere, die es gleichzeitig auch auf dem grch. Festland gab. Rein kykladisch sind die →Kykladenpfannen, mit bes. reichen Verzierungen: Ritzung, Kerbschnitt, Stempel. Wie bei den Stein- und Tongefäßen des 3. Jahrtsd. spielen auch in der Ornamentik der ›Kykladenpfannen‹ neben einfachen geometr. Mustern Spiralformen eine wichtige Rolle, gelegentlich kommen auch Fisch- und Schiffsdarstellungen vor. In der Keramik gibt es auch mit →Urfirnis auf einen hellen Überzug gemalte einfache Muster.

Das Metallhandwerk (Dolche, versch. Werkzeuge) der 2. H. des 3. Jahrtsd. zeigt Verbindungen mit Troja und Kreta. Schmuck wurde aus Bein, Muscheln und Schmucksteinen gemacht. Die Formen gehen z. T. auf westkleinasiat. und mesopotam. Vorbilder zurück. Typisch kykladisch sind Gewandnadeln und Halsketten.

Im 2. Jahrtsd. hatte die k. K. durch enge Beziehungen zu Kreta und – nach der Mitte des 2. Jahrtsd. – zum myken. Festland ihren eigenen Charakter mehr und mehr verloren. – Über die Kunst auf der südlichsten Kykladeninsel →Thera.

C. RENFREW: The emergence of civilisation: The Cyclades and the Aegean in the third millenium B.C. (London 1972); Kunst und Kultur der Kykladeninseln im 3. Jahrtsd. v. Chr., hg. von J. THIMME, Ausst.-Kat., Karlsruhe (1976); S. HOOD: The arts in prehistoric Greece (Harmondsworth 1978).

Kyklopen [grch. ›Rundaugen‹], grch. Mythos: bei Homer einäugige Riesen (z. B. Polyphem), bei Hesiod die Söhne der Gaia (Brontes, Steropes, Arges), die dem Zeus die Donnerkeile schmiedeten. Später waren sie die Schmiedegesellen des Hephaistos und die Erbauer der **Kyklop. Mauern.** Darstellungen des →Polyphem, v. a. seine Blendung durch →Odysseus, sind seit dem 7. Jh. v. Chr. häufig.

Kyklopische Mauern, Megalithische Mauern, aus großen Steinblöcken ohne Mörtelbindung aufgeschichtete Mauern aus vor- und frühgeschichtl. Zeit, z. B. die von Mykene, Tiryns, Hattuscha, Troja und vieler etrusk. Städte. Die Griechen sahen in ihnen Werke der Kyklopen. K. M. dürften in vielen Fällen als Machtdemonstration zu verstehen sein, da der Zweck der Befestigung mit viel geringerem Aufwand erreichbar gewesen wäre.

Kylberg [tç'ylbærj], Carl, schwed. Maler, *Fridene (Västergötland) 23. 9. 1878, †Stockholm 6. 1. 1952, fand erst in reiferem Alter einen eigenen, mystisch-expressiven Stil, der dem E. NOLDES innerlich verwandt ist. Seine skizzenhaften Farbvisionen gelten als wichtige Zeugnisse eines ausgesprochen nord. Expressionismus.

Kylix [grch.] *die, Mz.* **Kylikes,** flache zweihenkelige Trinkschale der grch. Antike; auch ein zweihenkeliger Becher auf hohem Fuß der kretisch-myken. Keramik (seit etwa 1450 v. Chr.).

Kyllburg [k'ıl-], Städtchen in der Eifel, Rheinl.Pf.;

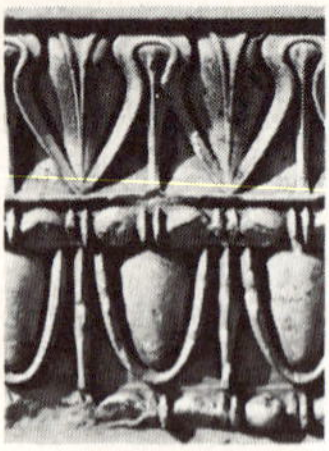

Kymation:
oben: lesbisch
unten: ionisch

vom 13.–18. Jh. Besitz des Trierer Erzstiftes. K. besitzt ein vollständig erh. ehem. Kollegiatsstift aus dem 14. Jh.; im Chor der einschiffigen Stiftskirche vorzügl. Glasgemälde (1534 gestiftet).

Kymation, Kyma [grch. ›Welle‹] *das,* blattförmige Schmuckleiste in der antiken Baukunst mit den Typen: **dorisches K.** (Hohlkehle), **ionisches K.** (Eierstab) und **lesbisches K.** (Herzlaub).

Kyme, grch. Kolonie in Italien, →Cumae.

Kynast [k'i:-], poln. **Chojnik** [x'ɔjnik], Burgruine in Schlesien, 588 m ü. M., im Vorland des Riesengebirges, bei Hirschberg i. Rsgb., Polen. Die Burg der Herzöge von Schweidnitz (später Schaffgotsch) wurde 1353–64 mit Kapelle, mehreren Höfen und starker Befestigung auf einer Felsspitze errichtet, 1675 durch Blitz zerstört.

Kyŏngju, Stadt in S-Korea, 108400 Ew. K. war die Wiege der Kultur der Silla-Zeit, gleichzeitig die Hauptstadt des Königreiches Alt-Silla (→koreanische Kunst). In K. sind die Überreste der Palastanlage der Silla-Zeit wie Anapji (Teich der Gänse und Enten) und Posŏkjŏng (Avalonen-Pavillon) erh. Ein weiteres Monument der Silla-Zeit ist die 647 errichtete Sternwarte Ch'ŏmsŏngdae. Am Stadtrand liegen zahlreiche Hügelgräber (Tumuli) der Fürsten von Silla, deren reiche Grabbeigaben im K.-Nat.-Mus. aufbewahrt werden. 3 km entfernt liegt am Fuß des Tohamsan-Berges der aus der Zeit des Vereinigten Königreichs stammende buddhist. Pulguksa-Tempel, dessen 2 Pagoden (2. H. 8. Jh.) zu den schönsten Koreas zählen. Auf der Spitze des Berges befindet sich der Höhlentempel →Sŏkkulam. K. wurde von der UNESCO zu einer der ›Zehn histor. Stätten der Welt‹ erklärt.

Kyŏngju: Pagode am Pulguksa-Tempel bei K.; 2. Hälfte des 8. Jh.

Kyosai, Watanabe, japan. Maler, *1831, †1889. Er vereinigte in spritziger Pinseltechnik Elemente des →Ukiyo-e, die er bei KUNIYOSHI studiert hatte, mit anderen Richtungen. In Europa erregten um 1900 bes. seine Karikaturen große Aufmerksamkeit.

Kyoto, Stadt in Japan, →Kioto.

kyprische Kunst, Kunst und Kultur Zyperns vom Neolithikum bis zur archaischen Zeit Zyperns (6. Jahrtsd. – 5. Jh. v. Chr.). Sie werden einerseits charakterisiert durch die inselbedingte Neigung zur Herausbildung typ. eigener Formen, andererseits durch die Fähigkeit, Einflüsse aufzunehmen und zu verarbeiten, die v. a. seit der Frühbronzezeit (2300 v. Chr.) in zunehmendem Maß aus dem Vorderen Orient, dann aber aus dem ägäisch-myken. W kamen (seit 1500 v. Chr.). Diese Kulturkontakte nach O und W beruhten auf der geograph. Lage der Insel, einem ausgedehnten Fernhandel (Kupfer), aber auch direkt auf der Zuwanderung neuer Bevölkerungsgruppen in der Spätbronzezeit (Mykener, Achaier) und in der Früheisenzeit (Phöniker).

Früheste Funde in Khirokitia gehen in das präkeram. Neolithikum des frühen 6. Jahrtsd. v. Chr. zurück (Tholosbauten, geschliffene Steinwerkzeuge, anthropomorphe Kultfigürchen). Keramik wurde erst im frühen ›rotpolierte Ware‹) sowie im entwickelten Neolithikum (3500–3000 v. Chr., ›Rot-auf-Weiß-Ware‹, Gefäße mit kammstrichartigem Dekor) hergestellt. Das Chalkolithikum (etwa 3000–2300 v. Chr.) zeigt neue Formen der im Neolithikum entwickelten Keramiktypen; außerdem kommen kleine weibl. Idole aus Steatit und Ton vor, wohl Muttergottheiten; der früheste Metallfund, ein Bronzemeißel, wurde in Erimi gemacht.

Die kulturgeschichtlich bed. Bronzezeit Zyperns wird in 3 Hauptperioden eingeteilt: Frühe (2300–2000 v. Chr.), Mittlere (2000–1600 v. Chr.) und Späte (1600 bis 1050 v. Chr.) Bronzezeit. Die Frühe Bronzezeit ist durch Fundstätten u. a. in Vunus, Kurion, Phaneromeni, Vasilia und Philia bekannt, und zwar v. a. durch Gräber (Grubenbestattungen, Kammergräber) und deren Beigaben (Metallarbeiten, ägypt. Alabastergefäße, Terrakottafigurengruppen). Großen Formenreichtum zeigt die mit Ritzmustern und plast. Dekor versehene Keramik; die Tonidole sind anthropomorph und stelenhaft flach stilisiert.

In der Mittleren Bronzezeit, die ebenfalls primär durch Funde aus reichen Felsgräbern vertreten ist, wurden große Festungsbauten errichtet (Krini, Hagios So-

kyprische Kunst: Jugendlicher Gott mit Hörnerkappe, gefunden in Enkomi; Höhe 54,2 cm, 12. Jh. v. Chr. (Nikosia, Cyprus Museum)

kyprische Kunst: Steatit-Idol, wahrscheinlich aus Pomos; Höhe 15,3 cm, 3. Jahrtsd. v. Chr. (Nikosia, Cyprus Museum)

kyprische Kunst: Silberblechtasse, gefunden in Enkomi; 14. Jh. v. Chr. (Nikosia, Cyprus Museum)

kyprische Kunst: Vierseitiger bronzener Kesseluntersatz auf Rädern; 12. Jh. v. Chr., Höhe 34 cm (Berlin-West, Staatl. Museen)

zomenos, Nitovikla), die wohl als Anzeichen einer Unruhezeit (Hyksos) zu deuten sind. Bei der Keramik überwiegt ›Rot-auf-Schwarz-Malerei‹ sowie Bemalung auf weißem Grund.

In der Späten Bronzezeit, einer Periode außerordentl. wirtschaftl. und kultureller Blüte (Metallproduktion), kommt es zu einer stärkeren Verbindung Zyperns mit dem W durch Zuwanderung von Mykenern (1400 v. Chr.), später von Achaiern (seit 1200 v. Chr.). Unter den Fundplätzen sind von überregionaler Bedeutung die Städte Enkomi (profane und sakrale Monumentalarchitektur), Kition (größte Hafenstadt der Spätbronzezeit mit Astarte-Tempel sowie reichen Kammergräbern) und Alt-Paphos (Aphrodite-Heiligtum). Überliefert sind hervorragende Arbeiten der Goldschmiedekunst, der Elfenbeinschnitzerei, der Silberbearbeitung, der Toreutik sowie der Vasenmalerei myken. Stils. Offenbar wurden am Ende dieser Periode viele Städte durch Erdbeben zerstört.

Nach den wenig bekannten ›dunklen Jahrhunderten‹ (11.–9. Jh.) trat seit der geometr., v. a. in der achaischen Zeit Zyperns die Hafenstadt Salamis als neues Zentrum hervor (prunkvoll ausgestattete Monumentalgräber, u. a. mit Pferde- und Wagenbeigaben). Von Bedeutung sind ferner die Heiligtümer von Hagia Irini (Votivterrakotten) und Idalion (Waffenweihungen). Auch die Blütezeit von Tamassos (Königsnekropole, Stadtanlage, Heiligtum der Astarte) fiel in diese Zeit. In den Werken der bildenden Kunst finden sich östl., ägypt. und grch. Einflüsse.

Beispielhaft für die weniger fruchtbare Klassische Periode Zyperns (475–325 v. Chr.) ist der Königspalast von Vuni. In hellenist. (325–58 v. Chr.) und röm. (58 v. Chr. – 395 n. Chr.) Zeit hatten Kunst und Kultur Zyperns keine überregionale Bedeutung mehr. Bed. Monumente sind in Neu-Paphos, Soloi, Kurion und Salamis erhalten.

V. Karageorghis: Zypern (1968); ders. u. H. G. Buchholz: Altägäis u. Altkypros (1971); A. C. Brown u. H. W. Catling: Ancient Cyprus (Oxford 1975); H. Müller-Karpe: Handbuch der Vorgeschichte, Bd. 3 (1974) u. Bd. 4 (1980); F. G. Maier: Cypern ([2]1982).

kyprische Kunst: Fayencerhyton, gefunden in Kition; Höhe 28 cm, 13. Jh. v. Chr. (Nikosia, Cyprus Museum)

Kypseloslade, eine von dem Tyrannen von Korinth Kypselos (oder seinen Nachfolgern) um 600 v. Chr. gestiftete Zedernholztruhe, die im Heraion von Olympia stand; nach Beschreibung von PAUSANIAS mit 5 Figurenfriesen aus Gold und Elfenbein geschmückt.

Kyrene, heute **Ain Schahat,** antike Hauptstadt der Cyrenaica (Küstenlandschaft im heutigen Libyen), wurde 15 km von der Küste auf einer Hochfläche um 630 v. Chr. von Griechen aus Thera gegr. 331 v. Chr. wurde K. von ALEXANDER D. GR., 322 v. Chr. von PTOLEMAIOS I. unterworfen, 96 v. Chr. bekamen es die Römer. Alle alten Kultbauten und die neuen Anlagen TRAJANS fielen dem Judenaufstand 114–17 zum Opfer; Wiederaufbau unter HADRIAN; aus dieser Zeit stammen die meisten der durch Ausgrabungen freigelegten Reste (vielfach Erneuerungen der alten Tempel). – K. hatte sich auf 2 Terrassen nordöstlich und südöstlich der Akropolis entwickelt. Auf der nördl. Terrasse lagen v. a. die Tempel des Zeus (um 600 v. Chr., um 340 v. Chr. erneuert) und der Artemis (um 400 v. Chr.) sowie Thermen (unter Trajan erbaut) und etwas abseits, später durch eine Mauer vom hl. Bez. getrennt, das grch. Theater (unter Hadrian zu einem Amphitheater umgewandelt). Auf der südöstl. Terrasse wurden seit hellenist. Zeit u. a. Agora, Demeter-Tempel, Prytaneion, Kapitol, Wohnviertel und eine röm. Platzanlage (Caesareum) erbaut. Auf einem nordöstlich der beiden Terrassen gelegenen Hügel erhob sich der bedeutendste Sakralbau von K., der Zeus-Tempel (ältester Bau aus spätarchaisch-frühklass. Zeit, versch. Erneuerungen bis in die röm. Zeit, z. T. wiederaufgebaut). An der Straße zur Küste ausgedehnte Nekropole mit versch. Grabbauten.

Kyrenia, türk. **Girne,** Stadt an der N-Küste von Zypern, 3900 Ew. Das Kastell (Archäolog. Mus.) sowie die in der K.-Bergkette liegende Festungsruine St. Hilarion wurden in byzantin. Zeit angelegt und unter den Lusignans (13./14. Jh.) ausgebaut; das Kastell wurde dann unter den Venezianern weiter stark befestigt. Südöstlich der Stadt die Ruinen der ehem. Prämonstratenserabtei →Bellapais.

Kyrillos und Methodios, grch. Brüder aus dem damals zweisprachigen Thessalonike: Kyrillos, eigtl. Konstantinos, *826/27, †Rom 14. 2. 869; Methodios, *vor 820, †in Mähren 6. 4. 885; die ›Slawenapostel‹. Die älteste Darstellung von K. u. M. findet sich auf einem Fresko der Unterkirche von S. Clemente in Rom (nach 869), von Kyrillos allein in der Sophienkirche von Ochrid (11. Jh.), beide auf einem Fresko des Kyrillos-Klosters in Kiew (Ende 12. Jh.) und als Büsten im Veitsdom in Prag (um 1375, als lat. Bischöfe).

Kyzyl, Ort in O-Turkestan, →Kizil.

L

Laage, Wilhelm, Maler, Graphiker, *Stellingen (heute zu Hamburg) 16. 5. 1868, †Reutlingen 3. 1. 1930, schuf nach anfängl. Arbeiten, die dem Jugendstil zuzurechnen sind, unter dem Eindruck der Graphik E. MUNCHS um 1900 eine Reihe ausdrucksstarker Holzschnitte, die ihn als Erneuerer dieser Technik und als Vorläufer des Expressionismus erscheinen lassen.

A. HAGENLOCHER: W. L. Das graph. Werk (1969).

La Aguạda, archäolog. Fundort im Hualfín-Tal, Argentinien, nach dem die Kultur der Mittl. Periode (600 bis 1000; mit Pflanzenanbau und Keramik) des südl. Andengebietes benannt ist. Die Metalltechnik war bereits gut entwickelt, wie die im Gußverfahren hergestellten Äxte, Schmuckstücke, Pinzetten, Nadeln und Meißel bezeugen. Motive der Keramikbemalung: Katzen, Frösche, Vögel, Menschen und Dämonen in den Farben Schwarz, Schwarz und Rot auf Gelb oder auf Weiß. Zu Beginn der Entwicklung besaß die Kunst von La A. stilist. Eigenständigkeit, übernahm dann aber Elemente der Tiahuanaco-Kunst.

Laas, Gem. bei Kötschach, Kärnten, Österreich; spätgot. einschiffige Kirche (etwa 1510–18), bes. reizvoll die Gewölbe, in Chor und Langhaus unterschiedlich gestaltet mit zarter Bemalung.

Labenwolf, Pankraz, Erzgießer, *Nürnberg 1492, †ebd. 20. 9. 1563, vermutlich Schüler von P. VISCHER, seit 1527 Leiter einer bed. Werkstatt, die später von seinem Sohn Georg (†1585) weitergeführt wurde.

HW: Grabplatte des Grafen Wernher v. Zimmern (1551; Meßkirch, Stadtkirche); Brunnen (1557; Nürnberg, Rathaus, Innenhof).

Labnạ́, Ruinenstätte der Maya-Kultur im Bundesstaat Yucatán, Mexiko, aus der spätklass. Zeit (600 bis 900). Die Anlage zeigt Ähnlichkeiten mit Uxmal. Interessantestes Bauwerk ist der einem Triumphbogen ähnelnde Bau, der einst 2 Palasthöfe voneinander trennte. Der Durchgang mit dem durch ein Kraggewölbe entstandenen Bogen ist 5 m hoch und 3 m tief. Zu beiden Seiten finden sich 2 kleine, von der W-Seite zugängl. Räume. Die Dekoration seiner Fassaden zeigt versch. Muster; wie im →Puuc-Stil üblich, sind nur die obere Hälfte der Mauern und der Dachkamm mit Mosaikdekor versehen. Ähnl. Dekoration (dazu Chac-Masken)

Labná: Torbogen (von SO)

zeigt auch das auf einer Terrasse gelegene, etwa 135 m lange Bauwerk (›Palast‹).

Labranda, Labraunda, antike Stätte in Kleinasien am SO-Ausläufer des Latmos-Gebirges, mit hl. Bezirk des karischen Zeus, durch eine gepflasterte hl. Straße mit dem antiken →Mylasa verbunden. Die aus Zeus-Tempel, Andron (›Männerhaus‹), Stoa, Propyläen u. a. Gebäuden bestehende Anlage war auf mehreren Terrassen errichtet (Ausgrabungen); größte Blütezeit unter König MAUSOLOS (377–355 v. Chr.).

Labrouste [labr'ust], Henri, frz. Architekt, *Paris 11. 5. 1801, †Fontainebleau 24. 6. 1875, bildete sich in Paris und 1824–30 in Rom, lehrte ab 1830 in Paris in eigenem Atelier in Abkehr vom gängigen Eklektizismus form- und funktionsgerechtes Denken in der Architektur, verwendete als einer der ersten, von der spezif. Bauaufgabe ausgehend, Eisen als Baustoff und Gestaltungselement (Bibl. Ste. Geneviève, Paris, 1844–50; Wiedererrichtung der Nat.-Bibl. ebd., 1854–75).

Labyrinth: Münze von Knossos auf Kreta

Labyrinth [grch.] *das,* Gebäude mit vielfach sich kreuzenden, unübersichtl. Gängen, auch ein Garten mit verschachtelten, irreführenden Wegen **(Irrgarten).** In →Knossos war der verwirrend gegliederte Palast reich geschmückt mit dem Symbol der →Doppelaxt (vorgrch. labrys), deshalb nannten ihn die nach Kreta einwandernden Griechen L. In der grch. Sage trug die von Daidalos erbaute Behausung des Minotaurus seit archaischer Zeit diesen Namen. Auf Vasen und bes. auf kret. Münzen durch das Mäandermotiv dargestellt.

Laces [l'a:tʃes], ital. für den Ort →Latsch.

Lachaise [laʃ'ɛ:z], Gaston, amerikan. Bildhauer frz. Herkunft, *Paris 9. 5. 1882, †New York 10. 10. 1935, in Paris ausgebildet, seit 1912 in New York; schuf kraftvolle weibl. Akte (›Gehende Frau‹, 1922; New York, Mus. of Modern Art), Porträtbüsten und Tierplastiken, auch Reliefs an öffentl. Bauten.

La Charité-sur-Loire [laʃarit'e syrlw'a:r], Gem. im frz. Dép. Nièvre. Die ehem. Abteikirche Ste. Croix ist ein bed. Bau der Burgund. Bauschule (gew. 1107), 1559 durch Brand zerstört, im 17. Jh. verkürzt wieder aufgebaut; nur Querschiff und Chor mit Vierungsturm blieben erh.; im Chor prachtvolle figürl. Kapitelle.

Lachis, Lachisch, Lakisch, bed. Stadt des Altertums in SW-Palästina, heute **Tell ed-Duwer,** 25 km nordwestlich von Hebron. Biblische wie außerbibl. Quellen, dazu die Ausgrabungen von 1932–38 und 1966–68 gestatten, die Geschichte der Stadt seit etwa 2800 v. Chr. bis in die hellenist. Zeit zu verfolgen. Auf den Aufschüttungen im Graben des Stadtwalls ist ein Tempel nachweisbar (versch. Bauphasen vom 15. Jh. bis um 1200 v. Chr.), bed. wegen des Bautypus als auch wegen der hier gefundenen Weihegaben (Skarabäen, Elfenbeinschnitzereien, Alabastergefäße). Von der Zerstörung unter SANHERIB (701 v. Chr.) zeugt ein Relief im British Mus., von der Zerstörung durch NEBUKADNEZAR (7. Jh. v. Chr.) im Brandschutt gefundene Ostraka, meist Briefe an den Kommandanten. Unter einem Tempel des 2. Jh. v. Chr. Reste eines israelit. Kultortes.

Lack, Maltechnik: Lösung eines filmbildenden Stoffes (z. B. Harz oder trocknendes Öl) in flüchtigem Lösemittel (z. B. Terpentinöl, Alkohol). Farbloser L. wird als Klar-L., farbiger als L.-Farbe bezeichnet. Man unterscheidet entweder nach Art des Filmbildners z. B. Öl-L., Kopal-L., Nitrozellulose-L. oder nach seiner Verwendung z. B. Schleif-L., Transparent-L., Möbel-L. L. wurde in Europa zunächst für Firnisse, Lüster, später (etwa seit dem 12. Jh.) auch als Bindemittel verwendet. Der L. ostasiat. L.-Arbeiten ist ein Naturprodukt (→Japanlack) und kein L. im Sinne des heutigen Sprachgebrauchs.

Lackfarben, Maltechnik: →Lack.

Lackieren, Maltechnik: das Überziehen mit Lack; es wurde, seit Ostasiatika in Europa bekannt wurden, als besondere Kunst geachtet und geübt. Im Unterschied zu ostasiat. Erzeugnissen aus →Japanlack sind europ. Lackarbeiten Nachahmungen der Technik mit anderen Materialien (→Lack). Eigenständige europ. Weiterentwicklungen sind die Lackintarsie (pastose Malereien, die durch Abschleifen einer darübergelegten Lackschicht wieder sichtbar gemacht werden) und der Schleiflack.

Lackkunst, kunsthandwerkl. Technik, bei der der aus dem Lackbaum gewonnene Saft in vielen hauchdünnen Schichten übereinander aufgetragen wird. Dieser Saft, der fast säure- und hitzebeständig ist, wird in China seit Ende des 2. Jahrtsd. v. Chr. zum Schutz und Schmuck von Gebrauchsgegenständen (aus Holz, Gewebe, Leder) und in der Holzarchitektur verwendet; auch diente er als Bindemittel für Farben. Die Chinesen entwickelten dieses Verfahren zu hoher Kunst, in der sie zeitweise von ihren ›Schülern‹, den Koreanern und Japanern, übertroffen wurden. Von Ostasien gelangte die L. nach Hinter- und Vorderindien und Persien.

China. Bereits in der Shang-Zeit ist die Verwendung von Lack als Einlage im Dekor von Sakralbronzen belegt. Die Grabausstattungen der späteren Chou-Zeit enthalten zahlreiche, mit Malereien in braunrotem oder schwarzem Lack **(Lackmalerei)** geschmückte Gebrauchsgegenstände, welche die Dekormotive der gleichzeitigen tauschierten Sakralbronzen aufnehmen und häufig figürl. Darstellungen oder Vogelmotive zeigen. In der Han-Zeit wird daneben die Technik des gravierten Dekors mit Einlagen von Edelmetall oder Perlmutt angewendet; die Stücke tragen z. T. Inschriften, in welchen neben Herstellungsort und -datum auch die Handwerker und Werkstattleiter genannt werden. In Lolang, einer Militärkolonie der Han-Zeit in Korea, wurde im Grab des WANG KUANG (1. Jh. n. Chr.) u. a. ein bes. qualitätvoller Lackkorb mit farbiger Figurenmalerei geborgen. Belege für die hochentwickelte und in manchen Dekorelementen persisch beeinflußte L. der T'ang-Zeit finden sich v. a. in dem japan. Schatzhaus Shosoin. Zahlreiche buddhist. Plastiken dieser Periode wurden in **Trockenlacktechnik** hergestellt. In der Sung-Zeit erlebten die an die ausgewogenen Gefäßformen der Keramik erinnernden monochromen Lackarbeiten ein hohes Niveau, daneben gab es Lackarbeiten

Lackkunst: Martin Schnell, Lackschrank (geöffnet), Innenfeld, Breite etwa 30 cm; Dresden, um 1730 (Frankfurt a. M., Museum für Kunsthandwerk)

in **Ritzlacktechnik** mit graviertem Dekor, der mit Silber oder Gold ausgerieben wurde. In der Yüan- und Ming-Zeit entstanden die besten Arbeiten in **Schnitzlacktechnik** mit in Schwarz- oder Rotlack geschnittenem Reliefdekor mit figürl. oder floralen Motiven, wobei andersfarbige untere Lackschichten in den tiefen Schnittflächen sichtbar werden und die Konturen des Dekors hervorheben. In der K'ang-hsi-Ära (1662–1722) setzte eine Lackproduktion für Möbel und Stellschirme ein, bei der wie beim Holzschnitt die Motive aus dem Lack geschnitten wurden und der so freigelegte Kreidegrund mit schmalen Schwarzlackstegen farbig bemalt wurde. Diese nach der Koromandelküste (einem Abschnitt der O-Küste Indiens mit Umschlaghafen für den Transport nach Europa) benannten **Koromandel-Lacke** beeinflußten die europ. Entwicklung. Unter CH'IENLUNG (*1736, †1796) erfuhren die Schnitzlacke einen Aufschwung; deren Dekor läßt ähnlich wie beim gleichzeitigen Porzellan eine Vorliebe für bildhafte Darstellungen erkennen. Im 18. Jh. wurde Lack auch auf Metall und Porzellan angebracht.

In Korea verlief die Entwicklung nach chines. Vorbild; die hervorragendsten Beispiele sind mit Perlmutteinlagen (Najonchilgi) v. a. aus dem 16. Jh. Weiterhin waren die Koreaner Meister in der Herstellung von →Möbeln in Lacktechnik.

In Japan unterscheidet man neben der seltenen Art des Trockenlacks (→Kanshitsu) für Plastiken 3 Haupttechniken: 1. flächige Lackmalerei (Maki-e, Negoro-nuri), 2. Schnitzlacke, 3. Einlegearbeiten.

Lackmalerei: Für das Maki-e (›Streubild‹) läßt sich keine chines. Herkunft nachweisen. Auf geglätteten Grundierungsschichten wird in farblosem Lack ein Dekor vorgezeichnet und noch feucht mit Gold- oder Silberstaub bestreut (ab 18. Jh. auch mit pulverisiertem Farblack). Wurde dieses Bild nur mit Transparentlack überfangen und poliert, nannte man es Hiramaki-e (›Flachstreubild‹), denn es blieb leicht über die umgebende Lackfläche erhoben (z. B. Truhe für Sutrenkästen im Nanatsu-dera, Nagoya, 1175). Eine verfeinerte Technik war das Togidashi-e, bei dem man den Goldlackdekor mehrfach mit Schwarzlack überzog, der dann mit Holzkohle so lange abgeschliffen wurde, bis das Bild wieder eben auf der Oberfläche erschien (frühestes Beispiel: Schriftkasten von 919 im Ninnaji, Kioto). Beim Takamaki-e (›hohes Streubild‹) formte man den Dekor (aus mit Holzkohle oder Tonstaub gemischtem Lack) zu einem Relief, das dann überlackiert und bestreut wurde. Diese Technik entstand erst Ende der Kamakura-Zeit, z. B. der Toilettenkasten (Tebako) mit Pflaumenbäumen und Gänsen (frühes 14. Jh., Mishima-Taisha). Eine weitere Technik war das Nashiji, bei dem man – zur Grundierung oder als eigenständigen Dekor – unregelmäßige Goldflocken in versch. Winkeln in eine feuchte Lackschicht einsetzte. Durch wechselnde Legierung des Goldes sowie Größe und Einstreudichte des Pulvers erzielte man versch. Farbnuancen. Eine gekonnte Verwendung all dieser Techniken zeichnet die ›Higashiyama-Lacke‹ aus (14. Jh.). ›Kodaiji-Lacke‹ (16. Jh.) verzichten auf komplizierte Techniken und erstreben flächig-dekorative Kontraste. ›Namban-Lacke‹ stellten Europäer dar oder wurden in deren Auftrag für den Export geschaffen (z. B. Koffer mit gewölbten Deckeln, Bibelpulte), wirkten aber auch auf japan. Lacke zurück. Bed. Goldlacke (Kaga-makie) entstanden in Kanazawa unter Igarashi Doho I. und II.

Lackkunst: Kasten, Schwarzlack mit Perlmuttereinlagen und Korallen, 16 × 28,2 × 19,6 cm; Korea, um 1200 (Köln, Museum für Ostasiat. Kunst)

Seit dem 7. Jh. war die Lackmalerei (→Tamamushi-Schrein) bekannt, die jedoch bis zum 17. Jh. hinter den Einstreutechniken zurücktrat. Im 14. Jh. entwickelte sich die Technik des Negoro-nuri, bei der eine obere rote Lackschicht stellenweise so abpoliert wird, daß der darunterliegende Schwarzlack zum Vorschein kommt und wie durch Alter abgegriffen wirkt.

Schnitzlackarbeiten (Tsuishu) sollen seit Ende 15. Jh. hergestellt worden und bis ins 19. Jh. kaum von chines. Vorbildern unterscheidbar gewesen sein. Eine vereinfachte Methode war das →Kamakura-bori.

Einlegearbeiten in Perlmutt kannte man seit der Nara-Zeit (8. Jh.). KOETSU und KORIN kombinierten Perlmutt- und Bleieinlagen. Gold- und Silberfolie (heidatsu) wurde bes. häufig in der Muromachi-Zeit (14./15. Jh.) verwendet. Seit der Edo-Zeit wurden auch Korallen, Schmucksteine, Elfenbein u. a. eingelegt. Bes. bekannt hierfür ist RITSUO.

I. a. war die Lackherstellung in Japan nicht – wie in China – Aufgabe großer Manufakturen, sondern lag in Händen einzelner ›Familien‹, die sich häufig durch Adoption begabter Nachfolger fortsetzten; so die →Koami (bis ins 19. Jh.), die →Igarashi (bis 17. Jh.) und →Koma (Edo-Zeit). Die L. erlebte eine letzte Blüte im 18. Jh. mit den reizvoll lackierten Inro. In der Meiji-Zeit finden sich nur noch sehr wenige Künstler alten Stils, u. a. ZESHIN.

Europa. Seit dem ausgehenden MA. erfreute sich die ostasiat. L. in Europa großer Beliebtheit. Im 17. Jh. wurden Lackarbeiten (Koromandelschirme, Möbel und Gerät) in großen Mengen eingeführt, und man begann, diese Arbeiten nachzuahmen, ohne jedoch das Geheimnis der Zusammensetzung von östl. Lacken zu kennen. So wurden meistens ›unechte‹ Lacke benutzt, die aus Harzen und Ölen hergestellt wurden. War die europ. Chinamode (→Chinoiserie) anfänglich von Dekor- und Form-Imitationen bestimmt, so fand man im 18. Jh. mehr zu einer europ. Wiedergabe der ostasiat. Vorstellungswelt. Barockes Lackmobiliar, wie Schreibsekretäre und Kleinmöbel (Standuhren, Sitzmöbel, Teetische, Spiegel u. a.), sogar ganze Zimmereinrichtungen, wurden in großer Zahl in Großbritannien, den Niederlanden, Frankreich, Dtl. und Italien angefertigt. Die Unterschiede zw. engl. und niederländ. Arbeiten sind schwer feststellbar; Frankreich trat erst gegen 1730 führend in der L. hervor: Die Familie MARTIN, deren Arbeiten z. T. unter der Bez. ›Vernis Martin‹ bekannt sind, arbeitete nicht nur für den frz. Hof, sondern auch für den preuß. König. In Italien war das Zentrum der L. Venedig, während in Dtl. bed. Lackwerkstätten in Berlin, Dresden (M. SCHNELL, *um 1675, †um 1740) und München bestanden. Um die Mitte des 18. Jh. begann sich im Zusammenhang mit der Verwendung neuer Werkstoffe (Blech und Pappe) allmählich eine eigenständige L. herauszubilden, die mit Ostasien nichts mehr gemeinsam hatte. Großbritannien wurde mit diesen Lackwaren führend. Sie waren nach zeitgenöss. Geschmack, etwa der Blumenmalerei auf Porzellan vergleichbar, dekoriert. Damit war J. H. STOBWASSER in Braunschweig bis ins 19. Jh. erfolgreich.

Lackkunst: Feld eines zwölfteiligen Stellschirms, Koromandel-Lack; China, spätes 17. Jh. (Köln, Museum für Ostasiat. Kunst)

Als Japan 1868 sein Land dem Welthandel öffnete, kamen viele japan. Lackarbeiten ins Ausland. In Großbritannien, Paris, Dtl. und den USA wurden sie gesammelt. Das Hamburg. Mus. für Kunst und Gewerbe und das Kölner Mus. für Ostasiat. Kunst bewahren die besten Samml. in Dtl.

O. KÜMMEL: Kunstgewerbe in Japan ([2]1922, grundlegend); MARGARET JOURDAIN u. S. JENYNS: Chinese export art (London 1952); K. HERBERTS: Das Buch der ostasiat. L. (1959); W. Holzhausen: L. in Europa (1959); W. SPEISER: L. in Ostasien (1965); BEATRIX V. RAGUÉ: Gesch. d. japan. L. (1967); GUNHILD GABBERT: Ostasiat. L. (1978); Japan. L. der Gegenwart; Funktion und Design..., Ausst.-Kat., Brüssel (1981).

Läckö, Schloß auf der Insel Kållandsö im Vänersee, Schweden; burgartige Anlage mit Türmen und starken Mauern um 3 Höfe, Anf. 14. Jh. von den Bischöfen von Skaraborg als Residenz angelegt, um 1500 ausgebaut. Die prächtige Barockausstattung des 17. Jh. ist nicht erh. Reicher Freskenschmuck in der Schloßkapelle, im Rittersaal Szenen aus dem Dreißigjährigen Krieg.

Lacock Abbey [l'ækɔk 'æbɪ], Schloßanlage östlich von Bath in der Cty. Wiltshire, S-England, hervorgegangen aus einem 1540 aufgelösten ma. Kloster, bis 1549 für Sir WILLIAM SHARINGTON in Frührenaissanceformen erbaut. Charakteristisch ist ein oktogonaler Eckturm mit abschließender Balustrade; feine, von der frz. Schloßarchitektur beeinflußte Steinmetzarbeiten im Innern (Kamineinfassungen, ein von Satyrn getragener Tisch).

La Coruña [lakor'uɲa], Hafenstadt an der NW-Küste Spaniens, 196 000 Ew. In der Altstadt (umgeben von Mauern und Toren des 16. und 17. Jh.) mehrstöckige Häuser mit verglasten Balkonfronten (19. Jh.); romanisch-got. Stiftskirche S. María del Campo (dreischiffig; innen farbig gefaßte Holzskulptur der Maria Magdalena von P. DE MENA), mehrere Barockkirchen, zahlreiche Wohnpaläste des 18. Jh.; Mus. (span. Malerei). – 2 km nördlich die Torre de Hércules (auf röm. Kernbestand stehender Leuchtturm).

Lacunar [lat.] *das,* antike Baukunst: getäfelte Decke, bes. das vertiefte Feld (Kassette) zw. den sich kreuzenden Deckenbalken.

Ląd [lɔnt], Dorf in der Wwschaft Konin, Polen, ehem. Zisterzienserabtei (1175 gegr.). Das Kloster wurde im 14. Jh. umgebaut; erh. blieben Kreuzgang, Oratorium und eine Kapelle mit Fresken (14./15. Jh.). An der Stelle der ehem. Klosterkirche entstand die barocke Pfarrkirche (1651–89 Presbyterium und Querschiff von T. PONCINO, J. CATENACI, J. BELOTTI u.a., 1728–35 Zentralschiff mit Kuppel von P. FERRARI; 1711 Fresken von A. SWACH).

Ladakh, Gebirgslandschaft zw. Himalaya und Karakorum, →lamaistische Kunst.

Ladenburg, Stadt am Neckar zw. Mannheim und Heidelberg, Bad.-Württ., 10 500 Ew.; das röm. **Lopodunum,** seit dem 6. Jh. Hauptort des Lobdengaues, bis 1705 zum Hochstift Worms gehörig. Über der röm. Marktbasilika des 3. Jh. erhebt sich die got. Galluskirche, eine um 1220 beg. Gewölbebasilika, mit roman.

Krypta (1020) und Chorflankentürmen des 15.Jh. Sebastianskirche (11./15.Jh.) mit karoling. Flachreliefs (Spolien). Martinstor und Hexenturm sind Teile der ma. Befestigung; zahlreiche alte Bürgerhäuser und Adelshöfe; im ehem. Wormser Bischofshof das Lobdengau-Mus.

Ladislaus I. der Heilige, ungar. König, *Polen um 1043, †29. 7. 1095; dargestellt als Ritter in königl. Ornat; Kopfreliquiar in Györ/Raab (nach 1406, in Silber getrieben); mit der Hl. Elisabeth (Diptychon des 13.Jh., Bern, Histor. Mus.).

Ladjwardina [pers. ›kobaltblau‹], eine Sorte blau glasierter Gefäße der →Quarz-Fritte-Keramik mit Aufglasurbemalung in weiß, rot, schwarz und Blattgoldauflage.

Ladomírová [l'adɔmi:rɔva:], Ort im Ostslowak. Kr., ČSSR, in den Karpaten, mit orth. Kirche des Erzengels Michael (1742 errichtet), Holzbau mit 3 Zwiebeltürmen und Kuppel, freistehendem Turm und Vorhalle.

Lady Chapel [l'eɪdɪ tʃ'æpl], engl. für Marienkapelle, v.a. an südwestengl. Kathedralen; meist ein rechteckiges, dem Ostchor angefügtes Bauwerk.

Laeken [l'a:kə], nördl. Vorort von Brüssel, Belgien; königl. Schloß (1782–84, nach Brand 1890 vergrößert wiederaufgebaut); im Schloßpark Japan. Turm und Chines. Pavillon (Mus.; Samml. ostasiat. Kunst). Neugot. Kirche (1854–72) mit der Gruft der königl. Familie.

Laer [la:r], Pieter van, niederländ. Maler, Radierer, getauft Haarlem 14. 12. 1599, †ebd. kurz nach 1642, lebte 1624–38 in Rom, schuf dort, angeregt durch die an CARAVAGGIO anknüpfenden Maler, Szenen aus dem Volksleben vor Ruinen u.a. Baulichkeiten in scharfem Helldunkel. Nach seinem Spottnamen **Bamboccio** [bamb'ɔttʃo, ›Knirps‹] und wegen seiner verwachsenen Gestalt hießen seine Bilder **Bambocciate.** JAN MIEL (*um 1599, †1663), M. CERQUOZZI und A. FALCONE waren seine Nachfolger.

Laermans [l'a:rmans], Eugène, belg. Maler, *Brüssel 21. 10. 1864, †ebd. 22. 2. 1940, malte ausdrucksreiche Szenen aus dem Leben der Bauern und Armen in schweren Formen und starken Farben.

Laeuger [l'ɔɪ-], Max, Keramiker, Architekt, Maler, Bildhauer, *Lörrach 30. 9. 1864, †ebd. 12. 12. 1952, lehrte an der Kunstgewerbeschule Karlsruhe, 1895 bis 1913 künstler. Leiter der Tonwerke Kandern, seit 1916 eigene Werkstätte in Karlsruhe. Seine seit 1908 ausgeführten Bauten Varieté Küchlin in Basel (1908), Haus Pradella ebd. (1922) und Gartenanlage Paradies in Baden-Baden (1925) zeigen häufig keram. Schmuck.

Abkürzungen

Endungen oder Wortteile werden zur Raumersparnis weggelassen, wo sie ohne Schwierigkeit ergänzt werden können, z. B. abgek. für abgekürzt; Abt. für Abteilung; geistl. für geistliche(r); künstler. für künstlerische(r). An stärkeren, formelhaften Abkürzungen werden verwendet:

Abk. ... Abkürzung
ags. ... angelsächsisch
ahd. ... althochdeutsch
Akad. ... Akademie
allg. ... allgemein
Am. ... Amos (A. T.)
Anf. ... Anfang
Apg. ... Apostelgeschichte (N. T.)
Art. ... Artikel
ASSR ... Autonome Sozialistische Sowjetrepublik
a. St. ... alten Stils
A. T. ... Altes Testament
Aufl. ... Auflage
Ausst.-Kat. ... Ausstellungskatalog
Ausw. ... Auswahl
Auton. Geb. ... Autonomes Gebiet
Bad.-Württ. ... Baden-Württemberg
Bar. ... Baruch (A. T.)
Bd., Bde. ... Band, Bände
bed. ... bedeutend
beg. ... begonnen
begr. ... begründet
Beitr. ... Beitrag, Beiträge
bes. ... besonders
best. ... bestimmt
Bev. ... Bevölkerung
Bez. ... Bezirk, Bezeichnung
Bibl. ... Bibliothek, Bibliothèque, Biblioteca
Bundesrep. Dtl. ... Bundesrepublik Deutschland
Chr. ... Christus; Chronik (A. T.)
Cod. ... Codex
Coll. ... Collection
ČSSR ... Tschechoslowakei
Cty. ... County oder -ties
d. Ä. ... der (die) Ältere
Dan. ... Daniel (A. T.)
Dep. ... Departamento
Dép. ... Département
dgl. ... dergleichen, desgleichen
d. Gr. ... der Große
d. h. ... das heißt
Distr. ... Distrikt
d. J. ... der (die) Jüngere
dt. ... deutsch
Dt. Dem. Rep. ... Deutsche Demokratische Republik
Dtl. ... Deutschland
Dtn. ... Deuteronomium (A. T.)
ebd. ... ebenda
ed., Ed. ... editio, Edition
ehem. ... ehemalig, ehemals
eigtl. ... eigentlich
Einl. ... Einleitung
Enz. ... Enzyklopädie
Eph. ... Epheserbrief (N. T.)
Erg. ... Ergänzung
erh. ... erhalten
Esr. ... Esra (A. T.)
Est. ... Esther (A. T.)
e. V. ... eingetragener Verein
evang. ... evangelisch
Ew. ... Einwohner
Ex. ... Exodus (A. T.)
Ez. ... Einzahl; Ezechiel (A. T.)
f., ff. ... folgend, folgende (z. B. Seiten, Jahre)
Faks.-Ausg. ... Faksimileausgabe
Fam. ... Familie
Frhr. ... Freiherr
frz. ... französisch
Fstt. ... Fürstentum
Gal. ... Galerie, Galérie, Galleria; Galaterbrief (N. T.)
gegr. ... gegründet
Gem. ... Gemeinde
gen. ... genannt
Gen. ... General; Genesis (A. T.)
Gen.-Gouv. ... Generalgouvernement, Generalgouverneur
Ges. ... Gesetz; Gesellschaft
Gesch. ... Geschichte
Ges. W. ... Gesammelte Werke
gew. ... geweiht
Gfsch. ... Grafschaft
ggf. ... gegebenenfalls
Ghzgt. ... Großherzogtum
Gouv. ... Gouverneur, Gouvernement
grch. ... griechisch
H. ... Hälfte
Hab. ... Habakuk (A. T.)

Hag.	Haggai (A.T.)
Hb., Hbb.	Handbuch, -bücher
hd.	hochdeutsch
hebr.	hebräisch
Hebr.	Hebräerbrief (N.T.)
Hg.	Herausgeber(in)
hg. v.	herausgegeben von
Hi.	Hiob (A.T.)
Hl., hl.	Heilige(r), heilig
Hld.	Hohelied (A.T.)
Hos.	Hosea (A.T.)
Hs., Hss.	Handschrift(en)
HW	Hauptwerk(e)
Hwb.	Handwörterbuch
Hzgt.	Herzogtum
i. a.	im allgemeinen
i. d. R.	in der Regel
i. e. S.	im engeren Sinn
i. Ggs.	im Gegensatz
i. J.	im Jahre
internat.	international
i. S.	im Sinn
ital.	italienisch
i. w. S.	im weiteren Sinn
Jahrtsd.	Jahrtausend
Jak.	Jakobusbrief (N.T.)
Jb.	Jahrbuch
Jdt.	Judith (A.T.)
Jer.	Jeremia (A.T.)
Jes.	Jesaja (A.T.)
Jh.	Jahrhundert
Jo.	Joel (A.T.)
Joh.	Johannesevangelium (N.T.), Johannesbrief (N.T.)
Jon.	Jona (A.T.)
Jos.	Josua (A.T.)
jr.	junior, der jüngere
Jud.	Judasbrief (N.T.)
Kap.	Kapitel
Kat.	Katalog
kath.	katholisch
Kgr.	Königreich
Klgl.	Klagelieder des Jeremia (A.T.)
Kol.	Kolosserbrief (N.T.)
Kön.	Könige (A.T.)
Kor.	Korintherbrief (N.T.)
Kr.	Kreis
Kt.	Kanton
lat.	lateinisch
Lb.	Lehrbuch
Lev.	Levitikus (A.T.)
Lex.	Lexikon
Lfg.	Lieferung(en)
Lit.	Literatur
Lk.	Lukasevangelium (N.T.)
Lw.	Lehnwort
MA., ma.	Mittelalter, mittelalterlich
magy.	magyarisch
Makk.	Makkabäer (A.T.)
Mal.	Maleachi (A.T.)
max.	maximal
md.	mitteldeutsch
Metrop. Area	Metropolitan Area
Metrop. Cty.	Metropolitan County
mhd.	mittelhochdeutsch
Mi.	Micha (A.T.)
Mio.	Million(en)
Mitgl.	Mitglied
Mk.	Markusevangelium (N.T.)
mlat.	mittellateinisch
mnd.	mittelniederdeutsch
Mos.	Mose (A.T.)
Mrd.	Milliarde(n)
Mt.	Matthäusevangelium (N.T.)
Mus.	Museum, Musée, Museo
Mz.	Mehrzahl
N	Nord(en)
n.	nach
Nachdr.	Nachdruck
Nah.	Nahum (A.T.)
Nat.	National
n. Ausg.	neue Ausgabe
n. Chr.	nach Christi Geburt
Ndsachs.	Niedersachsen
Neh.	Nehemia (A.T.)
Neuaufl.	Neuauflage
ngrch.	neugriechisch
nhd.	neuhochdeutsch
nhg.	neu herausgegeben
nlat.	neulateinisch
NO	Nordost(en)
NÖ	Niederösterreich
NRW	Nordrhein-Westfalen
n. St.	neuen Stils
N. T.	Neues Testament
Num.	Numeri (A.T.)
NW	Nordwest(en)
O	Ost(en)
Ob.	Obadja (A.T.)
Offb.	Offenbarung des Johannes (N.T.)
o. J.	ohne Jahr
OÖ	Oberösterreich
orth.	orthodox
österr.	österreichisch
Petr.	Petrusbrief (N.T.)
PH	Pädagogische Hochschule
Phil.	Philipperbrief (N.T.)
Phlm.	Philemonbrief (N.T.)
Präs.	Präsident
prot.	protestantisch
Prov.	Provinz

Ps.	Psalmen (A. T.)
rd.	rund
ref.	reformiert
Reg.-Bez.	Regierungsbezirk
relig.	religiös
Rep.	Republik
Rheinl.-Pf.	Rheinland-Pfalz
Ri.	Richter (A. T.)
Röm.	Römerbrief (N. T.)
Russ. SFSR	Russische Sozialistische Föderative Sowjetrepublik
S	Süd(en)
S.	San, Santo, Santa, São
Sach.	Sacharja (A. T.)
Sam.	Samuel (A. T.)
Samml.	Sammlung
Schlesw.-Holst.	Schleswig-Holstein
Schriftst.	Schriftsteller
Sir.	Jesus Sirach (A. T.)
Skt.	Sanskrit
SO	Südost(en)
Spr.	Sprüche (A. T.)
SS.	Santi, Santissima, Santissimi
SSR	Sozialistische Sowjetrepublik
St.	Sankt, Saint
Ste.	Sainte
svw.	soviel wie
SW	Südwest(en)
Tb.	Taschenbuch
TH	Technische Hochschule
Thess.	Thessalonicherbrief (N. T.)
Tim.	Timotheusbrief (N. T.)
Tit.	Titusbrief (N. T.)
Tl., Tle.	Teil(e)
Tob.	Tobias (A. T.)
TU	Technische Universität
u. a.	unter anderem(n), und andere(s)
u. ä.	und ähnliche(s)
UdSSR	Sowjetunion
u. d. T.	unter dem Titel
ü. M.	über dem Meeresspiegel
u. M.	unter dem Meeresspiegel
Univ.	Universität, University, Université
urspr.	ursprünglich
USA	Vereinigte Staaten
usf.	und so fort
usw.	und so weiter
u. U.	unter Umständen
u. v. a.	und viele(s) andere
v. a.	vor allem
v. Chr.	vor Christi Geburt
Verf.	Verfasser
versch.	verschieden(e)
Verz.	Verzeichnis
vgl.	vergleiche
voll.	vollendet
Vors.	Vorsitzender
VR	Volksrepublik
W	Westen
Wb.	Wörterbuch
Weish.	Buch der Weisheit (A. T.)
Wiss.	Wissenschaft
WW	Weitere(s) Werk(e)
Wwschaft	Woiwodschaft
z. B.	zum Beispiel
Zeph.	Zephanja (A. T.)
z. T.	zum Teil
Ztschr.	Zeitschrift
zus.	zusammen
zw.	zwischen
z. Z.	zur Zeit
^{3}1977	3. Aufl. 1977
3(1977)	Band 3 (1977)

Weitere Zeichen: * geboren, † gestorben, ∞ verheiratet, ∅ Durchmesser.